Michael

Bo Bing English Grammar

薄 冰 英 语 语 法

薄 冰编著

开 明 出 版 社

（京）新登字 104 号

图书在版编目（CIP）数据

薄冰英语语法/薄　冰编著
北京：开明出版社，1998.3
ISBN 7-80133-181-8/G·149

Ⅰ.薄…　Ⅱ.薄…　Ⅲ.英语-语法　Ⅳ.H314

中国版本图书馆 CIP 数据核字（98）第 00914 号

责任编辑/焦向英　鲍世宽
版式设计/张柏年

薄冰英语语法

薄　冰编著
开明出版社出版
（北京海淀区西三环北路 19 号　邮编 100081）
新华书店北京发行所经销
深圳中华商务联合印刷有限公司印刷
大 32 开　20 印张
北京 1998 年 3 月第 1 版 深圳 2000 年 10 月第 20 次印刷
600,001～630,000 册

书号/ISBN 7-80133-181-8/G·149
定价/38.00 元

前　言

　　当今英语已成为一种国际性语言，其用途之广，可想而知。学习英语，和学习任何语言一样，自然应以模仿为主。但对成年人而言，由于成年人的理解力较强，凡事往往欲探知其理由，所以学习语法很有必要，可收到事半功倍的效果。

　　本书为实用英语语法，并为便于结合我国学生实际，皆采用传统语法体系，但也吸收了不少现代语法的新的成果。

　　我们曾为初学者编写过《英语语法手册》，也为大专院校的英语专业学生编写过《高级英语语法》。但在我们的英语语法系列中，尚缺一部可供高中、大专院校非英语专业学生以及广大需要进修的自学者学习的英语语法。现在这部语法就填补了这一空白。

　　这部英语语法的最大特点，除其完整性与系统性之外，就在于其"新"。首先，它具有不少新的内容；举其荦荦大者，即如"否定结构"。其次，有一些新的编排，如将"it 的用法"编入"代词"一章，将"句型的转换"编入"句子的种类"一章。第三，例句丰富，并且比较新颖，大都是当代的有原汁原味的英语。但请注意，本书例句的译文只为理解服务。

　　学习语法，通读固不无好处，但如要做到熟悉或精通，则须在学习的过程中，不断地查阅才行，就像经常查阅英语词典一样。本书备有较详细的目录，即亦为检索而用。

　　最后，我们衷心地感谢开明出版社社长焦向英同志。在他的大力协助下，本书才得以与广大读者见面。

　　本书一定还有不少缺点错误，尚望专家与读者批评指正。

编　者
1998 年 1 月 30 日
于北京外国语大学

目　录

第一章　绪　论

第二章　名　词

一、概　说

二、名词的数

第三章 冠　词

一、概　说

二、定冠词

三、不定冠词

四、零冠词

第四章 代　　词

一、概　说

二、人称代词

三、物主代词

四、反身代词

五、相互代词

六、指示代词

第五章　数　　词

第六章　动词概说

第七章　动词的时态

一、现在一般时

八、过去将来完成时

九、现在进行时

十、过去进行时

十一、将来进行时

十二、过去将来进行时

十三、现在完成进行时

十四、过去完成进行时

第十章　非限定动词

一、概　说

二、不定式

三、动名词

第十一章　虚拟语气

第十二章　形容词、副词

一、形容词

二、副　词

三、形容词、副词的的比较等级

第十三章　介词、连词、感叹词

一、介　词

二、连　词

三、感叹词

第十四章　句　子

第十五章　句子的种类

第十六章　句子的类型

第十七章　句子分析

第十八章　数的一致

第十九章　省略、倒装

一、省　略

二、倒　装

第二十章 标点符号

第一章 绪 论

1·1 英语概说

英语是盎格鲁-撒克逊人的民族语。它属于印欧语系的日耳曼西部语支。英语的形成大约是在公元五世纪；它是在一千五百余年的漫长历史过程中发展起来的。

英语有三个重要特征。其一是它的屈折变化形式相对较少：除名词、代词、动词、形容词和副词有变化外，数词、介词、连词、冠词和感叹词都是不变的。其二是它的词汇的开放性：英语词汇一半为日耳曼语族词汇，一半为罗曼语族词汇，还有许多从希腊语、荷兰语、意大利语、西班牙语、德语、阿拉伯语以及其它语言引进的词汇。其三是它的句法的灵活性：英语只有三种句子结构，即简单句、并列句和复合句；词序比较固定。

英语现已是一种国际性语言。在当代各种国际活动中，英语用得最为广泛。

1·2 本书性质

概略地说，当代英语语法体系有结构语法、转换生成语法和传统语法等三大种。本书为了结合我国英语教学实际，故采用了传统语法体系，但也含有一些当代英语语法的新成就和编者个人的一些研习语法的心得。

本书是编者所编著的实用英语语法系列中的一种。它是一部属于中等层次的英语语法，与高层次的《高级英语语法》和较低层次的《英语语法手册》构成一较为完整的英语语法系列。它的主要对象是具有初级以上程度的读者，如属于这种程度的高中、大专学生以及英语自学者等。

1·3 词类

英语的词有实词（notional word）与虚词（form word）两种。实词都有实义，共有六类：

1）名词（noun，缩写式为 n.），如 book，water。
2）代词（pronoun，缩写式为 pron.），如 I，you。
3）形容词（adjective，缩写式为 a. 或 adj.），如 clear，happy。
4）数词（numeral，缩写式为 num.），如 four，sixty。

5）动词（verb，缩写式为 v.），如 come，take。

6）副词（adverb，缩写式为 ad. 或 adv.），如 here，today。

虚词没有实义，共有四类：

7）冠词（article，缩写式为art.），如 a，the。

8）介词（preposition，缩写式为 prep.），如 of，to。

9）连词（conjunction，缩写式为 conj.），如 and，or。

10）感叹词（interjection，缩写式为 int.），如 oh，alas。

yes 和 no 可列入副词一类，因为它们很像用作句子独立成分的副词。

英语里有不少词可属于几个不同词类，如 study 既可属于动词，亦可属于名词；fast 既可属于形容词，亦可属于副词；for 既可属于介词，亦可属于连词；after 则既可是介词与连词，又可是副词。

本书还有三种由短语构成的词类：

1）短语动词（phrasal verb），如 get up，call on，take care of。

2）短语介词（phrasal preposition），如 because of，instead of，in front of。

3）短语连词（phrasal conjunction），如 as if，so that，as long as。

此外，还有一种叫做从属关联词（subordinate correlative）的词类，即引导从句的连词、疑问代词、疑问副词、关系代词、关系副词、缩合连接代词和缩合连接副词。

1.4 句子成分

一个句子一般皆由两部分组成，即主语部分（subject group）和谓语部分（predicate group）。如：

(1) Professor Ward teaches English to university students.

沃德教授给大学生教英语。

句中的 Professor Ward 即是主语部分，teaches English to university students 即是谓语部分。

句子成分（members of the sentence）是句子中起一定功用的组成部分。句子由各个句子成分所构成。

句子成分共有六种：

1）主语（subject）是一句的主体，是全句述说的对象，常用名词或相当于名词的词担任，一般置于句首。如：

(2) The *sun* is shining in our faces.

阳光正照射在我们脸上。

（3）*I* respect his privacy.

　　我尊重他的隐私权。

2）谓语或谓语动词（predicate or predicate verb）是说明主语的动作或状态的，常用动词担任，置于主语之后。如：

（4）Twilight *was falling* as Martin *left* the fruit store.

　　当马丁离开水果店时，黄昏开始降临。

（5）The play *began* at eight，so they *must dine* at seven.

　　戏 8 点钟开演，所以他们必须 7 点钟吃饭。

"谓语或谓语动词"专指动词部分（包括动词短语）。它与"谓语部分"不同，二者不可混淆。

3）宾语（object）是表示及物动词的动作对象和介词所联系的对象的，常由名词或相当于名词的词担任，置于及物动词或介词之后。如：

（6）One must endorse a *cheque* before one cashes *it.*

　　支票兑现前必须先签字。

（7）Thomas received a *warning* for *speeding.*

　　托马斯收到了一张超速行车警告单。

（8）She gave a *roar* of *pain.*

　　她发出一声痛苦的吼叫。

4）补语（complement）和表语（predicative），补语是用来补充主语和宾语的意义的，一般都着重说明主语或宾语的特征，常由名词或形容词担任。表语就是位于连系动词之后的主语补语。如：

（9）Hill was declared the *winner* of the fight.

　　希尔被宣布为这次拳击赛的获胜者。（主语补语）

（10）I consider the book *expensive.*

　　我认为这本书贵。（宾语补语）

（11）John Stuart Mill was an early *feminist.*

　　约翰·斯图尔特·米尔是早期的女权主义者。（表语）

5）定语（attribute）是限定或修饰名词或相当于名词的词的，常由形容词或相当于形容词的短语或从句担任。形容词常置于名词之前，相当于形容词的短语或从句常置于名词之后。如：

（12）The *whole* house was ill with the mumps.

　　全家人都患了腮腺炎。

（13）John had a *great* desire *to travel.*

　　约翰很想旅行。

(14) Children *who live by the sea* usually begin to swim at an early age.

　　生活在海边的孩子通常很小就开始游泳。

　6）状语（adverbial）是修饰动词、形容词、副词以及全句的，常由副词或相当于副词的短语或从句担任。修饰动词时，可置于动词之前，亦可置于动词之后；修饰形容词或副词时，常置于它们之前。如：

(15) Alex did *badly* on exam.

　　亚历克斯考得不好。

(16) Houses are *so* expensive now that we *simply* can't afford to buy one.

　　现在房子这样贵，我们简直买不起。

(17) *Frankly*, I don't think the plan will succeed.

　　说实在的，我不认为这个计划会成功。

(18) He ran up to her *breathing heavily.*

　　他气喘吁吁地跑到她跟前。

(19) *As I approached*, Reid gave me a nod of greeting.

　　当我走近时，雷德向我点头致意。

　　此外，还有一种叫做句子独立成分（independent element of the sentence）的句子成分。它与全句没有语法关系，如感叹词、称呼语和插入语等。如：

(20) — Is it raining?

　　　　下雨了吗？

　　— *No*, it's snowing.

　　　　不，在下雪。

(21) *Miss,* what time is flight 452 for Boston due to depart?

　　小姐，去波士顿的 452 次航班预定几时起飞？

虚词在句子中一般不担任句子成分，其位置常常比较固定。

冠词置于名词之前。如：

(22) Karl bought *a* video recorder.

　　卡尔买了一台录像机。

(23) Where is *the* Caribbean Sea?

　　加勒比海在哪儿？

介词一般置于名词或代词之前。如：

(24) My car broke down *on* the highway.

　　我的车在公路上抛锚了。

(25) This fact has little significance *for* us.

这个事实对我们没什么重要意义。

连词置于词与词、短语与短语、分句与分句、主句与从句之间，或置于从句之首。如：

(26) Discussions *and* debates are my favourite way of learning.

探讨和辩论是我特别喜爱的学习方法。

(27) You had to have a job *or* go hungry.

你得找一份工作，不然就挨饿。

(28) Most students in the class score eighty percent and above，*but* John is the exception.

班里大多数学生的考分都在 80 分或 80 分以上，但约翰却是例外。

(29) Henry is afraid he'll gain weight *if* he stops smoking.

亨利害怕不抽烟会发胖。

(30) *Although* it was barely four o'clock，the lights were already on.

虽然才 4 点钟，灯已经亮了。

感叹词往往用于句首。如：

(31) *Oh* ，please don't ask me any more.

哎呀，请别再问我。

1.5 短语

短语或词组(phrase)是具有一定意义但不构成分句或句子的一组词。短语在句子中可以单独作为一种句子成分。短语的种类有：

1) 名词短语 (noun phrase)，其句子功用相当于名词。如：

(1) My cousin is *a university student.*

我表弟是个大学生。

(2) *Brown's formal title* is "Professor"，but he prefers to be called "Mr".

布朗的正式头衔是"教授"，但他宁愿别人称他"先生"。

2) 动词短词 (verb phrase)，其句子功用相当于动词。如：

(3) I *can't believe* John has failed.

我不能相信约翰不及格。

（4）The new books *will have been entered* in the register before another parcel arrives.

　　这些新书在下一批书到来前将登记完毕。

3) 形容词短语 (adjectival phrase)，其句子功用相当于形容词。如：

（5）Her little stories are *very charming indeed.*

　　她讲的小故事确实很吸引人。

（6）The clouds soon cleared away and it became *quite warm.*

　　乌云很快消失，天气变得十分和暖。

4) 副词短语 (adverbial phrase)，其句子功用相当于副词。如：

（7）Joan plays the piano *very nicely.*

　　琼钢琴弹得很好。

（8）He didn't work *hard enough* and so he failed the examination.

　　他不够用功，所以考试没有及格。

5) 介词短语 (prepositional phrase)，其句子功用很多，但常用作状语。如：

（9）The car is waiting *at the gate.*

　　车在大门口等着。

（10）The earth goes *round the sun.*

　　地球绕太阳转。

6) 不定式短语 (infinitive phrase)，其句子功用相当于不定式。如：

（11）*To eat three times a day* is healthy.

　　一日三餐有益健康。

（12）Your job will be *to look after the children.*

　　你的工作将是看孩子。

7) 动名词短语 (gerundial phrase)，其句子功用相当于动名词。如：

（13）*Watching TV* is a pleasure.

　　看电视是一件乐事。

（14）Mary's mother enjoys *listening to music.*

　　玛丽的母亲喜欢听音乐。

8) 分词短语 (participial phrase)，其句子功用相当于分词。如：

(15) The woman *washing the dishes* is my aunt.

洗盘子的那个妇女是我姑妈。

(16) *Walking home*，the girl was frightened by a noise.

这个女孩走回家时被一种响声吓了一跳。

(17) *Located on an island in the Seine River*，the Cathedral of Notre Dame is one of the famous landmarks in Paris.

坐落在塞纳河一个岛上的圣母院是巴黎著名的地标之一。

(18) *When formed with copper*，aluminum alloys are quite strong.

铝与铜形成合金，就变得十分坚硬。

此外，还有一种"固定词组"（set phrase），即词序与意义皆已固定的习语。如：

(19) Dr. Smith is to leave *at once.*

史密斯大夫将立即离去。

1.6 从句（subordinate clause）：

从句有以下几种：

1) 主语从句（subject clause），如：

（1）*How this happened* is not clear to anyone.

这件事怎样发生的，谁也不清楚。

（2）*That we shall be late* is certain.

我们将迟到是确定无疑的了。

2) 表语从句（predicative clause），如：

（3）The trouble is *that I have lost his address.*

麻烦的是我把他的地址丢了。

（4）That is *what he meant.*

这就是他的意思。

3) 宾语从句（object clause），如：

（5）The seller demanded *that payment should be made within five days.*

卖方要求五日内付款。

（6）She asked me *which I liked best.*

她问我最喜欢哪一个。

4) 定语从句（attributive clause），如：

（7） A man *who sells books in a shop* is called a bookseller.

开店售书的人叫做书商。

（8） The man *who I saw* is called Smith.

我见到的那个人名叫史密斯。

5）状语从句（adverbial clause），如：

（9） A telegram came *after you had gone.*

你走后来了一封电报。

（10） The house stood *where three roads met.*

这栋房子坐落在三岔路口。

（11） *If she asks me* , I'll tell her.

如果她问我，我就告诉她。

（12） *So far as I know* , he is trustworthy.

就我所知，他是值得信任的。

6）同位语从句（appositive clause），如：

（13） The fact *that the money has gone* does not mean it was stolen.

那笔钱不见了这一事实并不意味着是被盗了。

（14） The suggestion *that the new rule be adopted* came from the chairman.

采纳新规则的建议是主席提出的。

1.7 句子

句子(sentence)是具有主语部分和谓语部分并有完整意义的可以独立的一组词。在英语里，句子的基本结构有下列五种：

1）主语＋谓语（SV），如：

（1） Day dawns.

天亮了。

2）主语＋谓语＋宾语（SVO），如：

（2） Ruth understands French.

露丝懂法语。

3）主语＋谓语＋间接宾语＋直接宾语（SVOO），如：

（3） He told us the whole story.

他把全部经过告诉了我们。

4）主语＋谓语＋主语补语（SVC）或主语＋连系动词＋表语（SLP），如：

（4）He died a poor man.

　　他穷困而死。

（5）Tom's father is a professor.

　　汤姆的父亲是一位教授。

5）主语＋谓语＋宾语＋宾语补语（SVOC），如：

（6）He found George intelligent.

　　他发现乔治很聪明。

根据句子的结构，句子可分为：

1）简单句（simple sentence），一个含有主语（或并列主语）和谓语（或并列谓语）的句子。如：

（7）Thomas Edison was born in Milan, Ohio, on February 11, 1847.

　　托马斯·爱迪生1847年2月11日生于俄亥俄州的米兰。

（8）Fire and water do not agree.

　　水火不相容。

（9）Caroline came into the classroom and sat down.

　　卡罗琳走进教室坐了下来。

2）并列句（compound sentence），由等立连词把两个或两个以上的简单句（叫做分句）合成的句子。如：

（10）I came home early, but she remained to the end of the concert.

　　我很早就回家了，而她却待到音乐会结束。

3）复合句（complex sentence），由关联词把主句和一个或一个以上从句合成的句子。如：

（11）He said he would come in the evening.

　　他说他晚上来。

如果并列句中的两个分句又内含从句的话，那就成为一种更加复杂的并列复合句（compound complex sentence）。如：

（12）While the men worked to strengthen the dam, the rain continued to fall, and the river, which was already well above its normal level, rose higher and higher.

　　在人们奋力加固堤坝时，雨继续下个不停；早已大大超过正常水位的河水，越涨越高。

根据句子的目的或用途，句子又分为：

1）陈述句（declarative sentence）用以陈述事实。如：

(13) The sun rises in the east.

太阳从东方升起。

2) 疑问句（interrogative sentence）用以提出问题。如：

(14) Who is standing at the window?

谁站在窗前？

3) 祈使句（imperative sentence）用以表示请求、命令等。如：

(15) Open the window，please.

请把窗户打开。

4) 感叹句（exclamatory sentence）用以表示喜怒哀乐等强烈感情。如：

(16) How spotless the snow is!

多么洁白无瑕的雪啊！

第二章 名 词

一、概 说

2·1 名词的定义和特征

名词是表示人、事物和抽象概念等的词。如：

girl	女孩	city	城市
war	战争	notebook	笔记本
honesty	诚实	family	家庭
milk	牛奶	painting	画
Henry	亨利	London	伦敦
The United states of America		美利坚合众国	

在英语中，名词是最重要的词类之一。名词有以下特征：

1）有复数 -s 或 -es 的屈折变化形式。多数名词都有这种复数形式。如：

（1）Jack shrugged his **shoulders.**

杰克耸耸肩膀。

（2）David stands six feet three **inches.**

戴维身高 6 英尺 3 英寸。

2）与冠词（包括零冠词）或其它限定词连用。如：

（3）**The chocolate** temporarily satisfied Ruth's **hunger.**

巧克力暂时解了露丝的饥饿。

（4）**Some substances** resist **the action** of **acids.**

有些物质有抗酸作用。

3）有固定的词序。在陈述句中，名词作主语时一般位于谓语动词之前，作宾语时一般位于谓语动词之后。如：

（5）The **organ** played a solemn **music.**

风琴奏出了一支庄严的乐曲。

（6）The **sun** evaporated the **dew.**

阳光蒸发了露水。

4）有独特的后缀形式。许多名词的派生后缀非常明显，容易识别。如：

-er：worker 工人，writer 作者，reader 读者，manager

经理

-or：actor 演员，editor 编辑，professor 教授，tractor
拖拉机

-ment：agreement 同意，movement 运动，amusement
娱乐，government 政府

-ness：goodness 优良，illness 疾病，happiness 愉快，
coldness 寒冷

-ion：decision 决定，competition 竞赛，foundation 基
础，construction 建设

-ity：reality 现实，purity 纯洁，flexibility 韧性，
complexity 复杂性

-ance (-ence)：performance 演出，assistance 帮助，
independence 独立，existence 存在

-ure：failure 失败，departure 启程，exposure 暴露，
seizure 夺取

-al：arrival 到达，approval 批准，denial 否定，refus-
al 拒绝

名词有三个语法范畴，即名词的数、格和性。

2.2 名词的种类

名词可以根据其意义分为普通名词 (common noun) 与专有名
词 (proper noun)。如：

(1) John is a student.

约翰是一名学生。

student 即是普通名词，John 即是专有名词。

普通名词前可以用不定冠词 a /an、定冠词 the 或零冠词，专有
名词前一般皆用零冠词。专有名词的首字母要大写。

普通名词又可分为类名词、集体名词、物质名词和抽象名词四
种：

类名词：book 书，table 桌，house 房子

集体名词：family 家庭，crowd 人群，army 军队

物质名词：milk 牛奶，water 水，honey 蜜

抽象名词：honesty 诚实，happiness 幸福，love 爱

名词可以根据其可数性再分为可数名词与不可数名词。

类名词和集体名词大多可数。如：

a girl 一个女孩 a chair 一把椅子

a horse 一匹马   a family 一个家庭

a tree 一棵树   an army 一支军队

表示物质、动作和抽象概念的名词大多不可数。如：

milk 牛奶   thinking 思想

glass 玻璃   anger 愤怒

drinking 饮   honesty 诚实

此外，名词还可以根据其形式分为简单名词与复合名词。

简单名词由单个名词组成。如：

mother 母亲   opinion 意见

society 社会   vase 花瓶

wine 酒   work 工作

复合名词由单个名词加一个或一个以上的名词或其它词类组成。如：

raincoat 雨衣   airman 飞行员

sight-seeing 观光   walking stick 拐杖

self-consciousness 自觉 woman worker 女工

2.3 可数名词与不可数名词的区分

在英语中，区分可数名词与不可数名词非常重要。

区分可数名词与不可数名词，单纯依靠常识（即数数的方法）并不十分准确。由于语言的差异，在名词的可数概念上，英语同汉语并不完全一致。例如英语中的 duty（责任）是可数的，但在汉语中往往是不可数的。反之，汉语中的"肥皂"是可数的，而在英语中 soap 则是不可数的。此外，有许多一般不可数的名词在一定的上下文中也可以用作可数名词。如：

（1）Do you want tea or *coffee*？

您要茶还是咖啡？（不可数）

（2）Two *coffees*, please.

请给两杯咖啡。（可数，等于 two cups of coffee）

还有，抽象名词本应是不可数的，但英语中亦有不少是可数的，如 hope（希望），experience（经历）等。

对名词可数性有疑问时，最可靠的方法是查阅标有〔C〕（可数）和〔U〕（不可数）的英英或英汉词典。

2.4 专有名词

专有名词是表示个别的人、地、事物等所特有的名称。专有名词

大致有以下几类:

1) 人名, 如:

Andrews 安德鲁斯 (姓)	Mathew 马修 (男名)
Laura 劳拉 (女名)	Kennedy 肯尼迪 (姓)
Julia 朱莉娅 (女名)	Sumuel 塞缪尔 (男名)

Jack Wilson 杰克·威尔逊 (男人姓名)

Margaret Jane Smith 玛格丽特·珍妮·史密斯 (女人姓名)

有时可与表示称呼、称号或职务的普通名词连用。如:

Mr. Hopkins 霍普金斯先生

Mr. and Mrs. Johnson 约翰逊夫妇

Lady Priestley 普里斯特利夫人

Dr. Brown 布朗博士

Professor Grey 格雷教授

Lord Nelson 尼尔森勋爵

Sir Basil Spence 巴兹尔·斯彭斯爵士 (缩略时只能略去姓, 即为 Sir Basil)

Captain O'Conner 奥康纳船长

General Patton 巴顿将军

Governor Rockefeller 洛克菲勒州长

Judge Fox 福克斯法官

Cardinal Spellman 斯佩尔曼红衣主教

有些人名带定冠词。如:

the Emperor Napoleon 拿破仑皇帝

the Lord 上帝

the Duke of Wellington 韦林顿公爵

the Countess of Derby 德比伯爵夫人

2) 地名, 如:

Europe 欧洲	Antarctica 南极洲
America 美洲	Asia 亚洲
Australia 澳大利亚	Canada 加拿大
Brazil 巴西	India 印度
Hawaii 夏威夷 (美国州名)	Scotland 苏格兰
Brussels 布鲁塞尔	Boston 波士顿
New York 纽约	Birmingham 伯明翰
Berkshire 巴克夏 (英国郡名)	

Wisconsin 威斯康星（美国州名）

有些地名常与普通名词连用。如：

Loch Ness	尼斯湖	Lake Michigan	密执安湖
Port Said	塞得港	Pearl Harbour	珍珠港
Mont Blanc	勃朗峰	Mount Qomolangma	珠穆朗玛峰
Wall Street	华尔街	Madison Avenue	麦迪逊大街
Hyde Park	海德公园	Washington Square	华盛顿广场
Canterbury Cathedral	坎特伯雷大教堂		

有些地名带定冠词。如：

the Crimea	克里米亚	the Hudson River	哈得孙河
the Hague	海牙	the Atlantic Ocean	大西洋
the Sudan	苏丹	the Suez Canal	苏伊士运河
the Ukraine	乌克兰	the Persian Gulf	波斯湾
the Alps	阿尔卑斯山	the West Indies	西印度群岛

3）时间名，如：

May	五月	September	九月
Sunday	星期日	Thursday	星期四
Christmas Day	圣诞节	New Year's Eve	新年除夕
Thanksgiving Day	感恩节	Ramadan	斋月

4）报刊名，如：

Time	《时代》周刊	*Punch*	《笨拙》周刊
New Statesman	《新政治家》周刊	*Life*	《生活》周刊
Saturday Evening Post	《星期六晚邮报》		

许多报刊名带定冠词。如：

the Economist 《经济学家》

the New Yorker 《纽约人》

the Guardian 《卫报》

the Washington Post 《华盛顿邮报》

但有的报刊的定冠词须大写，如 *The Times*（泰晤士报）。

5）单位团体名多含普通名词，常带定冠词。如：

the Conservative Party 保守党

the Central Intelligence Agency（CIA） 中央情报局

the Associated Press 美联社

the British Museum 不列颠博物馆

the United Nations 联合国

也有些团体名常不带定冠词。如：

Congress 美国国会   Parliament 英国议会
含地名的大学一般有两种形式。如：

the University of London/London University 伦敦大学
the University of California /California State University
加利福尼亚州立大学

以人名命名的大学则只有一种形式。如：

Yale University 耶鲁大学
Brown University 布朗大学

2.5 复合名词

复合名词在英语中很常见，而且不断有新词出现。它由名词、动词、副词、形容词以及介词组合而成，一般包含两部分。如：

bedroom 卧室   chairman 主席
earthquake 地震   hair style 发型
letter-box 信箱   machine gun 机关枪
railway 铁路   sea-bird 海鸟

有时包含三个部分，其中一部分为介词。如：

commander-in-chief 总司令   daughter-in-law 儿媳
mother-of-pearl 珍珠母   good-for-nothing 废物

1）复合名词的构成大致有九种：

a）名词＋名词，如：

daylight 白昼   goldfish 金鱼
handbag 手袋   nightdress 睡衣
oil well 油井   snowball 雪球
teapot 茶壶   warhorse 军马

b）名词＋动词，如：

rainfall 降雨   haircut 理发
book-keeping 簿记   horse-riding 骑马

c）名词＋副词，如：

passer-by 过路人   hanger-on 食客

d）动词＋名词，如：

turntable 转台   washing machine 洗衣机
punchcard 打孔卡   chewing gum 口香糖
swimming-pool 游泳池   writing desk 写字台

e）动词＋副词，如：

break-in 闯入   make-up 组成

take-off　起飞　　　　warm-up　热身动作

f) 形容词＋名词，如：

greenhouse　温室　　　blackboard　黑板

shorthand　速记　　　　blueprint　蓝图

g) 形容词＋动词，如：

dry-cleaning　干洗

h) 副词＋名词，如：

onlooker　旁观者　　　bystander　旁观者

i) 副词＋动词，如：

offset　分支　　　　　outlet　出口

income　收入　　　　　downturn　向下

2) 复合名词的形式有三种：

a) 两部分连写。如：

bookshop　书店　　　　motorcycle　摩托车

lipstick　唇膏　　　　　earrings　耳环

yearbook　年鉴　　　　tablecloth　桌布

fireplace　壁炉　　　　typewriter　打字机

b) 两部分用连字符连接。如：

ice-cream　冰淇淋　　　baby-sitter　临时保姆

self-control　自制　　　man-eater　食人者

drive-in　露天影院　　　air-conditioning　空调

summing-up　总结　　　go-between　中间人

c) 两部分分写。如：

post office　邮局　　　　toilet paper　卫生纸

film star　影星　　　　bus stop　公共汽车站

side road　侧道　　　　credit card　信用卡

data bank　数据库　　　talcum powder　滑石粉

　　至于有的名词连写，有的名词不连写，有的名词用连字符，并无规则可循，须查辞书解决。

3) 复合名词的重音一般在第一个词上。如：

a 'blackbird　黑鹂（以别于 a black 'bird 黑色的鸟）

the 'White House　白宫（以别于 the white house 白色的房子）

(an 'English teacher "英语教师" 与 an English 'teacher "英国教师" 的区别与此类似)

2·6　名词化

除上述各种名词外，还有一种由其它词类形式构成的名词。这种由其它词类构成名词的现象叫做名词化（substantivization）。名词化的词类主要有下列四类：

1) 名词化的形容词，如：

rich　富人	dumb　哑巴
poor　穷人	sick　病人
blind　盲人	Scotch　苏格兰人

2) 名词化的过去分词，如：

wounded　伤员	accused　被告
unknown　未知之人或事	beloved　心爱的人
outcast　流亡者	firstborn　初生儿

3) 名词化的动名词，如：

feeling　感情	suffering　苦难
thinking　思想	writing　作品
printing　印刷	building　建筑物

4) 名词化的基数词，如：

on all *fours*　匍匐

in his *sixties*　他 60 多岁

名词化的序数词，如：

from the *first*　从一开始（first＝beginning）

need a *fourth* in the game　三缺一

除上述词类可用作名词外，其它词类以及短语等也都可以用作名词。如：

（1）I am not a *somebody* , but a *nobody* .

我不是什么重要人物，而只是一个无名之辈。（代词 somebody，nobody 用作名词）

（2）Did you enjoy your *swim* ?

你游泳游得痛快吗？（动词 swim 用作名词）

（3）Motion requires a *here* and a *there* .

运动需要从这一点到那一点。（副词 here 和 there 用作名词）

（4）But me no *buts* .

你不要给我说"但是"、"但是"了。（连词 but 用作名词）

（5）Did you say " *for* " or " *against* "?

你说的是赞成还是反对？（介词 for 和 against 用作名

词）
（6）*Haw-haws* filled the hall.

　　大厅响彻了哈哈的笑声。（感叹词 haw-haw 用作名词）

（7）How do you spell *"across"* ?

　　怎么拼 across 呢?（介词 across 用作名词）

（8）Go and have a *lie down.*

　　去躺一躺吧。（短语动词 lie down 用作名词）

（9）Will *by and by* do?

　　稍后些时行吗?（固定词组 by and by 用作名词）

另外，有许多固定词组已经变成了复合名词，如：

　　to-do　吵闹

　　touch-me-not　含羞草

　　well-being　幸福，福利

　　has-been　过时的人或物

　　might-have-been　本可成功的人或本可做到的事

　　right-about-face　180 度大转弯

2.7　名词的功用

名词在句中可用作多种句子成分。

1）用作主语。如：

（1）The *boy* broke his arm yesterday.

　　这男孩昨天把胳膊折了。

（2）*William* wants to become a judge.

　　威廉想当一名法官。

（3）A *watermelon* is much sweeter than a lemon.

　　西瓜比柠檬甜得多。

2）用作宾语。如：

（4）We lost our *way.*

　　我们迷路了。（动词宾语）

（5）Jeanette rarely misses a football *game.*

　　珍妮特难得错过一场足球赛。（动词宾语）

（6）They've been working from *morning* to *night.*

　　他们从早到晚一直在干活儿。（介词宾语）

3）用作补语。如：

（7）Mark is considered a good *officer.*

　　马克被认为是个好军官。（主语补语）

（8） The parents christened their son *John.*

这对父母为他们的儿子施洗礼时命名其为约翰。（宾语补语）

（9） The doctor is a *specialist* in diseases of heart.

这位大夫是一名心脏病专家。（表语）

4）用作定语。如：

(10) The *air* conditioning works well.

空调工作正常。

(11) The *ship's* crew stood on deck.

全体船员都站在甲板上。

(12) The *humanities* professor didn't give us any home-work tonight.

人文学教授今晚没有给我们布置任何作业。

5）用作同位语。如：

(13) Marilyn Monroe，a famous movie *star*，committed suicide.

著名影星玛丽莲·梦露自杀了。

(14) Influenza，a common *disease*，has no cure.

流行性感冒是一种常见病，无特效药。

(15) Paul Jones，the distinguished art *critic*，died in his sleep last night.

保罗·琼斯，这位杰出的艺术批评家，于昨晚在睡梦中长逝。

6）用作状语。如：

(16) Wait a *moment* !

等一会儿!

(17) The watch costs ten *pounds.*

这只表值 10 英镑。

(18) We must get together again some *day.*

我们得找一天再聚聚。

7）用作独立成分。如：

(19) *Miss*，can you give me change for a dollar?

小姐，你能给我换一美元钱吗?

(20) *Martha*，you look tired.

玛莎，你看来倦了。

(21) Your **honour** , I found this man outside St. Andrew's church an hour ago.

阁下，一小时前我发现这个汉子在圣安德鲁教堂外面。

二、名 词 的 数

2.8 数的含义和种类

数（number）是名词的语法范畴之一。英语名词可分为单数和复数：单数（singular）表示"一"；复数表示"多于一"。一以下亦为单数，一以上即为复数，如：one half day（半天），one day（一天），one and a half days（一天半），two days（二天），one or two days（一两天）。

名词的数（作主语时）决定谓语动词的数。

名词的数包含着两个内容：一是数的概念（简称数念），一是数的形式（简称数形）。在多数情况下，数形与数念是一致的，即单形名词表示单数概念，复形名词表示复数概念。如：

（1）The **pen** is mightier than the **sword**.

笔胜于剑。（单形名词 pen 与 sword 表单数概念）

（2）Two **heads** are better than one.

两人智慧胜过一人。（复形名词 heads 表复数概念）

然而，在某些情况下，数形与数念并不一致。如：

（3）Can **man** be free if **woman** is a slave?

女人如是奴隶，男人难道会自由吗？（单形名词 man 和 woman 表复数概念）

（4）The **barracks** is quite new.

这营房相当新。（复形名词 barracks 表单数概念）

单就数形而言，英语中大多数单形可数名词都可以通过加后缀 -s (-es) 的方法变为复数形式，小部分可数名词可通过改变内部元音或加其它后缀的方法变为复数形式。不可数名词一般只有单形，没有复形；而复形名词等则只有复形，没有单形。专有名词一般只有单形，但少数专有名词却有复形。归纳起来，名词的数的形式有：

1）规则复形名词

可数名词，如 dog — dogs，book — books

2）不规则复形名词

可数名词，如 foot — feet，child — children

通形名词，如 fish，sheep

外来词，如 criterion — criteria，bureau — bureaux
3）单形不变名词
普通名词，如 butter，soap，courage
专有名词，如 John，James
4）复形不变名词
以-s 结尾的复数名词，普通名词如 scissors，trousers，
clothes，arms，专有名词如 the Alps，the West Indies

2.9 名词的规则复数形式

名词的复数形式，一般在单数形式后面加 -s 或 -es。现将构成方法与读音规则列表如下：

构成方法	读 音	例 词
在词尾加-s	1. 在清辅音后读作 /s/ 2. 在浊辅音后读作 /z/	1. desk — desks/ desks/ 书桌 map — maps/mæps/ 地图 boat — boats/ bəuts/船 lake — lakes/ leiks/ 湖 2. field — fields/fiːldz/田地 dog — dogs/dɔgz/狗 sea — seas/siːz/海 machine — machines/məˈʃiːnz/ 机器
1. 在以/ s，z，ʃ，ʒ，tʃ，dʒ/等音结尾的名词之后加-es 2. 如词尾为 e，只加-s	-(e)s 读作 /iz/	1. class — classes/ˈklɑːsiz/ 班级 buzz — buzzes/ˈbʌziz/嗡嗡声 dish — dishes/ˈdiʃiz/盘 church — churches/ˈtʃəːtʃiz/ 教堂 2. horse — horses/ˈhɔːsiz/ 马 bridge — bridges/ˈbridʒiz/ 桥 page — pages/ˈpeidʒiz/ 页 mirage — mirages/ˈmirɑːʒiz/ 幻景

构成方法	读 音	例 词
如词尾为-f或-fe，则一般变为-ves	-ves 读作 /vz/	leaf — leaves /liːvz/ 叶 thief — thieves /θiːvz/ 小偷 shelf — shelves /ʃelvz/ 搁板 knife — knives /naivz/ 小刀
以辅音＋y结尾的名词，变 y 为 i，再加-es	-ies 读作 /iz/	party — parties /ˈpɑːtiz/ 政党 factory — factories /ˈfæktriz/ 工厂 family — families /ˈfæmiliz/ 家庭 university — universities /ˌjuːniˈvəːsitiz/ 大学
以元音＋y结尾的名词，加-s	-s 读作 /z/	boy — boys /bɔiz/ 男孩 ray — rays /reiz/ 光线 toy — toys /tɔiz/ 玩具 guy — guys /gaiz/ 家伙
以辅音＋o结尾的名词，加-es	-es 读作 /z/	hero — heroes /ˈhiərəuz/ 英雄 echo — echoes /ˈekəuz/ 回声 potato — potatoes /pəˈteitəuz/ 土豆 tomato — tomatoes /təˈmɑːtəuz/ 番茄
以元音＋o结尾的名词，加-s	-s 读作 /z/	bamboo — bamboos /bæmˈbuːz/ 竹子 embryo — embryos /ˈembriəuz/ 胚胎 radio — radios /ˈreidiəuz/ 收音机 zoo — zoos /zuːz/ 动物园
以-th结尾的名词，加-s	1. 在长元音后，-ths读作 /ðz/ 2. 在短元音或辅音后，-ths读作 /θs/	1.bath — baths /bɑːðz/ 洗澡 　path — paths /pɑːðz/ 小径 2.moth — moths /mɔθs/ 蛾 　month — months /mʌnθs/ 月份

但上述情况有一些例外：

1) 只有一个 /s/ 音结尾的名词，复数形式读作 /ziz/，即：

    house — houses/hauziz/

2) 以 -f 或 -fe 结尾可变为 -ves 的名词还有：

calf — calves	小牛	elf — elves	小精灵
half — halves	一半	life — lives	生命
loaf — loaves	一条面包	self — selves	自己
sheaf — sheaves	一捆	wife — wives	妻子
wolf — wolves	狼		

还有的只加 -s，读作 /s/（个别可读作/ fs/ 或 /vz/）。如：

belief — beliefs	信心	chief — chiefs	首领
cliff — cliffs	悬崖	fife — fifes	横笛
grief — griefs	悲伤	gulf — gulfs	海湾
handkerchief — handkerchiefs (fs/vz)		手帕
proof — proofs	证据	reef — reefs	礁石
roof — roofs (fs/vz)	屋顶	safe — safes	保险箱
strife — strifes	争斗		

有些这类名词有两种复数形式。如：

    dwarf — dwarfs/dwarves　矮子

    hoof — hoofs/hooves　蹄

    scarf — scarfs/scarves　头巾

    turf — turfs/turves　草皮

    wharf — wharfs/wharves　码头

3) 以 -quy 结尾的名词仍需变 -y 为 -i 再加 -es。如：

    soliloquy — soliloquies　独白

以 -y 结尾的专有名词加 -s。如：

    Mary — Marys　玛丽

4) 有些以辅音＋o 结尾的名词仍加 -s/z/。如：

memo — memos	备忘录	kilo — kilos	千克
piano — pianos	钢琴	photo — photos	照片
solo — solos	独唱	quarto — quartos	四开本
dynamo — dynamos	发电机		
Eskimo — Eskimos	爱斯基摩人		
Filipino — Filipinos	菲律宾人		

有些这类名词有两种复数形式。如：

    archipelago — archipelagos/archipelagoes　群岛

    banjo — banjos/banjoes　班卓琴

buffalo — buffalos/buffaloes　水牛
cargo — cargos/cargoes　货物
grotto — grottos/grottoes　洞穴
halo — halos/haloes　光环
innuendo — innuendos/innuendoes　影射
manifesto — manifestos/manifestoes　宣言
motto — mottos/mottoes　箴言
mulatto — mulattos/mulattoes　黑白混血儿
tornado — tornados/tornatoes　龙卷风
volcano — volcanos/volcanoes　火山

5）少数以 -th 结尾的名词有两种读音。如：
truth — truths/tru:θs/, /tru:ðz/　真理
youth — youths/ju:θs/, /ju:ðz/　青年

6）字母、数字和缩略词亦有复数形式。如：
the a's　字母 a
the s'es　字母 s
four 4's（或 4s）　4 个 4
in the 1980's（或1980 s）　20 世纪 80 年代
pp.（=pages）　页
adjj.（=adjectives）　形容词
MSS（=manuscripts）　手稿
two MP's（或 MPs）　两个英国议员
three Ph D's（或 Ph Ds）　三个哲学博士

2·10　名词的不规则复数形式

英语里有一些名词的复数形式不是以词尾加 -s 或 -es 构成，它们的构成方法主要如下表：

构成方法	例　词
变内部元音	foot/fut/ — feet/fi:t/ 足 man/mæn/ — men/men/ 男人 mouse/maus/ — mice/mais/ 鼠 tooth/tu:θ/ — teeth/ti:θ/ 齿 woman/'wumən/ — women/'wimin/ 女人

续表

构成方法	例　词
词尾加-en	brother /ˈbrʌðə/ — brethren /ˈbreðrin/ 兄弟（只用于庄严场合） child /ˈtʃaild/ — children /ˈtʃildrən/ 小孩 ox/ɔks/ — oxen /ˈɔksən/ 公牛
形式不变（通形名词）	deer/diə/ — deer 鹿 fish /fiʃ/ — fish 鱼 means/miːnz/ — means 方法 series/ˈsiəriːz/ — series 系列 sheep /ʃiːp/ — sheep 羊
外来词	criterion/kraiˈtiəriən/ — criteria /kraiˈtiəriə/ 标准 phenomenon/fiˈnɔminən/ — phenomena /fiˈnɔminə/ 现象 syllabus /ˈsiləbəs/ — syllabi/ˈsiləbai/ 课程提纲

说明：

1）变内部元音的名词除例词外，还有：

　　　goose/guːs/ — geese/giːs/　鹅

　　　louse/laus/ — lice/lais/　虱

还有一些派生词。如：

　　　salesman — salesmen　售货员

　　　dormouse — dormice　睡鼠

2）通形名词包含有动物名称。如：

　　　bison　美洲野牛　　　　grouse　松鸡

　　　mackerel　鲭鱼　　　　plaice　鲽

　　　quail　鹌鹑　　　　　salmon　鲑鱼

　　　swine　猪　　　　　　trout　鳟鱼

有民族名称。如：

　　　Chinese　中国人　　　　Japanese　日本人

Lebanese 黎巴嫩人   Portuguese 葡萄牙人

Sinhalese 僧伽罗人   Vietnamese 越南人

Swiss 瑞士人

长度单位 foot 有时用通形或复形均可。如：

She's only five foot/feet tall.

她只有 5 英尺高。

重量单位 pound 和货币单位 pound 用通形或复形。如：

Five pound of potatoes, please.

请给 5 磅土豆。

This ticket costs only two pound(s) fifty.

这张票仅值 2 镑 50 便士。

还有一些数量名称亦属通形。如：

brace 双：=2，如 five brace of pheasants 10只雉鸡

gross 罗：=12 打，如 ten gross of nails 120 打铁钉

head 头：如 400 head of cattle 400 头牲畜

horsepower（HP）马力：如 This engine has only

fifty horsepower. 这台机器只有 50 马力。

hundredweight 英担：=112 磅（英）或 100 磅（美），如

five hundredweight of coal 5 英担煤

hertz 赫兹：如 Two kilohertz equals 2 000 hertz. 两千

赫等于 2 000 赫兹

dozen 打：如 three dozen glasses 三打玻璃杯

score 二十：如 four score and ten years ago 90年前

stone 呎：=14 磅，如 He weighs 18 stone(s). 他体

重 252 磅。

yen 日元：如 100 yen 100日元

yoke 对（指牛马）：=2，如 two yoke(s) of oxen 两

对牛

一些汉语音译的数量名称（用斜体）属通形。如：

li 里：如 three *li* 3 里

mu 亩：如 fifty *mu* 50 亩

tan 担：如 twenty *tan* 20 担

yuan 元：如 RMB 500 000 *yuan* 人民币 50 万元

3）外来词有自己独特的复数形式。如：

stimulus — stimuli 刺激

alumnus — alumni 男校友

bacillus — bacilli　杆菌

locus — loci　地点

alumna — alumnae　女校友

larva — larvae　幼虫

alga — algae　海藻

ovum — ova　细胞

addendum — addenda　补遗

erratum — errata　印刷错误

codex — codices　抄本

basis — bases　基础

thesis — theses　论文

oasis — oases　绿洲

synopsis — synopses　摘要

外来词复数形式规则化，即加-s 或-es，是当代英语的倾向。如：

apparatus — apparatuses　器械

virus — viruses　病毒

campus — campuses　校园

chorus — choruses　合唱

arena — arenas　竞技场

diploma — diplomas　文书

dilemma — dilemmas　困境

album — albums　相册

chrysanthemum — chrysanthemums　菊花

metropolis — metropolises　大都市

electron — electrons　电子

neutron — neutrons　中子

不少外来词可有两种复数形式。如：

focus — foci/focuses　焦点

fungus — fungi/funguses　真菌

cactus — cacti/cactuses　仙人掌

formula — formulae/formulas　公式

nebula — nebulae/nebulas　星云

antenna — antennae　触角/ antennas　天线

curriculum — curricula /curriculums　课程

minimum — minima /minimums　最小限度

memorandum — memoranda /memorandums　备忘录

appendix — appendices/appendixes　附录

index — indices/indexes　索引

automaton — automata /automatons　自动器

2·11　不可数名词的数

不可数名词一般只有单数形式，没有复数形式。

1）物质名词属于不可数名词，一般没有复数形式。如：

bread　面包　　　　chalk　粉笔

cheese　乳酪　　　coal　煤

copper　铜　　　　iron　铁

oil　油　　　　　　sand　沙

tea　茶　　　　　　wine　酒

它们在表示种类或一定数量时，则可有复数形式。如：

（1）We export lubricating oils.

我国出口各种润滑油。

（2）I want two cream cheeses.

我要两块干乳酪。

有时由于修辞需要，表示巨大的数量、范围和程度，物质名词亦可用复数形式。如：

the sands of the Sahara　撒哈拉沙漠

the snows and frosts of the Arctic　北极的冰雪

the waters of the Atlantic　大西洋的水域

物质名词可借助单位词表一定的数量。如：

a glass of water　一杯水

a cup of tea　一杯茶

a sheet of paper　一张纸

a cake of soap　一块肥皂

a loaf of bread　一块面包

a bottle of milk　一瓶牛奶

a piece of chalk　一支粉笔

a slice of meat　一片肉

a tin of pork　一个猪肉罐头

a grain of sand　一粒沙子

a strip of cloth　一块布条

a lump of sugar　一块方糖

a heap of earth　一堆土

a blade of grass　一片草叶

a cloud of dust　一片灰尘

a gust of wind　一阵风

a ton of coal　一吨煤

2）许多抽象名词属于不可数名词，没有复数形式。如：

anger　愤怒　　　curiocity　好奇

excitement　兴奋　　foolishness　愚蠢

fun　玩笑　　　　generosity　慷慨

poetry　诗歌　　　progress　进步

sculpture　雕刻　　worship　崇拜

有些抽象名词则可用作可数名词，因而有复数形式。如：

change — changes　变化　　hope — hopes　希望

idea — ideas　想法　suggestion — suggestions　建议

有些抽象名词本身虽不可数，但可借助单位词表一定的数量。

如：

a piece of advice　一项忠告

a fit of anger　一阵怒气

a stroke of luck　一次幸运

a burst of applause　一阵鼓掌声

a drink of water　一口水

a game of chess　一盘棋

peals of laughter　阵阵笑声

2.12　集体名词的数

单形集体名词被看作一个整体时，它具有单数概念。如：

（1）His *family* was well known in their town.

他家在该城是名门望族。

（2）The present *government*，which hasn't been in power long，is trying to control inflation. It isn't having much success.

现政府上台不久，试图控制通货膨胀，但收效不大。

单形集体名词被看作若干个体时，它具有复数概念。如：

（3）His *family* are waiting for him.

他家里人正等着他。

（4）The *government*，who are looking for a quick victory，are calling for a general election soon. They expect to be re-elected. A lot of people are giving them their support.

政府希求很快获胜，要求立即进行大选。他们指望重新当选，有许多人支持他们。

集体名词表示多个集体时，也有规则的复数形式。如：

（5）Our village is made up of 300 *families.*

我们村有 300 户人家。

（6）*Governments* in all countries are trying to control *inflation.*

各国政府都在试图控制通货膨胀。

这一类集体名词还有：

class	班级	club	俱乐部
generation	一代人	staff	全体人员
audience	观众	group	组
crew	机组人员	jury	陪审团
army	军队	council	委员会
company	公司	college	学院
enemy	敌人	board	董事会

另外有一些集体名词却只有单数形式，并常与定冠词连用。如：

the bourgeoisie　资产阶级　the proletariat　无产阶级

the gentry　绅士　　the aristocracy　贵族

the majority　多数　the minority　少数

the public　公众

这些名词也有单数或复数概念，作主语时可与单数或复数谓语动词连用。如：

（7）The *public consists* of you and me.

公众包括你和我。

（8）The *public were* not admitted to hear the trial.

公众不允许旁听审判。

还有几个只有单形的集体名词，只能与复数谓语动词连用。如：

（9）There *were* few *people* out in the street at that hour.

那个时刻，街上的人不多了。（people 通常视为 person 的复形，people 作"民族"解时则有复形 peoples）

（10）Most *police wear* uniforms.

大多数警察都穿制服。

(11) His uncle showed him the pastures where the **cattle
     were** grazing.

他叔父带他看了放牧牲畜的牧场。

2·13　专有名词的数

专有名词具有"独一无二"的含义，因此只有单数形式。如：

Morris　莫里斯（人名）

Audrey Hepburn　奥德丽·赫本

Houston　休斯敦

Cambridge　剑桥

但有些专有名词却具有复数形式。如：

Chambers　钱伯斯（人姓）

Peters　彼得斯（人姓）

the West Indies　西印度群岛

the Bahamas　巴哈马群岛

the British Isles　不列颠诸岛

the Andes　安第斯山脉

the Rockies　落矶山脉

the Himalayas　喜马拉雅山脉

the Netherlands　荷兰

the Midlands　英格兰中部

然而，专有名词"独一无二"的含义，只是相对来说的。有时也
可有复形，例如，叫"莫里斯"的人在一定范围内只有一个，但在
更大的范围内就可能有多个。拿姓氏来说，在英美国家，夫妻子女都
是同一个姓，同姓的就更多。叫"休斯敦"的地方在美国有六处；叫
"剑桥"的地方在英国有两处，在美国有十处。如：

（1）There are four **Marys** in our class.

我们班里有四个玛丽。

（2）The **Wilsons** are coming to dinner.

威尔逊一家将要来赴宴。

（3）I have spent many happy **Sundays** there.

我在那里度过许多个愉快的星期日。

（4）I know there are two **Oxfords**，why not two **Nepals**？

我知道有两个牛津，为什么没有两个尼泊尔？

专有名词有时还可以用作普通名词。如：

（5）The room is hung with two **Turners** and other pictures.

这个房门挂有两张特纳的画以及别的画。

（6）**Shakespeares** are rarer than **Napoleons.**

莎士比亚式的人物要比拿破仑式的人物少。

（7）There are just a few **Manchesters** throughout the world.

全世界只有几个像曼彻斯特这样的城市。

专有名词变复数形式的规则与普通名词相同，但以 -y 结尾的专有名词一般须直接加 -s。如：

Henry — Henrys　亨利

Germany — Germanys　德国

2·14　名词化的词的数

名词化的词主要有四种，即形容词、过去分词、动名词和数词。它们有的有数形的变化，有的没有数形的变化；有的含单数概念，有的含复数概念。

1）名词化的形容词大多表人称，通常与定冠词 the 连用。如：

the innocent　无辜者　　　the idle　懒汉

the young　青年人　　　the old　老年人

the deaf　聋人　　　the dead　死者

这些名词化的形容词表类指，相当于省略了 people 一词。如加上 people，则可省略定冠词（old people，young people）。它们没有复数形式的变化，由于指一类人，因此有复数概念，作主语时要求复数形式的动词。如：

（1）**The rich are** the oppressors. **The poor are** the oppressed.

富人是压迫者，穷人是被压迫者。

（2）**The beautiful were** envied by the ugly.

美人为丑陋者所妒忌。

（3）**The old are** apt to catch cold.

老年人容易患感冒。

有些名词化的形容词含有抽象意义，常与定冠词 the 连用，特别是一些最高级形容词，相当于省略了 thing 一词。如：

the mystical　神秘的事

the supernature　超自然力量

the best　最好的事

the latest　最近的事

这些名词化的形容词也没有复数形式的变化；由于表抽象意义，因此有单数概念，作主语时要求单数形式的动词。如：

（4） *The latest* is that he is going to run for re-election.

最新消息说他打算争取重新当选。

（5） *The very best* is yet to come.

最好的尚未来到。

还有一些以-sh 和-ch 结尾表民族的形容词，名词化以后与定冠词连用，意谓"某族人"。它们没有数形的变化，但是表类指，有复数概念，作主语时要求复数形式的动词。如：

（6） *The English have* a wonderful sense of humour.

英国人有一种奇妙的幽默感。

（7） *The* Pennsylvania *Dutch are* from Germany，not from the Netherlands.

宾夕法尼亚州的荷兰人来自德国，不是来自荷兰。

这类名词化的形容词还有：

the Irish	爱尔兰人	the Welsh	威尔士人
the French	法国人	the Spanish	西班牙人
the Danish	丹麦人	the Turkish	土耳其人
the British	英国人		

2）名词化的过去分词与名词化的形容词的性质与用法基本相同。如：

（8） *The dispossessed are* demanding their rights.

被剥夺者在要求应享有的权利。（类指，有复念）

（9） *The disabled are* to receive more money.

残疾人将得到更多的救济金。（类指，有复念）

（10） *The accused was* acquitted.

被告被无罪释放了。（特指，有单念）

（11） *The unknown is* always something to be feared.

未知的东西总是一种令人害怕的东西。（表抽象意义，有单念）

3）名词化的动名词一般表抽象概念，属于不可数名词，没有复数形式。如：

（12） *Painting* is very relaxing.

绘画是很好的消遣。

（13） This work will take a lot of *doing.*

这项工作很费功夫。

但有些名词化的动名词可以转化为可数名词，表具体的事物。如：

(14) He has *a painting* by Goya.
    他藏有戈雅的一幅画儿。

(15) English has many *borrowings* from other languages.
    英语有许多词语是从别的语言借来的。

4）名词化的数词可有复数形式。如：

(16) The child crawls on all *fours.*
    那婴孩匍匐爬行。

(17) He is in his *eighties.*
    他有 80 多岁了。

(18) These are all *firsts.*
    这些都是一等品。

2·15 复合名词的数

根据其构成，许多复合名词也有复数形式，其复合形式有三种情况。

1）将最后一个部分变为复形。如：

breakfast — breakfasts   早餐
afternoon — afternoons   下午
housewife — housewives   家庭主妇
hairdo — hairdos   发型
traffic light — traffic lights   交通红绿灯
film-goer — film-goers   爱看电影的人
stopwatch — stopwatches   秒表
gentleman — gentlemen   绅士

2）将主要部分变为复形。如：

looker-on — lookers-on   旁观者
poet laureate — poets laureate   桂冠诗人
hanger-on — hangers-on   食客
passer-by — passers-by   过路人
lying-in — lyings-in/lying-ins   产期
mother-in-law — mothers-in-law   岳母，婆婆
comrade-in-arms — comrades-in-arms   战友
bride-to-be — brides-to-be   即将做新娘的人

3）由 man 或 woman 作为第一部分的复合名词，将两个部分皆

变为复形。如：

  man doctor — men doctors　男医生

  woman doctor — women doctors　女医生

  man cook — men cooks　男厨师

  woman cook — women cooks　女厨师

  man writer — men writers　男作家

  woman singer — women singers　女歌手

[注] 请注意下面一些英国人的称号的复数形式：

  the two Mr. Smiths　那两位史密斯先生

  many Doctor Johnsons　许多约翰逊博士

  the two Mrs. Smiths　那两位史密斯太太

  the Miss Woodhouses　伍德豪斯小姐们

  Lord Mayors　市长们

  two Lady Bettys　两位贝蒂夫人

  Knights bachelors（或 bachelor）　英国最低的骑士

  twenty Sir John Falstaffs　20 个约翰·福斯达夫爵士

  lieutenant-colonels　中校们

  major-generals　少将们

  Mayor Browns　布朗市长们

  Duke-Georges　乔治公爵们

  Queen-Elizabeths　伊利莎白女王们

  brother 与 sister 不是称号，带姓时的复数形式是：

  the Smith brothers　史密斯兄弟

  the Smith sisters　史密斯姐妹

2·16　无单形的复形名词的数

  这种复形名词的数大致有三种情况：有的无数念，有的有复念，有的兼有复念和单念。

  1）无数念的无单形复形名词。如：

  （1）Paul is *friends* with Bill.

    保尔和比尔很友好。

  （2）No *news is* good news.

    没有消息就是好消息。

  以-ics 结尾的学科名称通常无数念。如：

  （3）*Physics includes* mechanics，heat，light，electricity，etc.

    物理学包括力学、热学、光学、电学等。

这类名词还有：

acoustics	声学	acrobatics	杂技
athletics	运动	classics	古典语文学
economics	经济学	electronics	电子学
ethics	伦理学	gymnastics	体操
linguistics	语言学	mathematics	数学
mechanics	力学	phonetics	语音学
politics	政治学	statistics	统计学
tactics	战术		

这些名词表具体的事物时，则含有复念。如：

（4）His ***politics are*** rather conservative.

他的政治观点很保守。

（5）***Statistics show*** that there are more boys than girls at school.

统计数字表明，学校里男生比女生多。

某些以 -s 结尾的疾病名称通常无数念。如：

（6）***Measles is*** a contagious disease.

麻疹是一种传染病。

（7）***Mumps is*** fairly rare in adults.

腮腺炎在成人中相当罕见。

不过也有人认为有的含有复念。如：

（8）***Rickets are*** quite rare now.

现在佝偻病已很少见了。

有些以 -s 结尾的游戏名称通常无数念。如：

（9）***Billiards is*** my favourite game.

台球是我喜好的运动。

这类名词还有：

checkers	跳棋（美国英语）	draughts	跳棋（英国英语）
bowls	滚球	craps	骰子赌博
darts	投镖	dominoes	多米诺骨牌
fives	壁球	ninepins	九柱球戏

2）含有复念的无单形复形名词

有些物品由两部分组成，总是"成双地"存在。表示这类物品名称的名词常常是无单形复形名词。

某些用具的名称，如：

glasses	眼镜	spectacles	眼镜

scissors　剪刀　　　　　shears　大剪

clippers　指甲剪　　　　forceps　钳子

pincers　钳子　　　　　tongs　夹子

tweezers　镊子　　　　　binoculars　双筒望远镜

某些服装的名称，如：

braces 背带(英国英语)　suspenders 背带(美国英语)

pyjamas　睡服(英国英语)　pajamas　睡服(美国英语)

jeans　牛仔裤　　　　　pants　裤子

underpants　衬裤　　　　trousers　裤子

slacks　便裤　　　　　　shorts　短裤

tights　紧身裤　　　　　trunks　运动裤

knickers　女内裤　　　　briefs　短内裤

breeches　马裤　　　　　britches　马裤(美国英语)

这类名词含复念。如：

(10) **Binoculars are** used for sports and the theatre.

双筒望远镜是用来观看体育比赛和戏剧演出的。

(11) **These pyjamas are** dirty.

这套睡衣是脏的。

这类复形名词不能用数词修饰，表数量时通常与 a pair of 或 "数词＋pairs of" 连用。如：

(12) **A pair of glasses costs** quite a lot these days.

现时一副眼镜要花相当一大笔钱。

(13) **Two pairs of your trousers are** still at the cleaner's.

你的两条裤子还在洗衣店里。

pair 常用复数代词指代。如：

(14) I like **this pair**. How much are **they**?

我喜欢这一对，多少钱？

请注意这种名词作定语时则一般用单形。如：

(15) There is **a trouser factory** near by.

附近有一家裤子工厂。

下列具有特定意义的名词只有复形。如：

amends　赔偿　　　　　annals　编年史

arms　武器　　　　　　auspices　支助

belongings　行李　　　　brains　智力

clothes　衣服　　　　　congratulations　祝贺

contents　目录　　　　　credentials　国书

customs 海关	dregs 渣滓
dues 会费	earnings 收入
funds 现款	goods 货物
greens 蔬菜	lodgings 出租的房间
looks 美貌	manners 礼节
oats 燕麦	outskirts 郊外
pains 辛苦	particulars 细节
quarters 住所	regards 问候
savings 储蓄	spirits 心境
thanks 感谢	troops 军队

这类名词均含有复念。如：

(16) The soldiers' **quarters** were in a farm-house.
士兵的住所在一农舍里。

(17) All the **particulars** of the accident are now known.
事故的全部细节现在都已清楚。

这类名词有的有单形，但词义有所不同。如：

damages 赔偿 — damage 损失

arms 武器 — arm 手臂

tropics 热带 — tropic 回归线

3) 兼有单念和复念的无单形复形名词。如：

(18) This (these) **barracks is (are)** new.
这（些）营房是新的。

这类复形名词还有：

crossroads 十字路口	gallows 绞刑架
headquarters 司令部	links 高尔夫球场
means 方法	series 系列
species 种类	works 工厂

2·17 某些名词单复形的比较

现将某些名词的单形与复形的不同意义比较如下：

1)有些单形名词有规则和不规则两种复形，其意义却有所不同。如：

brother 兄弟，教友 { brothers 兄弟 / bretheren 教友 }

cherub 天使，爱童 { cherubs 爱童 / cherubim 天使 }

cloth　布块 { cloths　布块 / clothes　衣服 }

die　印模，骰子 { dies　印模 / dice　骰子 }

genius　天才，守护神 { geniuses　天才 / genii　守护神 }

index　索引，指数 { indexes　索引 / indices　指数 }

penny　便士 { pennies　便士 / pence　便士（用于组成复合名词，如 sixpence　六便士） }

staff　拐杖，工作人员 { staves　拐杖 / staffs　工作人员 }

2）有些名词单形和复形词义不同。如：

advice　忠告 — advices　通知
air　空气 — airs　装腔作势
domino　面具 — dominoes　多米诺骨牌
force　力量 — forces　军队
good　利益 — goods　动产
physic　药 — physics　物理学
return　回来 — returns　统计表

3）有些名词的复形有多种词义。如：

colour　颜色 — colours　颜色；旗帜
custom　习俗 — customs　习俗；海关
element　要素 — elements　要素；自然力（风雨等）
effect　效果 — effects　效果；财物
letter　字母；书信 — letters　字母；书信；文学
manner　方式 — manners　方式；礼貌
number　数目 — numbers　数目；诗歌
pain　痛苦 — pains　痛苦；辛苦
part　部分 — parts　部分；才华
premise　前提 — premises　前提；房屋
quarter　四分之一 — quarters　四分之一；住所
spectacle　景象 — spectacles　景象；眼镜

4）有些名词单形有几个词义而复形只有一个词义。如：

abuse　滥用，辱骂 — abuses　滥用
foot　足；步兵 — feet　足

horse 马；骑兵 — horses 马

issue 结果；子女 — issues 结果

light 灯；光 — lights 灯

people 民族；人民 — peoples 民族

powder 药粉；火药 — powders 药粉

三、名 词 的 格

2·18 格的含义和种类

格（case）是名词的语法范畴之一。它是名词和代词的屈折变化形式，在句中表示与其它词的关系。英语的名词有三个格：主格（nominative case）、宾格（objective case）和属格（genitive case）。但名词的主格和宾格形式相同，所以它们又统称作通格（common case）。

当名词用作主语、宾语和表语时，需要用通格形式。如：

（1）My **father** does not know how to dance.

我父亲不会跳舞。

（2）The English love **tea.**

英国人喜欢喝茶。

（3）Born in Athens about 467 B.C. , Socrates was the

son of a sculptor.

苏格拉底公元前 467 年生于雅典，他是一个雕塑家的儿子。

2·19 属格的形式

名词的属格表示所有等关系，它有两种不同的形式：一是由名词末尾加's构成（有 -s 或 -es 的复形名词末尾只加省略号“'”）；二是由介词 of 加名词构成。前者多用来表示有生命的东西；后者多用来表示无生命的东西。

1）第一种属格，如：

child's play 很容易做的事

Uncle Tom's Cabin 《汤姆叔叔的小屋》

2）第二种属格，如：

the door of the barn 谷仓的门

the title of the book 书名

2·20　's 属格的构成方法

's 属格的构成方法如下：

1) 单形名词在末尾加 's，读音与复形名词结尾的读音一样。如：

　　the boy's mother　男孩的母亲

　　cat's-paw　爪牙

　　Johnson's house　约翰逊的房子

但在咝音之后须读作 /iz/。如：

　　hostess's（读作 /'həustəsiz/）　女主人的

2) 复形名词末尾仅加 '。如：

　　the two boys' mother　这两个男孩的母亲

但在不规则复形名词后，要加 's。如：

　　the children's mother　孩子们的母亲

　　men's clothes　男人衣服

3) 以 -s 结尾的单形人名变为属格时一般应加 's。如：

　　Thomas's /'tɔməsiz/ brother　托马斯的兄弟

　　Charles's /'tʃɑːlziz/ job 查尔斯的工作

但在笔语中，也有只加 ' 的情况。如：

　　Keats' /'kitsiz/ view　济慈的观点

　　John Waters' /'wɔːtəziz/ heart　约翰·沃特斯的心

　　Dickens' /'dikinziz/ novels　狄更斯的小说

有许多外国的和古典的、多以 -es 结尾的人名变为属格时，其末尾也只加 '，而且一般不读作 /siz/，只发原有的 /s/ 或 /z/ 音。如：

　　Cervantes' *Don Quixote*　塞万提斯的《堂·吉诃德》

　　Socrates' life　苏格拉底的一生

　　Jesus' mother　耶稣的母亲

　　Moses' law　摩西法典

4) 在 for ... sake 结构中，以咝音结尾的名词的属格亦只有 '。如：

　　for acquaintance' sake　看在熟人面上

　　for old times' sake　看在老早相识的份上

　　for goodness' sake　看在上帝面上

但在 appearance，conscience，convenience 之后则常常不加 '。如：

　　for appearance sake　为了装点门面

　　for conscience sake　为了问心无愧

　　for convenience sake　为了方便起见

5）几个词作为一个单位时，'s 应加在最后一个词的末尾。如：

the Queen of England's throne　英国女王的御座

his mother-in-law's interference　他岳母的干预

everyone else's opinion　其他人的意见

表示各自的所有关系时，名词末尾均须加 's。如：

John's and Susan's desks　约翰和苏珊各人的书桌

Japan's and America's problems　日本和美国各自的问题

如不是这样，仅在最后一词末尾加 's，即表示他们共同的所有关系。如：

John and Susan's desks　共属于约翰和苏珊的书桌

Japan and America's problems　日美的共同问题

2·21 's 属格的其它用法

's 属格常表有生命的东西（例见前节），但也可表无生命的东西。

1）表时间。如：

a day's journey　一天的旅程

a month's time　一个月时间

today's newspapers　今天的报纸

2）表自然现象。如：

the moon's rays　月光

the earth's atmosphere　地球的大气层

the tree's branches　树枝

3）表国家、城市等实体。如：

China's industrialization　中国的工业化

the city's parks　城市的公园

the country's tax system　国家的税制

4）表工作群体。如：

the company's new factory　公司的新工厂

the ship's crew　船上的工作人员

the newspaper's editorial policy　这家报纸的编辑方针

以上除1）以外，2）、3）、4）经常可与 of 属格互换。

5）表度量衡及价值。如：

a mile's distance　一英里的距离

twenty-five pound's weight　25 磅的重量

thirty dollars' value　30 美元的价值

6）表拟人化。如：

nature's pleasures　大自然的乐趣

the world's people　世界人民

death's door　死亡之门

7）下面一些说法已成固定词组，必须用 's 属格。如：

a bird's eye view　鸟瞰

a stone's throw　一箭之遥

a hair's breadth　间不容发

at one's wit's end　不知所措

in one's mind's eye　在某人心目中

at arm's length　疏远

2.22　's 属格所修饰名词的省略

's 属格所修饰的名词，如前已出现，即可以省略。如：

（1）The dictionary is not mine, but Comrade Wang's.

这本字典不是我的，是王同志的。

（2）These are John's books and those are Mary's.

这些是约翰的书，那些是玛丽的书。

's 属格名词用作定语时，如前已出现，有时可将 's 省去。如：

（3）I must fulfil my duty as a teacher.

我必须尽我作为一个教师的责任。（ a teacher 实际上等于 a teacher's duty）

（4）He succeeded in getting the pair of them a job as stevedores.

他为这一对找到了码头工人的工作。（ stevedores 等于 stevedores' job）

（5）His real talent was as an organizer.

他的真正才能在于做一个组织者。（ organizer 等于 organizer's）

's 属格后的名词如指商店、家宅等地点时，该名词亦常省略。如：

at the doctor's　在诊所

near the grocer's　在食品店附近

to my uncle's　到我叔叔家

[注] 有些教堂、宫殿、医院、学院等名称前有名词属格时,该名称可省去。如:

St. Paul's = St. Paul's Cathedral 圣保罗大教堂

St. James' = St. James' Palace 圣詹姆斯宫

Guy's = Guy's Hospital 盖伊医院

Queen's = Queen's College 女王学院

Johnson's = Johnson's Shop 约翰逊商店

复形名词属格作定语时,有时习惯上可省去其左上角的"'"。如:

a teachers college (teachers 等于 teachers')师范学院

one trousers pockets (trousers 等于 trousers') 裤兜

[注] 有些复合名词中的属格省去'。如:

herdsman	牧人	salesman	店员
statesman	政治家	sportsman	运动员
craftsman	工匠	tradesman	商人
marksman	射手	bridesmaid	女傧相
townsman	市民		

2.23 's 属格与通格的互用

用名词表示所有关系时,其属格与通格有时可以互用,其意义无甚不同。如:

a horse's tail　（属格）
a horse tail　（通格）　}马尾

his life's work　（属格）
his life work　（通格）　}他一生的工作

his eagle's eye　（属格）
his eagle eye　（通格）　}他鹰一般的眼力

consumer's goods　（属格）
consumer goods　（通格）　}消费品

a 30 miles' journey　（属格）
a 30 mile journey　（通格）　}30 英里的路程

the Party's policy　（属格）
the Party policy　（通格）　}党的政策

the workers' movement　（属格）
the worker movement　（通格）　}工人运动

Alexander's child　（属格）
the Alexander child　（通格）　}亚历山大的孩子（通格较口语化）

a bachelor's life（属格）
a bachelor life　（通格）｝单身男子的生活

但有时二者意义不同。如：

a peasant's family（属格）一个农民的家庭

a peasant family（通格）农民家庭（peasant 在此相当于
形容词）

2.24　of 属格的用法

of 属格的用法有：

1）用于无生命的东西。如：

the rocket of the space shuttle　航天飞机的火箭

the subject of the sentence　句子的主语

2）用于名词化的词。如：

the struggle of the oppressed　被压迫人民的斗争

the livelihood of the poor　穷人的生计

3）修饰语较多时。如：

the very long and graceful tail of the old black cat
老黑猫又长又美的尾巴

2.25　属格的功能

名词属格（包括 's 属格与 of 属格）可以表示所有、主谓、动宾、修饰和同位等关系。

1）表所有关系。如：

the girl's hat　那女孩的帽子

Jack's friend　杰克的朋友

the title of the film　影片的名称

the door of the room　房间的门

2）表主谓关系。如：

his mother's request　他母亲的要求

the soldier's enlistment　士兵的入伍

his parents' consent　他父母的赞许

a car for the use of the guests　客人用的汽车

3）表动宾关系。如：

the family's support　养家活口

my son's discharge　我儿子被解雇

the reactionary rule's overthrow　反动统治的被推翻

the occupation of the city by the enemy　城市的被敌人占领

4）表修饰关系。如：

a women's college　女子学院

a month's salary　一月的薪水

the victim's courage　受害者的勇气

a pound's worth of stamps　价值一英镑的邮票

5）表同位关系（只用 of 属格）。如：

the City of Rome　罗马城

the rascal of a landlord　这个地主恶棍

2·26　's 属格与 of 属格的互用

's 属格与 of 属格往往可以互用。如：

the daughter of a poor peasant ＝ a poor peasant's daughter　一个贫农的女儿

to win the heart of Ione ＝ to win Ione's heart　征服爱欧尼的心

the patience of Job ＝ Job's patience　约伯的耐心

但亦须注意二者的区别。如：

{ an old worker's story（一个老工人讲自己的身世）

{ the story of an old worker（别人讲一个老工人的身世）

下面两句皆意谓"她具有她母亲的好身材"，但第二句强调 her mother：

{ She had her mother's good figure.

{ She had the good figure of her mother.

2·27　双重属格

of ＋-'s 结构叫做双重属格（ double genitive），如 a friend of my father's（我父亲的一个朋友）中的 of my father's。它可以用来：

1）表部分。如：

a friend of my brother's　我兄弟的一个朋友

a picture of Li's　李的一张照片

2）表感情色彩。如：

this lovely child of your sister's　你姐姐的这个可爱的孩子

that big nose of David's　戴维的那个大鼻子

3）双重属格与 of 属格的不同。如：

(1) He is a friend of your husband's.

他是你丈夫的一个朋友。（强调你丈夫的朋友不止一个）

(2) He is a friend of your husband.

他是你丈夫的朋友。（强调他对你丈夫的友好）

这种区别可从下面的情景对话中清楚地看出：

— Who told you that?

谁告诉你的？

— A friend of your father's.

你父亲的一个朋友说的。

— If he says such things, he is not a friend of my father.

如果他说出这样的话，他就不是我父亲的朋友。

试再比较：

(3) a picture of Li's　李所有的一张照片

(4) a picture of Li　李的一张肖像（这里的 of 属格表同位关系）

四、名词的性

2.28　性的含义和种类

性（gender）也是一个语法范畴，为名词所特有。

英语名词在形式上没有性的特征和变化，名词的性主要体现在其自然属性上。名词的性关系到人称代词（he，she，it）、物主代词（his，her，its）、反身代词（himself，herself，itself）和关系代词（who，which）的使用。

英语名词的性有三种，即阳性、阴性和中性。一般说来，表人和高等动物的名词根据其自然性别可分为阳性和阴性，表低等动物、植物和非生物的名词属于中性。阳性名词用 he 和 who 指代，阴性名词用 she 和 who 指代，而中性名词则用 it 和 which 指代。

2.29　表人的名词的性

表人的名词根据其自然性别分阳性和阴性，分别用 he 和 she 指代。如：

阳性	阴性
bachelor　光棍汉	spinster　老处女
boy　男孩	girl　女孩

brother 兄弟	sister 姐妹
father 父亲	mother 母亲
gentleman 先生	lady 女士
grandfather 祖父	grandmother 祖母
grandson 孙子	granddaughter 孙女
husband 丈夫	wife 妻子
king 国王	queen 王后
man 男人	woman 女人
monk 和尚	nun 尼姑
Mr 先生	Mrs 太太
nephew 侄子	niece 侄女
sir 先生	madam 夫人
son 儿子	daughter 女儿
uncle 叔父	aunt 婶母

有些表人的名词用后缀（个别用前缀）表示性别。如：

actor 男演员	actress 女演员
emperor 皇帝	empress 女皇、皇后
god 神	goddess 女神
heir 男继承人	heiress 女继承人
host 男主人	hostess 女主人
prince 王子	princess 公主
steward 男乘务员	stewardess 女乘务员
waiter 男服务员	waiteress 女服务员
	（以上用后缀-ess）

bridegroom 新郎	bride 新娘
hero 英雄	heroine 女英雄
lad 小伙子	lass 少女
landlord 男房东	landlady 女房东
male 男子	female 女子
masseur 男按摩师	masseuse 女按摩师
usher 男招待员	usherette 女招待员
widower 鳏夫	widow 寡妇
policeman 警察	policewoman 女警察
postman 邮递员	postwoman 女邮递员
salesman 售货员	saleswoman 女售货员

但 chairman（主席）等少数几个名词可表示阳性，亦可表示

阴性。

2.30 表人的名词的双重性

这种名词有许多不分性别,既可表示阳性,亦可表示阴性。如:

adult　成年人	artist　艺术家
comrade　同志	cook　厨师
cousin　堂(表)兄弟姐妹	darling　亲爱的人
dear　亲爱的人	doctor　医生
enemy　敌人	foreigner　外国人
friend　朋友	guest　客人
inhabitant　居民	journalist　新闻记者
lawyer　律师	librarian　图书馆员
musician　音乐家	neighbour　邻居
novelist　小说家	orphan　孤儿
owner　物主	parent　父母
passenger　乘客	person　人
professor　教授	relative　亲属
scientist　科学家	servant　仆人
singer　歌唱家	speaker　演讲者
spouse　配偶	stranger　陌生人
student　学生	teacher　教师
tourist　旅游者	typist　打字员
writer　作者	

这些名词在使用代词时可根据实际指代的对象用 he 或 she 指代。如:

(1) My **accountant** says **he** is moving his office.
　　我的会计说他将搬迁办公室。
(2) My **doctor** says **she** is pleased with my progress.
　　我的大夫说她为我的病情好转高兴。

如指代对象不明确,也可以采用 he/she 形式,如:

(3) If a **student** wants more information, **he/she** should
　　apply in writing.
　　如有学生想要得到更多的资料,他/她应提出书面
　　申请。

如须指出其性别,则可加性别名词组成复合名词。如:

boy friend　男朋友　　　　girl friend　女朋友

male student　男学生	female student　女学生
man servant　男仆人	maid servant　女仆人
man driver　男司机	woman driver　女司机

如用以泛指，则常用阳性表示两性。如：

（4）*Man* is mortal.

　　人无不死。

（5）Our *doctor*'s been a good friend to us；*he*'s always helped us when we've needed him.

　　大夫一向是我们的好朋友，他总是在我们需要他时给我们以帮助。

2·31　集体名词的性

集体名词表一个整体，自无性别可言。但是当使用代词指代时，既可以用 they 和 who，也可以用 it 和 which。如：

（1）*The committee* have met and *they* have rejected the proposal.

　　委员会已经开会并否决了这个建议。

（2）*The audience* was enjoying every minute of *it.*

　　观众从头至尾都充满乐趣。

2·32　表高等动物的名词的性

表示高等动物的名词根据其自然性别分为阳性和阴性，但一般用 it 指代，必要时也可用 he 或 she 指代。如：

buck　雄鹿	doe　雌鹿
bull　公牛	cow　母牛
cock（或 rooster）公鸡	hen　母鸡
dog　公狗	bitch　母狗
gander　公鹅	goose　母鹅
leopard　雄豹	leopardess　雌豹
lion　雄狮	lioness　雌狮
pig　公猪	sow　母猪
ram　公羊	ewe　母羊
stallion　公马	mare　母马
tiger　雄虎	tigress　雌虎

在一般的语境中，不必要指出动物的性别，可用阳性表示两性，如用 dog 表示 dog 和 bitch，或用另一个词表示两性，如用 horse 表

示 stallion 和 mare。

2.33 表低等动物、植物和非生物的名词的性

表示低等动物、植物和非生物的名词属于中性，用 it 指代。有些动物名词则可加性别名词组成复合名词。如：

male frog	雄蛙	female frog	雌蛙
buck-rabbit	雄兔	doe-rabbit	雌兔
cock-pheasant	雄雉	hen-pheasant	雌雉
dog-fox	雄狐	bitch-fox	雌狐
he-goat	公羊	she-goat	母羊
roe-buck	雄獐	roe-doe	雌獐

有一些表示非生物的名词，有时可以使用拟人化，用 he 或 she 指代，特别是在文学语言中。如：

（1）The **sun** cast **his** beams.
太阳放射出他的光芒。

（2）The **moon** shed **her** light.
月亮放射出她的光辉。

（3）Sam joined the famous **whaler** "Grobe". **She** was a ship on which any young man would be proud to sail.
萨姆成了著名的"地球号"捕鲸船的船员。她是一艘任何年轻人在上面都会感到自豪的船。

（4）Getting out of the **car** he said to the man in the overalls，"Fill **her** up，please."
他下车后对穿工装裤的那个男人说，"请给车装满油。"

（5）**England** is proud of **her** poets.
英国为她的诗人们感到自豪。

一些动物（特别是宠物）有时亦可用 he 或 she 指代。如：

（6）Be careful of that **dog** — **he** sometimes bites.
小心那条狗——它有时咬人。

第三章 冠 词

一、概 说

3.1 冠词的定义

冠词是置于名词之前、说明名词所表示的人或事物的一种虚词。冠词也可以说是名词的一种标志，它不能离开名词而单独存在。如：

（1）From ***the hill-top*** we could see ***the roof*** of ***a house.***

从山岗上我们可以看到一座房子的屋顶。

（2）When they reach ***a*** certain ***age***, ***army officers*** retire from ***active service.***

军官到了一定年龄就退出现役。（army officers 和 active service 之前为零冠词）

英语冠词有三个，即定冠词（definite article）、不定冠词（indefinite article）和零冠词（zero article）。汉语没有冠词。

定冠词 the 来自一个古老的、相当于现今 that 的代词。它的含义是特指和类指。如：

（3）***The lion*** is roaring.

狮在吼。（指确定的某一只狮子）

（4）***The lion*** is the king of beasts.

狮为百兽之王。（指某一类动物）

定冠词 the 与指示代词 this 或 that 近似，但其指示性较弱，一般不重读。如：

（5）Take ***the apple.***

吃这苹果吧。（the 不重读，如用 this apple，则须重读）

定冠词 the 在元音音素前读/ði/，在辅音音素前读/ðə/。如：

（6）***The*** /ði/ ***air*** was full of butterflies.

空中满都是蝴蝶。

（7）***The*** /ðə/ ***battle*** started on ***the*** /ðə/ ***morning*** of ***the*** /ðə/ ***24th.***

战斗是在 24 日晨打响的。

在读作/ju:/的元音字母 u 前须读作/ðə/，因为/ju:/以辅音音素开头。如：

（8）They are trying to understand how *the* /ðə/ *universe* has evolved.

　　他们在努力了解宇宙是如何演变的。

定冠词 the 在强调时须读作/ðiː/。如：

（9）He is *the* /ðiː/ *only person* who could do that.

　　他是唯一能做那事的人。

不定冠词 a（an）来源于数词 one，有单一的含义，亦用于特指和类指。如：

（10）*A tiger* has escaped.

　　　有一只老虎逃跑了。（指确定的某一只老虎）

（11）*A tiger* can be dangerous.

　　　老虎可能有危害性。（指任何一只老虎）

不定冠词 a（an）相当于汉语中数目概念较弱的"一"。如：

（12）He handed Retana *a pair* of scissors.

　　　他递了把剪刀给雷塔娜。

不定冠词有 a 和 an 两种形式。它们在含义上并无不同，只是 a 用于辅音音素前，一般读作/ə/，而 an 则用于元音音素前，一般读作/ən/。如：

（13）Armstrong is *a man* of few words.

　　　阿姆斯特朗是一个沉默寡言的人。

（14）He was *an outcast.*

　　　他是一个流亡者。

在读作/juː/的元音字母 u 前须用 a，因为/juː/以辅音音素开头。如：

（15）Jack bought *a uniform.*

　　　杰克买了一套制服。

有些单词以 h 开头但不发音，后接元音音素亦须用 an。如：

（16）We live about *an hour* from the city.

　　　我们住的地方离城有一小时的路程。

在英国英语中，以 h 开头的多音节词，如第一音节不重读，其前亦可用 an。如：

（17）*An hotel* chambermaid stood by the fire-place.

　　　一个旅馆女服务员站在壁炉旁。

不定冠词 a 或 an 在强调时则须读作/ei/或/æn/。如：

（18）***A*** /ei/ is used before a consonant sound while ***an***
/æn/ is used before a vowel sound.

　　a 用于辅音音素前，而 an 则用于元音音素前。

　零冠词是名词之前一种无形的冠词，亦即一般所谓的不用冠词（定冠词或不定冠词）的场合。零冠词的历史最为悠久。现在许多专有名词、抽象名词和物质名词都用零冠词。如：

（19）***Beijing*** is the capital of ***China.***

　　北京是中国的首都。

（20）***Knowledge*** is ***power.***

　　知识就是力量。

（21）***Lead*** is heavier than ***iron.***

　　铅比铁重。

3.2 冠词的基本用法

　冠词总是与名词一起连用的。它的基本用法是：

1）在单形可数名词前可用定冠词或不定冠词。如：

（ 1 ）I had trouble with ***the car*** this morning.

　　今天早上我的车出了毛病。（定冠词表特指）

（ 2 ）No one knows precisely when ***the wheel*** was
invented.

　　无人确知轮子是什么时候发明的。（定冠词表类指）

（ 3 ）We lived in ***a*** small ***house.***

　　我们住在一所小房子里。（不定冠词表特指）

（ 4 ）***A baby deer*** can stand as soon as it is born.

　　小鹿一生下来就能站立。（不定冠词表类指）

2）复形可数名词前可用定冠词或零冠词。如：

（ 5 ）***The stars*** were bright in a cloudless sky.

　　天空无云，群星灿烂。（定冠词表特指）

（ 6 ）***Cigarettes*** are bad for your health.

　　香烟有害于你的健康。（零冠词表类指）

3）不可数名词前可用定冠词或零冠词。如：

（ 7 ）***The sugar*** you bought yesterday has got damp.

　　你昨天买的糖受潮了。（定冠词表特指）

（ 8 ）***Hydrogen*** is lighter than ***oxygen.***

　　氢轻于氧。（零冠词表类指）

4）专有名词前用零冠词。如：

（9）There was a letter from **Susan** inviting me to a party.

　　苏珊来信邀我参加聚会。

　　然而,由于名词的数形和数念都有不少特殊情况,以及历史、习惯等原因,在英语实践中,三种冠词几乎可用于各类名词。

3.3　冠词的位置

　　冠词与名词连用,总是置于名词之前。如:

（1）**The potato** is **a vegetable**,not **a fruit.**

　　土豆是一种蔬菜,不是水果。

名词如有形容词修饰,冠词通常置于形容词之前。如:

（2）She had a pair of **the most intelligent bright brown eyes** Robert had ever seen.

　　她长着一双罗伯特所见过的最聪慧、明亮的褐色眼睛。

（3）In the train,we found **an empty third-class carriage.**

　　在列车里,我们找到了一个空的三等车厢。

但是在下列几种情况下,冠词的位置有些不同。

1）形容词前有 so,as,too,how 修饰时,不定冠词 a 须置于形容词之后、名词之前。如:

（4）It was **so warm a day** that we decided to go to the sea.

　　天气这样和暖,我们决定到海边去玩。

（5）They are **as happy a couple** as I've ever seen.

　　他们是我见到过的最幸福的两口子。

（6）It was **too good a chance** to be missed.

　　这是个好机会,不能错过。

（7）I know **how great a labour** he had undertaken.

　　我知道他从事的是多么艰巨的劳动。

2）指示代词 such 和感叹词 what 总是置于不定冠词 a 之前。如:

（8）However did you make **such a mistake**?

　　你怎么会犯这种错误?

（9）I never saw **such a beautiful colour** on my mother's face before.

　　我在妈妈的脸上从未曾见过这样漂亮的气色。

（10）**What a pity**!

多可惜!

(11) *What a lovely day* !

多好的天!

3) many 可置于不定冠词之前，后跟单形名词。如：

(12) I've been there *many a time.*

我到过那儿多次了。

(13) I have heard *many a young girl* say that.

我听过许多姑娘说这种话。

4) 副词 quite 和 rather 可置于不定冠词 a 之前，亦可置于其后。置于其前时语气较强。如：

(14) You are *quite a woman*， little Fan.

你真是个不一般的女人，小范。

(15) He seems *quite a decent fellow.*

他看起来像个相当正经的人。

(16) It is *rather a pity.*

这是相当令人遗憾的。

(17) He lived in *rather a lonely part* of the country.

他住在乡村一个相当僻静的地方。

quite 和 rather 置于不定冠词之后，其语气则较弱。如：

(18) That's *a quite surprising result.*

这种结果有些令人吃惊。

(19) He's *a rather hard man.*

他是个颇为严厉的人。

5) 不定代词 all、both 和副词 double 须置于定冠词 the 之前。如：

(20) *All the birds* were asleep.

所有的鸟儿都睡了。

(21) *Both the boys* were late for dinner.

两个孩子晚饭都来晚了。

(22) I offered him *double the amount* ，but he still refused.

我给他两倍的钱，但他还是不接受。

both 后的定冠词常可省去。如：

(23) *Both (the) men* were talking in low voices.

两个人在低声交谈。

(24) He signed *both (the) papers.*

他签了两份文件。

all 后是否要用定冠词，由冠词的一般规则决定。如：

(25) *All children* have to go to school one day.
所有孩子有一天都得去上学。(类指)

(26) *All the children* of the boarding school were in bed.
寄宿学校的全体孩子都睡了。(特指)

6) half 和 twice 均置于不定冠词 a 和定冠词 the 之前。如：

(27) You've only heard *half the story.*
你只听了故事的一半。

(28) It took us *half an hour* to settle it.
我们花半个小时才将它安放好。(美语则可说a half hour)

(29) He paid *twice the price* for it.
他为它付了双倍的价钱。

二、定 冠 词

3.4 定冠词用于类名词

定冠词可用于单形类名词，表单念。如：

(1) He fell and hit his head on *the corner* of the box.
他摔倒了，在箱角上碰了头。

(2) My company waited for me at the end of *the street.*
我的同伴在街尾等我。

(3) Stars were sparkling out there over *the river.*
星星远在河的上空闪烁。

定冠词亦可用于复形类名词，表复念。如：

(4) This was July , and *the fields* were green.
这是七月，田野上绿油油的。

(5) Give me a list of *the students.*
给我一份学生名单。

(6) Lake Baikal is the deepest of all *the Lakes* in the world.
贝加尔湖在世界所有湖泊中是最深的。

定冠词还可用于一些常用复形的类名词，却表单念。如：

(7) In two days I was again back on *the outskirts* of London.
不到两天，我又回到了伦敦郊区。

（8）He wants to go to **the movies.**

他想去看电影。

3.5　定冠词用于集体名词

定冠词可用于集体名词，不论单形或复形，皆表复念。如：

（1）Members of **the press** weren't allowed into the meeting.

新闻记者不允许进入会场。

（2）The museum is open to **the public.**

博物馆对公众开放。

（3）He identified himself with **the lower classes** of society.

他认同于下层社会。

3.6　定冠词用于物质名词

定冠词可用于单形物质名词，一般无数念。如：

（1）Fragrance diffuses through **the air.**

空气中迷漫着芳香。（the air 无数念）

（2）Milk from which **the cream** has been taken is called skim-milk.

被提取出奶油的牛奶叫脱脂乳。（the cream 无数念）

定冠词亦可用于一些有复形的物质名词，表复念或无数念。如：

（3）Suddenly all **the lights** went out.

突然间，所有的灯全灭了。（the lights 表复念）

（4）The air is very clear after **the rains.**

雨过天晴。（the rains 表复念）

（5）How do you like **the sheep's brains** ?

你喜欢吃羊脑吗？（the sheep's brains 无数念）

3.7　定冠词用于抽象名词

定冠词可用于单形抽象名词，无数念或表单念。如：

（1）They avoided me like **the plague.**

他们像躲瘟疫一样躲着我。（the plague 无数念）

（2）This type of drama appeals more strongly to **the intellect** than to the emotions.

此类戏剧激发智能胜过激发情绪。（the intellect 无数

念）

（3）**The idea** of the game is to hit the ball over the net.

此游戏的玩法就是要将球打过网去。(the idea 表单念)

定冠词亦可用于复形抽象名词，表各种数念。如：

（4）Despite **the rigours** of the 18-hour flight from Washington, he was in fine spirits.

尽管从华盛顿起飞后经过了 18 个小时的旅途劳累，但他的精神还很好。(the rigours 无数念，与 the rigour 同义)

（5）During the election, his house was used as **the campaign headquarters.**

选举期间，他的家被用来作为竞选总部。(the head-quarters 表单念)

（6）He laid **the foundations** of his success by hard work.

他成功的基础是勤奋。(the foundations 表复念)

3.8　定冠词用于名词化的词

定冠词可用于名词化的动名词、形容词、过去分词、序数词等。

1）用于名词化的动名词。如：

（1）How about **the living** there? Is it cheap?

那里的生活怎么样?便宜吗? (单形无数念)

（2）Hang **the washing** out to dry.

把洗好的衣物挂出去晾干。(单形表复念)

（3）Where's **the doings** to open this with?

开这个东西的那玩意儿在哪儿? (复形表单念)

（4）**The bindings** of these books are torn.

这些书的装帧撕裂了。(复形表单念)

2）用于名词化的形容词。如：

（5）**The beautiful** can never die.

美是永恒的。(单形无数念)

（6）**The older** took **the younger** by the hand.

老的用手携着幼的。(单形表单念)

（7）**The old** are apt to catch cold.

老人容易患感冒。(单形表复念)

（8）What's **the news** ?

有什么新闻吗？（复形无数念）

(9) I asked one of *the locals* which way to go.

我向一个当地人问路。（复形表复念）

3) 用于名词化的过去分词。如：

(10) She said she was just afraid of *the unknown.*

她说她就是怕未知之事态。（单形无数念）

(11) *The accused* was acquitted.

被告被宣判无罪。（单形表单念）

(12) *The handicapped* need our help.

残疾人需要我们的帮助。（单形表复念）

(13) *The broadcasts* will be heard in most parts of the world.

全世界大部分地方都将收听到这些广播。（复形表复念）

4) 用于名词化的序数词。如：

(14) He was the second to be chosen.

他是第二个候选人。（单形表单念）

(15) He was one of *the first* to collect Picasso paintings.

他是最早收藏毕加索绘画的人之一。（单形表复形）

3·9　定冠词用于专有名词

定冠词可用于单形与复形专有名词。如：

(1) *The Baltic Sea* is stormy in winter.

波罗的海冬天多暴风雨。

(2) *The United Nations Organisation* was founded in 1945.

联合国组织成立于 1945 年。

(3) Have you visited the exhibition of some masterpieces of the great painters of *the Renaissance* ?

你参观过文艺复兴时期伟大画家的佳作选展吗？

(4) Cairo lies on the east bank of *the Nile.*

开罗位于尼罗河东岸。（Nile 后省去 river）

(5) *The Macdonalds* lived in the next-door house.

麦克唐纳一家住在隔壁。

定冠词用于专有名词可以：

1) 表人名。如：

　　the Emperor Napoleon　拿破仑皇帝

the Reverend Peter Israels 彼得·伊斯雷尔斯牧师

the Judge Harries 哈里斯法官

the young Shakespeare 小莎士比亚（与 the old Sha -
kespeare 相对）

the late Premier Zhou 已故周总理（late 与 still living
相对）

the Browns 布朗一家

the Misses Shaw 肖家姐妹

the Germans 德国人

2) 表地名。如：

the Hudson River 哈得孙河

the Thames （＝the river Thames） 泰晤士河

the Mississippi Valley 密西西比河流域

the Suez Canal 苏伊士运河

the English Channel 英吉利海峡

the Mediterranean Sea 地中海

the Pacific Ocean 太平洋

the Alps 阿尔卑斯山脉

the Hawaiian Islands 夏威夷群岛

the Antarctic Circle 南极圈

the Equator 赤道

the Hague 海牙

the Sahara 撒哈拉

the Hannibal Bridge 汉尼拔桥

the Netherlands 荷兰

the United States 美国

3) 表机关、团体等。如：

the United Kingdom of Great Britain and Northern
Ireland 大不列颠及北爱尔兰联合王国

the National People's Congress 全国人民代表大会

the Senate 参议院（美国）

the House of Representatives 众议院（美国）

the House of Lords 上议院（英国）

the House of Commons 下议院（英国）

the Democratic Party 民主党

the Republican Party 共和党

the Conservative Party　保守党

the Labour Party　工党

the Federal Bureau of Investigation (FBI)　联邦调查局

the Central Intelligence Agency (CIA)　中央情报局

the Associated Press　美联社

the University of London　伦敦大学

the University of Chicago　芝加哥大学

the British Museum　不列颠博物馆

the London Zoo　伦敦动物园

the Louvre (Palace)　罗浮宫

4）表历史时期、事件等。如：

the Iron Age　铁器时代

the Tudor Dynasty　多铎王朝

the Yalta Conference　雅尔塔会议

the Treaty of Versailles　凡尔赛条约

5）表报刊书籍及其它。如：

the Times　《泰晤士报》

the Guardian　《卫报》

the New York Times　《纽约时报》

the Washington Post　《华盛顿邮报》

the Economist　《经济学家》

the Atlantic　《大西洋杂志》

the Odyssey　《奥德赛》

the Paradise Lost　《失乐园》

the Yorktown　约克敦号（航空母舰）

the Mercury　墨丘利号（宇宙飞船）

the Bible　基督教圣经

the Lord　上帝（与用零冠词的 God 同义）

the Devil　魔王（即撒旦）

the Koran　古兰经

3·10　定冠词用于固定习语

定冠词常用于固定习语。如：

（1）*In the middle of* the night，we finally reached that city.

夜半时分，我们终于到达了那座城市。

（2）If you behave so foolishly you must be ready to *take the consequences.*

如果你这样瞎闹，就得准备自食其果。

（3）It is certainly unreasonable that she should *put the blame on* you.

她竟归咎于你，这肯定不合理。

用定冠词的其它习语还有如：

in *the* morning（afternoon，evening）早上（下午，晚上）

to tell *the truth*　说真话

with *the exception* of　除……外

to go to *the theatre*　看戏

to break *the ice*　打破沉默

to keep *the peace*　维持治安

to pick up *the pieces*　收拾残局

to burn *the midnight oil*　开夜车

to pass *the buck*　推卸责任

to put *the cart* before *the horse*　本末倒置

Strike while *the iron* is hot.　趁热打铁。

The fat is in *the fire.*　事情搞糟了。

三、不 定 冠 词

3·11　不定冠词用于类名词

不定冠词常用于单形类名词，表单念。如：

（1）Give me *a post-card.*

给我一张明信片。

（2）*A girl* wants to see you.

一个姑娘要见你。

（3）When I entered the room ，I saw *a man* standing at the window.

我走进房间时，看见一个男人站在窗前。

不定冠词亦可用于一些常用复形的类名词，亦表单念。如：

（4）*A crossroads* is a place where roads cross.

十字路口就是几条路交叉的地方。

（5）My father works at *a* gas *works.*

我父亲在一家煤气厂工作。

3.12 不定冠词用于集体名词

不定冠词可用于单形集体名词。如：

(1) Holstein was inhabited by *a population* of about 600 000 entirely German.

荷尔斯泰因曾住有六十万人口，皆为德国人。

(2) The Shaws were naturally *a* musical *family.*

肖氏一家人天生爱好音乐。

(3) I was put in *a* large *class.*

我被编入一个大班。

3.13 不定冠词用于物质名词

不定冠词可用于单形物质名词，表单念。如：

(1) It is *a* very good *cheese.*

这是一种很好的奶酪。（表类别）

(2) *A* heavy *dew* fell.

下了一场很大的露水。（表类别）

(3) George drew out *a tin* of pineapple from the bottom of the hamper.

乔治从提篮底下取出一罐菠萝。（转化为类名词）

不定冠词偶尔亦可用于复形物质名词，仍表单念。如：

(4) They are *a* light *victuals.*

这是一种清淡食物。

3.14 不定冠词用于抽象名词

不定冠词可用于单形抽象名词。如：

(1) I am quite at *a loss.*

我真不知道该怎么办好。

(2) You make mistakes if you do things in *a hurry.*

你如仓卒行事，就会犯错误。

(3) The horse, feeling the whip, started at *a gallop.*

马受到鞭打，就开始奔跑起来。

不定冠词可用于由动词转化来的抽象名词。如：

(4) Can you give me *a lift* , please?

对不起，您能让我搭你的车吗？

(5) Let's have *a try* at it.

让我们试它一下。

不定冠词可用于已转化为类名词的抽象名词。如：

(6) She is quite *a beauty.*

　　她真是个美人儿。(a beauty 由抽象名词 beauty 转化而来)

(7) As *a youth* he was on the school team.

　　他年轻时曾参加过校队。(a youth 从抽象名词 youth 转化而来)

不定冠词有时亦可用于复形抽象名词，表单念。如：

(8) The first batsman had *a* short *innings.*

　　第一击球员的一局很短。

(9) We have just moved in, so we're in a bit of *a shambles.*

　　我们刚迁入新居，所以现在还有点乱。

3.15　不定冠词用于名词化的词

不定冠词可用于名词化的动名词、形容词、过去分词、序数词等，多用单形。

1) 用于名词化的动名词。如：

(1) *A knocking* at the door was heard.

　　听到了一阵敲门声。(a knocking 表单念)

(2) By 1980 her work was beginning to attract *a following.*

　　到1980年，她的作品开始拥有了读者。(a following 表复念)

2) 用于名词化的形容词。如：

(3) He is such *a dear.*

　　他是如此可爱的人。(a dear 表单念)

(4) I'll take this one for want of *a better.*

　　由于没有更好的，我就要这个吧。(a better 表单念，better 后省去了 one)

但偶尔亦可用于复形名词化的形容词。如：

(5) He loved the darkness and folded himself into it. It fitted the turgidity of his desire which, in spite of all, was like *a riches.*

　　他爱黑暗，将自己包在其中。黑暗正贴合他那膨胀起来的欲望，这种欲望简直就像是一种财富一样。(a

riches 表单念）

3）用于名词化的过去分词。如：

（6）The onetime star became *an outcast.*

一时的名星已被社会所抛弃。（表单念）

（7）He is busy administering *a deceased's* estate.

他忙于管理一个死者的遗产。（a deceased 表单念）

4）用于名词化的序数词。如：

（8）He got *a first* in mathematics.

他的数学得第一名。（a first 表单念）

（9）Hey，we need *a fourth* in the game.

嘿，我们玩牌正三缺一哩。（a fourth 表单念）

3·16　不定冠词用于专有名词

不定冠词可用于专有名词。如：

（1）He is *a Chinese* now working as a doctor in Japan.

他是个华人，现在日本当医生。

（2）The museum owns two Rambrandts and *a Van Gogh.*

这家博物馆藏有两幅伦勃朗的画和一幅梵·高的画。

（3）I am going to buy *a Kodak.*

我要买一架柯达照相机。

（4）They came on *a Sunday* and went away on the Monday.

他们是一个星期日来的，星期一就走了。

（5）There wasn't *a* single *Jones* in the village.

村子里连一个叫琼斯的人也没有。

（6）The book is entitled *The Making of A New Canada.*

这本书题名为《新加拿大的历程》。

不定冠词偶尔亦可用于复形专有名词。如：

（7）*A Mrs. Chambers* called this morning.

一个叫钱伯斯太太的今天上午来过电话。

（8）To read Dickens you would never know there would be *a British Isles* that is not fogbound.

你如读狄更斯的书，就会不知有一无雾笼罩的英伦三岛。

3.17 不定冠词用于固定习语

不定冠词可用于固定习语。如：

（1）Don't *make a fool of* me!

别捉弄我了！

（2）Shall we *take a break*？

我们休息一会儿好吗？

（3）When the lad did decide to do his work，he did it
with a will.

这小伙子一旦决定干活，就干得十分带劲。

用不定冠词的其它习语还有如：

to have *a gallop*　快马加鞭

to make *a fuss*　大惊小怪

with *a vengeance*　猛烈地

at *a disadvantage*　处于不利地位

to wait for *an eternity*　无期地等待

to make *a racket*　大声喧闹

to beat *a retreat*　撤退

to take *a bow*　谢幕

all of *a sudden*　突然

as *a rule*　通常

as *a matter* of fact　事实上

get *a grip* of　掌握

四、零 冠 词

3.18 零冠词用于类名词

零冠词可用于单形类名词，表抽象概念。

1）强调无所指，表一单纯概念。如：

（1）He has great neatness of *person.*

他十分整洁。（person 指人的外表）

（2）19：05 Documentary：*Dove*

19 点 05 分：纪绿片：鸽子（电视节目表）

（3）*"Triangle"，"animal"，* and *"motion"* are concepts.

"三角"、"动物"和"运动"都是些概念。（表单纯
概念）

2）表人所熟知的事物。如：

（4）There's no place like **home.**

　　任何地方都没有家好。

（5）I'm going into **town.**

　　我要到市区去。

（6）He made straight for **camp.**

　　他直接去野营。

3）泛指人或人类。如：

（7）**Man** is mortal.

　　人必有死。

（8）We have done all that **modern man** can do.

　　我们已经做了现代人所能做的一切。

（9）To ensure **woman's** complete emancipation and make her the equal of man it is necessary for woman to participate in common productive labour.

　　为了保证妇女的彻底解放和与男子平等，必须让妇女参加共同的生产劳动。

4）表身体部分。如：

（10）He was a sleek, short man with bright bald **head,** pink **face** and gold-rimmed glasses.

　　他身材矮小，穿着时髦，头光秃，面粉红，戴着一副金边眼镜。

（11）The dog plunged wildly away, with **tail** between its legs.

　　那只狗两腿夹着尾巴猛地跑走了。

5）表品质或职务。如：

（12）He became **king.**

　　他成了国王。

（13）He was taken **prisoner.**

　　他成了俘虏。

（14）John is **captain** of the team.

　　约翰是球队队长。

（15）That man was more **animal** than **man.**

　　那个人与其说是人，不如说是畜生。

6）置于介词之后表抽象概念。如：

（16）I don't go to **school** — I'm at **university.**

　　我不是在上中学，我是在上大学。（现今也可说 go to

university）

(17) Put the baby to *bed.*

让宝宝睡觉吧。

(18) Did you come by *trolley* or by *bus*？

你是乘电车还是乘公共汽车来的？

(19) He is still in *hospital.*

他还在住医院。（美国英语则说 in the hospital）

7）用于转化为物质名词或抽象名词的类名词。如：

(20) How do you like *rabbit*？

你喜欢兔肉吗？

(21) She said she cared a lot about *face.*

她说她很爱面子。

(22) *Bed* was a place for sleeping.

床是睡觉的地方。

8）用于"kind, sort 等+of"结构。如：

(23) What kind of *flower* is it？

那是一种什么花？

(24) I like this sort of *book.*

我喜欢这类书。

9）用于"形容词+of"结构。如：

(25) Andrew Powel was a large man, red of *face.*

安德鲁·鲍威尔身材高大，脸红红的。

(26) She called to a tall and slender youth, smooth of *cheek.*

她向一个面颊光滑的瘦高个子青年喊叫。

10）用于独立结构。如：

(27) A girl came in, *book* in hand.

一个少女进来了，手里拿着书。

(28) She sat at the table, *collar* off, *head* down, and *pen* in position, ready to begin the long letter.

她坐在桌前，衣领已解掉，头低了下来，放好钢笔，准备开始写一封长信。

零冠词亦可用于复形类名词，无数念或表复念。如：

(29) Paul is *friends* with Bill.

保罗与比尔要好。（无数念）

(30) Percy is great *pals* with a man called Nicksey.

珀西与一个叫尼克西的人是好友。(无数念)

(31) **Liars** must have good memories.

说谎的人必须有好的记忆力。(表复念)

(32) **Children** were seen playing in the sports-ground.

可以看到孩子们在运动场上玩。(表复念)

3.19 零冠词用于集体名词

零冠词可用于单形集体名词,表复念。如:

(1) The Nazi war criminals were condemned for crimes against **humanity.**

纳粹战犯因其灭绝人性的罪行而被判刑。

(2) **Machinery** is oiled to keep it running smoothly.

机器要上油,以保持其转动顺滑。

(3) Farmers are always having trouble with various types of **vermin.**

农民常为各种害虫所苦。

零冠词亦可用于复形集体名词,表复念。如:

(4) He is not big on **families** , he says.

他说他并不看重家庭。

(5) **Statistics** suggest that the population of this country will be doubled in ten years' time.

统计数字预测该国人口在十年时间内将翻一番。

3.20 零冠词用于物质名词

零冠词可用于单形物质名词,一般无数念。如:

(1) **Blood** is thicker than water.

血浓于水。

(2) You are drawing **water** with a sieve.

你是在用竹篮子打水。

(3) **Dinner** is at six.

6 点钟开饭。

零冠词亦可用于复形物质名词,多表复念或无数念。如:

(4) The windows are all covered with **boards.**

窗户全用木板盖上了。

(5) There were little white **clouds** in the sky.

天空有小片白云。

（6）Are you short of **funds** ?

　　你缺钱吗?

（7）**Oats** is a crop mainly grown in cool climate.

　　燕麦是一种主要生长在寒带的作物。（无数念）

3.21　零冠词用于抽象名词

零冠词可用于单形抽象名词，常无数念。如:

（1）**Wisdom** is better than **strength.**

　　智慧胜于力量。

（2）How **time** flies!

　　光阴飞逝!

（3）The bird swelled its breast and burst into **song.**

　　小鸟挺起胸脯，放声歌唱。

但有时表复念。如:

（4）Let not **ambition** mock their useful toil.

　　不要让雄心勃勃的人嘲笑他们的有益劳动吧。

　　（ambition 指雄心勃勃的人，their 指劳动人民的）

零冠词亦可用于复形抽象名词，多表复念。如:

（5）**Facts** are **facts.**

　　事实就是事实。

（6）**Misfortunes** never come singly.

　　祸不单行。

（7）Rescue **efforts** are under way.

　　营救工作正在进行。

但有时无数念。如:

（8）**Sports** is good for health.

　　运动有益于健康。

（9）**Rickets** is quite rare now.

　　佝偻病现在很少见了。

（10）Defence **studies** is not a dicipline renowned for semantic exactitude.

　　防御学并不是一门以语义精确而著称的学科。

3.22　零冠词用于名词化的词

零冠词可用于名词化的动名词、形容词、过去分词、序数词等。

1) 零冠词用于名词化的动名词。如:

（1）The child was told to play within *hearing* of the house.

吩咐孩子在离房子里的人能听得见的地方玩。（单形无数念）

（2）His actions are not in *keeping* with his promises.

他的行动与他的承诺不符。（单形无数念）

（3）Good *beginnings* make good *endings*.

善始方能善终。（复形表复念）

（4）Guano means *droppings* from seabirds used as a sort of fertilizer.

鸟粪层就是海鸟的粪便，可以用作肥料。（复形表复念）

2）零冠词用于名词化的形容词，无数念或表复念。如：

（5）The reading materials are arranged from *easy* to *difficult*.

阅读材料是由易到难安排的。（单形无数念）

（6）*Old* and *young* marched side by side.

老少并肩前进。（单形表复念）

（7）*Acrobatics* is hard to learn but beautiful to watch.

杂技难学但好看。（复形无数念）

（8）We are taking our *finals* next week.

我们下星期举行期末考试。（复形表复念）

3）零冠词用于名词化的过去分词。如：

（9）Let him try that game again on me，and I'll soon put *paid* to it.

他如果再和我玩这套把戏的话，我将马上叫他收起来。（单形无数念）

（10）Do you listen to news *broadcasts* every day?

你每天听新闻广播吗？（复形表复念）

4）零冠词用于名词化的序数词。如：

（11）Fruit should be sorted into best and *seconds* and in some cases into *thirds*.

水果应分类为最好和较次，有时还应该分出第三类。（复形表复念）

3·23 零冠词用于专有名词

零冠词常用于专有名词。如：

（1）*John Ford* came in at last.

约翰·福特终于掌权了。

（2）I asked him how he liked *Paris.*

我问他喜不喜欢巴黎。

（3）*July* passed into *August，August* into *September.*

七月到了八月，八月又到了九月。

零冠词亦可用于复形专有名词。如：

（4）He works not only on weekdays but on *Sundays* as well.

他不仅平日工作，星期日也工作。

（5）*Shakespeares* are rarer than *Napoleons.*

莎士比亚式的人物要比拿破仑式的人物少。

零冠词用于专有名词可以：

1）表人名。如：

William Shakespeare　威廉·莎士比亚

Miss Smith　史密斯小姐

Queen Elizabeth　伊丽莎白女王

Mama　妈妈

Papa　爸爸

Cook　厨师

Nurse　保姆

2）表地名。如：

Craford Village　克拉福村

Cape Town　开普敦

New York City　纽约城

London　伦敦

Durham County　达勒姆郡

France　法国

Europe　欧洲

Mount Qomolangma　珠穆朗玛峰

Lake Success　成功湖

Pearl Harbour　珍珠港

Hainan Island　海南岛

Lizard Point　利泽德角

Wall Street　华尔街

Madison Avenue　麦迪逊路

Drury Lane　德鲁里巷

Hyde Park　海德公园

Trafagar Square　特拉法加广场

Westminster Abbey　西敏寺

Canterbury Cathedral　坎特伯雷大教堂

Holy Mother Church　圣母教堂

Windsor Castle　温莎城堡

3）表机构、院校。如：

Congress　国会（美国）

Parliament　议会（英国）

Government　政府

Oxford University　牛津大学

Harvard University　哈佛大学

Beijing University　北京大学

Eaton College　伊顿公学

Dala Farm　达拉农场

4）表月份、周日、节日。如：

January　一月

May　五月

October　十月

December　十二月

Sunday　星期日

Wednesday　星期三

Saturday　星期六

New Year's Eve　除夕

Christmas Day　圣诞节

Thanksgiving　感恩节

National Day　国庆节

5）表星体及其它。如：

Mercury　水星

Venus　金星

Mars　火星

Polaris　北极星

Scorpion　天蝎座

Little Bear　小熊座

God　上帝

Heaven　天国
Holy Writ　基督教《圣经》
Genisis　《创世记》

3.24　零冠词用于固定习语

零冠词可用于固定习语。如：

（1）The crowd *gave way* to the ambulance.
人群给救护车让路。

（2）Preventive measures were taken *in time* with good results.
及时采取预防措施，效果良好。

（3）Are you going to *take part in* the discussion?
你打算参加讨论吗？

用零冠词的习语有三类：

1）"动词＋零冠词＋名词"，如：

cast anchor	抛锚	lose heart	丧失信心
catch fire	着火	make way	前进
change course	改变方向	mount guard	上岗
change gear	换档	send word	捎信
delay sentence	推迟判决	set sail	启航

2）"介词＋零冠词＋名词（＋介词）"，如：

by chance	偶然	on hand	在手头
by day	在白天	out of date	过时
from beginning	从头	in charge	主管
in fear	恐惧	on foot	步行
in front of	在……前面	on account of	因为
in spite of	不管	in place of	代替

3）"动词＋零冠词＋名词＋介词"，如：

catch sight of	看到	make use of	利用
do duty for	当……用	take hold of	抓住
find fault with	挑剔	take exception to	反对

3.25　冠词的省略

有时名词前无冠词，但并非零冠词，而是省去了不定冠词或定冠词。在下列情况下冠词可省略。

1）避免重复。如：

（1） The lightning flashed and *thunder* crashed.

电闪雷鸣。（thunder 前省去 the）

（2） The noun is the name of a person or *thing.*

名词是人或物的名称。（thing 前省去 a ）

2）可省去句首的定冠词 the。如：

（3）*Class* is dismissed.

下课了。

（4）*Fact* is，she doesn't like him.

事实是她不喜欢他。

3）在 the next day (morning，etc.) 等短语中，定冠词 the 常可省去。如：

（5）*Next day* they went to London together early.

第二天，他们一起很早就到伦敦去了。

（6） They stood on the jetty *next morning.*

第二天早晨，他们站在防波堤上。

4）日记体常省去定冠词或不定冠词。如：

（7）Nov. 1. Had sausages for breakfast. *Fine day. Walk* in *morning. Riding lesson* in *afternoon.* Chicken for dinner.

11月1日。早餐吃香肠。天气晴和。上午散步。下午练骑马。晚餐吃鸡。（fine day，walk 与 riding lesson 前省去 a ，morning 与afternoon 前省去 the）

5）报纸标题、图像说明、文章题目、标志、广告等常省去定冠词或不定冠词。如：

（8）*Worker'*s Arm Is Saved

工人的手臂得救了（报纸标题，worker 前省去 a ）

（9）*Daughter-in-law* measures up *mother-in-law* for a new jacket.

儿媳给婆婆量新衣。（像片说明，daughter-in-law 与 mother-in-law 前皆省去 the）

（10）*River* Thames 泰晤士河（地图标志，省去 the）

（11）*Note* on the Study of Shakespeare

莎士比亚研究札记（文章题目，note 前省去 a ）

（12）*Footpath* to *beach*

此路通海滩（道路标志，footpath 与 beach 前皆省去 the）

(13) **Boy** wanted.

招聘男侍者一名。(广告，boy 前省去 a)

6) 在简约文体中，如电报、注释等，常省去定冠词或不定冠词。

如：

(14) Your mother in hospital Stop **Doctor** fears end is near Stop Believe you should return soonest

你母住院　大夫恐其不久人世　望速归（电报，doctor 前省去 the）

(15) See **picture** at street.

见词目 street 处的图。(注释，picture 前省去 the)

(16) **Proposal** accepted.

同意。(批语，proposal 前省去 the)

信函地址常省去定冠词或不定冠词。如：

(17) English Dept.

Foreign Studies University

Beijing，China

中国北京外国语大学英语系

(English Dept. 前省去 the)

口语中也常用简约文体，省去定冠词或不定冠词。如：

(18) I knocked on **door** and there was no answer.

我敲了敲门，没有回答。(door 前省去 the)

(19) Sorry. **Rotten thing** to say.

对不起，我这是废话。(rotten thing 前省去 a)

3.26　冠词的重复

定冠词指代表不同事物的不同名词时，一般须重复，不可省略。

如：

(1) The teacher and **the** guardian of the lad were discussing his case.

孩子的教师和监护人正在研究孩子的情况。

(guardian 前的 the 不可省)

(2) The inner and **the** outer wall were both strongly defended.

里墙和外墙均严密守护着。(inner 后省去 wall，但 outer 前的 the 不可省去)

不同名词指同一事物时，为了强调，亦可用定冠词 the。

如：

（3）He was the actor and *the* statesman of his age.

他是当时的演员和政治家。(the actor and the statesman 指同一个人，statesman 前用 the 是为了强调)

不定冠词表一个以上的事物时，一般应重复。如：

（4）We have *a* black cat and *a* white dog.

我们养了一只黑猫和一只白狗。

如都是猫，则可共用一个名词，但仍须重复不定冠词。如：

（5）We have *a* black and *a* white cat.

我们养了一只黑猫和一只白猫。（如不重复 a，则变成 a black and white cat，意谓一只黑白花猫）

不定冠词在不会引起误会时亦可不重复。如：

（6）The noun is the name of *a* person or thing.

名词是人和物的名称。(thing 之前省去了a)

不定冠词在指同一人时，一般不重复。如：

（7）His uncle is *a* writer and translator.

他的叔父是个作家兼翻译家。(a writer and translator 指同一人，如强调这两种身份，亦可用 a writer and a translator)

不定冠词在一些表成套事物的词组中不可重复。如：

a cup and saucer　一副茶杯与茶托

a knife and fork　一副刀叉

a nut and bolt　一副螺钉

第四章 代 词

一、概 说

4.1 代词的定义和特征

代词是代替名词以及起名词作用的短语、分句和句子的词。英语代词使用得很广泛；汉语代词用得似较英语少些。如：

(1) Because **he** had a bad cold, Jack decided to stay in bed the whole day.

杰克由于患重感冒，遂决定整天卧床休息。(代词 he 代替名词 Jack)

(2) The Browns said **they** might move to California.

布朗一家说他们也许要搬到加利福尼亚州去。(代词 they 代替名词短语 the Browns)

(3) Bob always answers his teacher's questions well; **that** shows that he works very hard at home.

鲍勃一向对教师的问题回答得很好；这说明他在家很用功。(代词 that 代替前面的分句)

(4) I had a chat with our group leader. **It** was very helpful.

我和组长谈了一次话。这对我帮助很大。(代词 it 代替前面的整个句子)

代词与名词在形态上有所不同：第一，许多代词有比名词多的表示人称、数、格与性的屈折变化；第二，代词没有名词特有的派生词尾，如 -tion, -ment 等。

代词之间相异之处也很多，如有的可以随便选用，有的则不能；有的可用作替换词，有的则不能；有的有屈折变化，有的则没有；有的可用形容词修饰，有的则不可。但代词之间有两点共同之处：第一，它们本身的词义都很弱，必须从上下文来确定；第二，许多代词都有两种功用：一可单独取代名词的位置，二可起修饰语的作用。

4.2 代词的种类

代词可分为八类：

1）人称代词（personal pronoun）

a）主格 I，you，he，she，it，we，you，they

b）宾格 me，you，him，her，it，us，you，them

2）物主代词（possessive pronoun）

a）形容词性物主代词 my，your，his，her，its，our，your，their

b）名词性物主代词 mine，yours，his，hers，its，ours，yours，theirs

3）反身代词（reflexive pronoun）myself，yourself，himself，herself，itself，ourselves，yourselves，themselves，oneself

4）相互代词（reciprocal pronoun）each other，one another

5）指示代词（demonstrative pronoun）this，that，these，those，it，such，same

6）疑问代词（interrogative pronoun）who，whom，whose，which，what

7）关系代词（relative pronoun）who，whom，whose，which，that，as

8）不定代词（indefinite pronoun）some，something，somebody，someone，any，anything，anybody，anyone，no，nothing，nobody，no one，every，everything，everybody，everyone，each，much，many，little，a little，few，a few，other，another，all，none，one，both，either，neither

二、人 称 代 词

4.3 人称代词的形式

人称代词表示人称范畴以及它们的屈折变化形式，有人称、性、数与格之分：

人称\数\格		单　　数		复　　数	
		主　格	宾　格	主　格	宾　格
第一人称		I 我	me	we 我们	us
第二人称		you 你	you	you 你们	you
第三人称	阳性	he 他	him	他们	
	阴性	she 她	her	they 她们	them
	中性	it 它	it	它们	

4.4 人称代词的指代

顾名思义，人称代词表示人。然而，人称代词并不全指人，也指物。人称代词有三个人称，每个人称又分单数和复数（第二人称单数与复数同形），第三人称单数还有阳性、阴性和中性之分。人称代词的人称、数和性取决于它所指代的名词，而人称代词的格则取决于它在句中的地位。

1) 第一人称单数 I 代表说话者，须大写。如：

（1）*I* beg your pardon, is this your handbag?

对不起，这是你的手提袋吗？

（2）That's what *I* mean.

这就是我的意思。

2) 第一人称复数 we 代表说话者一方（二人或二人以上）。如：

（3）*We* walked together up the garden path.

我们一道沿着园中小径漫步。

（4）*We* need one more telephone.

我们还需要一部电话机。

we 有时也包括听话者。如：

（5）Shall *we* call a taxi?

咱们叫一部出租车好吗？

（6）Let's go, shall *we* ?

咱们走吧，行吗？

we 可以代表一个集体。如：

（7）*We* should like to dublicate the order we sent you last month.

我们想复制一份我们上月给你们的订单。（we 代表公司或政府）

（8）*We* do not necessarily support the views expressed in this column.

我们并不一定赞同这一栏目中所表达的观点。（we 代表报纸）

（9）*We* wish to record our special thanks to R. A. Close for his detailed work revising the manuscripts.

我们特别感谢 R. A. 克劳斯对本书手稿所作的详细校定。（we 代表著者）

we 也可以用来泛指大家。如：

（10）*We* all fear the unknown.

对于未知的事物我们都感到害怕。

(11) **We** all get into trouble sometimes.

我们有时都会遇到麻烦。

3) 第二人称单、复数 you 代表听话者或对方（复数 you 代表二人或二人以上）。如：

(12) "Whatever **you** want **you** shall have，" said the Fairy.

"你要什么就会有什么，" 仙女说。

(13) I choose **you** three；the rest of **you** can stay here.

我选你们三个。其余的可以留在这里。

you 究竟是表示单数或复数，往往要根据句意和语境来确定。如：

(14) Are **you** ready，David?

戴维，你准备好了吗？（you 表单数）

(15) **You** must both come over some evening.

你们俩必须找个晚上过来一趟。（you 表复数）

you 也可以用来泛指大家。如：

(16) **You** never know what may happen.

谁也不知道会发生什么事。

(17) World trade is improving，but **you** cannot expect miracles.

世界贸易正在改善，但谁也不能期望出现奇迹。

(18) **You** should do your best at all times.

你无论何时都应尽你的最大努力。

4) 第三人称单数阳性 he 代表已提到过的男人。如：

(19) **He** is a powerful man.

他是个有权势的人物。

(20) Where's John? — **He** 's gone to the cinema.

约翰在哪儿?——他去看电影了。

在一些谚语中 he 可以泛指大家。如：

(21) **He** who hesitates is lost.

当断不断，必受其患。

(22) **He** who laughs last laughs best.

谁笑到最后，谁笑得最好。

5) 第三人称单数阴性 she 代表已提到过的女人。如：

(23) Where is Charlotte? — **She** 's outside sunbathing.

夏洛特在哪儿?——她在外边晒太阳。

(24) **She** had a lively sense of humour.

她有一种很强的幽默感。

6）第三人称单数中性 it 代表已提到过的一件事物。如：

(25) That vase is valuable. **It**'s more than 200 years old.

那个花瓶很珍贵，它有 200 多年的历史。

(26) I love swimming. **It** keeps me fit.

我喜欢游泳，它能使我保持健康。

(27) You have saved my life; I shall never forget **it**.

你救了我的命，我将永生不忘。

当说话者不清楚或无必要知道说话对象的性别时，也可以用 it 来表示。如：

(28) **It**'s a lovely baby. Is **it** a boy or a girl?

宝宝真可爱，是男孩还是女孩？

it 可用来指代团体。如：

(29) The committee has met and it has rejected the proposal.

委员会已开过会，拒绝了这项建议。

it 常用来指代时间、距离、自然现象等。如：

(30) **It** is half past three now.

现在是三点半钟。

(31) **It** is six miles to the nearest hospital from here.

这里离最近的医院也有六英里。

(32) **It** was very cold in the room.

房间里很冷。

it 有时非确指。如：

(33) How's **it** going with you?

你近况如何？

(34) Take **it** easy.

不要紧张。

it 还常用于固定习语，it 所指为对方所熟知，故无必要明确指出。如：

cab it	乘车	come it	尽自己分内
walk it	步行	come it strong	做得过分
make it	办成	take it out of somebody	拿某人出气

7）第三人称复数 they（不分性别）代表已提到过的一些人或事物。如：

(35) John and Susan phoned. ***They***'re coming round this evening.

约翰和苏珊来了电话，他们今晚要来。

(36) Where are the plates? — ***They*** are in the cupboard.

盘碟在哪儿?——在碗橱里。

(37) Our curtains look dirty. ***They*** need a good wash.

我们的窗帘看来很脏了，需要好好洗一洗。

they 也可以用于一般陈述，泛指"人们"。如：

(38) ***They*** say that honesty is the best policy.

人们说诚实是上策。(they 泛指人们)

(39) One of the best ways of seeing London, ***they*** used to say, is from the top of a bus.

过去人们常说，从公共汽车顶上看伦敦，是最好方法之一。(they 泛指人们)

they 常用来指"当局"等。如：

(40) ***They***'re putting up oil prices again soon.

当局即将再次提高油价。

8) 人称代词一般出现在它所指代的名词之后，但有时也出现在它所指代的名词之前。如：

(41) Though ***he*** did not know it, Jerome was now close to the sea and was paddling in a new kind of river.

杰罗姆还不知道，其实他这时已接近大海，正在一条新河中划着船。

(42) ***They*** tremble — the sustaining crags.

它们颤动了，这些支撑着的岩石。

9) 第三人称代词在句中一般指代离它最近的名词或代词。如：

(43) He reminded his friend that ***he*** must come back before five clock.

他提醒他的朋友务必五时前回来。

(44) The butler knew and welcomed him; ***he*** was subjected to no stage of delay.

管家认得并欢迎了他；他是不容有一点怠慢的。

但有时不明确，需要从上下文去判断。如：

(45) Tom wasn't going to tell George the truth as ***he*** was supposed to do.

汤姆决定不告诉乔治实情，虽然他应该这样做。(这里

的 he 显然代表 Tom，不代表 George）

(46) Wu Da could not help seeing that Zhang treated his wife as though she belonged to *him*, but *he* was not in a position to object.

武大眼看着张某待其妻就像是他的一样，但却无可奈何。（him 自然指张某，但 he 却指武大）

10）人称代词有时有拟人化的作用，即用 it 指代的事物改用 he 或 she 以及相应的物主代词或反身代词指代。如：

(47) The emigrants embarked in a little ship. *She* probably leaked copiously.

移民们上了一只小船，那船可能漏得厉害。

(48) The aircraft moved slowly forward... *She* became airborne... and *she* rose clean as a swallow.

飞机慢慢向前移动……它起飞了，它完全像一只燕子起飞了。

(49) A fox sneaked along the side of the hedge. "There *he* goes," said Mr. Long.

一只狐狸沿着篱笆潜行。"他跑了，"朗先生说。

11）人称代词有时亦可用作名词。如：

(50) It's not a *she*, it's a *he*.

那不是个女孩，是个男孩。

(51) This *me* you look at is my whited sepulchre.

你看到的这个我是假的我。

(52) The other *him* is the person she loves.

她爱的是另一个他。

4.5 人称代词的功用

人称代词在句中可用作主语、宾语、表语等。

1）人称代词主格在句中主要用作主语。如：

(1) *I* lost my wallet in the park.

我在公园把钱包丢了。

(2) *She* hesitated a moment, and then sat down beside me.

她犹豫了一会儿，然后在我身边坐下来。

(3) *We* both started as we saw each other.

我们两人一见面，都吃了一惊。

2）人称代词宾格在句中主要用作宾语，包括直接宾语、间接宾语与介词宾语。如：

（4）I saw *you* in the street.

我在大街上看见了你。

（5）There was nobody to tell *him*, to hint *him*, to give *him* at least a word of advice.

没有人告诉他，或暗示他，或起码给他一句忠言。

（6）The stew tastes flat; you'd better salt *it*.

这炖肉味淡，你最好给它加点盐。（直接宾语）

（7）If you see Jim, give *him* my regards.

如果你见到吉姆，请代我问候他。（间接宾语）

（8）This pen is bad. I cannot write with *it*.

这支钢笔不好，我没法用它写字。（介词宾语）

两个人称代词分别用作间接宾语和直接宾语时，间接宾语前应加 to，并置于直接宾语之后。如：

（9）I gave *it* to *him*.

我把这个给了他。（而不说 I gave him it.）

如其中一个为其它代词，则可采用间接宾语在前、直接宾语在后的形式。如：

（10）I gave *him* some.

我给了他一些。

3）人称代词在句中作表语时一般用宾格。如：

（11）Oh, it's *you*.

啊，是你。

（12）"This is *us*," said Thomas.

"是我们，"托马斯说道。

如跟有 who 或 that 引导的从句，则常用主格。如：

（13）It's *I* who did it.

是我做的。

4）人称代词单独使用时，一般不用主格而用宾格。如：

（14）— I'd like to go back in here.

我想回到这里来。

— *Me* too.

我也想。

（15）— Will anyone go with him?

有人愿和他一同去吗？

　　　　　　— Not **me.**
　　　　　　那不会是我。
　　5）人称代词用于 as 和 than 之后，如果 as 和 than 用作介词，也往往用宾格。如：
　　　　（16）He's younger than **me.**
　　　　　　他比我年轻。
　　　　（17）Edward is as good a student as **him.**
　　　　　　爱德华和他一样是个好学生。
　　如果 as 和 than 用作连词，则须用主格。如：
　　　　（18）She's as old as **I** am.
　　　　　　她与我同岁。
　　　　（19）You're taller than **she** is.
　　　　　　你比她高。
　　6）在感叹疑问句中，人称代词宾格可用作主语，起强调作用。如：
　　　　（20）**Me** get caught?
　　　　　　我会被逮住？
　　　　（21）**Him** go to the States!
　　　　　　他怎会去美国！
　　7）we 和 you 可用作同位语结构的第一部分。如：
　　　　（22）**We** girls often go to the movies together.
　　　　　　我们女孩子经常一起去看电影。
　　　　（23）He asked **you** boys to be quiet.
　　　　　　他要你们男孩子安静些。

4.6　引词 it 的用法

　　it 除用作代词，还可用作引词（anticipatory）。引词本身无实义，只起一种先行引导的作用。引词不重读。
　　1）用作形式主语。如：
　　　　（1）**It** is difficult **to translate this article.**
　　　　　　翻译这篇文章很难。（真实主语是不定式短语）
　　　　（2）**It** is stupid **to fall asleep like that.**
　　　　　　像这样睡觉真愚笨。（真实主语是不定式短语）
　　　　（3）**It** is getting harder every day **for a lazy man to get a living.**
　　　　　　懒汉谋生是日益困难了。（真实主语是不定式复合结构

for a lazy man to get a living)

(4) What time would *it* be most convenient *for me to call again* ?

什么时候我再给你打电话最合适?(真实主语是不定式复合结构 for me to call again)

(5) *It* is no use *going there so early.*

这么早去那里没有用。(真实主语是动名词短语)

(6) *It* won't be easy *finding our way home.*

寻找回家的路不容易。(真实主语是动名词短语)

(7) *It* has been a great honour *your coming to visit me.*

你的来访是我很大的荣幸。(真实主语是动名词复合结构 your coming to visit me)

(8) *It*'s a waste of time *your talking to him.*

你和他谈话是白浪费时间。(真实主语是动名词复合结构 your talking to him)

(9) *It* is strange *that he did not come at all.*

真奇怪,他竟还没来。(真实主语是 that 引导的从句)

(10) *It* doesn't matter *what you do.*

你干什么都没关系。(真实主语是 what 引导的从句)

2) 用作形式宾语。如:

(11) I found *it* difficult *to explain to him what had happened.*

我觉得向他解释清发生了什么事很困难。(真实宾语是不定式短语 to explain to him what had happened)

(12) He thought *it* best *to be on his guard.*

他认为他最好还是要警惕。(真实宾语是不定式短语 to be on his guard)

(13) He thought *it* no use *going over the subject again.*

他认为再讨论这个问题没有用了。(真实宾语是动名词短语 going over the subject again)

(14) You must find *it* exciting *working here.*

你一定会发现在此工作是激动人心的。(真实宾语是动名词短语 working here)

(15) They kept *it* quiet *that he was dead.*

他们对他的死保密。(真实宾语是 that 引导的从句)

(16) I take *it you have been out.*

我想你出去过了。(真实宾语是省去 that 的从句 you have been out)

3) 用于强调结构。英语常用的强调结构是: It is (was) ＋被强调部分 (主语、宾语或状语) ＋who (that)...。一般说来，被强调部分指人时用 who，指物时用 that (但 that 亦可指人)。如原句为:

(17) John wore his best suit to the dance last night.
约翰昨晚穿着他最好的一套衣服去参加舞会。

我们即可用强调结构来强调句中的主语、宾语和状语:

(18) *It was John* who (that) wore his best suit to the dance last night.
是约翰昨晚穿着他最好的一套衣服去参加舞会。(强调主语)

(19) *It was his best suit* (that) John wore to the dance last night.
约翰昨晚是穿着他最好的一套衣服去参加舞会的。(强调宾语)

(20) *It was last night* (that) John wore his best suit to the dance.
约翰是昨晚穿着他最好的一套衣服去参加舞会的。(强调状语 last night)

(21) *It was to the dance* that John wore his best suit last night.
约翰昨晚穿着他最好的一套衣服是去参加舞会的。(强调状语 to the dance)

[注] 强调结构强调状语时只可用 that 从句。

强调结构亦可强调某些状语从句，如:

(22) *It was because I wanted to buy a dictionary* that I went to town yesterday.
我昨天是由于想买一本字典而进城的。(强调 because 从句)

(23) *It is only when you nearly lose someone* that you become fully conscious of how much you value them.
只有当你差一点失掉一个人时,你才会充分意识到你是多么珍视他。(强调 only when 引导的从句)

在强调结构的 who 从句中，who 也常用作宾语，如：

(24) *It must be your mother* who you are thinking of.

你在想的一定是你的母亲。(who 常代之以 that，在正式文体中亦可用 whom)

表语与宾语补语偶尔亦可为被强调部分，如：

(25) *It was a doctor* that he eventually became.

他最后成了一个医生。(表语一般不可用作被强调部分)

(26) *It's dark green* that we've painted the kitchen.

我们把厨房漆成了深绿色。

强调结构中的时态一般应一致，即主句与从句的时态应皆用现在时，或皆用过去时，或皆用将来时。如：

(27) *It is not I* who am angry.

发怒的不是我。(皆用现在时)

(28) *It was my two sisters* who knew her best.

是我的两个姐妹最了解她。(皆用过去时)

(29) *It will not be you* who will have to take the blame for this.

对此须受责难的将不是你。(皆用将来时)

但有时主句与从句所用的时态并不一致，如：

(30) *It is Miss Williams* that enjoyed reading novels as a pastime.

是威廉姆斯小姐以读小说来消遣。

(31) *It is these very novels* that Miss Williams enjoyed reading as a pastime.

威廉姆斯小姐作为消遣所读的就是这些小说。

强调结构中的 that 与 who 在非正式文体中可以省略，如：

(32) *It was the President* himself spoke to me.

是总统亲自和我谈了话。(省去从句的主语 who)

(33) *It was the dog* I gave the water to.

我是给那条狗水的。(省去从句的宾语 that)

(34) *It was yesterday* I first noticed it.

我是昨天开始注意到的。(省去连词 that)

有时还可省去句首的 it is，如：

(35) A good, honest trade you're learning, Sir Peter!

彼得爵士，你学的是一种很好而诚实的一行啊！

强调结构中的被强调部分有时可放在句首，如：

(36) **Now was it** that his life was done, and the fate which he could not escape was upon him.

就在这时，他的生命完结了，他所逃不脱的命运降临了。

三、物 主 代 词

4.7　物主代词的形式

物主代词是表示所有关系的代词，也可称为代词属格。它分为形容词性物主代词和名词性物主代词两种。

1）形容词性物主代词：

数 人 称	单　数	复　数
第一人称	my　我的	our　我们的
第二人称	your　你的	your　你们的
第三人称	his 他的 her 她的 its 它的	their　他们的

2）名词性物主代词：

数 人 称	单　数	复　数
第一人称	mine　我的	ours　我们的
第二人称	yours　你的	yours　你们的
第三人称	his 他的 hers 她的 (its 它的)	theirs　他们的

4.8　物主代词的含义

物主代词即是人称代词属格，表示"所有"。与人称代词一样，也分第一人称、第二人称和第三人称，每个人称分单数和复数，第三人称单数还分阳性、阴性和中性。物主代词有形容词性和名词性两种。

形容词性物主代词相当于形容词，置于名词之前。它们的人称、数和性取决于它们所指代的名词或代词。如：

（1）Lanny still had *his* meal in the hotel dining room.
兰尼还在旅馆的餐厅里用膳。

（2）Kathy has cut *her* finger.
凯西把手指划破了。

（3）Dear Jack，thank you for *your* congratulations.
亲爱的杰克，谢谢你的祝贺。

名词性物主代词相当于名词，不能用于名词之前，说话时要加重语气。它们的形式取决于它们指代的名词或代词。如：

（4）That isn't my own car； *mine* is being repaired.
那不是我自己的车；我的车正在修理。

（5）Their house is larger than *ours.*
他们的房子比我们的大。

（6）We'll have to separate *his* from *yours.*
我们得把他的东西同你的分开。

名词性物主代词 its 在现代英语中极其罕见。

4.9　形容词性物主代词的功用

形容词性物主代词在句中只能用作定语，并可与形容词 own 连用表示强调。

1）用作定语。如：

（1）Everybody must do *his* work well.
人人都应该把自己的工作做好。

（2）She turned away *her* eyes.
她把她的目光移开。

（3）*Their* ideals had changed.
他们的理想变了。

注意下面句中须用表身体所有的或随身携带的物主代词，不可省去，这与汉语不同：

（4）Steyne rose up，grinding *his* teeth，pale，and with fury in *his* looks.
斯坦站起身来，咬牙切齿，脸色苍白，满脸怒气。

（5）He raised *his* hat as the lady approached.
当那位妇人走近时，他举帽致意。

2）与 own 连用表示强调。如：

(6) I saw it with *my own* eyes.

那是我亲眼看见的。

(7) Every cook praises *his own* broth.

每个厨师都夸自己的汤好。

(8) Mind *your own* business!

不管你的事!

如进一步强调则可加 very。如:

(9) I'd love to have *my very own* room.

我喜欢有一个完全属于我自己的房间。

这种结构还可以与 of 连用,如:

(10) I have nothing *of my own.*

我自己一无所有。

(11) The Pollaks had no children *of their own.*

波拉克夫妇自己没有孩子。

3) 有时可由定冠词 the 代替。如:

(12) He received a blow on *the* head.

他头上挨了一击。(the=his)

(13) A bee stung her on *the* nose.

一只蜜蜂在她鼻子上螫了一下。(the=her)

(14) How's *the* family?

你家里人好吗?(非正式用法)

4.10 形容词性物主代词的特殊意义

形容词性物主代词有时并不表示"所有",而表示其它意义。如:

(1) I was invited to *my* first tea party at his home.

我第一次被邀请参加他家的茶会。(my=我所赴的)

(2) He taught them *their* trades well.

他教他们手艺教得很好。(their=他们应掌握的)

(3) — What are you waiting for?

你在等什么?

— Only for *my* orders, sir.

就等给我的命令,先生。(my=我要接受的)

(4) He would have preferred to put *her* idea aside together, if he had known how.

如果他已经知道情况,他宁愿把她一古脑儿抛到一边。(her idea =对她的思念)

（5）They may have informed you of the terrible calamities that have fallen on **our** family.

他们或许已经把我们家发生的可怕的灾难告诉你了。

（our＝my）

4.11 名词性物主代词的功用

名词性物主代词在句中可用作主语、动词宾语、介词宾语和表语等。

1）用作主语（多用于正式文体）。如：

（1）This is your pen. **Mine** is in the box.

这是你的笔。我的在铅笔盒里。

（2）**Hers** is a pretty colourless life.

她的生活是一种相当平淡的生活。

（3）He realized **his** was not merely medical work, but also a serious political task.

他认识到他的工作不仅仅是医疗工作,而且还是一项严肃的政治任务。

2）用作动词宾语。如：

（4）I have broken my pencil. Please give me **yours.**

我把我的铅笔弄断了。请把你的给我。

（5）He cooks his own meals and she **hers.**

他做他自己的饭,而她也做她自己的饭。

（6）They lost all their money, so we gave them **ours.**

他们把钱全丢了,所以我们把我们的给了他们。

3）用作介词宾语。如：

（7）Her daughter is rather stupid, but both of **yours** are very clever.

她的女儿有点儿笨,你的两个女儿倒很聪明。

（8）About Wesley and Whitefield, no movement in English history compares with **theirs.**

谈到卫斯理和怀特菲尔德,英国历史上没有一次运动比得上他们的运动。

（9）She would shut herself up in her room, Julio in **his.**

她常把自己关在房间里,而朱利奥也是一样。

4）用作表语。如：

(10) This garden is **ours.**
　　这个花园是我们的。

(11) — Whose book is this?
　　　这是谁的书?
　　— It's **mine.**
　　　是我的。

(12) He knew that the house was **hers.**
　　他知道那房子是她的。

5) 用作礼貌用语。如:

(13) A Happy New Year to you and **yours** from me and **mine.**
　　我和我全家祝你和你全家新年快乐!

(14) **Yours** sincerely (truly, faithfully)
　　您的忠诚的(忠实的,可以信赖的)(书信落款的英国用法,美国多将 yours 放在 sincerely 等之后)

4.12　"of＋名词性物主代词"的用法

名词性物主代词有时亦可与 of 连用,构成双重属格。

1) 表部分概念。如:

(1) He is a friend **of mine.**
　　他是我的一个朋友。

(2) Is he a neighbour **of yours** ?
　　他是你的一个邻居吗?

2) 有感情色彩。如:

(3) Look at that big nose **of his** !
　　看他那大鼻子!(有贬意)

(4) This dog **of ours** never bites.
　　我们的这条狗从不咬人。(有褒意)

四、反身代词

4.13　反身代词的形式

反身代词是一种表示反射或强调的代词。它由第一人称、第二人称形容词性物主代词和第三人称人称代词宾格,加词尾 self 或 selves 而成:

人称＼＼＼数	单 数	复 数
第一人称	myself 我自己	ourselves 我们自己
第二人称	yourself 你自己	yourselves 你们自己
第三人称	himself 他自己 herself 她自己 itself 它自己	themselves 他们自己

4.14 反身代词的含义

反身代词的基本含义是：通过反身代词指代主语，使施动者把动作形式上反射到施动者自己。因此，反身代词与它所指代的名词或代词形成互指关系，在人称、性、数上保持一致。如：

（1）He saw **himself** in the mirror.

他在镜子里看见了自己。

反身代词 himself 显然与主语 he 是指同一个人。如果把反身代词换为其它人称代词宾格，如：

（2）He saw **him** in the mirror.

他在镜子里看见他。

这里 him 则无疑是指另一个人。

反身代词与动词连用时（一般都是及物动词，只有 behave 除外），有以下三种情况：

1）有少数动词必须与反身代词连用。如：

（3）Why did you **absent yourself** from school yesterday?

你昨天为什么没有上学？

2）有些动词可以与反身代词连用，也可以不与反身代词连用，其意义不变，它们可称为半反身动词。如：

（4）He has to **shave** (himself) twice a day.

他必须一天修两次面。

3）许多普通动词都可以用反身代词，以表示动作的反射。如：

（5）She supports **herself.**

她自己养活自己。

此外，反身代词还可以用于名词或代词之后或句末，表示强调。如：

（6）I **myself** saw it.

那是我亲眼看见的。（也可以说 I saw it **myself.** ）

4.15　反身代词的功用

反身代词在句中可用作动词宾语、介词宾语、表语和同位语等。

1）用作动词宾语。如：

（1）You'll hurt *yourself* if you play with the scissors.

你如果玩剪刀会把自己割伤的。

（2）I don't mean to praise *myself.*　I have my faults.

我不想夸自己，我有我的缺点。

（3）Little Albert is only four, but he can feed *himself*,

wash *himself* and dress *himself*.

小艾伯特才四岁，但是他已经能够自己吃饭、洗脸和穿

衣服了。

（4）She allowed *herself* a rest.

她让自己休息一会儿。

（5）We gave *ourselves* up.

我们对自己不抱希望了。

2）用作介词宾语。如：

（6）We did not know what to do with *ourselves.*

我们不知道我们自己怎么办。

（7）The information I am giving you is confidential, so

keep it to *yourself.*

我给你的这个信息是机密的，所以你要保密。

（8）The enemy will not perish of *itself.*

敌人不会自行消灭。

在一些表位置的介词之后，反身代词常代之以人称代词宾格。

如：

（9）I looked about *me.*

我环顾四周。

（10）He closed the door after *him.*

他随手关上了门。

（11）The mother drew the children towards *her.*

母亲将孩子们拉向身边。

在一些介词之后，用反身代词或人称代词宾格均可。如：

（12）There are seven in the family besides *me/myself.*

家里除我以外还有七口人。

（13）Except for *us/ourselvs*, the whole village was a-

sleep.

除我们以外，整个村庄都熟睡了。

(14) Sandra's sister is even taller than *her/herself.*

桑德拉的妹妹甚至比她还高。

3）用作表语。如：

(15) That poor boy was *myself.*

那可怜的孩子就是我。

(16) Bob is not quite *himself* today.

鲍勃今天感到不适。

4）用作同位语。反身代词用作同位语时，往往是用来加强名词或代词的语气，应重读；在句中常置于名词、代词之后或句子末尾。如：

(17) The novel *itself* has glaring faults.

这部小说本身有明显的缺点。

(18) He was *himself* inclined to agree with them.

他自己倾向于同意他们的意见。

(19) You'll have to do it *yourself.*

你得自己去干。

5）偶而用作主语。这种独立使用的反身代词语气较强。如：

(20) My wife and *myself* were invited to the party.

我妻子和我自己应邀参加聚会。

(21) Who suffers by his whims? *Himself* always.

为他的狂想吃苦头的是谁呢？总是他自己。

(22) Every New-year's Day，*myself* and friends will drink his health.

每逢元旦，我自己和朋友们都为他的健康祝酒。

6）用于固定习语。如：

(23) *Between ourselves* ，I think Mr Holmes has not quite got over his illness yet.

请勿与外人道，福尔摩斯先生还没有康复呢。

(24) He announced that he would go out for a short walk *by himself* .

他说他要独自出去散一会儿步。

(25) He is not bad *in himself* but he's so weak-minded.

他本质并不坏，只是很优柔寡断。

五、相 互 代 词

4.16　相互代词的形式

相互代词是表示相互关系的代词。它们的形式如下：

宾　　格	属　　格
each other　相互	each other's　相互的
one another　相互	one another's　相互的

4.17　相互代词的含义

相互代词表示相互关系，它所指代的名词或代词必须是复形或二个以上。如：

  （1）Mr. and Mrs. Smith buy expensive presents for *each other.*

    史密斯夫妇相互给对方买了贵重的礼物。

  （2）They looked at *one another.*

    他们相互对望。

相互代词与反身代词相似，都与主语形成互指关系，但其意义却存在重大差别。如：

  （3）Bill and Helen blamed *themselves.*

    比尔和海伦责怪他们自己。

  （4）Bill and Helen blamed *each other.*

    比尔和海伦彼此责怪对方。

在当代英语中，each other 和 one another 在用法上没有什么区别。虽然按照传统语法指二者时用 each other，指二者以上时用 one another，但是在语言的实际运用时却很少有这种界线。一般认为，它们在文体上却存在一些差别：each other 多用于非正式文体，而 one another 则多用于较正式文体。

普通动词在表示相互关系时要求用相互代词。如：

  （5）I think we have misunderstood *each other.*

    我认为我们彼此误解了。

有些动词本身就含有相互的意义，它们可以用相互代词，也可以不用。如：

  （6）Anna and Bob met（ *each other* ）in Cairo.

    安娜和鲍勃在开罗（彼此）见面了。

4.18 相互代词的功用

相互代词在句中可用作宾语、定语等。

1）相互代词宾格用作宾语。如：

（1）You and I understand *each other* perfectly.

你我彼此很了解。

（2）They have been separated from *one another* a long time.

他们分手很久了。

有时 each other 和 one another 用在同一句中，以避免重复。如：

（3）It seems so pathetic that, if you saw *one another* in the street, you wouldn't recognize *each other.*

境况是如此悲惨，你们如在街上彼此相见，也会彼此不相认的。

2）相互代词属格用作定语。如：

（4）We have always maintained that countries should respect *each other's* sovereignty and territorial integrity.

我们一贯主张各国之间应当互相尊重主权和领土的完整。

（5）They looked into *each other's* eyes for a silent moment.

他们彼此一时相对无言。

有时亦可用 each others'（与 each other's 无区别），如：

（6）Last year we visited *each others'* capitals.

去年，我们互访了对方的首都。

3）each 和 other 可分开使用。如：

（7）*Each* tried to persuade the *other* to stay at home.

两人彼此都劝说对方留在家里。（each 在此当然是主格，other 则仍是宾格）

（8）*Each* of the twins wanted to know what the *other* was doing.

这对孪生兄弟都想知道对方在干什么。

六、指示代词

4.19 指示代词的形式

指示代词是用来指示或标识人或事物的代词。它们主要有：

	单　　数	复　　数
近　指	this (student) 这个	these (students) 这些
远　指	that (student) 那个	those (students) 那些

其它还有：such 这样的，same 同样的，so 这样，it（指人用）等。

4.20 指示代词的含义

指示代词与定冠词和人称代词一样，都具有指定的含义。它们所指的对象取决于说话者和听话者共同熟悉的语境。如：

（1）I liked **this** movie today better than **that** concert last night.

　　我喜欢今天的这个电影，胜过昨晚的那个音乐会。

指示代词与物主代词相似，具有名词和形容词的性质。在句中相当于名词（作主语、宾语、补语），又相当于形容词（作定语）。如：

（2）I don't like **this.**

　　我不喜欢这个。（相当于名词）

（3）Do you know **these** people?

　　你认识这些人吗？（相当于形容词）

指示代词在句中相当于名词时一般常用以指物而不指人。如：

（4）I found **this wallet.** I found **this.**

　　我找到了这个皮夹子。我找到了这个。

如下面一句中的 that man 不可代之以 that，否则有轻蔑之意：

（5）Is she going to marry **that man** ?

　　她打算跟那人结婚吗？

但如果在句中作主语，则指人指物均可。如：

（6）What are **these** ?

那些是什么?

（7）**This** is Bill. Is **that** George?

我是比尔,你是乔治吗?（电话用语）

这种指示代词如果在句中用作先行词,后跟从句,指人时只能用复数,即 those who 结构。如:

（8）**Those who** do not wish to go need not go.

不愿去的人不需要去。

（9）**Those who** were present at the meeting were all celebrities.

出席会议的都是名流。（who were 也可省去不用）

单数则需改用anyone who 或 the person who 结构。指物的 that which 结构是一种正式用法,一般由其意义等于 that which 的 what 所代替。如:

（10）I have **that which** you gave me.

我有你给我的那个。

（11）**What** upsets me most is his manner.

最使我烦恼的是他的态度。

当所指的事物已确定时,后面的指示代词须用 it 或 they 替代。如:

（12）Are **those** yours? Yes, **they** are.

那些是你的吗?是的,它们是我的。

（13）**This** (suit) is expensive, isn't **it** ?

这套（衣服）价格昂贵,不是吗?

当所指的是人时,则须用 he 或 she 替代,如:

（14）**This** is Mrs/Mr Jenkins. **She**'s / **He**'s my teacher.

这是詹金斯夫人/先生。她/他是我的老师。

指示代词在句中相当于形容词时,其单数形式既可用于可数名词,亦可用于不可数名词,如:

（15）**That room** is too cold. （用于可数名词）

那个房间太冷。

（16）**This milk** has gone sour.

这牛奶发酸了。（用于不可数名词）

4.21 指示代词的功用

指示代词在句中可用作主语、宾语、表语、定语和状语等。

1) 用作主语。如：

（1）**These** aren't my books.

这些不是我的书。

（2）Who's **that** speaking.

你是谁呀？（电话用语）

2) 用作宾语。如：

（3）She will do **that.**

她愿做那件事。

（4）How do you like **these** ?

你喜欢这些吗？

3) 用作表语。如：

（5）My point is **this.**

我的意思是这个。

（6）Oh, it's not **that.**

噢，问题不在那儿。

4) 用作定语。如：

（7）**This** book is about Chinese traditional medicine.

这本书是讲中医的。

（8）I like **those** flowers.

我喜欢那些花。

［注］This (that) one 与 these (those) ones 中的 one(s) 可以省去而意义
不变。

5) this 和 that 有时可用作状语，表示程度，意谓 "这么" 和
"那么"。如：

（9）The book is about **this** thick.

那本书大约有这么厚。

（10）I don't want **that** much.

我不要那么多。

（11）We can't make our plans on **that** remote a possi-
bility.

我们不能基于如此渺茫的可能性制定计划。（that =
so）

4.22 this（these）与 that（those）的用法

this（these）指近的事物，that（those）指远的事物。

1）指空间的远近。如：

（1）*This* building was built last year；*that*（one）was built many years ago.

这座建筑物是去年建的，那座是很多年前建的。

（2）*This* is a map of China. *That* is a map of the World.

这是一张中国地图。那是一张世界地图。

（3）*This* way，please！

这边走，请！

2）指时间的前后。如：

（4）*That* bright April afternoon of 1920，she took a lot of pictures.

在1920年的那个晴朗的四月的下午，她拍了许多照片。

（5）You can't bathe at *this* time of the year.

你不能在这个时节游泳。

（6）Life was hard in *those* days.

在那些日子里，生活很苦。

（7）Life is much easier（in）*these* days.

这些日子，生活好过多了。

（8）I'll come to see you one of *these* days.

过几天我来看你。（one of these days 指未来）

在叙述往事时，this 亦可表过去的时间。如：

（9）During the whole of *this* time，Scrooge had acted like a man out of his wits.

在整个这段时间内，斯克鲁吉像是失魂落魄似的。

3）指叙述事物的前后，that 指前，this 指后。如：

（10）Let's say we meet here at three o'clock. *That* ought to give you time to buy everything.

我说咱们就 3 点在这里集合吧。你们买什么东西，时间都该够了。

（11）She is tactful，but I couldn't call him *that*.

她很机智，而他我就不能这样说了。

（12）At our factory there are a few machines similar to *those* described in this magazine.

我们工厂有几部机器和这本杂志上所讲述的相似。

(13) I'll say *this* for you: you're thinking all the time.

我愿对你说这样一点：你总是不断地在思索。

(14) Now hear *this.* Meeting of all officers in the wardroom in ten minutes.

现在大家注意听着，全体军官十分钟后在饭厅集合。

(15) Written on the placard are *these* words: We want peace.

牌子上写着这样一些字：我们要和平。

(16) Virtue and vice are before you; *this* leads to misery, *that* to peace.

善与恶都在你面前；后者导致不幸，前者导致安宁。

that 可代表 this，但 this 不可代表 that。如：

(17) This is a book. *That* is written in English.

这是一本书。它是用英语写的。(that＝it，但语气较强)

4) this 与 that 可并列使用。如：

(18) From *that* station to *this* is a distance of exactly thirty miles.

那一站与这一站相距整 30 英里。

(19) *This* reader or *that* may disagree with Mr. Boyd on *this* point or *that.*

总是有这个或那个读者在这一点或那一点上不同意博伊德的看法。

5) 用于固定习语。如：

(20) Harvey had never seen her *like this* before.

哈维以前从未见过她是这样的。

(21) When the old friends met they would talk about *this and that.*

老朋友见面总是谈这谈那。

(22) — I have a car outside. I'll give you a ride home.

我有辆车在外边。我送你回家吧。

— Oh, *that's all right.* It isn't much of a walk.

啊，不用了（没关系）。没多少路。

(23) It was May, but *for all that* the rain was falling as in the heaviest autumn downpours.

现在是五月，尽管如此，雨却像倾盆秋雨那样地下。

(24) She was young and beautiful. *More than that*, she

was happy.

她年轻漂亮，更重要的是，她还幸福。

(25) By cereals we mean wheat, oats, rye, barley, *and all that.*

我们说的谷类，是指小麦、燕麦、黑麦、大麦以及诸如此类的东西。

(26) I'm thinking of your future, you know. *That's why* I'm giving you a piece of advice.

你知道，我考虑的是你的未来。所以我给你进一忠言。

(27) It was in the dead of the night, and a cold night *at that.*

那是深夜，而且是一个寒夜。

(28) *So that's that.*

就是这样。

4.23　Such 的用法

指示代词 such 意谓"这样"，亦具有名词和形容词的性质，在句中可用作主语、宾语、补语、定语等。

1) 用作主语。如：

(1) *Such* is life.

生活就是这样。

(2) *Such* often occurred in feudal society, and should not take place in a socialist country.

这种事常发生在封建社会中，而不应该发生在一个社会主义国家中。

2) 用作宾语。如：

(3) Take from the drawer *such* as you need.

从抽屉里拿你所需要的东西吧。

(4) Just before Christmas they wanted help with trees and *such.*

正在圣诞节前，他们布置圣诞树之类需要帮手。(and such 是一种习语)

3) 用作表语（常与 as 和 that 从句连用）。如：

(5) The waves were *such* as I never saw before.

这样的浪，我从未见过。

（6）The book is not *such* that I can recommend it.

　　这样的书，我是不能介绍的。

4）用作宾语补语。如：

（7）If you are a man, show yourself *such.*

　　如若你是男子汉，就显出男子汉的气概来。

5）用作定语。如：

（8）The foreign visitors said they had never seen *such* cities before.

　　这些外宾说他们从未见过这样的城市。

（9）He was a silent, ambitious man. *Such* men usually succeed.

　　他是个沉默寡言而有进取心的人。这种人通常能成功。

如修饰单数可数名词时，可与不定冠词连用，并须置于其前。如：

（10）He is *such a* bore.

　　他是这样一个讨厌的人。

（11）If I were you I would not have said *such a* thing about him.

　　如果我是你的话，我就不会说他的这种事。

6）常与 as 或 that 连用。如：

（12）Associate with *such as* will improve your manners.

　　要和有助于你礼貌修养的人交往。

（13）He was in *such* a fury *as* I have never seen.

　　他怒气之大，我从未见过。

（14）China has rich resources, *such as* oil, coal and iron.

　　中国有丰富的资源，如石油、煤和铁等。（有人将这种 such as 唤作解释性介词）

（15）*Such* books *as* these are rare.

　　这种书是罕见的。（也可以说 Books such as these are rare.）

（16）He shut the window with *such* force *that* the glass broke.

　　他关窗户用力太大，玻璃都被震破了。

注意 such 后的 as 是关系代词，that 是连词，试比较：

(17) Here is **such** a big stone **that** no man can lift it.

这里有一块大石头，没有人举得起它。(that 从句中须有 it)

(18) Here is **such** a big stone **as** no man can lift.

这里有一块大石头，没有人举得起。(as 从句中不可有 it)

such as 后可跟不定式。如：

(19) His carelessness is **such as to make** it unlikely that he will pass his examination.

他这么粗心，所以他考试未必会通过。

7) 可与某些不定代词连用。如：

(20) I'll do **no such** thing.

我不会干这种事。

(21) **Any such** request is sure to be turned down.

任何这类要求肯定会碰壁。

(22) On **every such** occasion dozens of people get injured.

每逢这种场合，总有几十人受伤。

(23) **Some such** story was told to me years ago.

几年前我就听过某个这类故事。

8) 用于固定习语。如：

(24) The room is not very nice, but **such as it is** , you may stay there for the night.

这房间不很好，但尽管如此，你总可以在那儿过夜了。

(25) John is the captain of the team, and **as such,** must decide who is to bat first.

约翰是队长；作为队长，他必须决定谁先击球。

4.24 same 的用法

指示代词 same 意谓"同样"，亦具有名词和形容词的性质，常与定冠词连用，在句中可用作主语、宾语、表语、定语、状语等。

1) 用作主语。如：

(1) The **same** is the case with me.

我的情况也是一样。

2) 用作宾语。如：

(2) We must all say the **same.**

我们必须都说同样的话。

3）用作表语。如：

（3）It's all the *same* to me.

对我都一样。

4）用作定语。如：

（4）He always sits in the *same* chair.

他总是坐在同一把椅子上。

5）用作状语。如：

（5）Thank you all the *same*.

照样感谢你。

6）常与 that 或 as 连用。如：

（6）Dutch is of the *same* origin *as* English.

荷兰语与英语同出一源。

（7）I don't feel the *same* about you *as* I did.

我现在对你的看法和过去不一样了。

（8）I live in the *same* district *that* he lives in.

我和他住在同一个区。（这里也可用 as 代替 that，因为二者都是关系代词。但 that 如用作关系副词则不可代之以 as，如 I live in the same district that he lives 中的 that 不可代之以 as）

7）用于固定习语。如：

（9）I don't think he'll wish to see me. But I'll come *all the same*.

我不认为他愿见我，但我仍会来的。

（10）— How is he today?

他今天怎么样？

— *Much the same.*

基本上还是那样。

4.25　so 的用法

指示代词 so 常用作宾语和表语。如：

（1）— I will write today.

我今天就写。

— Do *so*.

就写吧。（用作宾语）

（2）Be it *so*.

这样就行。（用作表语）

指示代词 so 常用在省略句中，如：

（3） — I don't like him.

我不喜欢他。

— Why *so* ?

为什么不喜欢?（＝Why is that so?）

指示代词 so 常置于句首，如：

（4） — Oh! I've finished.

啊，我做完了。

—*So* have I.

我也做完了。

4.26 it 的用法

指示代词 it 常用以指人，如：

（1）Go and see who *it* is.

去看看是谁。

（2）Who is that? — *It's* the postman.

那是谁?——是邮递员。

七、疑 问 代 词

4.27 疑问代词的形式和含义

疑问代词有 who（谁，主格），whom（谁，宾格），whose（谁的，属格），what（什么），which（哪个，哪些）等。其中 who，whom，whose 只能指人，what 和 which 可指人或物。它们可具有单数概念或复数概念。

疑问代词引导的疑问句为特殊疑问句。它们一般都在该疑问句句首，并在其中作为某一句子成分（如主语、宾语、表语等）。

疑问代词还可以引导间接疑问句。如：

（1）Tell me *who* he is.

告诉我他是谁。

（2）Do you know *what* his name is?

你知道他叫什么名字?

疑问代词 who，what，which 后可加 ever 以加强语气。如：

（3）*Who ever* are you looking for?

你到底找谁?

（4）*What ever* do you mean?

你究竟是什么意思?

（5）*Which ever* do you want?

你究竟要哪个?

4.28 who 的用法

who 是主格,只有名词性质。它的用法有:

1) 用于疑问句。如:

（1）*Who* put that light out?

谁把灯灭了?

（2）*Who* told you so?

谁给你说的?

2) 用于修辞性疑问句。如:

（3）*Who* could blame you?

谁能怪你呢?

（4）*Who* would have thought of that?

谁会想到这个呢?

4.29 whom 的用法

whom 是宾格,只有名词性质,常用于书面语中。如:

（1）*Whom* are you talking about?

你们在谈论谁?

（2）By *whom* is the letter signed?

这封信是谁签署的?

（3）*Whom're* you playing this week?

这一周你们将和谁比赛? (偶尔也用在口语中)

在口语中一般皆用 who。如:

（4）*Who* did you meet there?

你在那儿遇见谁了?

（5）*Who* did you ask about it?

关于那件事你们问过谁了?

在介词之后一般用 whom,但在口语中也可用 who。如:

（6）— I gave it away.

我把它给人了。

— To *who* ?

给谁了?

（7）— This book is very well written.

这本书写得很好。

— By **who** ?

谁写的？

4.30　whose 的用法

whose 是属格，和物主代词一样，亦有名词和形容词性质，但形式相同。如：

（1）**Whose** umbrella is this?

这是谁的伞？（形容词性，作定语）

（2）**whose** is this umbrella ?

这伞是谁的？（名词性，作表语）

4.31　what 的用法

what 亦有名词和形容词性质，它的用法有：

1）用于疑问句。如：

（1）**What** makes you think that?

什么使你这样想的？（作主语）

（2）**What** is he?

他是干什么的？（作表语）

（3）**What** are you doing?

你在干什么？（作动词宾语）

（4）**What** was he speaking to you about?

他（刚才）在跟你说什么？（作介词宾语）

（5）**What** question did he ask?

他问了什么问题？（作定语）

what 除指人与物外，还可表时间、数量等。如：

（6）**What**'s the time?

现在几点啦？

（7）**What** is your current crop yield?

你们这次庄稼收成怎样？

2）用于修辞性疑问句及感叹句。如：

（8）**What** does it matter?

这有什么关系？

（9）**What** more do you want?

你还需要什么呢？（其含意是"你应该知足了"）

　　（10）**What** a fine day!

　　　　　多好的天呀!

　　（11）If only she were here! **What** thousands of things
　　　　　there would be to say!

　　　　　如果她在这里多好呀!有万千心事要向她诉说啊!

　　3）用于省略句。如:

　　（12）Something is the matter, but I don't know **what.**

　　　　　总有点不对劲,但我不知道是什么。(=what it is)

　　（13）I'll tell you **what.**

　　　　　让我告诉你怎么办。(=what to do)

4.32　which 的用法

　　which 用于指物或人,亦有名词和形容词性质。它的用法有:

　　（1）This is my copy, **which** is yours?

　　　　　这是我的书,哪一本是你的?(单数,作定语)

　　（2）**Which** of the stories do you like best?

　　　　　你最喜欢哪个故事?(单数,作宾语)

　　（3）**Which** of you will go with me?

　　　　　你们哪一位愿和我去?(单数,作主语)

4.33　疑问代词的用法比较

　　1）who 与 what 的区别:who 多指姓名、关系等,what 多指职业、地位等。如:

　　（1）— **Who** is he?

　　　　　　　他是谁?

　　　　　— He is Tom Black.

　　　　　　　他是汤姆·布莱克。

　　（2）— **What** is he?

　　　　　　　他是干什么的?

　　　　　— He is an engineer.

　　　　　　　他是个工程师。

　　2）who 与 which 的区别:

　　（3）**Who** come from the Northeast?

　　　　　谁是东北人?(对人数未加限制)

　　（4）**Which** of you come from the Northeast?

　　　　　你们当中哪些人是东北人?(对人数有限制)

3) what 与 which 的区别:

（5）**What** sport do you like best?

你最喜欢什么运动?（不限制范围）

（6）**Which** sport do you like the best?

你最喜欢哪一项运动?（限制在一定范围）

[注] 但人们也常说 **What** will you have, beer or wine?（你喝什么，啤酒还是葡萄酒?）这是因为人们在一开始提问时并未想到有选择性。

八、关 系 代 词

4.34 关系代词的形式和功用

关系代词有 who, whose, whom, that, which, as 等，可用作引导从句的关联词。它们在定语从句中可作主语、表语、宾语、定语等；另一方面它们又代表主句中为定语从句所修饰的那个名词或代词（通称为先行词）。如:

（1）The girl **who** answered the phone was polite enough.

接电话的那个姑娘满有礼貌。（关系代词 who 在从句中是主语，它的先行词是 girl）

（2）He is the man **whom** you have been looking for.

他就是你要找的那个人。（关系代词 whom 在从句中作宾语，它的先行词是 man, whom 在口语中一般可略去）

（3）You are the only one **whose** advice he might listen to.

你是唯一可能使他听从劝告的人。（关系代词 whose 在从句中作定语，先行词为 one）

（4）The film **which** I saw last night is about a young teacher.

我昨天晚上看的那部电影是关于一个年轻教师的事。（关系代词 which 在从句中作宾语，先行词为 film）

（5）This is the plane **that** will fly to Tokyo in the afternoon.

这是下午要飞往东京的那架飞机。（关系代词 that 在从句中作主语，先行词为 plane）

（6）He never hesitates to make such criticisms **as** are

considered helpful to others.

他从不对提出对别人有益的批评而犹豫。（关系代词 as 在从句中作主语，先行词为 criticisms）

4.35 缩合连接代词的形式和功用

缩合连接代词(condensed conjunctive pronoun)由于其形式和功用与关系代词相似，所以归入关系代词的范畴。缩合连接代词主要由先行词与关系代词缩合而成，多用以引导名词性从句。这种代词主要有 what（＝that which），who（＝anyone or the person who），that（＝he or the man who），whatever（＝anything that），whoever（＝ any person who），whichever（＝ anyone who or which）等。带 -ever 的词往往有any 的含义，语气较强。

现将上述缩略连接代词的用法举例说明如下：

what

（1）*What* I want is water.

我所要的是水。（what I want 用作主语，后接单形动词 is）

（2）*What* I want are apples.

我所要的是苹果。（what I want 用作主语，后接复形动词 are）

（3）I eat *what* I like.

我吃我所喜爱的东西。（what I like 用作宾语）

（4）That is *what* I have to say.

这就是我所要说的话。（what I have to say 用作表语）

（5）I gave him *what* help I could.

我尽我所能帮助了他。（what help I could 用作真接宾语，what 在此＝any）

who

（6）*Who* breaks pays.

损害须赔偿。（who breaks 用作主语，who 的这种用法现已不多见）

（7）Tom may marry *who (whom)* he likes.

汤姆可以与任何他所喜欢的人结婚。（who(m) he likes 用作宾语。注意这种从句只可用 like，choose，please．want．wish 等动词）

（8）You are not *who* I thought you were.

你已不是我过去所想像的人。（who 引导一表语从句）

that

（9）Handsome is **that** handsome does.

　　做的漂亮才是真漂亮。(that 引导表语从句)

（10）It was you **that** said so.

　　是你这样说的。(that 引导主语从句，it 是一引词)

which

（11）You can take **which** you like.

　　你喜欢拿哪一个就可以拿哪一个。(which 引导一宾语从句)

whatever

（12）I'll do **whatever** I can do.

　　我将做我所能做的事。(whatever 引导一宾语从句)

whoever

（13）**Whoever** is top form wins the game when two matched players meet.

　　两强相争勇者胜。(whoever 引导一主语从句)

whichever

（14）You can take **whichever** you like.

　　你爱拿哪个就拿哪个吧。(whichever 引导一宾语从句，其语气较 which 强)

带有-ever 的缩合连接代词有时有"不论"的含义，可引导让步状语从句。如：

（15）I'll stand by you **whatever** happens.

　　不论发生什么事，我都和你站在一起。(whatever = no matter what)

（16）The final between the teams，**whatever** the result，is splendid.

　　两队之间的决赛，不论结果如何，总是精彩的。(注意 whatever the result 后省去了 it is)

（17）**Whoever** says so，it's not true.

　　不管是谁说的，这话不真实。(whoever = no matter who)

（18）Her sister — or her friend — **whichever** it was — was an uncommonly pretty girl.

　　她的妹妹，或者是她的朋友，不管是哪一个，真是美丽出众。(whichever = no matter which)

九、不 定 代 词

4.36　不定代词的含义和种类

不指明代替任何特定名词或形容词的代词叫不定代词。不定代词表示各种程度和各种类型的不定意义。他们在逻辑意义上是数量词，具有整体或局部的意义。

不定代词可分为：

1）普通不定代词

a）some，any，no

b）somebody，anybody，nobody

　　someone，anyone，no one（不连写）

　　something，anything，nothing

c）one，none

2）个体代词

a）all，every，each，other，another，either，neither，both，half

b）everybody，everyone，everything

3）数量代词

　　many，much，few，little，a few，a little，a lot of，

　　lots of，a great deal，a great many

4.37　some 的用法

不定代词 some 具有名词和形容词的性质，既可指人，亦可指物。

1）通常用于表示不定数或不定量，修饰复形可数名词或不可数名词，意谓"几个"、"一些"。如：

（1）He asked me **some questions.**

　　　他问了我几个问题。（修饰复形可数名词）

（2）There are **some children** outside.

　　　外面有几个孩子。（修饰复形可数名词）

（3）Give me **some water**，please.

　　　请给我一些水。（修饰不可数名词）

（4）There is **some milk** in the fridge.

冰箱里有一些牛奶。(修饰不可数名词)

2) 用于修饰单形可数名词,意谓"某个"。如:

（5） *Some boy* had written a Latin word on the black-board.

某个男孩在黑板上写了一个拉丁词。(修饰单形可数词)

（6） He's living at *some place* in East Asia.

他住在东亚的某个地方。(修饰单形可数名词)

3) 用于表示对比,须重读。如:

（7） I enjoy *some* music, but not much of it.

我喜欢一些音乐,但不多。

（8） *Some* of us agree with the statement, *some* dis-agree.

对这项声明,我们有些人同意,有些人不同意。

4) 相当于形容词时,在句中作定语(例句见前);用作名词时,在句中作主语和宾语。如:

（9） *Some* are wise and *some* are otherwise.

有些人聪明,有些人愚笨。

(10) *Some* (of the bread) has been eaten.

(面包)已吃了一些。

(11) I hadn't any cigarettes, so I went out to buy *some.*

我没有香烟了,所以出去买了一些。

(12) If you have no money I will lend you *some* .

如果你没有钱,我愿借给你一些。

相当于名词时,还可后跟 of 短语。of 的宾语用复形可数名词,表示复数;of 的宾语用不可数名词,表示单数。如:

(13) *Some of his opinions* were hard to accept.

他的一些观点难于接受。(of 的宾语为复形可数名词)

(14) *Some of the food* was packed in water proof bags.

一些食品包在防水袋中。(of 的宾语为不可数名词)

of 的宾语如用单形可数名词,则表示"部分"。如:

(15) *Some of the loaf* has been eaten.

一条面包已吃了一些。(＝part of the loaf)

5) 一般用于肯定句。如:

(16) *Some* people are early risers.

　　有些人起得很早。

(17) The mother is doing *some* washing now.

　　妈妈正在洗衣服。

如果句中包含 some 的部分具有肯定意义，那么也可用于否定句或疑问句。在否定句中，some 表示"一些"、"部分"。如：

(18) I could not answer *some* of his questions.

　　我不能回答他的某些问题。

(19) I haven't yet spoken about it to *some* of the first-year students.

　　我还没有给某些一年级学生讲这件事。

含有 some 的疑问句大多表示"请求"或"建议"，希望回答 yes（同意）。如：

(20) Will you get me *some* matches?

　　给我几根火柴好吗？

(21) Did you see *some* of his poems published in the magazine?

　　你见过他发表在杂志上的一些诗吗？

有时表示反问。如：

(22) Didn't he give you *some* money?

　　难道他没有给你一些钱？

6) 用于修饰数词，表示"大约"。如：

(23) It happened *some* twenty years ago.

　　这事发生在大约 20 年前。

(24) The population numbers *some* thirty million.

　　人口约计三千万。

4.38　any 的用法

不定代词 any 具有名词和形容词的性质，既可指人，亦可指物。

1) 与 some 一样，any 也表示不定数或不定量，修饰复形可数名词或不可数名词，意谓"一些"、"什么"。常用于疑问句。如：

（1）Are there *any* stamps in the drawer?

　　抽屉里有邮票吗？（修饰复形可数名词）

（2）Haven't you *any* work to do?

你没有工作做吗？（修饰不可数名词）

有时可修饰单形可数名词。如：

（3）Do you know *any* good doctor?

你认识什么好大夫吗？

2）常用于否定句或从句中，常与 never，without，seldom，hardly 等连用。如：

（4）There are not *any* books.

没有书。

（5）There isn't *any* water.

没有一点水。

（6）He *never* had *any* luck.

他从来都不幸运。

（7）He went away *without* saying good-bye to *any* of us.

他没有跟我们任何人告别就离开了。

（8）Now that he lived in the country he *seldom* had *any* visitors.

现在他住在乡下，很少有客人。

（9）The Dutch man spoke French with *hardly any* accent.

这个荷兰人说法语几乎不带任何口音。

（10）*No one* is under *any* obligation to you.

没有一个人受惠于你。

（11）I *don't* think *any* of us ought to wish the results to be different.

我不认为我们中有人会希望有不同的结果。

3）用于由 if 或 whether 引导的宾语从句。如：

（12）Let me know if you hear *any* news.

我想知道你听到什么消息没有。

（13）I wonder if you have met *any* of these people before.

我不知道你以前是否见过这些人。

用于条件从句。如：

（14）If you have *any* news, call me up right away.

你如有什么消息，立刻打电话给我。

（15）If there *any* new magazines in the library, take some for me.

图书馆如果来了新杂志，替我借几本。

4）亦用于肯定句，意谓"任何"。通常重读，修饰单形可数名词和不可数名词。如：

(16) Come *any* day you like.

你哪一天来都行。

(17) *Any* time you want me，just send for me.

什么时候需要我，就给我个信儿。

(18) She kissed and welcomed her brother，but was afraid to ask *any* question.

她吻她兄弟欢迎他，但是不敢提任何问题。

有时修饰复形可数名词。如：

(19) We had no idea that *any* serious losses had been inflicted on the company.

我们不知道公司受到什么严重损失。

5）用作形容词，在句中作定语（例句见前）。用作名词时，在句中作主语和宾语，可表示单数或复数。如：

(20) Is (Are) there *any* ？

有没有一个（些）？

(21) — Which newspaper do you want me to buy?

你要我买哪种报纸？

—*Any* will do.

哪种都行。

(22) Did she give you *any* ？

她给了你一些没有？

(23) Get me some if you find *any.*

如果你找到，就给我一些。

6）用作名词时，还可后跟 of 短语，of 之后用复形可数名词或代词。如：

(24) I don't think that *any of my friends* have seen them.

我认为我的朋友中没有一个人见过他们。

(25) I don't expect to see *any of them* at the concert.

我不期望在音乐会见到他们中的任何人。

7）用于表示"程度'，意谓"些微"，用作状语。如：

(26) Is the sick man *any* better？

病人好些了吗？

（27）He was too tired to walk *any* further.

他太累了，不能再往前走了。

8）用于固定习语。如：

（28）I have *any number of* plants in my garden.

我的花园里有许多植物。

（29）*At any rate*，we decided to follow Brum's suggestion.

不管怎样，我们决定照布伦的意见去做。

4.39 no 的用法

不定代词 no 只有形容词性质，在句中作定语。no 表示否定，意谓"没有"、"不是"，可修饰单形、复形可数名词和不可数名词。

1）用于 there is（are），have，have got 之后，等于 not any。如：

（1）There are *no* letters for you today.

今天没有你的信。

（2）He has *no* dignity；he is always behaving foolishly.

他没有尊严，经常表现愚蠢。

（3）I've got *no* home.

我没有家。

2）用于连系动词之后，等于 not a ，但语气很强。如：

（4）The girl was *no* beauty.

这姑娘才不漂亮哩。

（5）He is *no* friend of mine.

他才不是我的朋友哩。

（6）Between you and me，it's *no* bad thing.

就你我知道，这并不是件坏事。

3）用于其它动词之后。如：

（7）The boat made *no* headway against the tide.

这条船在逆潮中行进不了了。

（8）He could expect *no* sympathy from Lester.

他不指望能得到莱斯特的同情。

（9）I took *no* part in these negotiations.

我没有参加这些谈判。

4）用于修饰其它句子成分。如：

(10) **No** boy at the school had ever seen the sea.

学校里没有一个孩子曾见过大海。

(11) I am in **no** mood for jokes.

我没有情绪开玩笑。

5）用于警告、命令等标识。如：

(12) **No** smoking!

不许吸烟!

(13) **No** parking!

禁止停车!

6）用于表示程度，=not any，用作状语，修饰形容词原级、比较级和副词比较级。如：

(14) But this is **no** unimportant question，my dear Holmes.

不过这可不是个无足轻重的问题，我亲爱的福尔摩斯。

(15) She was **no** older than Zilla.

她不比齐拉年纪大。

(16) He went **no** further.

他不再往前走了。

7）用于固定习语。如：

(17) Men are **no longer** at the mercy of nature.

人类已不再任凭大自然摆布了。

(18) There's **no such** thing as ghosts.

没有鬼这样的东西。

8）not 与 no 的比较：not 可用于否定动词，no 则没有这种功能。no 是具有形容词性质的不定代词，只能与名词或相当于名词的词连用，如 no time（没有时间），no telephone（没有电话），"No spitting"（不许随地吐痰）。no 等于 not any，因此不能用于a，the，all，both，every 等词之前；在这些词之前必须用 not，如 not a chance（毫无机会），not the least（一点都不），not all of us（不是我们全体），not everyone（不是每一个人），not enough（不够）。其次，no 也不与姓名、副词、介词等连用。但 not 可与这些词连用，如 me，not George（是我，不是乔治），not wisely（不聪明地），not on Sundays（不在星期天）。

4.40 复合不定代词的用法

不定代词 some，any，no 与 -one，-body，-thing 可组成九个复合代词。

someone	anyone	no one（或 no-one）
somebody	anybody	nobody
something	anything	nothing

这些复合代词均只有名词性质。

1）第二部分为 -one 和 -body 的复合代词只用于指人。它们形式上是单数，但可用复形代词 they 或 them 指代。如：

（1）There is **someone** in his office. Do you hear them talking?

他办公室里有人，你听见他说话吗？（them 指代 someone）

（2）Is there **anyone** at home?

家里有人吗？

（3）**No one** was kinder to me at that time than Rose Waterford.

那时，没有一个人比罗斯•沃特福德对我更好。

（4）**Somebody** must have been using my books. They've got all misplaced on the shelf.

一定有人用我的书了。书全都被乱放在书架上。

（5）Did you meet **anybody** on your way home?

你在回家的路上遇见什么人了？

（6）**Nobody** can help him under the circumstances.

在这种情况下没有人能帮助他。

2）第二部分为 -one 和 -body 的复合代词可有 's 属格形式。如：

（7）There's **somebody's** glove on the floor.

谁的一只手套在地板上。

（8）It is **anybody's** guess how long the strike will last.

谁想得到这次罢工会延续多久。

（9）**Everybody's** business is **nobody's** business.

事关大家无人管。

第二部分为 -one 和 -body 的复合代词如后跟 else，'s 属格则移至 else 之后。如：

(10) My car has broken down. Can I borrow *someone else's* ?

我的车坏了，我能借哪一个人的吗？

(11) His hair is longer than *anyone else's.*

他的头发比谁都长。

3）第二部分为 -one 和 -body 的复合代词如有形容词修饰，形容词须后置。如：

(12) *Somebody important* has arrived, I'm sure.

我确信有一个重要人物到了。

(13) I want *someone reliable* to do this work.

我需要一个可靠的人来做这件工作。

4）一般认为，第二部分为 -one 的复合代词与第二部分为 -body 的复合代词的功能和意义完全相同，可以互换，只是前者较后者文雅些。但也有人认为，前者侧重指个体，后者侧重指集体。如：

(14) *Somebody* is sure to get interested in the job.

肯定有人对这工作感兴趣。（＝some people, one or more persons）

(15) This is a letter from *someone* interested in the job.

这是一封某个对这工作感兴趣的人的信。（＝some person, one person ）

(16) *Nobody* knew about her arrival.

没有人知道她的到来。（＝no people）

(17) *No one* had come to meet her.

没有一个人来接她。（＝not a person）

因此，第二部分为 -body 的复合代词不后接 of 短语，而第二部分为 -one 的复合代词则有时可后跟 of 短语。如：

(18) Does *anyone of you* correspond with her family?

你们中有谁跟她家通信吗？

5）第二部分为 -thing 的复合代词只用于指物，没有属格。如：

(19) There is *something* wrong with him.

他出了点问题。

(20) Why don't you say *something* ?

你为什么不说点什么？

(21) He looked at me and didn't say *anything.*

　　　　他看着我，什么也没说。

　(22) I'll do **anything** for you.

　　　　我愿意为你做任何事。

　(23) "Is there **anything** in the paper?" he said, as we app-
　　　　roached the end of our silent meal.

　　　　当我们默默地用餐快结束时，他说："报上有什么新闻
　　　　吗?"

　(24) Mangan has **nothing** else.

　　　　曼根没有别的东西了。

　(25) **Nothing** could remove his disappointment.

　　　　没有什么能消除他的失望情绪。

　6）第二部分为 -thing 的复合代词和第二部分为 -one 或 -body
的复合代词一样，其形容词亦须后置。如：

　(26) Is it **something important** ?

　　　　事情重要吗?

　(27) I think I'd come and see if they had **anything new.**

　　　　我想我会来看看他们有没有什么新的东西。

4.41　one 的用法

　　不定代词 one 指代可数名词，既可指人，亦可指物。one 具有名
词和形容词性质，在句中可用作主语、宾语、定语等。用作名词时，
它有复数形式 ones 和属格形式 one's，而且还有相应的反身代词
oneself。用作形容词时形式无变化。

　1）相当于名词，泛指"人们"、"一个人"、"任何人"，无修饰
词语。如：

　(1) **One** can't be too careful in matters like this.

　　　　在这种问题上一个人多小心都不为过。

　(2) He was very young, not more than twenty-three or
　　　　four, as indeed **one** could see at a glance.

　　　　他非常年轻，不会超过二十三四岁，任何人一眼就会看
　　　　出来。

　(3) **One** would think I had agreed to her going.

　　　　人们会认为我同意她走的。

one 可以和 one's 或 oneself 一起使用。如：

（4）*One* should do *one's* best at all times.

一个人无论何时都应尽自己的最大努力。

（5）*One* shouldn't be too hard on *oneself*.

一个人不应该太难为自己。

2）相当于名词，意指"一个人"。如：

（6）He is not *one* to be easily frightened.

他不是一个轻易被吓倒的人。

（7）*One* who paints ought to know a lot about perspective.

画画的人应当了解许多透视的知识。

（8）There was a look in his eyes of *one* used to risking his life.

从他的目光中可以看出，他是个惯于冒生命危险的人。

one 还可后跟 of 短语，短语中用复形可数名词或代词。如：

（9）I've made some cakes. Would you like *one of them*?

我做了几块蛋糕，你吃一块好吗？

（10）Roy is *one of the* finest jazz *pianists* I have ever heard.

罗伊是我听过的最好的爵士钢琴手之一。

3）用于与 the other，another 表示对比，在这种情况下有数的含义。如：

（11）The brothers are so alike that I sometimes cannot tell *one* from *the other*.

这两兄弟相貌太相似，有时我都不能分辨出来。

（12）By the way，here are the two duplicate keys to the gate — I'll take *one*，the other key you'd better keep yourself.

顺便说起，这儿是两把完全相同的大门钥匙——我拿一把，另一把你最好自己拿着。

（13）*One* man's meat is *another*'s poison.

对甲有利未必就对乙也有利。（谚语）

4）用作"支撑词"（prop word），即代替前面刚提到过的名词，以免重复。仅用于可数名词，复数用 ones，指人指物均可。如：

（14）I haven't a pen. Can you lend me *one*?

我没带笔，你借给我一支行吗？

(15) Trams were passing us，but my father was not in-
clined to take **one**.

电车从我们身边驶过，但我父亲一辆也不想上。

(16) A hateful person is **one** that arouses feelings of ha-
tred in you.

可憎之人就是会使你产生憎恨之情的人。

支撑词可用复数形式 ones。如：

(17) I prefer red roses to white **ones**.

我喜欢红玫瑰，胜过白玫瑰。

(18) — Have you met our German neighbours?

你见到过我们的德国邻居吗？

— Are they the **ones** who moved here recently?

他们是最近搬到这儿来的吗？

支撑词如有修饰词语，则须加冠词。如：

(19) No，that's not their car. Theirs is **a blue one**.

不，那不是他们的车，他们的是一辆蓝的。

(20) The new vicar was less cultivated than **the old one**.

新来的牧师没有原来的牧师有教养。

(21) My shoes are similar to **the ones you had on
yesterday**.

我这鞋跟你昨天穿的那双差不多。

支撑词可用其它代词或序数词修饰。如：

(22) If you will take this chair，I'll take **that one**.

如果你坐这把椅子，我就坐那把。

(23) I've never seen such big tulips as **these ones**.

我从未见过这样大的郁金香。

(24) Here are some books for you to read. **Which one**
would you choose?

这里有几本你可读的书，你挑哪一本？

(25) If you don't like this magazine，take **another one**.

如果你不喜欢这本杂志，那就要另一本吧。

(26) My house is **the first one** on the left.

我的房子是左边第一家。

the one 有 "唯一" 的含义。如：

(27) She is ***the one*** who grumbles.

　　就是她常发牢骚。

在某些情况下可不用支撑词。如：

(28) I won't go by your car. I'll use my own.

　　我不搭你的车。我用我自己的。（own 之后）

(29) Of all the runners my brother was the swiftest.

　　在所有赛跑选手中我弟弟是跑得最快的。（形容词最高级之后）

(30) I have only one bike but you have two.

　　我只有一辆自行车，可你有两辆。（基数词之后）

另外，正式文件和学术文章应避免用支撑词。

5) 相当于形容词时和相当于名词时一样，也可意谓 "唯一"。如：

(31) Your father is the ***one*** man who can help you now.

　　你父亲是现在唯一能帮助你的人。

(32) Her ***one*** object in life, as she told everybody, was her daughter Ruth.

　　她生活的唯一目标，正像她给大家说的，就是她的女儿露丝。

(33) It was her ***one*** great sorrow.

　　那是她唯一的大憾事。

6) 与时间名词连用，表示某种不确定的时间。如：

(34) ***One day*** he'll understand his mistake.

　　总有一天他会明白他的错误。（表将来）

(35) I'll speak to him ***one of these days*** .

　　有一天我会对他说的。（表将来）

(36) ***One summer evening*** I went for a stroll in the park.

　　一个夏天的夜晚，我去公园散步。（表过去）

7) 用于固定习语。如：

(37) He can go or he can stay; it's ***all one*** to me.

　　他去还是留，对我都一样。

(38) The sky was gently turning dark and the men began to depart ***one after the other.***

　　天渐渐黑了，男人们开始一一离去。

（39）**The little ones** always know a good man from a bad one.

孩子们总是分得出好人和坏人。

4.42 none 的用法

不定代词 none 通常只有名词性质，在句中作主语、宾语等。none 与 no 性质不同，no 只有形容词性质。二者意义相同，皆意谓"没有（人或物）"，既可指人，亦可指物。

1）用于指代单形、复形可数名词和不可数名词。如：

（1）**None** have arrived yet.

还没有人来。

（2）I bought a lot of books in London，but he bought **none.**

我在伦敦买了许多书，可他一本也没买。

（3）I wanted some more coffee but **none** was left.

我想再要些咖啡，可一点也没有了。

none 常后跟 of 短语，其后用复形可数名词或不可数名词。作主语时谓语动词可用单数或复数形式。如：

（4）**None of his friends** has ever been to Paris.

他的朋友没有一个到过巴黎。

（5）**None of the passengers** were aware of the danger.

没有一个旅客意识到有危险。

（6）**None of the dogs** was（were）there.

没有一条狗在那儿。

（7）**None of the money** was ever recovered.

钱一点也没寻找回来。

2）用作主语、宾语、表语、同位语等。如：

（8）**None** of them spoke English except Tallit.

除了塔利特，他们中没有人会说英语。（主语）

（9）Apart from the dizziness，I had **none** of the true signs of the disease.

除了头晕，我没有此病的任何真实症状。（宾语）

（10）That's **none** of your business！

那与你不相干！（表语）

(11) We **none** of us said anything.

　　我们中没有人说什么。(同位语)

3) 用于固定习语。如:

(12) **None but** a strong man could have lifted it.

　　只有身强力壮的人能举得起它。

(13) It's **none other than** Tom!

　　这正是汤姆!

4) no one 与 none 的比较: no one 仅指人, none 可指人或物。如:

(1) **No one** failed the examination.

　　没有一个人考试不及格。(强调没有一个人不及格)

(2) **None** of the students failed the examination.

　　没有学生考试不及格。(强调都及格了)

4.43　all 的用法

个体代词 all 具有名词和形容词性质,在句中作主语、宾语、定语等。指二以上的人或物(指二个用both)。

1) 相当于名词,指人,意谓"大家",等于 everybody,在句中作主语和宾语。它有复数概念,作主语时谓语动词须用复数形式。如:

(1) **All** are welcome.

　　大家都受欢迎。

(2) **All** agree that he has behaved splendidly.

　　大家都同意他的表现非常之好。

(3) It is hard to please **all**.

　　众口难调。

2) 相当于名词,指物,意谓"一切",等于 everything,在句中作主语和宾语。它表单数概念,作主语时谓语动词须用单数形式。如:

(4) I don't find any change here, **all** looks as it always did.

　　在这里我没有发现任何变化,一切看起来都和以往一样。

(5) Some day his pictures will be worth more than **all** you have in your shop.

　　有一天,他的画会比你店里所有的一切还值钱。

（6）***All*** is not lost.

　　一切都没丢。

注意 All... not... 有时=Not all...。如：

（7）***All*** is not gold that glitters.

　　发光的并不总是金子。

有时可用物主代词修饰。如：

（8）He gave ***his all.***

　　他奉献了他的一切。

3）相当于名词时，在美国英语中常与 of 连用（在英国英语中一般皆不用 of）。all of 的意思与 all 相同。如：

（8）***All of the boys*** want to become football players.

　　所有孩子都想当足球运动员。

（9）***All of these books*** are expensive.

　　所有这些书都很贵。

亦可后跟不可数名词，表示单数。如：

（10）***All of that money*** you gave them has been spent.

　　你给他们的那些钱全花完了。

（11）***All of the bread*** was stale.

　　所有的面包都不新鲜了。

有时亦可后跟单形可数名词。如：

（12）His action was condemned by ***all of the civilized world.***

　　他的行动受到整个文明世界的谴责。

但只有 all of 之后才可跟人称代词宾格。如：

（13）***All of us*** were disappointed by him.

　　他使我们大家都失望了。

（14）He has written three novels and ***all of them*** were best sellers.

　　他写了三部小说，三部都是畅销书。

4）用作主语同位语时有不同的位置。如：

（15）They ***all*** found the lectures helpful.

　　他们大家都觉得讲这些课有帮助。（谓语动词之前）

（16）We are ***all*** extremely fond of her.

　　我们大家都非常喜欢她。（谓语动词之后）

(17) The villages have **all** been destroyed.

这些村庄全部被摧毁了。（谓语动词短语之中）

5）相当于形容词，在句中作定语，可修饰单形、复形可数名词以及专有名词。如：

(18) We worked hard **all** year.

我们辛勤工作了整一年。

(19) **All** roads lead to Rome.

条条大路通罗马。

(20) **All** hope has gone.

整个希望都破灭了。

(21) A general strike paralized **all** Paris.

一次总罢工使整个巴黎瘫痪了。

6）用作定语从句的先行词。如：

(22) **All I can say** is that we are extremely sorry.

我能说的只是我们感到非常遗憾。

(23) **All I desired** was leisure for study.

我的全部希望就是有空学习。

(24) She listened to **all that he said** with a quiet smile on her lips.

她嘴上挂着安详的微笑，听着他说的一切。

7）用于固定习语。如：

(25) **All in all** , there were twenty present.

总共有 20 人出席。

(26) **First of all** you must be frank.

首先你必须坦诚。

4.44 every 的用法

个体代词 every 只有形容词性质，在句中作定语。常用于修饰单形可数名词,述说对象至少有三个(如为二个则用 each)。every 还可构成复合代词 everyone，everybody ，everything。

1）用于单形可数名词，意谓 "各个"。如：

（1）After the gale **every** flower in the garden was broken.

大风过后，花园里的每一朵花都损坏了。

（2）He knew by heart *every* word in her letter.

　　他牢记她信中的每一个词。

（3）*Every* time I ring you up，I find you engaged.

　　每次我给你挂电话，我发现你都忙着有事。

有时意谓"一切"。如：

（4）He had *every* reason to believe that he was right.

　　他有一切理由相信他是对的。

（5）I shall do my best to help you in *every* way.

　　我将尽最大努力用一切方法帮助你。

2）用于固定习语。如：

（6）We go to Europe practically *every other* year.

　　我们几乎每隔一年去一次欧洲。

（7）John comes to visit me *every once in a while*.

　　约翰时常来看望我。

（8）When the police arrived，the crowd started running *every which way.*

　　警察到达时，人群开始四处逃散。

3）everyone 和 everybody 只有名词性质，用于指人，二者同义，意谓"每人"，表示单数。但可用复形物主代词 they，them，their 指代。作主语时谓语动词须用单数形式。如：

（9）He told *everyone* that he was a lord.

　　他告诉大家他是位勋爵。

（10）In a small village *everybody* knows *everybody* else.

　　在小村庄里，大家彼此都认识。

（11）*Everybody* had some weak spot.

　　人人都有某种弱点。

（12）"*Everybody*'s afraid，aren't *they* ?" he said looking at the people around.

　　"大家都害怕了，不是吗?" 他望着周围的人说。(they 指代 everybody)

可有属格形式。如：

（13）He's sure of *everyone's* consent.

　　他确信大家都会同意。

注意 everyone 与词组 every one 的区别：前者的重音模式是

'everyone,后者是 every 'one 或 'every 'one；前者只能指人，后者既可指人，也可指物。关于 every one 的实例如：

(14) **Every one** of us will be present.

我们大家都将出席。

(15) We played several matches against the visitors，but unfortunately lost **every one**.

我们同客队赛了几场，不幸全输了。

4）everything 只有名词性质，用于指物，意谓"每件事"、"一切"，表示单数，没有属格。如：

(16) **Everything** goes well with me.

我一切均好。

(17) Money isn't **everything**.

金钱不是一切。

(18) One can't have **everything**.

一个人不能什么都有。

4.45　each 的用法

个体代词 each 具有名词和形容词性质，在句中作主语、宾语、定语等。既可指人，亦可指物。描述对象至少有两个。

1）相当于名词，意谓"每个"，在句中作主语、宾语和同位语。如：

(1) **Each** went his way.

各走各自的路。(主语)

(2) He gave two to **each**.

他给了每人两个。(宾语)

(3) They were **each** sentenced to thirty days.

他们每人被判 30 日徒刑。(同位语)

(4) I told them what **each** was to do in case of an emergency.

我告诉他们在紧急情况下各自要做的事。(指物)

(5) "Toasts," cried George, in furious cheerfulness, and at the end of **each** threw his glass into the fireplace.

"干杯，"乔治欣喜若狂地叫道，而且每干一次就把玻璃杯扔进壁炉。(指事)

有时可后跟 of 短语，其后须用复形可数名词或复数人称代词。如：

(6) **Each of the men** signed his name as he came in.

　　每个男人进门时都签了名。

(7) I'll send **each of them** some seeds in the autumn.

　　秋天我将送给他们每人一些种子。

2) 相当于形容词，修饰单形可数名词，在句中作定语。如：

(8) I have met him **each** time he has come to London.

　　他每次来伦敦我都见到他。

(9) He gave **each** boy a present.

　　他给了每个男孩一件礼物。

(10) **Each** morning they lay abed till the breakfast-bell.

　　每天早晨他们都躺在床上直到早餐铃响。

3) each 与 every 的比较：each 可用作名词和形容词，every 只用作形容词；二者用作形容词时，意义相同，但 each 着重于个别性，其构成成分各具特性，every 则着重于整体性，其构成成分有共性。如：

(11) **Each** student contributed to the fund.

　　每一个学生都为基金会捐了款。（学生至少二人）

(12) **Every** student contributed to the fund.

　　各个学生为基金会捐了款。（学生至少三人）

each and every 短语则既有个性又有共性。如：

(13) **Each and every** student contributed to the fund.

　　各个学生都为基金会捐了款。

4.46　other 和 another 的用法

个体代词 other 具有名词和形容词性质，既可指人，亦可指物。other 不确指，因此常用定冠词组成 the other。不定冠词 an 与 other 连用则组成 another。another 亦具有名词和形容词性质。

1) other 相当于名词时，意谓"另一个"，在句中作主语、宾语。如：

(1) One of my brothers is named Richard, **the other** named Frederick.

　　我的兄弟一个叫理查德，另一个叫弗雷德里克。

（2）He held a sword in one hand and a pistol *in the other.*

他一手握着剑，一手拿着手枪。

other 可用其它代词修饰。如：

（3）If you want *that other* , call me.

如果你要那另一个，就给我打电话。

（4）It's *none other* than Tom!

这正是汤姆!

other 有复数形式 others。如：

（5）We should not think only of our own children, there are *others* to be cared for also.

我们不应该只想到我们自己的孩子,还有别的孩子需要照顾。

（6）The search party was divided into two groups. Some went to the right, (the) *others* went to the left.

搜寻小组一分为二，一部分人向右去，另一部分人向左去。

other 有时可有属格形式。如：

（7）Each looked after the *other's* bag.

二人相互照料对方的包。（二人）

（8）She thinks only of *others'* good.

她只想到别人的美德。（几个人）

有时可后跟 of 短语。如：

（9）Some members of our expedition wanted to climb to the summit, but *others of us* thought it dangerous.

我们探险队中，一些人想爬上顶峰，但另一些人认为这太危险了。

2）other 用作形容词，修饰复形名词，意谓"另外的"、"其他的"，在句中作定语。如：

（10）Some children like milk chocolate, *other children* prefer plain chocolate.

一些小孩喜欢奶油巧克力，另外一些小孩却喜欢纯巧克力。

（11）I have no *other friends* but you.

除你以外我没有其他朋友。

(12) "We can do as well as *other people* ," my aunt said.

"我们能够干得像别人一样好，"我姑妈说。

the other 后跟单形名词，意谓"另一个"。如：

(13) The insurance offices were on *the other side* of the street.

保险公司在街的另一侧。

(14) This seat is free ; *the other seat* is taken.

这个座位空着，另一个座位有人。

(15) I spent half my time teaching law and *the other half* in London as a consultant to a big firm.

我一半时间教授法律，另一半时间是在伦敦给一家大公司当顾问。

the other 亦可后跟复形名词，意谓"另外的"、"其他的"。如：

(16) Jones is here , but where are *the other boys* ?

琼斯在这儿，但其他男孩在哪儿？

(17) When I returned home I found my wife talking to our neighbour. *The other guests* had gone.

当我回到家时，发现我妻子在跟邻居说话。其他客人都走了。

用作形容词的 other 亦可为其它代词所修饰。如：

(18) *Any other person* than her husband would have lost patience with her.

除了她丈夫外，别人都不会容忍她的。

(19) There must be *some other reason* for him to help.

他给予帮助一定另有原因。

(20) We have *no other* business before us.

我们手头没有别的事。

3) another 用作名词，意谓"另一个"，在句中作主语、宾语。如：

(21) One is blind , *another* is deaf, and a third is lame.

一个是瞎子，另一个是聋子，又一个是瘸子。(主语)

(22) Ah , where can we find *another* like her?

啊，我们哪里还能找到像她这样的姑娘？(宾语)

有时可后跟 of 短语。如：

(23) It was only *another of her many disappointments.*

这只是她许多失望外的又一个失望。

4) another 用作形容词，意谓"另一个"，在句中作定语，通常修饰单形名词或代词 one。如：

(24) We went into *another room.*

我们进入另一个房间。

(25) Tell them I am not very well. I will go and see them *another day.*

告诉他们我不大舒服。过几天我会去看他们的。

(another day 指未来，the other day 则指过去)

(26) This pen doesn't work. I must buy *another one*.

这支钢笔坏了。我该另买一支了。

有时意谓"不同的"。如：

(27) This route to Boston takes too long. There must be *another* route that is shorter.

这条到波士顿的路线费时太多了。一定会有一条较短的路线。

有时会出现歧义。如：

(28) Would you like *another* drink?

你再来一杯好吗？（指另一杯同样的饮料，亦可指一杯不同的饮料）

有时可修饰数词和复形名词。如：

(29) He went back to work too soon, and was laid up for *another three months.*

他回去上班过早，结果又病倒三个月。

(30) *Another fifty yards* farther on you can see Marcello's boat.

你再走五十码，就可以看到马塞洛的船。

3) other，another 可与 one 组合。one...the other 指两个人或物构成的一组中的个体。如：

(31) He held a book in *one* hand and his notes in *the other.*

他一手拿着书，一手拿着笔记。

(32) Here are two books. **One** is for Mary, **the other** is for Jack.

这里有两本书，一本给玛丽，一本给杰克。

one...another 指同一组内的两个个体。如：

(33) **One** person may like to spend his vacation at the seashore, while **another** may prefer the mountains.

一个人会喜欢在海滨度假，而另一个人会喜欢在山里度假。

还可用 still another 引进第三者。如：

(34) **One** person may like to spend his vacation at the seashore, **another** may prefer the mountains, while **still another** may choose a large metropolis.

一个人也许喜欢在海滨度假，而另一个人也许喜欢在山里度假，还有人也许喜欢在大都市度假。

4.47 either 和 neither 的用法

either 和 neither 是一对意义相反的代词，具有名词和形容词性质。

1）either 相当于名词时，意谓"（二者之中）任何一个"，在句中作主语、宾语，表示单数概念，作主语时谓语动词须用单数形式。常后跟 of 短语。其后用复形名词或复数代词，但意义明确时可省略 of 短语。如：

(1) **Either of the plans** is equally dangerous.

这两个计划中，不论哪一个都同样有危险。

(2) — Which of the two rooms would you like, sir?

先生，这两个房间你喜欢哪一个？

— Oh, **either**, I don't care.

啊，哪个都行，我不在乎。

(3) The news did not shock **either of them.**

这消息没有使他俩任何一人感到震惊。

(4) Have you seen **either of your parents** today?

今天你看见你父亲或母亲了吗？

2）用作形容词，修饰单形名词，在句中作定语。如：

(5) He could write with **either hand.**

他左右手都能写字。

（6）Take *either half* ; they're exactly the same.

随便拿哪一半，它们完全一样。

（7）There is a train at 11:30 and one at 12:05. *Either train* will get you to Oxford in time for the meeting.

有一趟火车是11:30，还有一趟是12:05，你乘哪一趟车都可以准时赶到牛津开会。

3）neither 同 either 用法相同，意义相反，意谓"（二者之中）哪个也不"。如：

（8）I try on two dresses, but *neither* fits me.

我试了两套衣服，没一套合适。（主语）

（9）For a long time *neither* spoke again.

很长一段时间，他俩谁也没再说话。（主语）

（10）*Neither of my friends* has come yet.

我的（两个）朋友一个也没来。（后跟 of 短语）

（11）*Neither of them* was any good.

它们（两个）一个也不适用。（后跟 of 短语）

（12）If you run after two hares, you will catch *neither.*

你如在追两只兔子，一只也追不着。（宾语）

（13）— Which will you have?

你要哪一个？

— *Neither* , thank you.

哪个也不要，谢谢。（宾语）

（14）I have travelled by both trains and *neither train* had a restaurant car.

我乘了两趟车，哪一趟车也没有餐车。（定语）

（15）*Neither brother* has been abroad.

两兄弟一个也没有到国外去过。（定语）

4.48 both 的用法

个体代词 both 意谓"两个（都）"，具有名词和形容词性质，在句中可用作主语、宾语、定语等，既可指人，亦可指物。它表示复数，但只能指"二个"。

1）相当于名词，在句中作主语和宾语。如：

（1）Two men were injured in the accident. **Both** are now recovering in hospital.

事故中有两个人受伤。这两个人现正都在医院里康复。（主语）

（2）**Both** should make concessions.

双方都应该作出让步。（主语）

（3）I don't know which book is the better; I shall read **both.**

我不知道哪一本书好，我将两本都读。（宾语）

（4）Why not use **both** ?

为什么不二者都用？（宾语）

both 常后跟 of 短语，其后用复形名词或复数代词；后接复形名词时 of 常省略，后接复数代词时 of 则不能省略。如：

（5）**Both (of) the films** were very good.

两个电影都很好。

（6）Do **both (of) your parents** like dancing?

你父母都喜欢跳舞吗？

（7）She invited **both of us** to the party.

她邀请我们二人都参加聚会。

（8）**Both of them** were men of the highest position in England.

他们二人都是英国地位最高的人。

2）相当于名词时，在句中还用作同位语，与复形名词或复数代词同位。在句中的位置取决于谓语动词的形式。作主语同位语时，如谓语为完全动词（包括用作完全动词的 have），both 位于主语之后、谓语动词之前。如：

（9）**The girls both** left early.

两个女孩都走得很早。

（10）**They both** accepted the invitation.

他俩都接受了邀请。

（11）**We both** had a haircut.

我俩都理了发。

如谓语部分为系表结构，both 则位于连系动词和表语之间。如：

（12）**These children** are **both** mine.

这两个孩子都是我的。

(13) *Cyril's father and mother* were *both* dead.

西里尔的父母都去世了。

如谓语为含有助动词或情态动词的动词短语，both 则位于助动词或情态动词之后。如：

(14) *The friends* have *both* been invited.

两个朋友都受到了邀请。

(15) *You* must *both* come over some evening.

你俩必须在哪天晚上都过来。

但在作简短回答时，both 须位于助动词或情态动词之前。如：

(16) — Have you finished?

你们做完了吗？

— Yes, *we both* have.

是的，我俩都做完了。

作宾语同位语时，位于宾语之后。如

(17) They told *us both* to wait.

他们告诉我俩都等一等。

(18) I've met *them both* before.

我以前见过他俩。

3) 相当于形容词，在句中作定语。如：

(19) *Both men* were interested in the job.

两个人都对这项工作感兴趣。

(20) The club is open to people of *both sexes.*

这个俱乐部对男女都开放。

4) each 与 both 的比较：each 表 "一分为几"，both 表 "合二为一"。如：

(21) *Each of us* won a prize.

我们每人都得了一个奖。

(22) *Both of us* won a prize.

我们俩都得了奖。

both 相当于名词时，为复数。如：

(23) *Both are* good.

二者均好。

each 相当于名词用作主语时，一般表单数概念。如：

（24）Two boys entered. **_Each was_** carrying a suitcase.

两个孩子进来，每人都提着手提箱。

但用作复数名词（代词）的同位语时，谓语须与主语一致，用复形动词。如：

（25）**_They each have_** beautiful daughters.

他们每个人的女儿都漂亮。

4.49 many 和 much 的用法

表数量的不定代词 many 和 much 具有名词和形容词性质，在句中可用作主语、宾语、定语等，都意谓"许多"、"大量"；它们的不同在于：many 只能指代或修饰复形可数名词，much 一般只能指代或修饰不可数名词。

1）常用于疑问句、否定句，或 if 或 whether 引导的宾语从句。如：

（1）Do you know **_many_** people in London?

你在伦敦认识很多人吗?

（2）Did you have **_much_** rain of your holidays?

你休假时遇上很多雨吗?

（3）I did **_not_** meet **_many_** English people who could speak foreign languages.

我遇见能讲外语的英国人不多。

（4）I had **_not_** very **_much_** advice to give him.

我对他提不出很多忠告。

（5）I wonder if **_many_** people will come to the party.

我怀疑会有很多人来参加聚会。

（6）I doubt whether there'll be **_much_** time for seeing the sights. The train leaves at six o'clock.

我怀疑会有很多时间去观光。火车六点就开。

2）用于肯定句，仅限于正式英语。如：

（7）I know **_many_** who would not agree with you.

我知道有很多人不会同意你的意见。

（8）**_Much_** research has been done on this subject and **_much_** has been discovered.

关于这个题目，已经进行了大量的研究，并有大量的发现。

在日常英语中，则用a lot of，lots of，plenty of，a great deal of，a large number of，a good many 和 a great many 等来代替。如：

(9) There's still ***a lot of*** work to do before we leave.

在我们走之前还有很多工作要做。

(10) She knows ***lots of*** girls who go out dancing every Saturday.

她认识很多女孩，她们每星期六外出跳舞。

(11) I know ***plenty of*** boys in other schools had achieved the same results as I had.

我知道其它学校有很多男孩已取得与我同样的成绩。

(12) He has done ***a great deal of*** research on the subject.

关于这个题目，他已经做了很多研究工作。

(13) ***A large number of*** people were gathered at the café.

咖啡馆里聚集着很多人。

(14) My mother's family had been different in ***a good many*** ways from my father's.

我的母系家庭与我的父系家庭有很多不同。

(15) ***A great many*** mistakes have been made by nearly everybody.

几乎人人都做错了很多。

3) 当 many 和 much 用作主语或用以修饰主语时，有时也可用于肯定句。如：

(16) ***Many*** think that the situation will improve.

很多人认为形势会好转。

(17) ***Much*** of what he says is true.

他说的话很多是真的。

(18) ***Many people*** like to spend their spare time working in their gardens.

很多人喜欢在空闲时间到自己花园里干活儿。

(19) ***Much time*** would be saved if you planned your work properly.

如果你把工作安排适当，就会省下很多时间。

当 many 和 much 有程度副词 so，too，as，how 等修饰时，亦可用于肯定句。如：

(20) There are **too many** mistakes in your exercises.

你的练习中错误太多。

(21) No，I won't do it. It's **too much** trouble.

不，我不会干这种事，麻烦太多。

(22) I've got **so many** jobs to do today.

今天我有这么多活要干。

(23) Take **as much** milk as you want.

牛奶你要多少就拿多少。

much 在句中用作宾语时，亦可用于肯定句。如：

(24) My mother meant **much** to me.

我的母亲对我说来是至关重要的。

(25) I would give **much** to know what he is thinking now.

我非常想弄明白他现在在想什么。

4）many 和 much 相当于名词时，常后跟 of 短语。如：

(26) **Many of the delegates** vetoed the plan.

许多代表否决了这项计划。

(27) There were lots of people on the beach. **Many of them** were holiday-makers.

海滩上有很多人，他们中不少是度假者。

(28) **Much of the time** was wasted.

很多时间浪费掉了。

(29) He had travelled far，had seen **much of the world**.

他曾经远游，见过许多世面。

5）many 和 much 有共同的比较级形式 more 和最高级形式 most。如：

(30) I found **more** letters lying on his table today.

那天我发现他桌上有更多的信。

(31) He made **more** progress than I expected.

他取得的进步超出我的预料。

(32) He knew **more** about me than I thought.

他对我的了解比我想像的多。

(33) I shall write and tell you if I want **any more**.

如果我还要，就写信告诉你。

(34) You must go right off and get *some more.*

你必须马上去，再弄一些来。

(35) *Most* people hold the same opinion as you do.

大多数人持与你相同的观点。

(36) *Most* work was done in my father's offices.

大多数工作是在我父亲办公室干的。

(37) *The most* I can do for you is to give you a letter of recommendation.

我能为你做的最多是给你一封推荐信。

(38) *Most* of the delegates voted against the proposal.

大多数代表投票反对这项提议。

(39) *Most* of his relatives lived in the country.

他的大多数亲属住在乡下。

(40) *Most* of his money came from selling his landscapes.

他的大多数钱来源于出卖他的风景画。

4.50　(a) few 和 (a) little 的用法

a few 和 a little 是一对用作表数量的不定代词的固定词组。它们具有名词和形容词性质，在句中可用作主语、宾语、定语等。它们意谓"少数"、"少量"，其意义是肯定的。a few 指代或修饰复形可数名词，a little 指代或修饰不可数名词。

表数量的不定代词 few 和 little 与 a few 和 a little 的用法基本相同，但具有否定意义，意谓"几乎一点没有"，"等于 not…many 或 hardly…any。

1) a few 和 a little 相当于名词时，在句中作主语和宾语。如：

(1) There are only *a few* left.

只留下几个。

(2) — How many do you want?

你想要多少?

— Just *a few* please.

请给几个就行了。

(3) Many *a little* makes a mickle.

积少成多。（谚语）

（4）Just put *a little* on each plate.

每只盘里放一点儿。

常后跟 of 短语。如：

（5）Only *a few of the children* can read.

只有少数孩子能认得字。

（6）I met *a few of my friends* there.

我在那儿遇到几个朋友。

（7）Give me *a little of that wine*.

给我一点儿那种酒。

（8）I have eaten *a little* (of the food).

我吃了一点儿（食物）。

2）a few 和 a little 相当于形容词时，在句中作定语。如：

（9）*A few* birds can be seen in that place.

在那个地方可见到一些鸟。

（10）He has *a few* friends who call to see him quite frequently.

他有几个朋友，经常来看他。

（11）There was a chill in the air and *a little* fresh wind.

寒气袭人，清风几许。

（12）She had *a little* conversation with Amy.

她同埃米谈了一会儿话。

3）few 和 little 相当于名词时，在句中作主语和宾语。如：

（13）A lot of guests were invited, but *few* came.

邀请了许多客人，但是来者不多。

（14）I have very *few* left.

我所剩无几了。

（15）There's *little* to be done about it.

关于这件事，没什么可办的了。

（16）You have done very *little* for us.

你为我们做的很少。

有时可后接 of 短语。如：

（17）*Few of my acquaintances* like Sheila.

我的熟人中没有多少人喜欢希拉。

（18）I see very *little of him*.

我不大看见他。

4）few 和 little 相当于形容词时，在句中作定语。如：

(19) **Few** words are best.

少说为佳。

(20) He has **few** friends and lives a lonely life.

他没有什么朋友，过着一种孤独的生活。

(21) There is **little** change in his appearance.

他的外貌没什么变化。

(22) Arthur was reading hard and had **little** spare time.

阿瑟正在用功读书，几乎没有空闲时间。

5）few 可有比较级 fewer，最高 fewest，little 可有比较级 less，最高级 least。如：

(23) **Fewer** people study Latin today than fifty years ago，and still **fewer** people study Greek.

同 50 年前相比，现在学拉丁文的人少多了，而学希腊文的人就更少了。

(24) Who made the **fewest** mistakes?

谁的错误最少？

(25) The more haste，the **less** speed.

欲速则不达。

(26) **Least** talk，most work.

少说多干。

在非正式英语中，few 的比较级和最高级，亦可用 less 和 least。如：

(27) There used to be more women than men in the country，but now there are **less**.

这个国家过去女多男少，但现在则是女少男多。

(28) That's the **least** of my anxieties.

那是我最不焦急的事。

第五章 数 词

5.1 数词的定义和种类

表示数目多少或顺序先后的词叫做数词(numeral)。数词与不定代词很相似,其用法相当于名词与形容词。

数词有两种。表示数目多少的数词叫做基数词(cardinal numeral),如 one,ten,fifty-two 等。表示顺序先后的数词叫做序数词(ordinal numeral),如 first,tenth,fiftieth 等。

5.2 基数词

1) 1—12 的基数词是:

one 1	seven 7
two 2	eight 8
three 3	nine 9
four 4	ten 10
five 5	eleven 11
six 6	twelve 12

13—19,皆由 3—9 加后缀 -teen 构成,即:

thirteen 13	seventeen 17
fourteen 14	eighteen 18
fifteen 15	nineteen 19
sixteen 16	

(注意 thirteen,fifteen,eighteen 的拼法)

20—90 等十位数均由 2—9 加后缀 -ty 构成,即:

twenty 20	thirty 30
forty 40	seventy 70
fifty 50	eighty 80
sixty 60	ninety 90

(注意 twenty,thirty,forty,fifty,eighty 的拼法)

21—29 由十位数 20 加个位数 1—9 构成,中间须有连字符"-",即:

twenty-one 21	twenty-six 26
twenty-two 22	twenty-seven 27
twenty-three 23	twenty-eight 28

twenty-four 24   twenty-nine 29

twenty-five 25

其它的十位数照此类推，如：

thirty-one 31   seventy-five 75

forty-two 42   eighty-six 86

fifty-three 53   ninety-seven 97

sixty-four 64

2）百位数由 1—9 加 hundred 构成，如包含十位数及个位数，中间用 and 连接，也可以不用；如只包含个位数，即十位数为零时，则 and 不可省。如：

a（one）hundred   100

two hundred   200

three hundred   300

seven hundred and six   706

a（one）hundred（and）twenty-five   125

three hundred（and）forty-one   341

nine hundred（and）eighty-seven   987

twelve hundred   1 200

（英语中从 1 100—1 900 之间的整数常用 hundred 表示）

3）千位数由 1—9 加 thousand 构成，其后的百、十、个位数构成方法同前。如：

a（one）thousand   1 000

two thousand   2 000

three thousand   3 000

five thousand six hundred   5 600

six thousand eight hundred   6 800

a（one）thousand one hundred（and）forty-nine   1 149

（此处 hundred 之前不可用 a ）

three thousand five hundred（and）thirty-seven   3 537

英语里没有"万"这一单位，万也用 thousand 表示。如：

ten thousand   10 000

twenty thousand   20 000

thirty thousand   30 000

ten thousand one hundred   10 100

twenty thousand two hundred（and）thirty   20 230

forty thousand seven hundred（and）eighty-five

40 785

fifty-five thousand four hundred（and）ninety-three

55 493

十万的说法是：

a（one）hundred thousand　100 000

two hundred thousand　200 000

three hundred thousand　300 000

one hundred and one thousand　101 000

（此处 thousand 之前不可用 a）

two hundred twenty thousand　220 000

three hundred forty thousand five hundred　340 500

four hundred sixty-two thousand seven hundred（and）

eighty-nine　462 789

4）百万的说法是：

a（one）million　1 000 000

two million　2 000 000

three million　3 000 000

two million three hundred thousand　2 300 000

three million four hundred twenty-one thousand five

hundred　3 421 500

four million five hundred thirty-five thousand six

hundred（and）fifty-nine　4 535 659

千万及千万以上的说法是：

sixty million　6 千万

five hundred million　5 亿

eight thousand million　80亿（等于美国英语 eight

billion）

thirty thousand million　3 百亿（等于美国英语 thirty

billion）

a（one）hundred thousand million　1 千亿（等于美国英

语 a（one）hundred billion）

[注] 英国英语的 billion ＝ 1 000 000 000 000，即10^{12}，等于美国英语的
trillion。现在英国也有人采用美国用法，故英国计量局认为最好避免
使用 billion，trillion（美制10^{12}，英制10^{15}）和 quadrillion（美制10^{15}，
英制10^{18}）。

5）基数词相当于名词，可有复数形式，其构成方法及读音与名词相同。hundred，thousand 和 million 的复数形式常后接 of 短语，表示不确定数目。如：

> two threes　两个三
> a man in his forties　40 多岁的人
> hundreds（thousands，millions）of dollars　成百（千、百万）美元
> tens of thousands of people　成万的人
> hundreds and hundreds of times　成百倍
> thousands upon thousands people　成千成万的人

[注] million 的名词性较强，故亦可说 a million of times（百万倍），two millions of people（2 百万人）等。

如 hundreds，thousands 与 millions 的意义清楚时，其后的 of 短语可省去。如：

（1）**Hundreds of thousands** are homeless.
　　几十万人无家可归。
（2）**Millions** are starving.
　　成百万人在挨饿。
（3）The dollar revenues each year were undoubtedly in the **tens of thousands.**
　　每年美元岁收肯定以万计。

表示数量的 dozens 与 scores 的用法和 hundreds，thousands 相似。如：

（4）I have told you **dozens** of times.
　　我跟你说过几十次了。
（5）They received **scores** of letters about their TV programmes.
　　关于他们的电视节目，他们收到了大批来信。

5.3　基数词的功用

基数词在句中可用作主语、表语、宾语、定语、同位语和状语等。

1）用作主语。如：

（1）It is said that **thirteen** is an unlucky number.
　　据说 13 是一个不吉利的数目。

（2）*Three* of them joined the school team.

　　他们中有三人参加了校队。（如说 the three of them 则意谓 "他们三人"）

（3）*Two twos* are four.

　　二二得四。

[注] There were *eight of us* in my family 的意思是 "我们家里以前有八口人"，表示数人数的结果。of 在此表同位关系。

2）用作表语。如：

（4）The boy is *ten.*

　　这男孩十岁了。（等于 ten years old）

（5）Five times five is *twenty-five.*

　　5 乘 5 等于 25。

3）用作宾语。如：

（6）The shop-assistant wears a *nine* on her uniform.

　　那个女售货员的制服上戴着 9 号徽章。

（7）It is worth *four hundred.*

　　这件东西值 400。（等于400 pounds 或 dollars）

（8）A fair used to be held here every day that had a *seven* in it.

　　过去这里每月逢七有集市。

4）用作定语。如：

（9）I have invited *ten* people to the party.

　　我邀请了 10 个人参加晚会。

（10）I have told you a *hundred and one* times.

　　我跟你说过多少次了。

[注] 在 the（a，that）100 metre race（那（一）项百米赛跑）中的 100 须读作 one hundred.

5）用作同位语。如：

（11）Are you *two* reading?

　　你们二人在看书吗？

（12）They *three* joined the school team.

　　他们三人参加了校队。

6）用作状语。如：

(13) I hate riding *two* on a bike.

我不喜欢骑自行车带人。

(14) People were *three or four* deep in the streets.

街上的人多达三或四层。

(15) Sitting down *thirteen* at dinner is deemed unlucky in the Western world.

在西方，坐在 13 号用餐，被认为是不吉利的。

5·4　序数词

英语序数词第 1—19 除 first，second 与 third 有特殊形式外，其余均由基数词加后缀 -th 构成。现将第 1—19 的序数词（包括其缩写式）列出如下：

first　1st	eleventh　11th
second　2nd	twelfth　12th（twelf 加 th）
third　3rd	thirteenth　13th
fourth　4th	fourteenth　14th
fifth　5th（fif 加 th）	fifteenth　15th
sixth　6th	sixteenth　16th
seventh　7th	seventeenth　17th
eighth　8th（后只加 h）	eighteenth　18th
ninth　9th（nin 加 th）	nineteenth　19th
tenth　10th	

十位数的序数词的构成方法是：先将十位数的基数词的词尾 ty 中的 y 变为 i，然后加后缀 -eth。如：

twentieth　20th	fortieth　40th
thirtieth　30th	

十位数的序数词如包含 1—9 的个位数时，十位数用基数词，个位数用序数词，中间须有连字符 "-"。如：

twenty-first　21st	forty-fourth　44th
thirty-second　32nd	eighty-seventh　87th

百、千、万等的序数词由 hundred，thousand 等加 -th，前面加有关的基数词构成。如：

(one) hundredth　100th

(one) thousandth　1 000th

ten thousandth　10 000th

(one) hundred thousandth　100 000th

(one) millionth 1 000 000th

ten millionth 10 000 000th

(one) hundred millionth 100 000 000th

(one) billionth 1 000 000 000th

注意序数词 hundredth, thousandth, millionth, billionth 之前的 "一" 只可用 one，不可用 a 。

这种多位数序数词的后位数如包含 1—9 时，后位数用序数词，前位数同基数词，中间出现零时，须用 and 连接。如：

two hundred and first 201st

three thousand two hundred (and) twenty-first 3 221th

序数词亦可有复数形式，其构成方法及读音与名词相同。

5.5 序数词的功用

序数词在句中可用作主语、表语、宾语、定语、同位语和状语等。

1）用作主语。如：

（1）The *first* is better than the second.

第一个比第二个要好。

（2）The *first* of October is our National Day.

10 月 1 日是我们的国庆节。

2）用作表语。如：

（3）She was (the) *fourth* in the exam.

她考试得第四名。

（4）She was the *third* to arrive.

她是第三个到的。

3）用作宾语。如：

（5）He was among the *first* to arrive.

他是首批到达的。

（6）He held up a piece of paper folded into *fourths.*

他拿起一张摺成四摺的纸。

4）用作定语。如：

（7）A *third* man entered the room.

又有第三个人进入房间。

（8）January is the *first* month of the year.

正月是一年中的第一个月。

[注] 试比较

> the first two chapters　　最前的两章
> the two first prizes　　　两个第一奖

5) 用作同位语。如：

（9）On Friday, the *10th* instant, Mr. and Mrs. Cole cele-
brated their silver wedding-day.
科尔夫妇于本月10日星期五庆祝他们的银婚。

（10）Who is that man, the *first* in the front row?
前排第一个人是谁?

6) 用作状语。如：

（11）When did you *first* meet him?
你什么时候和他首次见面的?

（12）He came *second* in the race.
他赛跑获第二名。

5.6　倍数、分数、小数和百分数的表示法

1) 表示倍数的方法有多种。如：

（1）Three threes are nine.
三三得九。

（2）Three times three is nine.
3 乘 3 得9。

（3）How much（或 What）is three times three?
3 乘 3 得多少?

（4）This room is three times as large as that one.
这个房间有那个房间三个大。

（5）This room is three times larger than that one.
这个房间比那个房间大两倍。

表示三以上的倍数用 times，但表示两倍（汉语中的一倍实际上
也指两倍）时则用 twice。如：

（6）Twice three is six.
二三得六。

（7）This room is twice as large as that one.
这个房间有那个房间两个大。

（8）This room is twice larger than that one.
这个房间比那个房间大一倍。

表示倍数也可用 again, double, triple, quadruple fold 等词。

如：

(9) My uncle is as old again as I am.

我叔叔的年龄比我大一倍。

(10) The top-brand cigarettes are often sold at double the normal price here.

这里名牌香烟售价经常比正常价高一倍。

(11) Hunan, China's leading live pig-exporting province, expects to export 420000 lean-meat pigs, quadruple the figure for 1985.

中国主要生猪出口省份湖南可望出口42万只瘦肉猪，为 1985 年的四倍。

(12) The value of the house has increased fourfold since 1939.

房价自 1939 年以来增加了三倍。

表示增加多少倍可用百分比。如：

(13) Population has increased by 200% in the past 25 years.

人口在过去 25 年内增加了200%。

(14) This shows a 300% increase over the previous year.

这说明比去年增加 300%。

如表"增加"用 times 与 fold，则须注意英语要多说一倍，如说"增加了三倍"，则须用 four times 或 fourfold。如：

(15) Output of coal increased four times (或 fourfold).

煤产量增加了三倍。

(16) Output of coal was four times as great as that of last year.

煤产量比去年增加了三倍。

2）表示分数时，分子须用基数词，分母用序数词。分子如是 1 以上，分母须用复数形式。如：

1/3 读作 a (one) third

2/3 读作 two thirds

1/4 读作 a (one) quarter (或 fourth)

3/4 读作 three quarters (或 fourths)

2/5 读作 two fifths

但是 1/2 须读作 a (one) half (不读作 one second)

数学中可都用基数词读，如 1/2 读作 one over two，2/3 读作

two over three，3/4 读作 three over four，11/20 读作 eleven over twenty。尤其是较复杂的分数多用此读法，如 27/283 应读作 twenty seven over two hundred（and）eighty-three。

整数与分数之间须用 and 连接。如：

5 1/2 　 读作 　 five and a half

7 2/5 　 读作 　 seven and two fifths

分数用作前置定语时，注意下列写法与读法：

a one-third mile　三分之一英里（用 one，后有连字符）

a three-quarter majority　 四分之三的多数（用单形 quarter）

a two-thirds majority　 三分之二的多数（用复形 thirds）

分数相当于名词时，用不用连字符皆可。如：

three-quarters（three quarters）of a mile 四分之三英里

3）小数的读法是：小数点前的基数词与前面所讲的基数词读法完全相同，小数点后则须将数字一一读出。如：

1.25 　 读作 　 one point two five

3.728 　 读作 　 three point seven two eight

0.56 　 读作 　 （naught）（美国用 zero）point five six

0.009 　 读作 　 （naught）point naught naught nine（美国用 zero 代替 naught）

4）百分数中的百分号％读作 per cent。如：

5％ 　 读作 　 five per cent

0.5％ 　 读作 　 （naught）point five per cent

300％ 　 读作 　 three hundred per cent

5.7　算式表示法

关于加、减、乘、除算式的读法：

2＋2＝4 　 读作 　 Two plus two equal(s) four.

10－3＝7 　 读作 　 Ten minus three is seven.

9×6＝54 　 读作 　 Nine multiplied by six is fifty-four.

20÷4＝5 　 读作 　 Twenty divided by four is five.

［注］通常说"加"可用 and，如 Two and two are four（2＋2＝4）。说"减"可用 from，如 One from four leaves three（4－1＝3）。说 4×5＝20 亦可用 Four fives are twenty 或 Four times five is twenty。说"除"可用 into，如 Four into twenty goes five（20÷4＝5）。

关于比例与乘方、开方的读法：

$3:2$ 读作   the ratio of three to two

$12:3=4$ 读作   The ratio of twelve to three equals four.

3^2 读作   three squared

$3^3=27$ 读作   Three cubed is twenty seven.

$X^4=y$ 读作   The fourth power of x is y.

$\sqrt{9}=3$ 读作   The square root of nine is three.

$\sqrt[3]{27}=3$ 读作   The cubic root of twenty-seven is three.

$(17-\sqrt{9}+65/5)-(4\times3)=15$ 应读作   Seventeen minus the square root of nine, plus sixty-five over five, minus four times three, equals fifteen.

表示面积常用 by，如说一个房间的面积是 $3'\times6'$（3 英尺×6 英尺），应说 three feet by six feet；如房间为 6 英尺见方，则可说 six feet by six feet，也可以说 six feet square，其总面积为 thirty-six square feet。

5.8 编号表示法

编号可用序数词或基数词表示，序数词位于名词之前，并加定冠词，基数词位于名词之后。如：

the second part＝part two 第二部分

the eighth lesson＝lesson eight 第八课

由于基数词简单，所以用基数词的情况较多。如：

Number 6 第 6 号（读作 number six，缩写式为 No.6）

line 4 第 4 行（读作 line four，缩写式为 L.4）

page 10 第 10 页（读作 page ten，缩写式为 p.10）

Room (No.)101 第 101 房间（读作 Room(number)one oh one）

No.10 Downing Street 唐宁街 10 号

Platform (No.)5 第 5 站台

Bus (No.)332 第 332 路公共汽车

Tel.No.801-4609 电话号码 801—4609 读作 telephone number eight oh one four six oh nine，在 eight，oh，one 之后应稍加停顿。

postcode（或 zip code）100081 邮政编码100081

[注一]电话与门牌号码中的 0 多读作 oh。

[注二]帝王称号"第几"用序数词,如 Henry VIII 是 Henry the Eighth 的缩写式,当今英国女王 Elizabeth II 是 Elizabeth the Second 的缩写式。

5.9 年、月、日表示法

请看下列各例:

> 1949　1949 年(读作 nineteen forty-nine 或 nineteen hundred and forty-nine)
>
> 1900　1900 年(读作 nineteen hundred)
>
> 1908　1908 年(读作 nineteen and eight 或 nineteen hundred and eight)
>
> 1960s （1960's） 20 世 纪 60 年 代 （读 作 nineteen sixties）
>
> 450 B.C. 公元前 450 年(读作 four fifty B.C. 或 four hundred and fifty B.C.)
>
> 476 A.D. (A.D. 476) 公元 476 年(读作 four seventy-six A.D. 或 four hundred and seventy-six A.D. (A. D. 在不会误解的情况下常可省略)
>
> February 7 (th) (7 (th) February) 2月7日 (读作 Febr-uary the seventh)(或 February seven 或 February seventh)。7 (th) February 则读作 the seventh of Febr-uary.
>
> February 7, 1986　1986 年 2 月 7 日,可缩写成 7/2/86 （或7, 2, 86） （英式) 或2/7/86 （或2, 7, 86）（美式)。

下面是各个月份及其缩写式:

January	Jan.	July	—
February	Feb.	August	Aug.
March	Mar.	September	Sept.
April	Apr.	October	Oct.
May	—	November	Nov.
June	—	December	Dec.

5.10 时刻表示法

请看下列各例:

(at) six o'clock（或 at six）a.m.（或 am） （在）上
午六时

half past six p.m.（或 pm） 下午六时半

（a）quarter past six a.m.（或 am） 上午六时一刻

（a）quarter to eight p.m.（或 pm） 下午八时差一刻

five to eight p.m.（或 pm） 下午八时差五分

［注］ 美国英语可用 after 代替 past，用 of 代替 to。

除用文字外，还可用阿拉伯数字表示时刻，如：

6.00（英式）6:00（美式）（读作 six）

6.25（英式）6:25（美式）（读作 six twenty-five）

还有一种以 24 小时时制的表示法，如：

06.00 或 06:00（读作 zero six hundred hours）

21.25 或 21:25（读作 twenty-one twenty-five）

5.11 币制表示法

关于英国币制的说法见下列各例：

1 p 1便士（读作 one penny 或 one p）

5 p 5便士（读作 five pence 或 five p）

£5.86 5英镑86便士（读作 five pounds eighty-six
pence）

关于美国币制的说法见下列各例：

1￠ 1美分 （读作 one cent 或 one penny）

$1.25 1 美元 25 美分 （读作 one dollar twenty five
或 one twenty-five）

美国硬币除 penny 外，还有 nickel（＝five cents），dime（＝ten
cents），quarter（＝twenty-five cents），half-dollar（＝fifty cents）
等。

第六章 动词概说

6.1 动词的定义和特征

动词是表示动作或状态的词。如：

walk	行走	play	玩
sleep	睡觉	live	生活
like	喜欢	know	知道
consist	包含	resemble	相似

动词和名词、代词一样，也有人称和数的变化。谓语动词的人称和数一般必须与主语的人称和数一致。

英语动词是词类中最复杂的一种。它的主要语法特征是：

1）时态（tense）

特殊的动词词尾或有关的助动词，用以表示动作的时间和方面。

2）语态（voice）

特殊的动词形式，用以表示动词的主语和宾语之间的关系，即主语是施事者或是受事者。

3）语气（mood）

特殊的动词形式，用以表示说话人对所说事物的态度。所说的话可能是事实，也可能是命令或请求，也可能是愿望、假设、怀疑、建议、猜测、纯粹的空想等。

4）体（aspect）

动词本身内含的动作方面，有动态与静态。静态包括内心活动、各种感觉和感情等。动态有瞬间、有限、无限、重复等方面。

6.2 动词的种类

动词的种类比较复杂，大致可以根据其在句子中的功用分为及物动词与不及物动词，连系动词介乎二者之间，反身动词则是一种特殊的及物动词。其次，还可以根据其词义和其在谓语中的作用分为实义动词与助动词、情态动词。第三，还可以根据其与主语的关系分为限定动词与非限定动词。最后还有一种由动词与介词、副词组成的短语动词。

1）及物动词（transitive verb）与不及物动词（intransitive verb）。及物动词要求有直接宾语。如：

（1）John Ford himself *opened* the door to me.

约翰·福特亲自给我开门。

不及物动词则不需要宾语。如：

（2）The car *stopped.*

车停了。

只有及物动词可用于被动语态。如：

（3）The meeting *will be held* in the town hall.

会议将在市政大厅举行。

及物动词可以有一个或两个（直接和间接）宾语或复合宾语。如：

（4）Mist *clothed* the hills.

薄雾笼罩着山丘。（一个宾语）

（5）She *gave* him the first injection.

她给他打了第一针。（两个宾语，him 为间接宾语，the first injection 为直接宾语）

（6）They *elected* Nixon President.

他们选尼克松当总统。（Nixon 和 President 为复合宾语）

许多动词既可用作及物动词，又可用作不及物动词。如：

（7）He *turned* his horse's head and rode away.

他掉转马头骑着走了。

（8）Tom *turned* towards Maggie.

汤姆转身向着玛吉。

有些不及物动词有时可用作及物动词。如：

（9）He *walked the horse* to and fro.

他来回遛马。

有些不及物动词用作及物动词时可后接同源宾语。如：

（10）Morell *dreamed an extraordinary dream* last night.

莫雷尔昨晚作了一个怪梦。

有些动词形式相似，但一为及物动词，一为不及物动词，它们有 lay（放）与 lie（躺），raise（举）与 rise（升），set（放）与 sit（坐）等。如：

（11）They've *raised a statue* in memory of Robert Burns.

他们为纪念罗伯特·彭斯建立了一座雕像。

（12）The kite *rises* in the sky.

风筝在空中升起。

有些及物动词常用作不及物动词以表示被动意义，这时主语往往是物而不是人。如：

（13）The books *sold out* in a week.

　　　这些书一周内就售完了。（等于 were sold out）

2）连系动词（link verb）。连系动词是一个表示谓语关系的动词。它必须后接表语（通常为名词或形容词）。

be 是最基本的连系动词。如：

（14）It *is* not late.

　　　时间还不晚。（表语为形容词）

（15）Shelley *was* an atheist.

　　　雪莱是一个无神论者。（表语为名词）

（16）He *had been* in Germany for five years.

　　　他曾在德国待了五年。（表语为介词短语）

（17）My idea *is* to go there right today.

　　　我的意见是今天就去那儿。（表语为不定式短语）

（18）The problem *is* finding the right house.

　　　问题在于找到合适的房子。（表语为动名词短语）

（19）That *was* what she did this morning on reaching the attic.

　　　那就是她今天上午到阁楼后干的事。（表语为从句）

常用的连系动词还有appear（出现），become（变成），get（成为），look（看上去），remain（仍是），seem（看似）等。如：

（20）Gradually he *become* silent.

　　　他逐渐变得沉默寡言。

（21）Tenny's face *remained* expressionless.

　　　坦尼的脸部仍是毫无表情。

表感觉和知觉的动词也可以是连系动词，有 feel（感觉），taste（尝），smell（嗅），sound（听起来）等。如：

（22）The dish *smells* good.

　　　这道菜气味好。

（23）His explanation *sounds* all right.

　　　他的解释听起来有道理。

有些可以和形容词连用的动词也属于连系动词，有 blow open（吹开），blush red（脸发红），break loose（挣脱出来），grow worse（变得更坏），fall ill（生病），prove wrong（证明错了），stand quiet（静立），turn pale（脸发白）等。

3）反身动词（reflexive verb）。反身动词相当于及物动词，通常以反身代词为宾语。如：

(24) She always *prides* herself on her cooking.

　　她经常为她的厨艺感到骄傲。

(25) He *availed* himself of the opportunity to speak to her.

　　他利用此机会对她说话。

有些反身动词不用反身代词作宾语，但也具有反身意义。如：

(26) Jane *hid* in the closet.

　　珍妮藏在壁橱里。

(27) We *dressed* like the villagers.

　　我们的打扮像村民。

4）实义动词（notional verb）与助动词（auxiliary verb）、情态动词（modal verb）。实义动词意义完全，能独立用作谓语。如：

(28) The night *crept* gently into the hollows of the hills.

　　黑夜轻轻地蔓延到山谷。

(29) The burglar *broke* the window.

　　小偷打破了窗户。

助动词本身无词汇意义，不能单独用作谓语。它们有 do，be，have，shall (should)，will (would) 等。它们在句中与实义动词一起构成各种时态、语态和语气以及否定和疑问结构。如：

(30) The child *is* crying because he's been stung by a bee.

　　那小孩在哭，因为他被蜜蜂螫了。（用于现在进行时）

(31) She *had* been ill for two days when we learned about it.

　　她生病两天以后我们才知道。（用于过去完成时）

(32) The idea *was* given up years ago.

　　这个念头好几年前就打消了。（用于被动语态）

(33) I wish he *had*n't gone.

　　我希望他没走就好了。（用于虚拟语气）

(34) I *do*n't care what she thinks.

　　我不在乎她想什么。（用于否定结构）

(35) When *do* we meet again?（用于疑问结构）

　　什么时候我们再会？

情态动词词义不完全，在句中不能单独作谓语，只能与实义动词一起构成谓语；它们有 shall，should，will，would，can，could，may，might，must，dare，need，ought to 等。如：

(36) You **should** always wash your hands before you eat.
你应该经常在吃饭前洗手。

(37) A frightened bear **will** maul campers.
受惊的熊会把野营者咬伤的。

(38) George **can** speak several languages.
乔治能说好几种语言。

(39) I have bought a ticket for the concert, but I **may** not go if I am feeling too tired.
我已经买了一张音乐会的票，不过如果我感到太累的话，就可能不去看。

(40) It **must** have been Simon — nobody else would call at this time of night.
那一定是西蒙——晚上这个时候不会有别人打电话来。

(41) You **need**n't give me a lift on your scooter — I'm much too heavy anyway.
你不必让我登上你的滑板车——我反正太重了。

(42) I really **ought to** go and have my eyes tested.
我的眼睛确实应该去检验了。

(43) They **dare not tell** the truth.
他们不敢说真话。

have to, be going to, be to, happen to, seem to 等结构皆有情态意义，亦可认为是情态动词。

5) 限定动词 (finite verb) 与非限定动词。这些动词的形式由它们在句子中的功用所决定。限定动词在句中起谓语作用，可与助动词或情态动词连用，亦可不连用，但必须与主语在人称和数上保持一致。如：

(44) Mark **smokes** a lot.
马克抽烟很多。

(45) I **am practising** hard on my violin.
我正在努力练习小提琴。

(46) You **should not drink** if you intend to drive.
如果你打算开车，就不应该喝酒。

非限定动词有不定式、动名词和分词三种。它们在句中不起谓语作用，可担任主语、宾语、补语、状语、定语等。它们不受主语的人称和数的制约。如：

(47) He wanted *to tell* her of the incident.

他想把这个事件告诉她。(不定式用作宾语)

(48) He was always the first *to enter* the dining room and the last *to leave* it.

他总是第一个进餐厅而最后一个离开。(不定式用作定语)

(49) *Swimming* against the current is difficult.

逆水游泳很困难。(动名词用作主语)

(50) Her aim is *mastering* English in the shortest time possible.

她的目标就是在尽可能最短的时间内掌握英语。(动名词用作表语)

(51) *Coming* near, I found the door slightly ajar.

我走近时,发现门有一点儿开着。(现在分词用作状语)

(52) It was the 1st of August — a perfect day, with a *burning* sun and cloudless sky.

那天是八月一日,一个晴朗的日子,灼日当空,万里无云。(现在分词用作定语)

(53) Heated, the metal expands.

这金属遇热即会膨胀。(过去分词用作状语)

(54) The *frozen* ground was hard as stone.

冰冻的土地像石头一样坚硬。(过去分词用作定语)

6) 短语动词 (phrasal verb)。短语动词是一种固定词组,由动词加介词或副词等构成,其作用相当于一个动词。如:

(55) The plane *took off* at seven sharp.

飞机七点起飞。(动词＋副词)

(56) *Put out* your cigarettes.

把你的香烟熄掉。(动词＋副词＋宾语)

(57) I don't *care for* Helen's new curtain.

我不喜欢海伦的新窗帘。(动词＋介词＋介词宾语)

(58) The gang *robbed* her *of* her necklace.

这伙人抢走了她的项链。(动词＋直接宾语＋介词＋介词宾语)

(59) We *are* all *looking forward to* your party on Saturday.

我们大家都在盼着你星期六举办的宴会。(动词＋副词＋介词＋介词宾语)

(60) I *put* his bad temper ***down to*** his recent illness.

我认为他脾气坏是因为他最近生过病。（动词＋直接宾语＋副词＋介词＋介词宾语）

6.3 动词的基本形式

英语动词有五种基本形式，即动词原形 (verb stem)，第三人称单数现在式 (third person singular present tense form)，过去式 (past tense form)，过去分词 (past participle) 和现在分词 (present participle)。这五种形式和助动词一起构成动词的各种时态、语态和语气。现将五种基本形式举例列表如下：

原　形	第三人称单数现在式	过去式	过去分词	现在分词
work	works	worked	worked	working
write	writes	wrote	written	writing
have	has	had	had	having
do	does	did	done	doing

1）动词原形，是前面不加 to 的动词不定式形式，也就是在词典词目中所用的动词形式，如 be，have，do，work，study 等。

2）当主语是第三人称单数，时态是现在一般时时，动词形式应是第三人称单数现在式。如：

（1）He *works* hard.

他工作努力。

第三人称单数现在式一般由动词原形加 -s 构成。它的拼写应根据以下情况作相应变化：

a）以发咝擦音的 s，z，ch，sh，x 等字母结尾的动词，后面加 -es。如：

pass — passes　　push — pushes

buzz — buzzes　　mix — mixes

catch — catches

b）以辅音字母加 y 结尾的动词，先将 y 变为 i，再加 -es 如：

carry — carries　try — tries

3）动词过去式和过去分词的构成有规则的和不规则的两种（不规则动词见下节）。规则动词的过去式和过去分词由动词原形加 -ed 构成。关于动词原形加 -ed 的方法和读音见下表：

构成\例词\读音	在动词后加 -ed	在以 -e 结尾的动词后加 -d	在以辅音字母＋y 结尾的动词后，先将 y 变为 i 再加 -ed	以重读闭音节或 r 音节结尾而末尾只有一个辅音字母时，须双写这个辅音字母再加 -ed
在清辅音后读 /t/	worked finished helped fetched	hoped liked joked		clapped stopped mapped
在元音和浊辅音后读/d/	followed stayed called entered	agreed believed lived changed	carried studied tried copied	planned referred preferred nodded
在辅音/t，d/后读/id/	wanted rested needed			admitted omitted permitted

少数双音节动词，尽管重音在第一个音节，仍双写末尾的辅音字母，然后再加 -ed（现在分词亦如此）。如：

'travel — travelled

'program — programmed

'worship — worshipped

但美国英语不双写辅音字母。如：

'travel — traveled

[注] 注意 panic，traffic，picnic 等动词分别为 panicked，trafficked 和 picnicked，其现在分词分别为 panicking，trafficking，picnicking，英、美皆如此。

4）现在分词一般由动词原形加 -ing 构成。如：

go — going　　　　stand — standing

ask — asking　　　answer — answering

study — studying　be — being

see — seeing

但在下列情况下，拼写应作相应变化：

a）以不发音的 -e 结尾的动词，须去掉 e 再加 -ing。如：

come — coming   write — writing
take — taking   become — becoming

但当将 -e 去掉会引起发音变化时，最后的 -e 就应保留，如：

agree — agreeing   singe — singeing

另外，-e 前为元音时，-e 也应保留，如：

canoe — canoeing

b）动词是闭音节的单音节词，或是以重读闭音节结尾的多音节词，末尾只有一个辅音字母时，这个辅音字母须双写，然后再加-ing。如：

sit — sitting   begin — beginning
run — running   admit — admitting
stop — stopping   forget — forgetting

c）少数几个以-ie 结尾的单音节动词，须变 ie 为 y，再加-ing，如：

die — dying   tie — tying
lie — lying

6.4 不规则动词

大多数动词的过去式和过去分词都由动词原形加 -ed 构成，这类动词叫做规则动词（regular verb）。但有一些动词却不以加 -ed 的方式构成过去式和过去分词，这类动词叫做不规则动词（irregular verb）。现代英语中不规则动词总数不过二百多个。但它们的使用频率却相当高。不规则动词可分为下列三类：

1）第一类不规则动词的三个主要形式（即原形、过去式、过去分词）同形。如：

burst	burst	burst
cast	cast	cast
cost	cost	cost
cut	cut	cut
forecast	forecast	forecast
hit	hit	hit
hurt	hurt	hurt
let	let	let
put	put	put
set	set	set
shed	shed	shed
shit	shit	shit

shut	shut	shut
slit	slit	slit
split	split	split
spread	spread	spread
thrust	thrust	thrust

注意下列动词的过去式与过去分词有两种形式：

bet	bet/betted	bet/betted
bid	bid/bade	bid/bade，bidden
knit	knit/knitted	knit/knitted
rid	rid/ridded	rid/ridded
wed	wed/wedded	wed/wedded
wet	wet/wetted	wet/wetted

2）第二类不规则动词的过去式与过去分词同形。如：

bend	bent	bent
bind	bound	bound
bleed	bled	bled
breed	bred	bred
bring	brought	brought
build	built	built
buy	bought	bought
catch	caught	caught
cling	clung	clung
creep	crept	crept
deal	dealt	dealt
dig	dug	dug
feed	fed	fed
fight	fought	fought
find	found	found
flee	fled	fled
fling	flung	flung
get	got	got/gotten
grind	ground	ground
hang	hung/hanged	hung/hanged
have	had	had
hear	heard	heard
hide	hid	hid/hidden

hold	held	held
keep	kept	kept
kneel	knelt	knelt
lay	laid	laid
lead	led	led
lean	leant/leaned	leant/leaned
leap	leapt/leaped	leapt/leaped
learn	learnt/learned	learnt/learned
leave	left	left
light	lit/lighted	lit/lighted
make	made	made
mean	meant	meant
pay	paid	paid
rend	rent	rent
say	said	said
seek	sought	sought
sell	sold	sold
send	sent	sent
shine	shone/shined	shone/shined
shoot	shot	shot
sit	sat	sat
sleep	slept	slept
slide	slid	slid
smell	smelt/smelled	smelt/smelled
speed	sped/speeded	sped/speeded
spell	spelt/spelled	spelt/spelled
spill	spilt/spilled	spilt/spilled
stand	stood	stood
stick	stuck	stuck
strike	struck	struck/striken
sweep	swept	swept
teach	taught	taught
tell	told	told
think	thought	thought
weep	wept	wept
win	won	won

wind	wound	wound
wring	wrung	wrung

3）第三类不规则动词的原形、过去式和过去分词都不相同。如：

arise	arose	arisen
awake	awoke/awaked	awoken/awaked
bear	bore	born/borne
begin	began	begun
blow	blew	blown
break	broke	broken
choose	chose	chosen
drink	drank	drunk/drunken
do	did	done
eat	ate	eaten
fly	flew	flown
forbid	forbade/forbad	forbidden/forbid
forget	forgot	forgotten/forgot
give	gave	given
go	went	gone
grow	grew	grown
hew	hewed	hewn/hewed
know	knew	known
mow	mowed	mown/mowed
overthrow	overthrew	overthrown
ring	rang	rung
rise	rose	risen
see	saw	seen
shake	shook	shaken
show	showed	shown/showed
shrive	shrove/shrived	shriven/shrived
sow	sowed	sown/sowed
speak	spoke	spoken
spring	sprang	sprung
steal	stole	stolen
strive	strove/strived	striven/strived
swear	swore	sworn
swim	swam	swum

take	took	taken
tear	tore	torn
throw	threw	thrown
wake	woke/waked	woken/waked
weave	wove	woven
write	wrote	written

此外还有少数不规则动词的过去分词与原形相同。如：

come	came	come
become	became	become
run	ran	run

从上面列举的三类不规则动词中，可以看出一些规则动词与不规则动词的交叉现象，这种现象说明了英语由不规则向规则转化的进程。

6.5　动词的体

动词根据其词义可分为动态动词（dynamic verb）与静态动词（stative verb）。

1）动态动词，大致可分为四类：

a）无限动词，即动作历时无限的动词，如 drink，eat，read，write，play，talk，live，work，study，walk，run，rain，snow，fly等。

b）有限动词，即表示动作历时有限的动词，如 bind，produce，build，make，create，mend 等

c）瞬间动词，即表示动作极为短暂的动词，如 hit，jump，tap，knock 等。

d）重复动词，即表示动作不断重复的动词，如 giggle，struggle，pooh-pooh 等。

2）静态动词，亦大致可分为四类：

a）表示内心活动的动词，如 want，know，think，believe，forget，understand，expect，consider，hope，imagine，mean，mind，notice，prefer，remember，suggest，suppose，wish 等。

b）表示情感的动词，如 care，detest，envy，fear，hate，like，love，regret 等。

c）表示感觉或知觉的动词，如 feel，ache，hurt，see，hear，smell，taste 等。

d）表示各种关系的动词，如 be，belong，compare，concern，

contain，cost，deserve，differ，equal，exist，have，hold，interest，involve，fit，lack，matter，measure，owe，own，possess，resemble，weigh 等。

静态动词与动态动词之间有时是相通的。有些静态动词亦可用作动态动词。如：

(1) He *is having* dinner.

他正在吃晚饭。

(2) He *felt* in his pocket for some money.

他在口袋里摸找钱。

动态动词之间亦可相通，如无限动词 sit，stand 在下列句子中即变成有限动词：

(3) *Stand up.*

起立。

(4) *Sit down.*

坐下。

第七章 动词的时态

7.1 概说

时态是一种语法范畴,是用以表示各种时间和动作方面的动词形式。

时间有四个主要部分,即现在、过去、将来和过去将来。动作方面也有四种,即一般、完成、进行和完成进行。将这些时间与动作方面组合在一起,即构成 16 种时态(以下简称为"时")如下表:

动作 方面 时间	一 般	完 成	进 行	完成进行
现 在	现在一般时 I work	现在完成时 I have worked	现在进行时 I am working	现在完成进行时 I have been working
过 去	过去一般时 I worked	过去完成时 I had worked	过去进行时 I was working	过去完成进行时 I had been working
将 来	将来一般时 I shall work	将来完成时 I shall have worked	将来进行时 I shall be working	将来完成进行时 I shall have been working
过去将来	过去将来一般时 I should work	过去将来完成时 I should have worked	过去将来进行时 I should be working	过去将来完成进行时 I should have been working

四个动作方面各有其特点,现分述如下:

1)一般方面

——用以叙述一单纯事实,时间可以不具体。

——动态动词的一般方面常表动作已完成。

2)完成方面

——用以表述一个动作已完成。

——身跨两个时间。动作发生于前一个时间,但说话人的兴趣一般在于后一个时间。

3)进行方面

——表示动作在一时段中进行,说话人的兴趣一般不在动作何时开始,何时结束,而在于他所关心的时点上。

——往往呈现出一种情景,故描写性强,比较生动。

4)完成进行方面

——兼有完成与进行两个方面的特点。

——也身跨两个时间,但二者往往相距不远。

一、现在一般时

7.2 现在一般时的形式

现在一般时的构成形式如下:

肯定式	疑问式	否定式	疑问否定式
I work	Do I work?	I do not work	Do I not work?
He (She, It) works	Does he (she, it) work?	He (She, It) does not work	Does he (she, it) not work?
We work	Do we work?	We do not work	Do we not work?
You work	Do you work?	You do not work	Do you not work?
They work	Do they work?	They do not work	Do they not work?

口语中否定式常用缩略式:

否定式	疑问否定式
I don't/dount/ work	Don't I work?
He (She, It) doesn't/dʌznt/work	Doesn't he (she, it) work?
We don't work	Don't we work?
You don't work	Don't you work?
They don't work	Don't they work?

7.3 现在一般时的基本用法

现在一般时常表经常发生的动作或经常存在的状态。如:

（1）I *go* to school every day.

　　我每天上学。

（2）He *is* always like that.

　　他总是那样。

现在一般时表经常发生的动作或存在的状态时，常和 always，often，usually，every day，sometimes 等表时间的状语连用（见上例），有时时间状语可以不表出来。如：

（3）Where *do* you *live* ?

　　你住在哪里？

（4）What *do* you *do* here?

　　你在这里干什么工作？

由 when，while，before，after，until，as soon as 等引导的时间状语从句亦可用现在一般时表示经常发生的动作或存在的状态。如：

（5）When I *come* across a new word I consult the English dictionary.

　　我遇到生词，就查英语词典。

（6）Before I *go* to bed I take a turn in the open air.

　　我在就寝之前要在露天里转一转。

（7）Make hay while the sun *shines.*

　　要趁热打铁。

（8）One is not guilty until he *is proved.*

　　在没有证明有罪之前，人都是无罪的。

连词 if 引导的条件从句有时亦可用现在一般时表经常发生的动作或存在的状态。如：

（9）If you *speak* slowly，I understand. If you *speak* quickly，I don't understand.

　　你说慢了我听得懂。你说快了我就听不懂了。

（10）If you *don't like* it you may lump it.

　　不喜欢就忍着呗。

现在一般时常用于以下情况：

1）表日常行为。如：

（11）The boys *wake* up at seven o'clock，*wash, dress* quickly and *run* into the dining-room for breakfast. They *wait* until they hear the bell and then *go* to school.

这些男孩 7 时醒来，盥洗完毕，很快地穿好衣服，就到食堂用早餐。然后等上课铃一响就去上课。

(12) At the zoo，Fang Fang **wakes** up early in the morning. At about 8, she **saunters** outside to her playground. At about 10，she **comes** back into her room and **stands** by the door to the kitchen，waiting for her breakfast.

　　在动物园，熊猫方方一大早就醒来。约 8 时，她漫步到外面的游戏场上。约 10 时，她回到屋里，站在厨房门旁，等待她的早餐。

2) 表习惯、能力。如：

(13) He never **wears** a hat in winter.

　　他在冬天从不戴帽子。（表习惯）

(14) **Do** you **drive** ，John？

　　你会开车吗，约翰？（表能力）

(15) Miss Smith **teaches** English.

　　史密斯小姐是教英语的。（表职业）

(16) This machine **runs** smoothly.

　　这台机器运转很灵。（表特征）

3) 表客观存在。如：

(17) Fire **burns** .

　　火会燃烧。（表客观事实）

(18) The earth **moves** round the sun.

　　地球绕太阳旋转。（表客观规律）

(19) Knowledge **is** power.

　　知识就是力量。（表客观真理）

(20) Time and tide **wait** for no man.

　　岁月不待人。（表客观真理）

　　报章、杂志、书籍不强调过去时间、单纯表客观事实（即所载文字依然存在）时，亦用现在一般时，如：

(21) What **does** the newspaper **say** ？

　　今天报纸说些什么？

(22) The story **describes** how a young intellectual becomes a fine Communist.

　　这个故事是描述一个知识青年如何变成一个优秀共产党员的。

7.4 现在一般时表现在

现在一般时亦可表现在时刻发生的动作或存在的状态和完成的动作。

1) 表说话时刻，这一时刻往往是很短暂的。如：

（1）What time *is* it now?

现在几点钟了？

（2）My watch *says* ten to five.

我的表是 5 点差 10 分。

有时所表时间并不短暂。如：

（3）The patient *is* much better now.

病人现在好多了。

（4）What *is* Nanjing like now?

南京现在的情况如何？

现在一般时表现在时可与现在进行时交替使用。如：

（5）He *is* wearing a tall hat and *carries* an umbrella.

他戴着一顶高帽子，拿着一把伞。

（6）The boy is looking at him in astonishment and *says* nothing.

这男孩惊奇地望着他，什么也没说。

2) 表完成的动作，常表示范性动作。如：

（7）Now, look, I *open* the door.

你瞧，我现在开门。

（8）Now I *put* the sugar in the cup.

我现在把糖放在茶杯里。

亦可表宣布或声明什么事。如：

（9）Now Radio Beijing *presents* Music from China.

现在北京电台开始播送"中国音乐"。

（10）Today we *begin* to study Lesson 8.

今天我们开始学第 8 课。

亦可用来报道一件事。如：

（11）The affair *becomes* serious.

事态严重。

（12）She *refuses* to make up her mind.

她拒绝做出决定。

（13）Johnson *passes* to Roberts, Roberts to Brown, Brown *takes* it forward, oh, he *slips* past the centre beautifully, he ***shoots.***

约翰逊把球传给罗伯茨，罗伯茨又传给布朗，布朗往前带，噢，他巧妙地绕过了中锋，射门。

　　有时现在一般时所表的动作虽然实际上尚未完成，但在说话人的心理上已经完成。如：

（14）I ***repeat***，this is important.

我再说一遍，这是很重要的。

（15）I ***say***，it is unusual.

我说呀，这是不寻常的。

这种现在一般时还用在下列感叹句中：

（16）There ***goes*** the bell!

铃响了!

（17）Here he ***comes***!

喏，他来了!

3）用于无限动词和静态动词。如：

（18）The little boy ***stands*** on the chair.

小男孩站在椅子上。（无限动词。用现在一般时强调事实，用现在进行时则较生动）

（19）He ***continues*** in good condition.

他的健康情况仍然良好。（无限动词）

（20）I ***wish*** you every success.

预祝你成功。（静态动词，表内心活动）

（21）Mr. Osborne ***loves*** nature.

奥斯本先生热爱自然。（静态动词，表感情）

（22）This material ***feels*** soft.

这种料子摸上去柔软。（静态动词，表感觉）

（23）Speak out! I ***can't hear*** you.

大声讲。我听不见你的话。（静态动词，表感觉与 can 连用）

（24）What ***ails*** you?

你哪儿不舒服?（静态动词，表内心感觉）

（25）I ***don't owe*** anything to anybody.

我不欠任何人任何东西。（静态动词，表关系）

7.5　现在一般时表过去

现在一般时有时可以用来表过去发生的动作或存在的状态。

1) 表离现在较近的过去。如：

（1）I *come* to apologize.

我是来致歉意的。（现在一般时 come 在此表"我现在已在此"这一事实）

（2）Don't say this. You *frighten* me.

不要说这个了。你把我吓了一跳。

（3）What wind *blows* you here?

是什么风把你吹来的？（强调"你现在已在此"这一结果）

（4）Bill *says* he is a good doctor.

比尔说他是个好大夫。（says 在此有"主张"的含义）

（5）He *is* gone.

他走了。（等于 He has gone，但强调现在的状态，往往有"不见了"的含义）

（6）President *Resigns.*

总统已辞职。（这是报纸标题，用现在一般时表最近的过去，以求生动）

[注] 这种表过去的现在一般时可以和 why，how，where，what 等疑问词连用，但不可与 when 连用。

2) 表离现在较远的过去。如：

（7）That's long, long ago.

那是很久很久以前的事了。

（8）He *is* long dead.

他早已去世了。

（9）How *do* you *come* to know Tom?

你是怎样认识汤姆的？

介绍书籍和电影等情节时常用现在一般时。如：

（10）The story *is* set in the spring of 1934.

这个故事发生在 1934 年春天。

在叙事文中，为了描述生动，也可常用现在一般时，即所谓"历史现在时"。如：

（11）... Then the man in the mask *pulls* a revolver out of his pocket and *raises* it. I *put* up my hands. Then suddenly the man *raises* the mask and I *see* my best friend! It all was a joke.

　　……随后那个戴假面具的人从口袋里掏出左轮手枪，举了起来。我举起了双手。这时那个人突然掀开了假面具，他原来是我最好的朋友。他是在跟我开玩笑哩。

　　这种历史现在时可以用于一段或数段，但也可以只用于一个句子。如：

　　　　(12) I waited about fifteen minutes and out he **comes**.

　　　　　　我等了大约 15 分钟，他出来了。

　　一个人有某种情绪时，可以用现在一般时道一串过去的事件。如：

　　　　(13) I **happen** to drop in on her once and you **make** such an issue of it.

　　　　　　我只是偶尔去看了她一次，而你却如此大闹起来。（这是贾宝玉对林黛玉说的一句话，句中 her 指薛宝钗）

　　在舞台说明中，也都用现在时态表动作。如：

　　　　(14) Gordon: It's always the way! [**Tears** off apron, **throws** it on the floor, and exit right, slamming the door.]

　　　　　　戈登：老是这样！[扯下围裙，扔到地上，从右门出，把门砰地关上。]（注意句中 exit 是祈使句，表示剧作家对演员的指示）

　　3) 表死者言行，如果死者的理论、著作仍旧存在并仍有影响的话。如：

　　　　(15) Darwin **thinks** that natural selection is the chief factor in the development of species.

　　　　　　达尔文认为自然淘汰是物种发展中的主要因素。

　　当死者（多指死后不久者）的动作与现在直接有关时，亦可用现在一般时。如：

　　　　(16) He **leaves** a wife and two children.

　　　　　　他留下了一个妻子和两个孩子。（he 刚死去）

　　人虽死但物犹在时，亦可用现在一般时。如：

　　　　(17) In that letter she **tells** why she was up there.

　　　　　　在那封信里，她告诉我为什么她要上那儿去。（she 已死，但信犹在）

　　4) 用于间接引语或独立句。主句的谓语动词如果是过去时态，而间接引语是客观事实或说话人认为是事实时，间接引语的谓语动词应用现在一般时。如：

(18) The doctor said that I'*m* a little overweight.

大夫说我太胖了一点。

(19) I heard that your children *like* music.

我听说你的孩子喜欢音乐。

有时在独立句中，谓语动词虽指过去，但已没有什么时间概念，亦常用现在一般时。如：

(20) No one *is* born an actor.

没有天生的演员。

(21) We *bring* nothing into the world.

我们赤条条地来到这个世界上。

7.6 现在一般时表将来

现在一般时有时可用来表将来发生的动作或存在的状态。

1）表最近的将来，说话人说话时动作尚未开始，但即将开始。如：

(1) I'*m* off.

我要走啦。

(2) Now I *go.*

现在我走啦。

(3) Here I *give* you some more examples.

这里我再给大家举几个例子。

表最近将来的现在一般时常和 why don't you 连用，表示请求或劝告。如：

(4) *Why don't you try* the baker's shop on Wells Street?

你到威尔斯街的面包店去看看吧！

(5) *Why don't you get* the hoe and loosen the soil in that flower bed for me?

那就请你拿锄把那花坛上的土给我松一松吧！

2）表预定的行为，即将来的但已事先安排好的动作，这种安排很固定，不容轻易改变，好像变成了事实一般。这种现在一般时多用于转移动词，如 go，come，arrive，leave，start，sail 等，往往后接时间状语。如：

(6) The train *leaves* at nine pm.

火车于晚上 9 时开出。

(7) When *do* you *start*？

　　　　你何时动身？

　　（8）The film show **begins** in a minute.

　　　　电影一会儿就开始放映。

　这种现在一般时常与将来一般时连用。如：

　　（9）Tomorrow morning I **leave** England. You **will** never **see** me again. This is the last time I **shall** ever **look** on you.

　　　　明天上午我就要离开英国了。你再也见不到我了。这是我最后一次见你了。

　现今有不少非转移动词的现在一般时也可表计划中的未来动作。如：

　　（10）I **read** my paper tomorrow.

　　　　我明天将宣读我的论文。

　　（11）He **gets** his reward on Tuesday.

　　　　他将于下星期二领奖。

　这种非转移动词的现在一般时也常和将来一般时连用。如：

　　（12）Today, China **faces** Cuba for the title while the Russians **will play** the Japanese for third place.

　　　　今天，中国将和古巴争夺冠军，俄国和日本争夺第三名。

　be 和 have 虽非转移动词，但其现在一般时亦可表将来时间，强调未来的事实或早已规定的事。如：

　　（13）Tomorrow **is** Sunday.

　　　　明天是星期天。（已被日历所规定）

　　（14）When**'s** dinner?

　　　　正餐是什么时候开？（问每天规定的开饭时间）

　当我们抽象地谈未来时，由于时间概念很弱，也可用现在一般时。如：

　　（15）Final victory **is** ours.

　　　　最后胜利是我们的。

　　（16）The future **is** bright.

　　　　未来是光明的。

　3）用于表将来的从句。如：

　　（17）I'll wait till he **comes**.

　　　　我要等到他来。（用于时间状语从句）

　　（18）Next time I'll do as he **says**.

下次我将按照他所说的去做。(用于方式状语从句)

(19) Next time I hope you'll go where I *tell* you to.

下次我希望你去我告诉你去的地方。(用于地点状语从句)

(20) I'll thank you if you *give* me a lift.

如果你能让我搭你的车,那我就谢谢你了。(用于条件状语从句)

(21) Tomorrow at this time we'll know who *is* elected.

明天这时候我们就会知道谁当选了。(用于宾语从句)

(22) See that the windows *are* closed before you leave.

在你离开房间之前要注意把窗户关好。(用于宾语从句)

(23) Let's see who *gets* there first.

让我们看看谁先到达那里。(用于宾语从句,这里亦可用将来一般时 will get)

(24) The state government will give $10 000 to any one who *brings* him to justice.

对能将此犯捉拿归案者,州政府愿赏一万美元。(用于定语从句)

(25) I'll give you anything you *ask* for.

你要什么我都给你。(用于定语从句)

二、过去一般时

7.7　过去一般时的形式

过去一般时的构成形式如下:

肯定式	疑问式	否定式	疑问否定式
I worked	Did I work?	I did not work	Did I not work?
He (She, It) worked	Did he (she, it) work?	He (She, It) did not work	Did he (she, it) not work?
We worked	Did we work?	We did not work	Did we not work?
You worked	Did you work?	You did not work	Did you not work?
They worked	Did they work?	They did not work	Did they not work?

口语中否定式常用缩略式：

否定式	疑问否定式
I didn't/'didnt/work	Didn't I work?
He（She, It）didn't work	Didn't he（she, it）work?
We didn't work	Didn't we work?
You didn't work	Didn't you work?
They didn't work	Didn't they work?

7.8 过去一般时的基本用法

过去一般时常表过去某一时间所发生的动作或存在的状态。过去一般时常和表示过去的状语连用，如 a minute ago, yesterday, last week, in 1900, during the night, in those days 等。用过去一般时时，要说"过多少时间之后"，一般用 after，不用 in。如：

（1）Tom suddenly *fell* ill yesterday.

汤姆昨天突然病了。

（2）They *got married* last year.

他们是去年结婚的。

（3）They *had* a baby last month.

他们上个月生了个小孩儿。

（4）It *happened* after three days.

事情发生在 3 天以后。

（5）She *didn't look* well when I last saw her.

我上次看到她时，她脸色不好。

过去一般时亦可与 today, this week, this month, this year 等时间状语连用。但这些时间状语须指过去，决不包括"现在"在内。如：

（6）*Did* you *see* him today?

今天你看见他了吗?（today 实际上指今天的过去某一时刻）

过去一般时虽不可与 now 连用，但却可与 just now（刚才）连用。如：

（7）He *went* out just now.

他刚出去。

过去一般时表过去时还有以下一些情况。

1）用于 since 从句。主句的谓语动词如用现在完成时，其后接的 since 引导的从句一般须用过去一般时。如：

（8）You haven't changed much since we last **met**.

自从上次我们见面以来，你变化不大。

（9）It's been over a year since I **came back** from the countryside.

我从乡下回来已经一年多了。（主句的谓语动词 has been 亦可改用 is，但美国英语多用现在完成时）

如果 since 从句的谓语动词是无限动词或静态动词，则一般仍表动作或状态的结束，并无持续性。如：

（10）It's a long time since I **lived** here.

我不住在这里已有好久了。（lived here 已结束，说话人说话时已不住在这里）

（11）It has been ten years since I **was** a teacher.

我不当教师已有十年了。（was a teacher 的状态已结束）

2）时间状语可省略。前面说过，过去一般时通常要与表过去的时间状语连用。但在下面一些情况下，时间状语可以省去不用。

从上下文可以清楚地看出时间状语时。如：

（12）**Did** you **sleep** well?

你睡得好吗？（显然指"昨晚"）

（13）Who **was** that?

那人是谁？（who 指刚才在这里的那个人）

前文如有现在完成时所引导时。如：

（14）Have you measured how wide the window **was**?

你量过那窗户有多宽吗？

（15）I have been within an inch of life, and **didn't know** it!

我差一点丧了命，而当时我还不知道哩。

和现在时态对比时。如：

（16）He is no longer the man he **was**.

他已不是过去的他了。（和现在一般时 is 相对比）

有表过去习惯的 used to 时。如：

（17）I **used to** play football in the street.

我过去常在街上踢足球。

3）所表的动作多已完成。如：

（18）I **wrote** a composition yesterday.

昨天我写了一篇作文。

(19) I *read* a book last week.

上星期我读了一本书。

但静态动词的过去一般时所表的状态当然一般未完成。如：

(20) Why *were* you absent from school yesterday?

昨天你为什么没有上学？

(21) I am sorry I *forgot* to post the letter.

对不起，我忘了寄那封信。

但在一般情况下，无限动词仍表持续的动作。如：

(22) I *sat* in the chair and my cat *sat* on the rug.

我坐在椅子上，我的猫坐在地毯上。

4）可表死者的动作和状态。在英语中，说到死去的人时，一般皆用过去时态。如：

(23) —— Who is the man in the picture?

相片上这个男人是谁？（问者不知其人已死，故用 is）

—— He *was* my father.

他是我父亲。（答者用 was 表明其父已死）

5）有时有感情色彩。如：

(24) You *asked* for it!

你这是自找！

(25) I *heard* you!

我早听见了！（即你不用再喊叫了）

(26) *Did* you ever *hear* of such a thing?

你听见过这种事吗？（含义是：你当然没有）

(27) I *told* you so.

我早就告诉过你。（有"而你就是不信"的含义）

7.9 过去一般时表现在、将来和过去的将来

过去一般时有时形式上为过去，实际上指现在。用过去形式乃是根据时态一致的原则。如：

（1）I didn't know you *were* here.

我不知道你在这里。（were 实际上指现在）

（2）They told me that the rats *were* a real problem around here.

他们告诉我说这里老鼠成灾了。（were 实际上指

现在）

过去一般时还可以用来表示委婉客气，亦指现在。如：

（3）*Did* you *wish* to see me?

你是找我吗？

（4）*Did* you *want* anything else?

你还要别的吗？

（5）I *wondered* if you could help me.

我不知道你能否帮我一下。

过去一般时有时可以表将来发生的事。如：

（6）In the years to come it will be a great thing for a man to say that I *died* here like a hero.

在未来的岁月里，当人们说到我在这里英勇牺牲时，那会是多好啊。(died 在此表未来)

（7）As soon as you get it, mail it to me here. I'll be on the lookout, so Tom will never know it *came*.

你一拿到它就寄到我这里。我一定留神不让汤姆知道这件事。(came 在此表未来)

过去一般时也可以表过去的将来发生的事。如：

（8）They had to leave early as they *started* work the next day.

他们第二天要开始工作，所以不得不早走。(started 表过去的将来)

（9）He told me that school *opened* the following morning.

他告诉我第二天上午开学。(opened 表过去的将来)

7.10 过去一般时表过去的过去

表"过去的过去"时，如不是强调先后、因果等关系，常可用过去一般时。这种过去一般时多用于从句中。如：

（1）The boy said he was sorry for what he *said*.

那男孩说他对他说的话感到懊悔。(said 表过去的过去，用在宾语从句中)

（2）Did you find the pen you *lost*?

你的钢笔找到了吗？(lost 表过去的过去，用在定语从句中)

（3）When the clock *struck* ten, we all went to bed.

钟敲十点时，我们即都就寝。(struck 表过去的过去，用
在时间状语从句中)

（4）The firewood was all wet from the rain, because the
store keeper **did not cover** it **up.**

柴火都给雨打湿了，因为店老板没有给遮盖。(did not
cover 表过去的过去，用在原因状语从句中)

（5）I was recovered sooner than I **expected.**

我的健康恢复得要比我所预料的快。(expected 表过
去的过去，用在比较状语从句中)

英语里的"过去的过去的过去"有时亦可用过去一般时表示。如：

（6）I was told that she had lived here since her husband
died.

我听说她从丈夫死后就住在这里。(died 在此表"过去
的过去的过去")

过去一般时亦可用来倒叙在过去的过去发生的事件。这种过去
一般时常与时间状语连用。如：

（7）Fang Fang came to the Beijing Zoo in 1972 after
spending six years in the bamboo forests of Baoxing
County, Sichuan Province. One day in spring,
she **fell** into a trap and **was dragged** to a nearby vi-
llage. After a few days she **was caged** and **escorted**
to Beijing by train.

熊猫方方在四川省宝兴县的竹林里度过六年之后于
1972 年来到北京动物园。她是在春季的一天陷入了圈
套，被拖到附近一个村庄。过不几天，她就被人装入笼
内由火车护送到北京。（时间状语是 one day in
spring）

在不会引起误会的情况下，过去一般时在无时间状语的情况下
亦可用来倒叙。如：

（8）Bessie died. She **had** a quarrel with the pimp and she
went alone to HongKong. What she was looking for I
will never know. One day she **collapsed** in a
restaurant and died. It was 1937.

贝西死了。在死之前，她和老鸨吵了一架，后只身到了香
港。她到香港去寻求什么，我始终不清楚。一天，在一家
饭馆里她倒了下去就死了。时间是 1937 年。(had,

went 皆发生在 died 之前，但无时间状语）

过去完成时一般着重倒叙相继发生的动作或事件以及业已结束了的状态,过去一般时则常用来倒叙存在而尚未结束的状态或事实。如：

(9) It was supposed that the pearl buyers were individuals acting alone, bidding against one another for the pearls the fisherman brought. And once it had been so. But this **was** a wasteful method, for often, in the excitement of bidding for a fine pearl, too great a price had been paid to the fishermen. This **was** extravagant and not to be countenanced. Now there was only one pearl buyer with many hands...

人们总以为珍珠收购商是单个人活动,争出高价购买渔人的珍珠。但这已经是过去的事了。而这是一种很费钱的做法,因为在激烈地争购一颗明珠时,渔民往往会得到一笔过高的价钱。这太费钱了,是不能允许的。现在只有一个收购商,他下面有很多人手……（第二、三两句中的 was 在倒叙事实或状态）

用过去一般时讲的原话变成间接引语时，时态可以不变为过去完成时，仍用过去一般时。如：

(10) After that, she told me, the hotel **went** from Class C to much worse. As the burden of management **fell** more heavily on her, she **had** less time for Duna and the bear **grew** senile and indecent in his habits. Once he **bullied** a mailman down a marble staircase at such a ferocious pace that the man **fell** and **broke** his hip...

从那以后,她告诉我,这家旅馆就从三等降为更次的等级了。她由于管理的担子更重了,所以没有那么多时间照顾杜纳,结果这熊越老越不像话了。有一次,它把一个邮差从大理石楼梯上猛地撞了下去,那邮差的髋骨都给摔断了……

7.11　过去一般时的从属关系

有时，过去一般时是由所属关系决定的。它可以属于现在时态、将来时态和过去时态。

1）从属于现在时态。如：

（1）When the ball goes out of bounds, the referee decides which player **touched** it last.

球出了界，由裁判决定是哪一个运动员使球出界的。（touched 所表的是现在一般时 decides 的过去）

（2）The right to rule derives from those who **gave** it.

治理权来自授权的人。（gave 表 derives 的"过去"）

2）从属于将来时态。如：

（3）After a good many years you will look back on these early pieces of work and realize that they **were** sincere and penetrating.

许多年后，你回顾这些早期作品时，就会认识到它们是诚挚的，深刻的。（were 表 will look back ... and realize 的"过去"）

（4）— How is your mother?

你母亲身体怎样？

— Thank you. She's pretty well, sir.

谢谢。她很好，先生。

— Say we **sent** our remembrances, will you?

代我们致以问候，好吗？（sent 表 say 的"过去"）

3）从属于另一过去一般时。如：

（5）What **was** his name?

你刚才说他叫什么来着？（这句话等于 What did you say his name was? 之所以用 was 是因为它从属于前面的 did ... say）

（7）"I got the job because I **was** a woman," she said.

"我得到了这个工作是因为我是女性，"她说。（was 从属于前面的 got，指当时得到工作的原因）

三、将来一般时

7.12 将来一般时的形式

将来一般时的构成形式如下：

肯定式	疑问式	否定式	疑问否定式
I shall work	Shall I work?	I shall not work	Shall I not work?
He (She, It) will work	Will he (she, it) work?	He (She, It) will not work	Will he (she, it) not work?
We shall work	Shall we work?	We shall not work	Shall we not work?
You will work	Will you work?	You will not work	Will you not work?
They will work	Will they work?	They will not work	Will they not work?

口语中常用缩略式：

肯定式	否定式	疑问否定式
I'll /ail /work	I shan't /ʃɑ:nt /work I'll not work	Shan't I work?
He'll /hi:l /work	He won't /wount /work He'll not work	Won't he work?
She'll /ʃi:l /work	She won't work She'll not work	Won't she work?
It'll /'itl /work	It won't work It'll not work	Won't it work?
We'll /wi:l /work	We shan't work We'll not work	Shan't we work?
You'll /ju:l /work	You won't work You'll not work	Won't you work?
They'll /ðeil /work	They won't work They'll not work	Won't they work?

［注］在当代英语中，尤其在美国，不管什么人称，一律用 will（缩略式为 'll）。而 shall 则只用于固定用法中。

7.13 将来一般时的基本用法

将来一般时用来表示单纯的将来事实。将来一般时常和表将来的时间状语连用，如 tomorrow，next week，next month，next year，in a few days 等。如：

（1）He*'ll come* next week.

他下星期来。

（2）I*'ll have* eggs and toast for breakfast tomorrow morning.

明天早饭我吃鸡蛋和烤面包。

(3) **Will** we **see** you again next year?

我们明年会再见到你吗？

(4) They say that it **will be** good weather tomorrow.

据说明天是好天气。

将来一般时也可以与 now，today，tonight 等时间词连用。如：

(5) I **shall do** it now.

我现在就做这件事。

(6) They'**ll go** at seven tonight.

他们今晚 7 点去。

助动词 shall 有时表谦逊。如：

(7) I **shall be** delighted to see you.

见到你我很高兴。

(8) — Come again.

请以后再来。

— I **shall.**

我会来的。

当上下文清楚时，时间状语可以省去。如：

(9) You go ahead. I'**ll catch** up.

你先走吧，我会赶上来的。

(10) **Will** there **be** anything else，Mr. Smith?

还有什么要我办的事吗，史密斯先生？

表将来一连串事件时，一般用将来一般时。由于上下文清楚，亦可不用具体的时间状语。如：

(11) Tynan **will be** in his office until eight forty-five to-
night. He **will** then **leave** directly from his office to
fly to New York，and then from Kennedy he'**ll catch**
the eleven-o'clcok flight to San Francisco.

泰南将在办公室待到今晚 8 点 45 分。然后他将离开办
公室，直飞纽约，然后他将从肯尼迪机场搭 11 点的班
机飞往旧金山。

用将来一般时时还有以下一些情况。

1) 与状语从句连用。常与表时间的状语连用。如：

(12) When I have time，I'**ll go.**

我有时间就去。（与 when 从句连用）

(13) I'**ll ask** him as soon as he comes.

他一来我就问他。（与 as soon as 从句连用）

(14) I **will tell** them after you leave.

你离开后我就告诉他们。(与 after 从句连用)

有时时间状语从句暗含在上下文中。如：

(15) I know you **will like** it.

我知道你会喜欢它的。(暗含 when you see it)

亦可与条件状语从句连用。如：

(16) He**'ll help** you if you ask him.

你提出请求，他就会帮助你。(与 if 从句连用)

(17) We **shall go** unless it rains.

除非下雨，我们是要去的。(与 unless 从句连用)

(18) Try again and you **will succeed.**

你再试就会成功。(try again 在此表条件)

有时条件状语从句可省去或暗含在上下文中。如：

(19) Don't disturb him. He**'ll be** angry.

不要打扰他。他会生气的。(省去了 if you disturb him)

(20) A chair **will not stand** on two legs.

只有两条腿的椅子是站不住的。(条件暗含在 on two legs)

2) 用于状语从句中。表时间和条件的状语从句一般用现在一般时表将来，但有时亦可用将来一般时。连词 before 引导的时间状语从句可用将来一般时。如：

(21) It will be long before he **will come** back.

他要过很久才会回来。(此句重点是 before 从句)

(22) You must fill out the application form and be interviewed before you **will be considered** for the job.

你必须先填好申请书，经过面谈，然后才会被考虑雇用的问题。(before 在此相当于 and then)

表条件的 if 从句亦可用将来一般时，这种从句的主语多用 it。如：

(23) I will come tomorrow if it **will suit** you.

如果对你方便的话，我明天来。

这种内含将来一般时的条件从句要比内含现在一般时的条件从句委婉客气。再如：

(24) If it **will help** at all, I will go.

如果于事有补，我就去。

(25) I'll buy the book if it **won't cost** too much.

这本书如不太贵，我就买下。

3) 用于一般疑问句。内含助动词 shall 的将来一般时常用在由 Shall I 或 Shall we 引导的一般疑问句中，询问对方的意图或愿望。

回答 Shall I... 问句时不可用 Yes，you　shall 或 No，you　shall not，而应该说 Yes，please（或 Please do）或 No，please don't（或 Please don't）。

回答 Shall we... 问句时应该说 Yes，let's 或 No，I don't think we shall。如：

(26) —*Shall* I *help* you?

你要我帮忙吗？

— Yes，please.

好，请。

(27) —*Shall* I *carry* your bag?

我来给你拿手提袋好吗？

— No，thanks.

不，谢谢。

(28) —*Shall* we *call* a taxi?

我们叫辆出租汽车好吗？

— Yes，let's.

好，叫吧。

shall we 可用作附加疑问句。如：

(29) — Let's go swimming，*shall* we?

我们去游泳好吗？

— No，I don't think we shall.

不，我看我们别去。

内含助动词 shall 的将来一般时还可用于 hope，expect，want 等动词，其语气要比现在一般时委婉。如：

(30) I *shall hope* to see you soon.

我希望不久能见到你。

(31) I *shall expect* you to come.

我将等你来。

(32) We *shall want* to go.

我们想去。

四、过去将来一般时

7.14　过去将来一般时的形式

过去将来一般时的构成形式如下：

肯定式	否定式
I should work	I should not work
He（She，It）would work	He（She，It）would not work
We should work	We should not work
You would work	You would not work
They would work	They would not work

口语中常用缩略式：

肯定式	否定式
I'd/aid/work	I shouldn't/'ʃudnt/work I'd not work
He'd/hi:d/work	He wouldn't/'wudnt/work He'd not work
She'd/ʃi:d/work	She wouldn't work He'd not work
It'd/'ltəd/work	It'd wouldn't work It'd not work
We'd/wi:d/work	We shouldn't work We'd not work
You'd/ju:d/work	You wouldn't work You'd not work
They'd/ðeid/work	They wouldn't work They'd not work

［注］在当代英语中，尤其在美国，第一人称也多用 would。

7.15　过去将来一般时的基本用法

过去将来一般时表示在过去将来的某一时间发生的动作或存在的状态。过去将来一般时常用在间接引语中，主句谓语动词为过去时态。如：

（1）You knew I **would come.**
你知道我会来的。

（2）We never imagined that John **would become** a doctor.

我们从未想过约翰会成为一个医生。

（3）I thought you **would take** the chance.

我还以为你会去试一试呢。

过去将来一般时有时可带时间状语。如：

（4）Late at night on November 28，1938，Dr. Bethune got word that a battle **would** soon **begin.**

1938 年 11 月 28 日深夜，白求恩大夫接到通知说，一场战斗不久将打响。（带时间状语 soon）

（5）He said he **would come** back the next day.

他说他第二天回来。（带时间状语 the next day）

如 the next day 确是说话人说话时刻的第二天，也可改用 tomorrow。如：

（6）He said he **would come back** tomorrow.

他说他明天回来。

五、现在完成时

7.16 现在完成时的形式

现在完成时的构成形式如下：

肯定式	疑问式	否定式	疑问否定式
I have worked	Have I worked?	I have not worked	Have I not worked?
He（She，It）has worked	Has he（she，it）worked?	He（She，It）has not worked	Has he（she，it）not worked?
We have worked	Have we worked?	We have not worked	Have we not worked?
You have worked	Have you worked?	You have not worked	Have you not worked?
They have worked	Have they worked?	They have not worked	Have they not worked?

口语中常用缩略式：

肯定式	否定式	疑问否定式
I've/aiv/worked	I haven't/'hævnt/worked I've not worked	Haven't I worked?
He's/hi:z/worked	He hasn't/'hæznt/worked He's not worked	Hasn't he worked?
She's/ʃi:z/worked	She hasn't worked She's not worked	Hasn't she worked?
It's/its/worked	It hasn't worked It's not worked	Hasn't it worked?
We've/wi:v/worked	We haven't worked We've not worked	Haven't we worked?
You've/ju:v/worked	You haven't worked We've not worked	Haven't you worked?
They've/ðeiv/worked	They haven't worked They've not worked	Haven't they worked?

7.17　现在完成时的基本用法

现在完成时跨在两个时间之上，一是过去，一是现在。它的动作发生在过去，但对现在有影响（或结果），而这种影响（或结果）却往往是说话人的兴趣所在，所以常常后面不用时间状语。现在完成时所表的动作离说话人的说话时刻可近可远，表近距离的如：

（1）The car *has arrived*.

　　车子来了。（结果：车子已在门口）

（2）Someone *has broken* the window.

　　有人把窗户打破了。（结果：窗户仍破着）

（3）He*'s been* ill.

　　他刚生过病。（结果：现在脸色还不好）

[注] 美国英语常用过去一般时代替表近距离的现在完成时，如：

　　① What happened?

　　　发生什么事了？（等于 What's happened?）

　　② Who took my dictionary?

　　　谁把我的词典拿走了？（等于 Who's taken my dictionary?）

表远距离的如：

（4）He *has travelled* over many lands.

　　他到过许多国家。（结果：他见识很广）

（5）*Have* you ever *seen* the sea ?

　　你看见过大海吗？（结果：如见过就告诉我海是什么样吧）

（6）She *has had* a good education.

　　她受过良好的教育。（结果：她的文化水平比较高）

有时可以连用现在完成时去完成一个以上相互紧接的动作。如：

（7）They *have gone* to the moon and *come back* to earth again.

　　他们踏上了月球，后又返回了地球。

（8）The river *has been* the scourge to China. But we *have tamed* it at last.

　　这条河是中国的灾难。但我们终于把它驯服了。

注意 have been 与 have gone 的意思不同。试比较：

（9）I *have been* to the library.

　　我刚从图书馆回来。（have been 意谓"去而复归"）

（10）He *has gone* to the library.

　　他到图书馆去了。（has gone 意谓"去而未归"）

have been 还可和不定式连用。如：

（11）I *have been to see* John.

　　我去看过约翰了。

（12）This is one of the few times he *has been to shed* tears.

　　这是他难得的一次流泪。

［注］在口语中，have got 除具有本义"得到"外，往往等于 have。如：

　　① Have you *got* a light？

　　　你有火吗？

　　但在美国口语中，get 如具有本义，则用 have gotten。如：

　　② Tom, I *have gotten* some very good news for you.

　　　汤姆，我得到了一些对你非常好的消息。

和现在一般时一样，现在完成时亦可用于死者。也有两种情况：一种是死者刚死不久，生者觉得他还似在人间。如：

（13）It's a beautiful place. Your papa *has told* me about it. He loved it very much.

　　那可是个好地方。你爸爸生前和我说过，他非常喜欢那个地方。

另一种情况是说名人。他们虽已死去，但其言行对现在仍有影响。如：

(14) Shakespeare **has written** most of the best plays we know.

在我们熟悉的最佳剧作中，大部分都是莎士比亚写的。

(15) Newton **has explained** the movements of the moon from the attractions of the earth.

牛顿阐明了月球受到地球引力而运行的规律。

现在完成时有时带有感情色彩。如：

(16) What **have** you **done** !

你干了些什么！

(17) Now you**'ve done** it !

这你可闯下祸了！

在口语中，往往用 "have gone（或 been）and＋过去分词" 的形式。如：

(18) You**'ve gone and broken** my fan.

你把我的扇子弄断了。

(19) You **have been and moved** my papers!

你乱动我的文件啦！

7.18 现在完成时表持续和重复

现在完成时常用来表持续的动作或状态，亦用来表过去重复的动作。

1)用无限动词表持续。表持续动作或状态的动词多是无限动词，如 live，study，teach，be，wait 等，常和 since（自从）或 for（经历）引导的词语连用。如：

(1) I **have lived** here for more than thirty years.

我已在此住了 30 多年。

(2) I **have been** here since last October.

从去年十月起，我一直在这里。（since 是介词）

(3) She **has taught** us since I came to this school.

自从我来到这所学校，她一直教我们。（since 是连词）

在一般情况下，这种现在一般时今后还会延续下去。但也有可能不再延续。如：

(4) **Have** you **waited** long?

你等了很久了吗？（动作不再延续，如果说话人是对方所等待的人的话。long 前省去了 for）

（5） These shoes are worn out. They *have lasted* a long time.

这些鞋子已穿破了。已穿了很长时间了。(have lasted 也不再延续。a long time 前省去了 for)

非无限动词一般不可用现在完成时表持续性，但非无限动词在否定结构中则可用现在完成时，因为"否定"本身是可以延续的。如：

（6） I *haven't bought* anything for three months.

我有 3 个月没有买过任何东西。

（7） I *haven't touched* beer for a whole week.

我有整整一个星期没沾啤酒了。

2）亦可用有限动词表持续。在当代英语里，有些有限动词已冲破了上述规则，在某种情况下也可以与 since （自从）或 for （经历）引导的词语连用表"持续性"。如：

（8） The two leaders *have met* for two hours.

这两位领导人会晤了两个小时。

（9） He *has visited* China for three days.

他在中国进行了三天访问。

（10） Since when *have* you *become* active?

你什么时候开始变得积极了的？

但要注意介词 for 有时并不表"经历"，而是表"目的"。如：

（11） I*'ve come* only for a few moments.

我来只能待几分钟。

（12） Charlie *has gone* off to Canada for six months.

查理去加拿大了，要去六个月。

3）表过去重复的动作。这种现在完成时常与 always，often，many times，every day 等时间状语连用。如：

（13） My father *has* always *gone* to work by bike.

我父亲一向是骑车上班。

（14） It*'s rained* every day this week.

这个星期天天下雨。

（15） Six times he *has tried* and six times he *has failed*.

他试了六次，六次都失败了。

还常与含有另一现在完成时的 when 从句连用，表过去的经验。如：

（16） I *have* often *met* him when I *have been* in London.

我在伦敦时经常见到他。

（17） Sometimes when I *have been* alone I have *remembered* that folly.

有时我独自一人，就会想起那桩荒唐事。

[注] when 从句中的现在完成时往往被过去一般时所代替，如：Here men have been killed when they *fired* at a grizzly. （这里人们开枪打灰熊时，是有过牺牲的。）

7.19 现在完成时表将来

同现在一般时一样，现在完成时也可以在时间状语从句里表将来。如：

（1）We are going after we*'ve had* breakfast.
　　我们吃过早饭走。

（2）How can you go before the rain *has stopped*？
　　雨还没有停，你怎么能走呢？

（3）I'll wait until he *has written* his letter.
　　我愿等到他把信写完。

有时现在完成时可从属于将来一般时，用在宾语从句中表将来。如：

（4）The test question will be spoken just one time, you must listen very carefully in order to understand what the speaker *has said*.
　　试题只念一遍，考生必须仔细听，以理解试题的内容。（从属于 must listen...）

（5）If he asks for me, tell him I *have left* for Paris.
　　他如问到我，你就告诉他我去巴黎了。（从属于 tell him）

有时可以代替将来完成时，以强调一种自然的或必然的结果。如：

（6）There is but one more question：then *I have done*.
　　只再提一个问题，我就问完了。（I have done 等于 I'll have done，但强调其自然结果）

（7）If I blow the conch and they don't come back, then we*'ve had* it.
　　如果我吹了海螺而他们还不回来，那我们就苦了。

7.20 现在完成时与其它词语连用

现在完成时可与其它词语连用。

1）与宾语从句连用，后接的宾语从句可用任何时态。如：

（1）*Have* you *found* out how wide the ditch was?

你了解到那条沟有多宽吗?（指量沟时的宽度）

（2）*Have* you *found* out how wide the ditch is?

你了解到这条沟有多宽吗?（指现在沟仍有的宽度）

（3）*Have* you *found* out how wide the ditch will be?

你了解到这条沟将来有多宽吗?

2）与时间状语连用。现在完成时是一个现在时态，所以它可以和包括"现在时刻"在内的时间状语连用，如 now，today，this week，this month，this year，always，often 等。如:

（4）The rain *has stopped* now.

雨终于停了。(now 在此等于 at last)

（5）I *have lived* here for five years now.

我到现在已经在这里住了五年了。(now 在此等于 up to now)

（6）*Have* you *seen* John today?

你今天见过约翰吗?

（7）I *have got up* very early this morning.

我今天早上起得很早。

（8）It*'s rained* every day this week.

这个星期天天下雨。

（9）I *have been* there only once this year.

我今年只去过那儿一次。

现在完成时一般不可和具体地表过去的时间状语如 just now，a minute ago，yesterday，last year 连用，但可和 just，recently，of late，before，never，always，often，already，in the past 等笼统地表过去的时间状语连用。如:

（10）He*'s* just *gone.*

他刚走。

（11）*Have* you *been* here before?

你以前来过这里吗?

（12）I *have* always *liked* him.

我一向喜欢他。

（13）I *have seen* his name in the papers rather often of late.

我近来常在报上看见他的名字。

（14）I*'ve* already *read* that book.

我已经读过那本书了。

3）与 since 连用。前面讲过，现在完成时表持续时可与 since

（自从）作为介词与连词引导的词语（即短语与从句）连用。

since 作副词用时也可与现在完成时连用。如：

(15) Nothing *has happened* since.

从那以后未发生什么事。

(16) Nothing *has been* quite the same ever since.

从那以后情况就完全不一样了。（ever 为加强语气用）

另外，since 从句虽常用过去一般时，但有时也可以用现在完成时。since 从句用现在完成时时，since 的意思是"在……期间"或"自……期间"的开头，但其后的动词必须是无限动词，有持续性。如：

(17) I have met him often since I *have lived* here.

自从我在这里住下之后，我常看见他。

(18) I have learned a lot from him since I *have known* him.

自从我认识了他，我向他学到许多东西。

但 since 从句的现在完成时亦可与一些非无限动词连用，这时它与过去一般时即无多大区别。如：

(19) It's a long time since I*'ve seen* you.

好久不见你了。（since I've seen you 等于 since I last saw you）

(20) It's a long time since I*'ve spoken* to you.

我有好久没有和你谈谈了。（since I've spoken to you 等于 since I last spoke to you）

4）与介词短语连用。现在完成时除可和介词 for（经历）与 since（自从）引导的介词短语连用外，还可和 before，after，during，from，in 等介词引导的介词短语连用。如：

(21) He *has* usually *finished* all his correspondence before bed time.

他通常在就寝前将所有信件处理完毕。

(22) After six years, a quite different Smith *has emerged*.

六年之后，史密斯变得判若两人了。

(23) I *have learned* a lot during the year.

这一年来我学到很多东西。

(24) The State *has not existed* from all eternity.

国家并非从来就有。

(25) I *have read* quite a bit in the past few days.

近日我读了不少书。

(26) Until recently he *has hidden* the book in a secret place.

直至近日，他将此书藏在一个秘密的地方。

现在完成时亦可后接内含过去一般时的 when（或 while）从句。如：

(27) I **haven't studied** English when I was at school.

我上学时没有学过英语。

(28) **Have** you **been** here while I was out?

你在我出去时来过这里吗？

5）与 long ago 连用。现在完成时有时可和时间状语 long ago 连用。如：

(29) She **'s gone** long ago.

她早走了。

(30) Fanny **has** long **ago** left me.

范妮早已离开我了。

(31) I **have ceased** to believe that long ago.

我早就不信那个了。

6）与疑问副词连用。现在完成时可以和 how，why 及 where 等疑问副词连用。如：

(32) How **have** you **done** it?

你是怎么做的？（强调结果。如用过去一般时则问方式）

(33) Why **has** the child **run away**?

这孩子为什么逃跑啦？

(34) Where **have** you **been**?

你上哪儿去啦？

现在完成时也可和疑问副词 when 连用，但往往有反问的口气。如：

(35) When **have** I ever **been accustomed** to be treated like this?

我什么时候吃过这一套？

(36) When **have** I **been** harsh with the children?

我什么时候对孩子们粗暴过？

7）与其它时态连用。现在完成时常和过去一般时连用。从时间先后看，共有三种情况：即现在完成时所表的动作（或状态）发生（或存在）于过去一般时所表的动作（或状态）之后、之前或同时。如：

(37) My friend gave it to me, and I **have** since **kept** it in the drawer.

这是我的朋友给我的，我一直把它保存在这个抽屉里。（发生于过去一般式之后）

(38) Professor Lin left yesterday for America where a lecture-tour *has been arranged* for him.

美国那边为林教授安排了一次巡回讲学,他昨天已动身去美国了。(发生于过去一般式之前)

(39) I *have climbed* that hill many a time when I was young.

我年轻时多次爬过那座山。(与过去一般时同时发生)

现在完成时常可用来引导过去一般时。如:

(40) I *have seen* the film. I saw it last week.

这个电影我看过了,是上星期看的。

(41) I *have lived* in China , That was 1940.

我在中国住过,那是 1940 年。

有时这两种时态形成一种对照。如:

(42) She *has made* several attempts to get away, but we succeeded in persuading her to stay.

她几次三番地要走,可是我们还是说服她留下了。

现在完成时也常和其它现在时态连用。如:

(43) We're tired. It*'s been* a long day.

我们累了,今天干了好久。(和现在一般时连用)

(44) Harry *has made* the tea and is watching TV again.

哈里把茶煮好后,又看起电视来了。(和现在进行时连用)

现在完成时也常和另一现在完成时连用。如:

(45) Why! He *has* only just *gone* . What *has brought* him back soon?

嗬!他刚走,怎么不大一会儿又回来啦?

8)用于时间和原因状语从句。现在完成时和现在一般时一样,也可用在 when,before,after,until,as soon as 等引导的时间状语从句中。这种从句中的现在完成时较之于现在一般时,常强调下列三种情况。

a) 强调动作的完成或结果。如:

(46) When he *has finished* his letters,he usually takes them to the post himself.

他写完信,通常都是他亲自付邮。(强调完成)

(47) When they *have been frightened* , dairy cows may refuse to give milk.

奶牛受惊后可能不出奶。(强调结果)

b)强调从句的动作与主语的动作不紧相连接,二者之间有时隔。如：

(48) They often play chess after they **have had** supper.

他们晚饭后经常下棋。

(49) Almost as soon as we **have started** we find ourselves at the bottom of the hill.

我们几乎是刚刚动身，就到山脚下了。

c）强调无限动词的动作已完成。如：

(50) When I **have studied** a book I write a report on it.

我研读完一本书之后就写一篇报告。

现在完成时亦可表原因，所以自然可用在 because 引导的原因状语从句中。如：

(51) We cannot cross the river because the water **has risen.**

我们过不了河，因为河水涨了。

(52) She can drive by herself because she **has passed** her test.

她现在可以独立开车了，因为她已经通过了驾驶考试。

9）用于间接引语。和现在一般时一样，现在完成时也可以用在过去时态之后的间接引语中，表示说话人相信间接引语的真实性。如：

(53) I heard you **have been** ill.

我听说你病了。

(54) The investigation proved that he **has done** his best.

调查结果说明他是尽了最大努力的。

六、过去完成时

7.21　过去完成时的形式

过去完成时的构成形式如下：

肯定式	疑问式	否定式	疑问否定式
I had worked	Had I worked?	I had not worked	Had I not worked?
He (She, It) had worked	Had he (she, it) worked?	He (She, It) had not worked	Had he (she, it) not worked?

肯定式	疑问式	否定式	疑问否定式
We had worked	Had we worked?	We had not worked	Had we not worked?
You had worked	Had you worked?	You had not worked	Had you not worked?
They had worked	Had they worked	They had not worked	Had they not worked?

口语中常用缩略式：

肯定式	否定式	疑问式
I'd/aid/worked	I hadn't/'hædnt/worked I'd not worked	Hadn't I worked?
He'd/hi:d/worked	He hadn't worked He'd not worked	Hadn't he worked?
She'd/ʃi:d/worked	She hadn't worked She'd not worked	Hadn't she worked?
It'd/'itəd/worked	It hadn't worked It'd not worked	Hadn't it worked?
We'd/wi:d/worked	We hadn't worked We'd not worked	Hadn't we worked?
You'd/ju:d/worked	You hadn't worked You'd not worked	Hadn't you worked?
They'd/ðeid/worked	They hadn't worked They'd not worked	Hadn't they worked?

7·22　过去完成时的基本用法

过去完成时的基本用法与现在完成时相似，所不同的是：现在完成时的动作须在现在以前完成，过去完成时的动作须在过去某一时间以前完成，也就是说发生在"过去的过去"。既然过去完成时的动作发生在过去某一时间之前，那么，使用过去完成时就非先有这样一个过去某一时间不可。如：

（1）I *had finished* my homework before supper.

　　　　我在晚饭前把作业做完了。

句中的 supper 即是过去某一时间，而过去完成时 had finished 这一动作就是在 supper 之前完成的。如果只说 I had finished my work，听者就会觉得难以理解。由此可见，过去完成时可以说是一个相对的时态，它不能离开过去时间而独立存在。再如：

（2）By the end of that year Henry **had collected** more than a thousand foreign stamps.

到那年年底，亨利已收集了一千多张外国邮票。（过去时间是 the end of that year）

（3）When we got there the basketball match **had** already **started**.

我们到那里时，篮球赛已经开始了。（过去时间是 when 从句）

但过去某一时间也可以暗含在上下文中而不表示出来。比如说，我本是来和对方谈正事的，但一见面却谈起家常而把正事忘了。这时我就可以说：

（4）Oh，I **had forgotten**.

噢，我忘了。（"谈家常"就是过去某一时间）

再如：

（5）The roads were full of people. We **hadn't foreseen** that.

路上都是人。这是我们事先未料到的。（过去时间显然暗含在前一句中）

（6）A small boy and his smaller sister **had got** an apple each. The boy **had eaten** his apple. The girl had still hers.

一个小男孩和他的小妹妹都得到一个苹果。男孩已把苹果吃掉，女孩还没有吃。（这是一个故事的开头。过去时间暗含在第三句中。过去完成时作铺垫用）

过去完成时表过去的过去时还有以下一些情况。

1）后跟 when，than，before 等引导的内含过去一般时的从句，有时从句是全句的重点。如：

（7）He **had** only just **reached** home when a man called to see him.

他刚到家就有人找他。（when 在此有"突然"的含义）

（8）No sooner **had** we **left** the house than it began to rain.

我们刚离开家就开始下雨了。

（9）I **had** not **gone** much farther before I caught them up.

我没有走多远就赶上他们了。（如说 Before I had gone much farther，I caught them up，重点则在主句）

2）常用在过去一般时之后的间接引语中。如：

(10) He told me that he **had seen** the film the day before.

他跟我说他前一天看过那个电影了。

但有时也可以说：

(11) He said he **had seen** the film yesterday.

他说他昨天看过那个电影了。

例（10）中的 the day before 是合乎语法规则的。例（11）中的 yesterday 似乎不甚合乎语法，但在实际生活中并不罕见。对 yesterday 解释有二：一是 yesterday 等于 the day before，指主句谓语动词动作发生的前一天，这是一种不够严谨的说法。另一种解释是 yesterday 等于说话人说话时刻的"昨天"。应作哪一种解释，须视上下文而定。与 yesterday 类似的还有 ago 一词。如：

(12) Five minutes ago they**'d tried** to run away.

五分钟前，他们试图逃跑。（根据上下文，five minutes ago 是以说话人说话时刻为准的。但如孤立地看，它就会有歧义了）

当然，间接引语如有具体年月日，就不会有任何歧义，如：

(13) He believed that he **had been** born in 1944 or 1945.

他认为他出生于 1944 或 1945 年。（由于有具体的过去时间，可用 was 代替 had been。二者无甚区别，只是前者较为简便，后者较为正规而已）

3）与其它时态连用。与过去一般时连用，在时间先后方面，共有三种情况。如：

(14) The rain **had stopped** and the air was clean.

雨停了，空气清新。（过去完成时先于过去一般时）

(15) As they talked, they **had reached** a house in a dark street.

他们说着话就走到了黑暗街道上的一所房屋前。（过去完成时与过去一般时同时）

(16) When the book was published, he **had become** the most popular writer of the time.

此书出版以后，他就成为当时最受欢迎的作家了。（过去完成时后于过去一般时）

过去完成时也可与过去进行时连用。如：

(17) The opera troupe **had come** , they were preparing for the night show.

歌剧团已到，他们正在准备晚上的演出。

过去完成时也常和另一过去完成时连用。如：

(18) She **had nursed** her father in that room when she **had been** but a baby.

她在那个房间护理过她的父亲，那时她还只是个孩子。

过去完成时与现在时态连用的情况亦值得注意。用这种过去完成时时，其所依附的"过去某一时间"常为读者所知，故省去不表。如：

(19) Chekhov is well known to Chinese readers, and **had exerted** a positive influence on many Chinese writers.

契诃夫对中国读者来说是非常熟悉的，他曾经对许多中国作家产生过积极影响。（过去完成时 had exerted 与现在一般时 is 连用。二者有一时隔）

过去完成时亦可与现在完成时连用。如：

(20) Many high-wire walkers have died on their last step, thinking they **had made** it.

许多走绳索者死在最后一步上，这时他们认为已经表演成功了。（"过去某一时间"表现在 thinking）

4）表愿望。过去完成时有时表一种未实现的愿望或想法，过去时间往往由过去一般时所表达。如：

(21) I **had meant** to come, but something happened.

我本想来，但有事就没有来。

(22) I **had intended** to speak, but time did not permit.

我本想发言，可是时间不允许。

5）表倒叙。过去完成时常用来倒叙过去某一时间之前所发生的一系列事件。如：

(23) The Reds also knew about Shih Ta-kai and that the main cause of his defeat **had been** a costly delay. Arriving at the banks of the Tatu, Prince Shih **had paused** for three days to honour the birth of his son — an imperial prince. Those days of rest **had given** his enemy the chance to concentrate against him, and to make the swift marches in his rear that blocked his line of retreat. Realizing his mistake too late, Prince Shih **had tried** to break the enemy encirclement, but it was impossible to manoeuvre in the narrow terrain of the defiles, and he was erased from the map.

红军也是知道石达开的，知道他失败的主要原因是坐失良机。石达开到达大渡河岸以后，因为得子——小王爷

——而庆祝了三日，这就使敌人有时机集中兵力，迅速开到他的后方，切断他的退路。石达开发觉自己的错误时，已经晚了。他企图突围，但终因在狭隘的峡谷中无法用兵而被消灭。

6）表强调动作的完成。过去完成时有时并不用于倒叙表"过去的过去"，而只是强调一过去时间的动作的完成，并往往有"突然"、"快速"等含义。这种过去完成时往往有时间状语。一种状语是 now，by now，then，by then 等，但这些时间状语常可由上下文看出，故可省去不用。如：

(24) We **had** then **been** without sleep for twenty-four hours.

这时我们已有 24 小时没有合眼了。

(25) In the outer office a door slammed. Nelson Chase **had come** to work.

只听得外面办公室砰的一声。纳尔逊·蔡斯来上班了。

另一种时间状语是表过去将来的，如 soon，ten minutes later，in two weeks 等。如：

(26) I **had** soon **told** the story.

我很快就讲完了故事。

(27) Five minutes later, they **had left** the building.

五分钟后，他们离开了大楼。

正如现在完成时可表"将来"一样，过去完成时亦可表"过去的将来"。如：

(28) He said he would come as soon as he **had finished** his work.

他说一干完活就来。(had finished 表"过去将来")

注意英语表"过去的过去"以前的时间，仍用过去完成时。如：

(29) She told me she'd been happier than she'**d** ever **been** before.

她告诉我这一段时间她比以往都要愉快。（第一个 had been 表"过去的过去"，第二个 had been 表"过去的过去的过去"）

七、将来完成时

7.23 将来完成时的形式

将来完成时的构成形式如下：

肯定式	疑问式	否定式	疑问否定式
I shall have worked	Shall I have worked?	I shall not have worked	Shall I not have worked?
He (She, It) will have worked	Will he (she, it) have worked?	He(She,It) will not worked	Will he (she, it) not have worked?
We shall have worked	Shall we have worked?	We shall not have worked	Shall we not have worked?
You will have worked	Will you have worked?	You will not have worked	Will you not have worked
They will have worked	Will they have worked?	They will not have worked	Will they not have worked

口语中常用缩略式：

肯定式	否定式	疑问式
I'll have worked	I shan't have worked I'll not have worked	Shan't I have worked?
He (She, It)'ll have worked	He(She,It) won't have worked. He (She, It)'ll not have worked	Won't he (she, it) have worked?
We'll have worked	We shan't have worked We'll not have worked	Shan't we have worked?
You'll have worked	You won't have worked You'll not have worked	Won't you have worked?
They'll have worked	They won't have worked They'll not have worked	Won't they have worked?

［注］在当代英语中，一律用 will（或缩略式 'll）。

7.24 将来完成时的基本用法

将来完成时表示在将来某一时间之前完成的动作，并往往对将来某一时间产生影响。它常与表将来的时间状语连用。如：

（1）I *shall have finished* reading the book by the end of this week.

我将在本周末前读完这本书。

（2）Before long，he *will have forgotten* all about the matter.

过不久，他很快就会把这件事全然忘记的。

有时可与 ever，never，soon 等时间状语连用。如：

（3）*Will* you soon *have finished* laying the table?

你会快点把餐具摆好吗？

（4）*Will* they ever *have done* with their talking?

他们谈话还有完没有？

将来完成时往往可和时间或条件状语从句连用。如：

（5）When I have done that，I *shall have done* all I was supposed to do.

我做完这件事，就做了我全部应做的事了。

（6）If you come at seven o'clock，I *shall not* yet *have finished* dinner.

你如七点钟来，我还没有吃完晚饭哩。

[注] 在下面的句子中，will 是情态动词，有"大概"或"料想是"等含义，并无"将要"的意思：

① You *will have heard* the news，so I need not repeat it.

你们一定已经听到消息了，所以我就没有必要重复了。

② They *will have received* our letter now.

他们这时一定收到我们的信了。

八、过去将来完成时

7.25　过去将来完成时的形式

过去将来完成时的构成形式如下：

肯定式	否定式
I should have worked	I should not have worked
He（She，It）would have worked	He（She，It）would not have worked
We should have worked	We should not have worked
You would have worked	You would not have worked
They would have worked	They would not have worked

口语中常用缩略式：

肯定式	否定式
I'd have worked	I shouldn't have worked I'd not have worked
He(She,It)'d have worked	He(She,It) wouldn't have worked He(She,It)'d not have worked
We'd have worked	We shouldn't have worked We'd not have worked
You'd have worked	You wouldn't have worked You'd not have worked
They'd have worked	They wouldn't have worked They'd not have worked

［注］在当代英语中，大都用 would（缩略式为 'd）。

7.26 过去将来完成时的基本用法

过去将来完成时表示在过去将来某一时间以前发生的动作，并往往会对过去将来某一时间产生影响。它常和表过去将来的时间状语连用。如：

（1）The party **would have arrived** by four o'clock.

这一行人将于 4 时前到达。

（2）The day was drawing near when we **would have completed** the reservoir.

我们水库完工的日子不远了。

（3）He said he **would have done** with my camera by the end of next month.

他说到下月底就不用我的照相机了。

［注］在下面的句子中，would 是情态动词，有"大概"或"料想是"等含义：

①I want you thinking of food and wine, because these last years **would have been** miserable for you.

我要你只想吃喝，因为最近几年你的生活想是够苦的。

②That **would have been** rather difficult.

那大概是相当不容易的吧。

九、现在进行时

7.27　现在进行时的形式

现在进行时的构成形式如下：

肯定式	疑问式	否定式	疑问否定式
I am working	Am I working?	I am not working	Am I not working?
He(she,it) is working	Is he(she,it) working?	He(She,It) is not working	Is he(she,it) not working?
We are working	Are we working?	We are not working	Are we not working?
You are working	Are you working?	You are not working	Are you not working?
They are working	Are they working?	They are not working	Are they not working?

口语中常用缩略式：

肯定式	否定式	疑问式
I'm/aim/working	I'm not working	
He's/hi:z/working	He isn't/'iznt/working He's not working	Isn't he working?
She's/ʃi:z/working	she isn't working she's not working	Isn't she working?
It's/its/working	It isn't working It's not working	Isn't it working?
We're/wiə/working	We aren't/ɑ:nt/ working We're not working	Aren't we working?
You're/juə/working	You aren't working You're not working	Aren't you working?
They're/ðeiə/working	They aren't working They're not working	Aren't they working?

7.28　现在进行时的基本用法

现在进行时的基本用法是表现在（即说话人的说话时刻）正在

进行的动作,可在 now, at present, at this moment, these days 等时间状语连用,也可不用时间状语。如:

（1）What *are* you *doing* now, John?

你现在正在干什么呢,约翰?

（2）Where *are* you *going*?

你上哪儿去?

（3）The telephone *is ringing*, would you answer it, please?

电话铃响了,请你接一下,好吗?

有时现在进行时所表的动作并不一定在说话人的说话时刻进行,而是在包括说话时刻在内的一段时间当中进行。如:

（4）George *is translating* a book now.

乔治现在在翻译一本书。

说话人说这句话时,乔治不一定正在翻译,可能在做别的事。但在包括"说话时刻"在内的一段时间当中,乔治确是在从事翻译。再如:

（5）— What *are* you *doing*?

你在干什么?

— I'*m not doing* anything at present.

我现在什么也不干。

现在进行时有时可用来与过去对比。如:

（6）He *is speaking* English much more fluently than he used to.

他的英语讲得比过去流利多了。

现在进行时表现在时还有以下一些情况。

1) 表重复。少数瞬间动词表不断重复的动作。如:

（7）The boy *is jumping* with joy.

那男孩高兴得在跳呢。

（8）Someone is *knocking.*

有人敲门。

除 jump, knock 外,瞬间动词还有 kick, hit, nod, tap, wink, cough, shoot, drop 等。主语如为复形名词,某些动词的现在进行时往往有"不断"或"一个接一个"的含义。如:

（9）Men *are dropping* with malaria, dysentry and simple starvation.

士兵们由于疟疾、痢疾或仅仅因为饥饿一个接一个地倒了下去。

（10）Ours is an epoch in which heroes *are coming forward*

in multitudes.

我们的时代是一个英雄辈出的时代。

但有些表示短暂动作的动词的现在进行时则是表动作的开始。如：

(11) The ambulance *is arriving.*

救护车就来。

(12) The sun *is setting.*

太阳开始落山了。

有些动词的现在进行时则表动作即将结束。如：

(13) He *is dying* .

他奄奄一息了。

(14) The fruit *is ripening.*

这果子快熟了。

2）表目前情况。现在进行时可用来表示一种临时或目前的情况或措施，这是因为现在进行时所延续的时间一般都比较有限的缘故。如：

(15) We usually have breakfast at 7, but during the holidays we're *having* it at 8.

平常我们是七点吃早饭，但放假期间就改到八点了。

(16) I'm *not sleeping* well. I want to take a holiday.

近日我睡觉不好。我想休假。

3）用于描写。现在进行时常用来描写一种状态，往往显得生动，具有感情色彩。如：

(17) I *am missing* you dreadfully.

我非常想念你。

(18) She *is* always *helping* me in the kitchen.

她总是帮我干厨房活。（表表扬）

(19) Now, that boy *is* again *whistling* his infernal melodies.

喏，那小子又打口哨吹起他那些该死的曲儿来了。（表厌恶）

这种现在进行时由于具有描写性，所以它有时在句中可以和形容词并列。如：

(20) He *is* unconscious and *groaning.*

他失去了知觉。不停地呻吟着。

4）用于阐释或归纳。现在进行时常用来阐释或归纳前面说的话。这种现在进行时的语气往往较强。如：

(21) When I say that, I'm *thinking* of the students.

我这样说是为学生着想。（表原因，解释 when I say that）

(22) He is busy. He *is writing* a letter.

他有事。他在写信。（描写前句）

(23) She was silent, she *was saying* much.

她默不做声,这反而意义深长。（表结果,有归纳或总结之意）

5) 与状语连用。现在进行时除与 now, at present 等时间状语连用外，还常与 only, merely, simply, really, actually, certainly, fast, rapidly, slowly, finally, steadily, constantly, continually, always, for ever, all the time 等词语连用。如：

(24) I *am* only *joking*.

我只是开个玩笑。

(25) John *is* always *coming* late.

约翰老是迟到。

(26) I'*m* simply *loving* it here.

我简直爱上了这儿的一切。

(27) Trade between the two countries *is* finally *beginning* to take off.

两国之间终于开始进行贸易了。

6) 用于从句。现在进行时可用于状语、宾语、定语等从句。如：

(28) We are suffering while they *are expanding.*

我们受苦，他们却在兴旺发达。（用于时间状语从句, while 在此表对比）

(29) If he *is doing* this, he is doing wrong.

假如他在做此事,那他就做错了。（用于条件状语从句）

[注] 除非是为了表强调和对比，主句与状语从句应避免都使用进行时态。

(30) You don't know what you *are talking* about.

你在说什么，你自己也不知道。（动词 know 后的宾语从句的谓语动词常用现在进行时）

(31) They talk and they don't realize what they'*re saying*.

他们肯说，但他们却不知道自己说些什么。（用于宾语从句, 此处的现在进行时 are saying, 不一定表现在）

(32) The man who *is standing* there is my uncle.

站在那里的那个人是我的叔叔。（用于定语从句）

(33) What's that you'*re holding* in your hand?

你手里拿着的是什么?（用于定语从句）

(34) Sound is produced when the air which *is being forced up* from the lungs puts the vocal chords into vibration.

从肺部发生的气,震动了声带,即发出声音。（用于定语从句,现在进行时 is being forced up 从属于现在一般时 puts,并不表说话时的现在）

7)无限动词用于现在进行时。无限动词常用现在一般时表现在,但如为了表现生动,亦可用现在进行时。如:

(35) There's a lady in the picture. She*'s lying* in a couch.

画中有一位贵妇人。她躺在睡椅上。

(36) What *are* you *waiting* for?

你等什么呢?（当代英语在此似乎很少用现在一般时 wait）

9)静态动词用于现在进行时。静态动词常用现在一般时表现在,但也可用现在进行时表临时性、能动性或生动性。如:

(37) We *are having* a cold wave these days.

这些天我们正遇上了寒流。（临时性）

(38) They*'re seeing* an English film now.

他们正在看一部英语电影。（能动性,seeing 等于 watching）

(39) How *are* you *feeling* today?

你今天感觉如何?（生动亲切）

"am,are,is+现在分词"亦表临时性。如:

(40) You *are* not *being* polite.

你这可不大客气呀。

有时则表"有意如此"。如:

(41) Jeremy *was being* slow, and I remember wondering why he *was being* slow.

杰里米有意慢慢腾腾（平时并非如此）,我记得曾对此感到纳闷。

某些静态动词的现在进行时亦有"开始"的含义。如:

(42) I*'m forgetting* my French.

我的法语荒疏了。

(43) How *are* you *liking* Beijing?

你觉得北京如何?（问初步印象）

有些表心理活动的静态动词的现在进行时可表委婉、客气。如:

(44) I*'m hoping* that you will come and have a chat with

me.

我倒希望你来聊聊天。

7.29 现在进行时表将来

现在进行时除表现在外,还可以表将来。现在进行时表将来时常有"意图"、"安排"(但不是固定不变的)或"打算"的含义。这种现在进行时比较生动,给人一种期待感。它常表最近或较近的将来。所用动词多是转移动词。如:

(1) I'm *going.*

我要走了。

(2) I'm *leaving* tomorrow.

我明天要走了。

(3) When *are* you *starting* ?

你什么时候动身?

表将来的现在进行时除用于转移动词外,亦可用于某些非转移动词。如:

(4) I'm *meeting* you after class.

课后我找你。

(5) What *are* you *doing* next Sunday?

下星期天你打算干什么?

(6) She *is buying* a new bike soon.

她不久将买一辆新自行车。

但偶尔也表较远的将来。如:

(7) When I grow up, I'm *joining* the army.

我长大了要参军。

表将来的现在进行时有时含有"决心"的意思,多用在否定结构中。如:

(8) I'm *not going* .

我不走了。

(9) I'm *not waiting* any longer.

我不再等了。

有时也用在肯定结构中。如:

(10) I'm *backing out* .

我要打退堂鼓了。

用这种现在进行时与对方讲话时可变成命令,不过语气比较温和。如:

(11) You're *staying.*

你留下吧。

(12) Don't forget：you *are taking* part too.

不要忘记：你也要参加。

同现在一般时一样，现在进行时也可在时间、条件或原因状语从句中表将来。如：

(13) When you *are passing* my way, please drop in.

你什么时候路过我们家，请进来坐。（用于时间状语从句）

(14) If they *are not doing* it，what am I to do？

假如他们不干，那我该怎么办呢？（用于条件状语从句）

(15) She's going to the dentist tomorrow because she*'s having* a tooth filled.

她明天要去看牙医，因为她要补牙。

表将来的现在进行时也可用在间接引语中，表示说话人相信它将是事实。如：

(16) He said he *is going* tomorrow.

他说他明天走。

表将来的现在进行时有时从属于将来时态。如：

(17) On election night we'll be telling you what*'s happening* in various places in this country.

到了选举的夜晚，我们将把全国各地的情况告诉大家。（is happening 从属于将来进行时 will be telling）

(18) When I have the time，I'll come down to the school to see how you*'re* both *doing*.

我有空时，会来学校看你们俩的学习情况的。（are doing 从属于 will come down）

7.30　现在进行时表过去

现在进行时在时间上横跨着过去、现在和将来，所以它不但可表现在和将来，也可以表离现在较近的过去。如：

(1) What *are* you *talking* about？

你这是说些什么呀？

(2) I*'m forgetting* my umbrella！

我差点儿把伞忘了！

(3) Every word I*'m telling* you is true.

我跟你说的每一句话都是实话。

7.31　现在进行时表经常

有时现在进行时并不表具体时间，而是泛指一切时间。这种现在进行时比较生动，也比较口语化。如：

（1）Whenever I see him, he's *reading*.

我无论什么时候看到他，他都在读书。

（2）Let a person go away with small acts of dishonesty, and soon he *is committing* greater ones.

放过一个人的小的欺骗行为，他不久就会进行大的欺骗勾当。

（3）When children *are doing* nothing, they *are doing* mischief.

孩子闲着无事时就会淘气。（这里主句与从句皆用进行时态是为了强调）

表客观事实的句子用现在进行时也是为了生动，往往和表经常的副词连用。如：

（4）The river *is* constantly *flowing* into the sea.

此河不断流入大海。

（5）The earth is a ball that *is* always *turning* round.

地球是一个球体，它不停地旋转。

十、过去进行时

7.32 过去进行时的形式

过去进行时的构成形式如下：

肯定式	疑问式	否定式	疑问否定式
I was working	Was I working?	I was not working	Was I not working?
He（She, It）was working	Was he(she,it) working	He(She,It) was not working	Was he (she, it) not working?
We were working	Were we working?	We were not working	Were we not working?
You were working	Were you working?	You were not working	Were you not working?
They were working	Were they working?	They were not working	Were they not working?

口语中否定式常用缩略式：

否定式	疑问否定式
I wasn't /'wɔznt/ working	Wasn't I working?
He （She, It） wasn't working	Wasn't he （she, it） working?
We weren't /wəːnt/ working	Weren't we working?
You weren't working	Weren't you working?
They weren't working	Weren't they working?

7.33 过去进行时的基本用法

过去进行时表示过去某一时间正在进行的动作。过去进行时和过去一般时一样，也常和表过去的时间状语连用。如：

（1）I *was practising* the violin at eight o'clock yesterday evening.

　　昨晚八点钟我在练小提琴来着。

（2）When I called him, he *was having* dinner.

　　我给他打电话的时候，他正在吃晚饭。

如果时间状语是一时段，过去进行时所表的动作则须贯穿整段或大部分时间。如：

（3）They *were expecting* you yesterday.

　　他们昨天一直在等你。

（4）While we were having breakfast, John *was talking* on the phone.

　　我们在吃早饭的时候，约翰在打电话。

过去进行时可用来打开话头，这种过去进行时也多与时间状语连用。如：

（5）We *were talking* about you this morning. Your book is terrible.

　　我们今天早上谈论你来着。你写的书糟透了。

（6）Miss Smith *was praising* you today, John.

　　今天史密斯小姐夸你来着，约翰。

过去进行时表过去时还有以下一些情况。

1）时间状语的省略。当上下文清楚时，可省去时间状语。如：

（7）Oh, I *was talking* to myself.

　　噢，我是在自言自语。（指刚才）

（8）We reached the lake just as the sun *was rising* above it.

我们抵达湖边时，太阳刚刚升起。(时间由上下文决定)

这种过去进行时所表的动作发生的时间有时不很确定，但一般不会离现在很远。如：

(9) I *was talking* with Tom and he said he was all for it.

我和汤姆谈来着，他说他完全赞成。

(10) — Did you hear the news?

你听到那个消息了吗？

— Yes, I *was reading* about it in the newspaper.

是的，我是从报纸上看到的。

这种时间不确定的过去进行时用于某些心理活动的动词时可表委婉客气。如：

(11) I *was wondering* if I must ask you one more question.

我不知道我是不是还须要再向你提一个问题。

(12) I *was thinking* it might be a good idea to keep the window open.

我看还是把窗户开着的好。

2) 与时间状语连用。过去进行时可与 soon，the next moment，in minutes，minutes later 等时间状语连用，表示一个新的动作刚刚开始，颇有点像转换镜头似的。如：

(13) Soon the whole town *was talking* about it.

不久镇上的人就都谈论起这件事了。

(14) Ten minutes later he *was standing* at the window, smoking.

十分钟后，他已站在窗前，抽着烟。

有时亦可不用时间状语。如：

(15) The man sat down, and the judge *was calling* another name and another man *was rising* to his feet.

那个人坐了下来，法官接着叫下一个名字，于是另一个人站了起来。

3) 表原因。过去进行时可用来申述原因或用作借口，这种用法常用在口语中。如：

(16) She went to her doctor yesterday. She *was having* a lot of trouble with her skin.

她昨天去看病了。她患了很麻烦的皮肤病。

(17) — Have you finished your homework, Mary?

你的作业做完了吗，玛丽？

— No, I *was helping* my mother in the kitchen all day yesterday.

没有，我昨天一整天都帮妈妈干厨房活来着。

4）表背景。过去进行时可用来为一个或一系列动作的发生提供背景。如：

(18) It **was snowing** as the medical team made its way to the front.

医疗队奔赴前线时，天正下着雪。

(19) The procession **was going**. He **was standing** amidst the crowd looking on. Suddenly a thundering explosion was heard. A turmoil followed.

队伍在前进。他站在人群中观看。突然间爆发出一声巨响。街上乱成一片。

下面例句中的过去进行时亦表背景，但这种过去进行时常用在主句中，后接的 when 从句中的谓语动词常用过去一般时，表意外之事。如：

(20) I **was leaving** the office when the telephone rang.

我正要离开办公室，电话铃响了。

(21) He **was crossing** the street when he was hit by a bike.

他横过马路时被自行车撞了。

5）表愿望。过去进行时有时可表过去未实现的愿望或打算，助动词 was 须重读。如：

(22) I **was coming**.

我本要来的。

(23) I **was reading** a paper yesterday.

我昨天本要读论文的。（was 须重读，否则会误会为真事）

(24) Oh dear! I **was writing** him a letter this morning and forgot all about it.

哎呀！我本打算今天上午给他写信来着，后来就全给忘了。

7.34　过去进行时表其它时间

过去进行时除表过去时间外，还可表过去的过去、过去的将来和现在的将来。如：

(1) The boy who **was standing** there ran away.

刚才站在那里的那个男孩跑了。（表过去的过去）

(2) He quickly swallowed the food he **was chewing**.

他很快地将所咀嚼的食物咽了下去。（表过去的过去）

（3）He asked the organization to reduce his salary to the original amount he *was receiving.*

他要求组织将他的工资减少到原来的水平。（表过去的过去）

（4）He told her that he *was leaving* soon.

他告诉她他快走了。（表过去的将来）

（5）I *was meeting* my sister at the station the next day.

第二天我要到车站接妹妹去。（表过去的将来）

（6）He said he *was coming* this evening.

他说他今天晚上来。（表将来）

（7）Was it next Sunday they *were coming* ?

他们说是下星期天来吗？（表将来）

十一、将来进行时

7.35 将来进行时的形式

将来进行时的构成形式如下：

肯定式	疑问式	否定式	疑问否定式
I shall be working	Shall I be working?	I shall not be working	Shall I not be working?
He (She, It) will be working	Will he (she, it) be working?	He (She, it) will not be working	Will he (she, it) not be working?
We shall be working	Shall we be working?	We shall not be working	Shall we not be working?
You will be working	Will you be working?	You will not be working	Will you not be working?
They will be working	Will they be working?	They will not be working	Will they not be working?

口语中常用缩略式：

肯定式	否定式	疑问式
I'll be working	I shan't be working I'll not be working	Shan't I be working?
He(She,It)'ll be working	He (She, It) won't be working He (She, It) 'll not be working	Won't he (she, it) be working?
We'll be working	We shan't be working We'll not be working	Shan't we be working?
You'll be working	You won't be working You'll not be working	Won't you be working?
They'll be working	They won't be working They'll not be working	Won't they be working?

〔注〕在当代英语中，一律用 will（或缩略式 'll）。

7.36　将来进行时的基本用法

将来进行时的基本用法是表示在将来某一时间正在进行的动作。这个时态一般不表意愿,常表已安排好之事,给人一种期待之感。它一般只表离现在较近的将来, 与表将来的时间状语连用。如:

(1) What **will** you **be doing** this time tomorrow?
你明天这时将做什么?

(2) I'**ll be taking** my holidays soon.
我不久将要度假了。

(3) The train **will be leaving** in a second.
火车马上就开。

间或也可以表较远的将来。如:

(4) Maybe nobody **will be smoking** in fifty years.
50 年后, 也许就没有人吸咽了。

如上下文已清楚地表明了将来时间, 时间状语亦可省去。如:

(5) They **will be meeting** us at the station.
他们会在车站上接我们的。

(6) You'**ll be hearing** from me.
你就等我的信吧。

将来进行时表将来时还有以下一些情况。

1) 表事情的发展。将来进行时常表事情的正常发展,是由客观情况决定的。如：

（7）I'll *be seeing* Mr. Smith tomorrow.

我明天将见到史密斯先生。

（8）— Would it be any trouble for you to post this letter?

给我邮寄一下这封信对你方便吗？

— No, not at all. I *shall be going* out presently.

方便，很方便。我反正就要出去。

有时这种时态含有一种附带的意思，语气较为委婉。如：

（9）*Will* you *be seeing* Mary this evening?

你今晚会见到玛丽吗？（附带的意思可能是：如果你今晚看到她的话，那就请你捎个信儿给她好吗?）

（10）I'll *be finishing* it.

我一会儿就完。（附带的含义可能是：过一会儿你就会拿到它了）

2）表原因、结果和可能。如：

（11）Please come tomorrow afternoon. Tomorrow morning I'll *be having* a meeting.

请你明天下午来吧。明天上午我有一个会。（表原因）

（12）You'd better borrow my bike. I *won't be needing* it.

你最好借我的自行车吧。我不用。（表原因）

（13）It's no use trying to see him at six this evening, because he'll *be giving* a lesson then.

今晚六点钟去找他不行,他那时要讲课。（表原因,后接 because 从句）

（14）If you don't write, they *will be wondering* what has happened to you.

你若不写信，他们就会怀疑你出了什么事。（表结果,与条件从句连用）

（15）If I fail to appear by 7 o'clock, I *will not be coming* at all.

如果我七点钟不到,我就不会来了。（表结果,与条件从句连用）

（16）Stop the child or he *will be falling* over.

抓住那孩子，要不他会掉下去。（表结果，不用条件从句）

（17）He *will be telling* you about it tonight.

他今晚会告诉你这件事的。(表可能)

(18) The roses *will be coming out* soon.

玫瑰花很快就会开的。(表可能)

(19) I suppose you *will be leaving* soon.

我估计你快走了吧。(表可能,用于 suppose 之后)

3) 表委婉。如:

(20) *Will* you *be needing* anything else?

你还需要什么吗?

(21) If you *will be wanting* anything, just let me know.

你如需要什么,尽管告诉我。

4) 与将来一般时连用,表稍靠后的安排。如:

(22) My duties will end in July and I *will be returning* to Arizona in the US.

我的工作七月结束,之后我将回到美国亚利桑那州。

(23) My brother'll have to take care of you. I'll call him today and he*'ll be expecting* you.

我的兄弟一定会关照你的。我今天先给他打个电话,然后他就会等你去。

[注] 在下列句子中,will 是情态动词,意谓"大概"或"一定",不表将来而表现在,常与 now 连用。如:

① They*'ll be watching* television now.

他们现在大概在看电视呢。

② It's six o'clock. He *won't be working* now.

现在六点。他不会在工作。

十二、过去将来进行时

7.37 过去将来进行时的形式

过去将来进行时的构成形式如下:

肯定式	否定式
I should be working	I should not be working
He(She,It) would be working	He(She,It) would not be working
We should be working	We should not be working
You would be working	You would not be working
They would be working	They would not be working

口语中常用缩略式：

肯定式	否定式
I'd be working	I shouldn't be working I'd not be working
He(She,It)'d be working	He(She,It) wouldn't be working He(She,It)'d not be working
We'd be working	We shouldn't be working We'd not be working
You'd be working	You wouldn't be working You'd not be working
They'd be working	They wouldn't be working They'd not be working

[注] 在当代英语中，一律用 would（或缩略式 'd）。

7.38　过去将来进行时的基本用法

过去将来进行时表示在过去将来某一时间正在发生的动作。它常和表过去将来的时间状语连用，但上下文清楚时，时间状语亦可省略。和将来进行时一样，它也常表计划中的事，不表意愿或打算。它还有一个特点，即常用在宾语从句(尤其是间接引语)中。如：

（1）John told us that Mary **would be coming** next day.

约翰告诉我们玛丽第二天来。

（2）I never realized that some day I **would be living** in China.

我从未想到将来有一天会在中国居住。

（3）She said she **would be setting** off on the 10 o'clock train.

她说她将乘 10 点钟的火车走。

过去将来进行时有时也可用在其它从句中。如：

（4）The new name he **would be using** was Jack Jones.

他将用的新名是杰克·琼斯。（用在定语从句中）

（5）He would pay the rest as he **would be leaving** France.

其余款项，他将在离开法国时付清。（用在状语从句中）

过去将来进行时也可用在独立句中。如：

（6）The car started. Ellen James **would be driving** off to the university.

车子发动了。埃伦·詹姆斯要开车到大学去。

十三、现在完成进行时

7.39　现在完成进行时的形式

现在完成进行时的构成形式如下：

肯定式	疑问式	否定式	疑问否定式
I have been working	Have I been working?	I have not been working	Have I not been working?
He(She,It) has been working	Has he(she,it) been working?	He (She, It) has not been working	Has he (she, it) not been working?
We have been working	Have we been working?	We have not been working	Have we not been working?
You have been working	Have you been working?	You have not been working	Have you not been working?
They have been working	Have they been working?	They have not been working	Have they not been working?

口语中常用缩略式：

肯定式	否定式	疑问式
I've been working	I haven't been working I've not been working	Haven't I been working?
He(She,It)'s been working	He(She,It) hasn't been working He(She,It)'s not been working	Hasn't he(she,it) been working?
We've been working	We haven't been working We've not been working	Haven't we been working?
You've been working	You haven't been working You've not been working	Haven't you been working?
They've been working	They haven't been working They've not been working	Haven't they been working?

7.40 现在完成进行时的基本用法

现在完成进行时表示动作从过去某一时间开始一直延续到现在或离现在不远的时间。其动作是否继续下去，则由上下文而定。这个时态多用于无限动词，如：live, learn, lie, stay, sit, wait, stand, rest, study 等，并常和 all this time, this week, this month, all night, all the morning, recently 等状语以及 since（自从）和 for（经历）所引导的状语短语或从句连用（与 since 和 for 连用时，动作常会继续下去）。如：

（1）What *have* you *been doing* all this time?

这半天你干什么来着？（动作可能继续下去）

（2）I*'ve been writing* letters all this morning.

我写了一上午信。（动作不再继续下去）

（3）He is ill. He*'s been lying* in the bed for three weeks.

他在病中，已卧床三个星期了。（动作会继续下去）

（4）I*'ve been puzzling* ever since I set eyes on you where I saw you before.

自从我以前在那个地方看见你之后，我一直在纳闷儿。（动作可能还在继续）

现在完成进行时和一切进行时态一样，往往含有一种临时性。如：

（5）How long *have* you *been living* here?

你在这里住了多久啦？（如用现在完成时 have lived 则无临时的含义）

有时现在完成进行时仅仅比较口语化。如：

（6）My mother *has been teaching* English for twenty years.

我的母亲教授英语已 20 年了。

使用现在完成进行时还有以下一些情况。

1）表重复。有时现在完成进行时所表的动作并不是一直在不停地进行，而是在断断续续地重复。这时现在完成进行时即可用于非无限动词。如：

（7）I *have been bidding* goodbye to some places today.

我今天到几个地方告别了。

（8）He*'s been scoring* plenty of goals this season.

在这个足球季节里，他踢进了许多球。

（9）You*'ve been saying* that for five years.

这话你已经说了有五年了。

2）有感情色彩。现在完成进行时和一切进行时态一样也可以带有感情色彩。如：

    （10）Too much *has been happening* today.

        今天真是一个多事的日子。

    （11）Fiddlesticks! Who*'s been telling* you such stuff?

        乱弹琴!谁和你说的这些胡话?

  3）时间状语的省略。现在完成进行时在上下文清楚时亦可不用时间状语。这种现在完成进行时多指"刚才"或"近来"发生的动作，一般不再继续，并往往含有一种直接的结果。如：

    （12）You*'ve been working* too hard.

        你工作太辛苦了。（直接结果可能是：你一定很累了）

    （13）Who*'s been insulting* you?

        谁欺侮你了？（对方可能在哭）

    （14）We *have been cleaning* the classroom.

        我们打扫教室来着。（刚打扫过，直接结果可能是：我们身上有灰。如用现在完成时 have cleaned 则不一定是刚才打扫的，也可能是昨天打扫的，其结果是：教室很清洁，可以用了）

有时说话人道出了直接结果。如：

    （15）My hands are dirty. I*'ve been painting* the door.

        我的手脏，我在漆门来着。

    （16）What *have* you *been eating* to get as fat as this?

        你吃什么啦，怎么这么胖?

  4）在当代英语中，可用否定结构。如：

    （17）Since that unfortunate accident last week, I *haven't been sleeping* at all well.

        自从上周发生了那次不幸事故之后，我一直睡得很不好。

    （18）He *hasn't been working* for me and I haven't had that much contact with him.

        他并没有给我工作过，我和他没有过那许多接触。

十四、过去完成进行时

7.41　过去完成进行时的形式

    过去完成进行时的构成形式如下：

肯定式	疑问式	否定式	疑问否定式
I had been working	Had I been working?	I had not been working	Had I not been working?
He(She,It) had been working	Had he(she,it) been working?	He(She,It) had not been working	Had he(she,it) not been working?
We had been working	Had we been working?	We had not been working	Had we not been working?
You had been working	Had you been working?	You had not been working	Had you not been working?
They had been working	Had they been working?	They had not been working	Had they not been working?

口语中常用缩略式：

肯定式	否定式	疑问式
I'd been working	I hadn't been working. I'd not been working	Hadn't I been working?
He(She,It)'d been working	He(She,It) hadn't been working He(She,It)'d not been working	Hadn't he(she,it) been working?
We'd been working	We hadn't been working We'd not been working	Hadn't we been working?
You'd been working	You hadn't been working You'd not been working	Hadn't you been working?
They'd been working	They hadn't been working They'd not been working	Hadn't they been working?

7.42 过去完成进行式的基本用法

过去完成进行时表示动作在过去某一时间之前开始，一直延续到这一过去时间。动作是否继续下去，概由上下文而定。和过去完成时一样，过去完成进行时也必须以一过去时间为前提。如：

（1）I **had been looking** for it for days before I found it.

这个东西，我找了很多天才找着。

（2）They**'d** only **been waiting** for the bus a few moments when it came.

他们只等了不多一会儿，公共汽车就来了。

（3）The telephone *had been ringing* for three minutes before it was answered.

电话铃响了三分钟才有人接。

如果上下文清楚，过去时间也可省去。如：

（4）He was tired. He*'d been working* all day.

他累了。他工作了一整天。

过去完成进行时还常用在间接引语中。如：

（5）The doctor asked what he *had been eating.*

医生问他吃什么来着？

和过去完成时一样，过去完成进行时亦可后接具有"突然"意义的 when 从句（此从句用过去一般时）。如：

（6）I *had* only *been reading* a few minutes when he came in.

我刚看了几分钟书他就进来了。

（7）She*'d* only *been studying* her lesson for ten minutes when her little sister interrupted her.

她温习功课不过十分钟，她的小妹妹就把她打断了。

十五、将来完成进行时

7.43　将来完成进行时的形式

将来完成进行时的构成形式如下：

肯定式	疑问式	否定式	疑问否定式
I shall have been working	Shall I have been working?	I shall not have been working	Shall I not have been working?
He(She,It) will have been working	Will he(she,it) have been working?	He(She,It) will not have been working	Will he(she,it) not have been working?
We shall have been working	Shall we have been working?	We shall not have been working	Shall we not have been working?

续表

肯定式	疑问式	否定式	疑问否定式
You will have been working	Will you have been working?	You will not have been working?	Will you not have been working?
They will have been working	Will they have been working?	They will not have been working	Will they not have been working?

7.44　将来完成进行时的基本用法

　　将来完成进行时表示动作从某一时间开始一直延续到将来某一时间。是否继续下去，要视上下文而定。这个时态常和表示将来某一时间的状语连用。如：

　　（1）I *shall have been working* here in this factory for twenty years by the end of the year.

　　　　到今年年底，我将在这个工厂工作 20 年了。

　　（2）If we don't hurry up the store *will have been closing* before we get there.

　　　　咱们如不快一点儿，等我们到了那儿，店门就会关了。

　　（3）The play is coming off in August. By then the play *will have been running* for three months.

　　　　这个剧将于 8 月停演。到那时为止，这个剧将连演三个月了。

　　[注] 在下列句子中，will 是情态助动词，有"大概"或"我料想"的含义。如：

　　　①You'*ll have been wondering* all this time how my invention works.

　　　　我想你这些时候一直想知道我的发明是怎样工作的吧。

　　　②They *will have been having* a holiday yesterday.

　　　　他们昨天大概是在度假来着。

十六、过去将来完成进行时

7.45　过去将来完成进行时的形式

　　过去将来完成进行时的构成形式如下：

肯定式	否定式
I should have been working	I should not have been working
He（She，It）would have been working	He（She，It）would not have been working
We should have been working	We should not have been working
You would have been working	You would not have been working
They would have been working	They would not have been working

7.46　过去将来完成进行时的基本用法

　　过去将来完成进行时表动作从过去某一时间开始一直延续到过去将来某一时间。动作是否继续下去，由上下文决定。如：

　　（1）He said that by the end of the Spring term he **would have been studying** English for three years.

　　　　他说到了春季（即下）学期末，他将学了三年英语了。

　　[注] 下面句中的 would 是情态动词，有"大概"或"一定"的含义。如：

　　① "What interesting job have you found?" Helen asked him；he knew she **would have been thinking** about it.

　　　　"你找到什么有趣的工作啦?"海伦向他问道。他知道海伦一定会一直想这件事的。

第八章 被动语态

8.1 语态的含义和种类

语态（voice）是动词的一种形式，用以表示主语和谓语之间的关系。

英语的语态分为主动语态（active voice）和被动语态（passive voice）。主动语态表示主语是动作的执行者。如：

（1）Yesterday I **parked** my car outside the school.

　　昨天我把我的汽车停在学校外边。

被动语态表示主语是动作的承受者。如：

（2）A sound of piano **is heard** in the adjoining room.

　　听到邻居房间里有钢琴声。

被动语态常由助动词 be 加及物动词的过去分词构成。被动语态可以用于各种时态，但较常用的有下列十种：

1）现在一般时

（3）Xiao Wang, you **are wanted** in the office.

　　小王，办公室有事找你。

（4）I **am** not so easily **deceived.**

　　我不是轻易上当受骗的。

2）过去一般时

（5）I **was invited** to the concert.

　　我应邀参加了音乐会。

（6）Our house **was built** in 1969.

　　我们家的房子建于 1969 年。

3）将来一般时

（7）We hope that an agreement **will be arrived at.**

　　我们希望会达成一项协议。

（8）This matter **will be looked into** in the future.

　　这件事将来是要查明的。

4）过去将来一般时

（9）He said that the bridge **would be built** next year.

　　他说这座桥明年将建成。

（10）Another half-hour and all doors **would be locked** — all lights **extinguished.**

再过半小时，所有的门都要上锁——所有的灯都将熄灭。

5）现在完成时

(11) My car *has been repaired.*

我的汽车已修好了。

(12) The party *has been planned* since the new year.

这聚会自新年起就已筹划了。

6）过去完成时

(13) The portières that hung across the folding doors *had been taken* down for the summer.

折门上面的门帘夏天已经取下来。

(14) Tootie looked at the lanterns that *had been lighted* and *placed* near the opening.

图蒂望着那些已经点着并放在洞口附近的提灯。

7）将来完成时

(15) The new books *will have been entered* in the register before another parcel arrives.

这些新书在下一批书到来前将登记完毕。

(16) This class *will have been taught* by Mr. Brown for two years by next summer.

到明年夏天，这个班将由布朗先生教毕二年了。

8）过去将来完成时

(17) The headmaster said the article *would have been translated* by six o'clock.

校长说这篇文章将在 6 点钟以前翻译完毕。

(18) He said that the bridge *would have been completed* before July.

他说这桥将于 7 月前完成。

9）现在进行时

(19) This question *is being discussed* at the meeting.

这个问题正在会上讨论。

(20) The children *are being taken care of* by their aunt.

孩子们现在正由姑母照看着。

10）过去进行时

(21) When I called, tea *was being served.*

我来拜访时，正值上茶之际。

(22) With his fingers，he gently searched the crown and brim of his hat to be sure it ***was***n't ***being crushed***.

他用手指轻轻地摸找帽顶和帽边，以肯定它没有被压坏。

[注一]完成进行时态一般不用被动语态。它们的被动意义可用完成时态来表示，如 He has been being examined（他已被考过）一般应代之以 He has been examined。将来进行时与过去将来进行时一般也不用被动语态，其被动意义可用一般时态表示，如 He will be being examined while are there（他将在我们在那里时被考）可代之以 He will be examined while we are there。

[注二] 关于非限定动词的被动语态见本书第十章有关各节。

被动语态除常用 be 加过去分词构成外，还可用"get＋过去分词"结构。这种结构多用在口语中，后面一般不接 by 短语。如：

(23) Hundreds of people ***get killed*** every year by traffic on the roads.

每年都有几百人死于道路交通事故。

(24) The boy ***got hurt*** on his way to school.

这男孩在上学的路上受伤了。

被动语态可含有情态动词，其结构是"情态动词＋be＋过去分词"。如：

(25) This ***must be done*** as soon as possible.

这件事必须尽快做。

(26) What's done ***cannot be undone***.

覆水难收。

(27) These stairs are very dangerous. They ***should be repaired***.

这楼梯很危险，应该修理了。

(28) Cross the road very carefully. Look both ways，or you ***might be knocked down***.

过马路要非常小心，要看两边，不然会被车撞倒的。

有不少短语动词相当于及物动词，所以这些短语动词亦有被动语态。如：

(29) Many interesting experiments ***are carried out*** in our laboratory.

我们实验室做了许多有趣的实验。

(30) Boxing *was gone in for* here in the early 1950s.

20 世纪 50 年代初期，这里拳击很盛行。

有些由"动词＋名词＋介词"构成的短语动词，其结构比较松散，变成被动语态时也可以将名词和其后的介词拆开（使介词和其后的宾语合成一介词短语）。这种被动语态常用于正式文体中。如：

(31) Mess *had been made* of the house.

家里乱作一团。（主动句是：The owner had made mess of the house）

(32) Good use *is made* of the library.

这图书馆的利用率很高。（主动句是：They make good use of the library.）

8·2　主动语态变被动语态

主动语态变为被动语态，可分为下列三种情况：

1）"主＋谓＋宾"句型变为被动结构时，先将主动结构中的宾语变为被动结构中的主语（宾语如为人称代词，须将宾格变为主格）；然后将主动结构中谓语动词的主动语态变为被动语态；最后在谓语动词的被动语态之后加 by，再将主动结构中的主语置于介词 by 之后（如为人称代词，须将其主格变为宾格）。如：

(1) Alexander Graham Bell *invented* the telephone in 1876.

亚历山大·格雷厄姆·贝尔于 1876 年发明了电话。（主动结构）

(2) The telephone *was invented* by Alexander Graham Bell in 1876.

电话是亚历山大·格雷厄姆·贝尔于 1876 年发明的。（被动结构）

(3) The manager *has* not *signed* the papers.

经理没有在这些文件上签字。（主动结构）

(4) The papers *have* not *been signed* by the manager.

这些文件还没有由经理签字。（被动结构）

被动结构中的 by 短语，如无必要指出，则可省去。如：

（5）I **posted** that letter last night.

　　我昨晚把那封信投邮了。（主动结构）

（6）That letter **was posted** last night.

　　那封信是昨晚投邮的。（被动结构）

如宾语是一 that 从句，变为被动结构时可用 it 作被动句的形式主语。如：

（7）They **know** that he is an expert.

　　他们认为他是一位专家。（主动结构）

（8）**It is known** that he is an expert.

　　人们认为他是一位专家。（被动结构）

或把主动句中宾语从句的主语变为被动句的主语，宾语从句中的谓语部分变为不定式短语。如：

（9）**He is known** to be an expert.

　　他被认为是一位专家。（被动结构）

[注一]将主动句变为被动句时，偶尔也可把 by 短语放在过去分词之前，如 He was **by someone** known to have worked for the German fascists（有人知道他曾为德国法西斯干过事）。这里将 by someone 移至过去分词 known 之前显然是由于 known 和其后的 to have worked 的关系更为密切。有时 by 短语也可放在主语补语之后，如 Tea drinking is considered one of the pleasures of life **by the Chinese**（喝茶被中国人认为是一种人生乐趣）。

[注二] 在较古的英语中，被动句中也可用 of 短语代替 by 短语。现仍见于少数一些说法中。如：

① He **was beloved** of everybody.

　　他受到大家的爱戴。

② He **was devoured** of a long dragon.

　　他被一长龙吞噬了。

被动结构中的 by 短语并不一定总是代表动作的执行者，它有时也可表方式或原因。如：

（10）A policeman is known **by the clothes** he wears.

　　警察可以从他穿的服装认出来。

（11）I was very much flattered **by his asking me** to dance a second time.

　　我对他再次请我跳舞感到非常高兴。

2）"主＋谓＋宾＋宾"句型（一般地说一为间接宾语，一为直接宾语）变为被动结构时，只将主动结构中的一个宾语变为被动结构中的主语,另一宾语不变。这一保留不变的宾语叫做保留宾语 (retained object)。如将主动结构中的直接宾语变为被动结构中的主语,间接宾语之前则应加介词 to(可省去)或 for(一般不可省)。如:

(12) He *told* her a long story.
   他给她讲了一个长故事。(主动结构)

(13) She *was told* a long story.
   她听了一个长故事。(被动结构)

(14) A long story *was told* to her.
   有人对她讲了一个长故事。(被动结构)

(15) Mother *bought* me a new coat.
   母亲给我买了件新上衣。(主动结构)

(16) I *was bought* a new coat.
   有人给我买了件新上衣。(被动结构)

(17) A new coat *was bought* for me.
   有人给我买了件新上衣。(被动结构)

[注] 被动句中强调间接宾语时,其前的介词 to 不可省去,如 Ample warning *was given* to them, not to me(受到严厉警告的是他们,不是我)。

上述句型中的两个宾语有时都是直接宾语。变为被动结构时,一般皆将主动结构中指人的宾语变为主语。如:

(18) The teacher *asked* the students a very unusual question.
   教师向学生提了一个很不寻常的问题。(主动结构)

(19) The students *were asked* a very unusual question.
   学生被问了一个很不寻常的问题。(被动结构)

偶尔也可将主动结构中指物的宾语变成主语,但指人的保留宾语之前一般不可加任何介词。如:

(20) He *will forgive* you your offence.
   他将宽恕你的无礼。(主动结构)

(21) Your offence *will be forgiven* you.
   你的无礼将得到宽恕。(被动结构)

3)"主+谓+复合宾语"句型(含有一个宾语加宾语补语)变为被动结构时,只将主动结构中的宾语变为被动结构中的主语,宾语补语不变。如：

(22) They *chose* Tom captain.

他们选汤姆为队长。(主动结构，宾语补语为名词)

(23) Tom *was chosen* captain.

汤姆被选为队长。(被动结构)

(24) In spring, all the islanders *paint* their houses white.

春天的时候，所有岛民都把他们的房子涂成白色。

(主动结构，宾语补语为形容词)

(25) Their houses *are painted* white.

他们的房子被涂成白色。(被动结构)

(26) They *recognised* him as a genius.

他们认为他是一个天才。(主动结构，宾语补语为介词短语)

(27) He *was recognised* as a genius.

他被认为是一个天才。(被动结构)

(28) We *asked* the teacher to explain the difficult sentences again.

我们要求教师再解释一下这些难句。(主动结构，宾语补语为不定式)

(29) The teacher *was asked* to explain the difficult sentences again.

教师被要求再解释一下这些难句。(被动结构)

(30) I *found* him lying on the floor.

我发现他躺在地板上。(主动结构，宾语补语为现在分词)

(31) He *was found* lying on the floor.

他被发现躺在地板上。(被动结构)

(32) We *found* all our seats occupied.

我们发现所有我们的位子都被占了。(主动结构，宾语补语为过去分词)

(33) All our seats *were found* occupied.

所有我们的位子发现都被占了。(被动结构)

但在下列情况下，主动句一般不能变为被动句：

1) 谓语是：

a) 及物动词 leave, enter, reach, resemble, become (适合)，

suit，benefit，lack 等。

b）不可拆开的 take place，lose heart，change colour，belong to，consist of 等短语动词。

2）宾语是：

a）反身代词、相互代词、同源宾语、不定式、动名词等。

b）虚词 it，如 cab it，foot it 等。

c）身体的某一部分，如 shake one's head 等。

d）某些抽象名词，如 interest（兴趣）等。

8.3　被动语态的用法

英语里多用主动语态，但用被动语态的场合也不少，似乎要比汉语用得广泛．英语的被动语态常用于下列几种场合：

1）当我们不知道动作的执行者时。如：

（1）Printing *was introduced* into Europe from China.

印刷术是由中国传入欧洲的。

（2）Look! There's nothing here. Everything *has been taken away*.

看! 这里什么也没有。一切都被拿走了。

2）当我们不必要提出动作的执行者时。如：

（3）I *was born* in 1960.

我生于 1960 年。

（4）Such things *are* not *done* twice.

这种事不可再做。

3）当我们强调或侧重动作的承受者时。如：

（5）She *is liked* by everybody.

她为人人所喜欢。（强调 she）

（6）A good time *was had* by all.

大家都玩得很痛快。（侧重 a good time）

4）当我们出于礼貌避免说出动作的执行者时。如：

（7）Where *can* you *be reached*？

哪里可以和你接头？（避免说出"我"）

（8）You'll *be contacted*.

我们会和你联系的。（避免说出"我们"）

5）当我们出于行文的需要时。如：

（9）The film *was directed* by Xie Jin.

该影片由谢晋导演。（上文谈的是该影片）

(10) Helen *was sent* to the school by her parents when she was nine.

海伦九岁时被父母送到这座学校。(上文谈的是海伦)

6) 有些动词习惯上常用被动语态。如:

(11) It's *done*!

(可缩略为 Done!)成啦!(现在一般时被动式表动作已完成)

(12) He *is said* to be a good teacher.

他被认为是一个好教师。

(13) The line of flags *was slung* between two trees.

一列国旗挂在两树之间。

(14) He *was born* in 1919.

他生于 1919 年。

(15) She *is reputed* to be the best singer in Europe.

她被誉为是欧洲最佳歌手。

[注] 被动语态便于论述客观事实,故常用于科技文章、新闻报道、书刊介绍以及景物描写。

8.4　含被动意义的主动语态

有些不及物动词(其主语大都指物)的主动语态可以表示被动意义。这种不及物动词有下列几种:

1) 某些连系动词,如 smell, taste, sound, prove, feel 等。

(1) The flowers *smell* sweet.

这花儿很香。

(2) The food *tastes* nice.

这食物的味道好。

(3) That *sounds* very reasonable.

这话听上去很有道理。

(4) The story *proved* quite false.

这一套话证实完全是假的。

2) 某些与 can't, won't 等连用的不及物动词,如 move, lock, shut, open 等。

(5) It *can't move*.

它不能动。

（6）The door **won't** shut.

这门关不上。

3）某些可和 well，easily 等副词连用的不及物动词，如 read，write，wash，clean，draw，burn，cook，photograph 等。

（7）The cloth **washes** well.

这种布料好洗。

（8）The poem **reads** smoothly.

这首诗读起来很流畅。

（9）The cistern doesn't **clean** easily.

这水槽不容易弄干净。

（10）This kind of rice **cooks** more quickly than that kind.

这种米做饭比那种熟得快。

4）某些可用于"主＋谓＋主补"结构中的不及物动词，如 wear，blow 等。

（11）This material **has worn** thin.

这种布料已穿薄了。

（12）The door **blew** open.

门给吹开了。

有些不及物动词的进行时亦具有被动意义。如：

（13）Corn **is selling** briskly.

谷物畅销。

[注] 上述不及物动词有些亦可用作及物动词，但二者有所不同。如：

① The door opened.

门开了。

② The door was opened.

门被打开了。

例①强调 the door 本身内在的特性，表明"门"本身可开可关，不强调动作的执行者；例②则相反，强调"门被人打开了"，与门本身的特性无关。

8.5 被动语态与系表结构的区别

所谓系表结构，在此乃指"连系动词＋用作表语的过去分词"结构。它与被动语态的形式完全一样，于是就有一个如何区别它们的问题。总的说来，它们有以下几点不同：

1）被动语态中的过去分词是动词，表动作；系表结构中的过去分词相当于形容词，表状态。前者可用 by 短语表动作的执行者，后者则一般不用 by 短语。如：

（1）The composition **was written** with great care.

这篇作文写得很用心。（被动语态）

（2）The composition **is** well **written.**

这篇作文是写得好的。（系表结构）

（3）These articles **are sold** quickly.

这些货物售得快。（被动语态）

（4）These articles **are** all **sold** out.

这些货物全售出了。（系表结构）

（5）Such questions **are** often **settled** through negotiations.

这类问题通常通过谈判解决。（被动语态）

（6）The question **is settled.**

这个问题解决了。（系表结构）

2）系表结构一般只用于现在一般时与过去一般时。被动语态则除可用于上述两种时态之外，还可用于其它时态。如：

（7）I **have been driven** to it.

我是被迫至此。（被动结构）

（8）The flowers **will be planted** next week.

下周种花。（被动结构）

3）系表结构中的过去分词可被 very 所修饰；被动语态中的过去分词可用 much 修饰。试比较：

（9）He **was very agitated.**

他很激动。（系表结构）

（10）He **was much agitated** by the news.

他听到消息后很激动。（被动结构）

4）系表结构有主动意义，被动结构只有被动意义。现将具有主动意义的系表结构举例说明如下：

a）过去分词表心理、感情，如：

（11）She **is resolved** to become a ballet dancer.

她决心当一名芭蕾舞演员。

（12）I **am** quite **puzzled.**

我感到十分困惑。

b）过去分词是反身动词，如：

（13）The open square **was bathed** in light.

宽阔的广场沐浴在阳光中。（主动式是 bathed itself）

(14) The way *was lost* between the trees.

小路消失在树林之中。（主动式是 lost itself）

c）过去分词与介词搭配，如：

(15) He *was puzzled about* it.

他为那件事感到困惑。

(16) *Are* you *interested in* this subject?

你对这门课感兴趣吗？

(17) We *were surprised at* the news.

我们对那消息感到惊讶。

(18) She *was scared out of* her wits.

她吓得不知所措。

(19) The child *is accustomed to* sleeping alone.

这孩子习惯独自睡了。

［注］ 过去分词有时可后接 with，也可后接 by。一般说来，by 强调动作，with 强调状态，试比较：

seized by a man　被人捉住

seized with a fever　发烧

covered by a lid　被盖子盖住

covered with a lid　为盖子所盖着

5）有时只能从上下文才能加以区别。如：

(20) The door *was closed.*

门关上了。

(21) The road *was mended.*

路修好了。

孤立地看，上述两例，既可是被动结构，也可是系表结构。遇到这种情况，则应根据上下文去理解。

第九章　助动词与情态动词

一、助 动 词

9.1　助动词的含义和功能

助动词本身无词义,它仅仅是用来帮助主要动词构成各种时态、语态、语气以及否定和疑问结构。

1)由 be,have,shall(should),will(would)构成除现在一般时和过去一般时外的全部时态。如:

（1）I **shall** be here any minute.

　　我将随时到达这里。（由 shall 构成将来一般时）

（2）The train **is** now rapidly approaching the city of Beijing.

　　火车现在正迅速地临近北京城。（由 is 构成现在进行时）

（3）We **shall** be having rain,rain,and nothing but rain.

　　我们会有没完没了的雨。（由 shall be 构成将来进行时）

（4）The roads were full of people. We **had**n't foreseen that.

　　路上都是人。这是我们事先未料到的。（由 had 构成过去完成时）

（5）Soon they **would** have reached their time limit and must return to the camp.

　　不久规定的时间就要到了,他们就得回营地了。（由 would have 构成过去将来完成时）

（6）He **has been** scoring plenty of goals this season.

　　在这个(足球)赛季里,他踢进了许多球。（由 has been 构成现在完成进行时）

2)由 be 构成被动语态。如:

（7）One is not guilty until he **is** proved.

　　在没有证明有罪之前,人都是无罪的。（现在一般时的被动式）

(8) She almost felt that she **was being** mocked.

她几乎感觉到她在被嘲弄。(过去进行时的被动式)

(9) I suspected that I **had been** followed and watched since I arrived in London.

我怀疑我到达伦敦以后就已被跟踪和监视。(过去完成时的被动式)

(10) I know he hates **being** interrupted.

我知道他不喜欢别人打断他的话。(动名词的被动式)

3) 由 had, should, would, should have, would have 等构成各种虚拟语气。如：

(11) If I **had** Jim's build, I'**d** go out for the wrestling team.

假如我有吉姆那样的体格，我早就去参加摔跤队了。

(12) The soup **would**'ve been better if it **had** had less salt.

假如少放点盐，这汤会好喝得多。

4) 由 do 构成现在一般时和过去一般时的疑问结构。如：

(13) When **do** we meet again?

我们什么时候再见？

(14) **Did** you know the hot dog did not originate in the United States, but in Germany?

你知道"热狗"不是来源于美国，而是来源于德国吗？

5) 由 do+not 构成现在一般时和过去一般时的否定结构。如：

(15) **Do**n't knit your brow like that.

别那样皱眉头。

(16) We **did**n't think we'd be this late.

我们没想到我们会到得这么晚。

当两个或两个以上包含相同助动词的谓语动词并列时，后面的助动词通常省略。如：

(17) The letter **will be** typed and sent off immediately.

这封信将立即打好并发出。

(18) **Having** explained the rule and given a few examples, the teacher asked the students to write some exercises at home.

教师在解释完规则并举出几个例子后，要求学生回家做一些练习。

助动词在句中一般不重读，但当它代替前面的动词或强调动词的意义时则应重读。如：

（19）— Do you speak English?

　　　　你会说英语吗?

　　　 — Yes, I **do**.

　　　　是，我会说。

（20）But I **have** done it.

　　　　但是我把它干了。

9.2　be 的形式和用法

助动词 be 有八种形式：

	肯定式	缩略肯定式	否定式	缩略否定式
原形	be			
现在式第一人称单数 I	am	'm	am not	aren't 'm not
现在式第三人称单数 he, she, it	is	's	is not	isn't 's not
现在式第二人称单、复数和第一、三人称复数 you, we, they	are	're	are not	aren't 're not
过去式第一、三人称单数 I, he, she, it	was		was not	wasn't
过去式第二人称单、复数和第一、三人称复数 you, we, they	were		were not	weren't
现在分词	being		not being	
过去分词	been		not been	

[注]　在英国英语中，aren't 使用很广泛。在美国英语中使用较多的是被认
　　　为非标准的 ain't。

助动词 be 的主要用法是：

1）与现在分词构成各种进行时态以及与 have 和现在分词构成
完成进行时态。如：

（1）Fear of crime **is** slowly paralyzing American society.

犯罪恐惧症正逐渐地使美国社会陷于瘫痪。

（2）The telephone **had been** ringing for three minutes before it was answered.

电话铃响了三分钟才有人接。

2）与过去分词构成被动语态。如：

（3）He was an ardent fighter for freedom and independence. He **was** loved by millions and hated only by a handful.

他是个争取自由和独立的热诚战士，为成百万人所爱戴，为仅仅一小撮人所仇恨。

（4）They came to Europe where their mother **had been** educated and stayed three years.

他们来到他们的母亲受教育的欧洲，并待了三年。

此外，be 还可用作连系词。如：

（5）It **was** one of the happiest afternoons he had ever spent.

那是他有生以来最愉快的一个下午。

词组 be to 有情态意义，详见"情态动词"。

9.3 have 的形式和用法

助动词 have 有五种形式：

	肯定式	缩略 肯定式	否定式	缩略 否定式
原形	have	've	have not	haven't 've not
现在式第三人称单数	has	's	has not	hasn't 's not
过去式	had	'd	had not	hadn't 'd not
现在分词	having		not having	
过去分词	had			

助动词 have 的主要用法是：

1）与过去分词构成各种完成时态。如：

（1）Newton **has** explained the movements of the moon from the attractions of the earth.

牛顿阐明了月球受到地球引力而运行的规律。

（2）Reluctantly，she opened the door，she **had** not kept it locked；there **had** been no need.

她勉强地开了门。她没有锁门，也没有必要锁门。

2）与 been＋现在分词构成各种完成进行时态。如：

（3）Men **have** been digging salt out of it for six hundred years，and yet there seems as much left as ever.

人们在这里掘盐已六百年，但盐似乎还是那么多。

（4）In another month's time Mr Henry **will have** been teaching here for exactly thirty years.

再过一个月，亨利先生就将在这里从事教学整30年了。

此外，have 还可用作实义动词，意谓"有"、"吃"等。如：

（5）Bad news **has** wings.

丑事传千里。

（6）You're anaemic，you must **have** some iron.

你患贫血症了，应该服一些铁。

have 还可用作使役动词。如：

（7）We now **have** the problem solved.

我们现已把这个问题解决了。

（8）I **had** a tooth out this afternoon.

我今天下午拔了一颗牙。

have 用作实义动词时不能使用缩略形式。词组 have to 有情态意义，详见"情态动词"。

9.4 do 的形式和用法

助动词 do 有三种形式：

	肯定式	否定式	缩略否定式
原形	do	do not	don't
现在式第三人称单数	does	does not	doesn't
过去式	did	did not	didn't

［注］do 用作实义动词时有现在分词 doing 和过去分词 done。

助动词 do 的主要用法是：

1) 构成现在一般时和过去一般时的疑问句。如：

（1）***Do*** you always carry an umbrella？

你经常带伞吗？

（2）***Did*** everything come off all right？

一切都进行得顺利吗？

2) 构成现在一般时和过去一般时的否定句。如：

（3）She ***did***n't cool down for hours after that argument.

在那场争辩之后，她有好几个小时都没平静下来。

（4）***Do***n't worry，he will be brought to book for his wickedness one day.

别担心，他的恶行总有一天要受到惩罚的。

［注］如用其它时态，疑问句的助动词须提至主语前，否定句的助动词之后加 not。如：

① ***Will*** he be able to hear at such a distance？

离这么远，他会听得到吗？

② You ***have***n't been abroad before，have you？

你以前没出过国，是吗？

3) 用于替代，以避免重复。如：

（5）— May I come round in the morning？

上午我可以来拜访你吗？

— Yes，please ***do.***

可以，请来吧。（do 替代 come round）

（6）I don't like coffee and neither ***does*** my wife.

我不喜欢咖啡，我妻子也不喜欢。（does 替代 like）

4) 用于强调。如：

（7）My parents think I didn't study for my exams，but I ***did*** study.

我爸爸妈妈认为我考试前没有复习，但我是复习了。

（8）Although I have little time for entertainment，I ***do*** go to the theatre once in a while.

虽然我很少有时间娱乐，但我还是间或去看戏。

（9）We're very pleased that she ***does*** intend to come.

她的确打算来，我们非常高兴。

（10）The letter we were expecting never ***did*** arrive.

我们期待的信一直没有到。

(11) — Do you remember how kind she was?

　　　你记得她多友善吗?

　　— I certainly **do** remember.

　　　当然记得。

5）用于恳求。如：

(12) **Do** come to the party tonight

　　务请今晚来参加晚会。

　　Do be quiet!

　　请别作声!

此外，do 还可用作实义动词，意谓"做"、"干"等等。如：

(13) She**'s doing** her knitting.

　　她正在编织衣物。

(14) She interrupted him before his speech was **done**.

　　她不等他把话说完就打断了他。

(15) Bad books **do** great harm.

　　坏书有很大害处。

(16) Will you **do** me a favour?

　　你愿帮我个忙吗?

(17) Jane **is doing** the dishes.

　　珍妮正在洗碟子。

(18) I will **do** my best.

　　我愿尽力而为。

(19) That will **do**.

　　行了（或够了）。

9.5　shall（should）和 will（would）的形式和用法

助动词 shall（过去式 should）和 will（过去式 would）有下列几种形式：

肯定式	缩略肯定式	否定式	缩略否定式
shall	'll	shall not	shan't
should		should not	shouldn't
will	'll	will not	won't 'll not
would	'd	would not	wouldn't 'd not

助动词 shall (should) 和 will (would) 可用于构成各种将来和过去将来时态，shall (should) 用于第一人称，will (would) 用于第二、第三人称。在当代英语（尤其是美国英语中），will (would) 常用于一切人称。

1）shall 用于各种将来时态的第一人称（当代英语多用 will）。如：

（1）We **shall** be going away tomorrow by an early train.

我们将于明日搭早班火车离开。

（2）I **shall** let you know as soon as I have heard from them.

我一俟接到他们的信，当即告诉你。

2）should 用于各种过去将来时态的第一人称（当代英语多用 would）。如：

（3）So this was the place where I **should** study for the three years. It made a bad first impression.

后来，这就是我学习三年的地方，它给我的第一个印象可不好。

（4）The BBC weather report this morning said that we **should** have rain.

英国广播公司今晨的天气预报说，我们这儿将有雨。

3）will 用于各种将来时态的第二、三人称。如：

（5）They **will** be looking for anyone connected with her.

他们将寻找每一个与她有往来的人。

（6）The play is coming off in August — By then the play **will** have been running for three months.

这个剧将于八月停演——到那时它将连演三个月了。

4）would 用于各种过去将来时态的第二、三人称。如：

（7）They said it **would** be fine.

人们说天气会很好。

（8）They **would** have finished by five o'clock.

他们将于五时前完工。

shall (should) 和 will (would) 可用作情态动词，详见"情态动词"。

should 和 would 可以构成虚拟语气，详见"虚拟语气"。

二、情态动词

9.6 情态动词的含义和特征

情态动词只有情态意义,即它所表示的是说话人对动作的观点,如需要、可能、意愿或怀疑等。

情态动词有以下特征:

1)在形式上,情态动词没有实义动词的各种变化,只有 could,would,had to,was(或 were)to,might 等几个过去式。其它如 must,ought to 等的过去式皆与现在式同形。

2)在意义上,大多数情态动词有多个意义。如 can 可表"能够""可能""允许"等,may 可表"可能""允许""目的""让步"等。

3)在用法上,情态动词与助动词一样,须后接动词原形,构成谓语动词。

9.7 can (could) 的形式和用法

can (could) 有下列几种形式:

	肯定式	否定式	缩略否定式
现在式	can	cannot	can't
过去式	could	could not	couldn't

〔注〕美国英语中往往用 can not 替代 cannot。

can 是现在式,多用于指现在或将来。如:

(1)He **can** speak English.
　　他能说英语。

(2)**Can** you come to the meeting?
　　你能来开会吗?

could 是过去式,多用于指过去。如:

(2)He **could** speak English when he was a child.
　　他小时就能说英语了。

但 could 亦可用于指现在,表虚拟语气,或作为 can 的委婉形式。如:

(3)That man **could** do with a haircut.

那人需要理个发了。（表现在）

（4）If I *could* go, I should be glad.

假如我能去，那我就会很高兴。（表虚拟语气）

（5）*Could* I help you?

我能帮你干点什么？（比 Can I help you 委婉）

can（could）的基本用法是：

1）表能够。如：

（6）I *can* lift this stone.

我能举起这块石头。（表体能）

（7）*Can* you use chopsticks?

你能用筷子吗？（表技能）

（8）I *can* see him tonight.

我今晚能见到他。（表可能）

can 表能够时与短语 be able to 同义，但后者可用于各种时态。

can 表能够时可用于各种句式。如：

（9）She *can* play a few simple tunes on the piano.

她能在钢琴上弹一些简单的调子。（肯定句）

（10）*Can* you write with your left hand?

你能用左手写字吗？（疑问句）

（11）I *can* not promise you anything.

我不能答应你任何事。（否定句）

can 亦可指将来。如：

（12）We *can* discuss your paper after lunch.

午饭后我们能讨论你的论文。

如需要强调将来时间时，则可用短语 shall/will be able to。如：

（13）I *shall be able to* earn my own living soon.

我很快就能自立了。

（14）He says he *'ll be able to* be home for Christmas.

他说他能回家过圣诞节。

could 主要指过去。如：

（15）I said that I *could* go.

我说我能去。

（16）*Could* the boy read before he went to school?

这男孩上学前能识字吗？

单纯叙述过去事实时，最好用 was 或 were＋able。如：

（17）I *was able* to help you yesterday.

我昨天能帮你的。

但 could 也常可指现在或将来。如：

(18) You **could** phone her，I suppose.

我看你可以给她打电话。

(19) The river **could** easily overflow，**could**n't it?

河水可能容易泛滥，不是吗？

如 could 与动词原形的完成式连用，则指过去未实现的动作。

如：

(20) She **could** have explained the mystery.

她本能够解释这个秘密的。（实际上未解释）

2) 表可能。如：

(21) The moon **can**not always be at the full.

月不可能常圆。

(22) If it's raining tomorrow，the sports **can** take place indoors.

如果明天下雨，运动会就可能在室内举行。

can 表可能时可指现在或将来。如：

(23) You **can** perhaps obtain a dog from the Dogs' Home.

你也许可以从养狗场弄到一条狗。（肯定句）

(24) What **can** he mean?

他可能是什么意思呢？（疑问句）

(25) We **can**'t use the indefinite article with this noun.

我们不可以在这个名词前用不定冠词。（否定句）

表可能时，could 可指过去。如：

(26) He said he **could**n't agree more.

他说他再同意不过了。

could 亦可指现在或将来，表虚拟语气。如：

(27) It **could** be my mother.

可能是我母亲。

(28) He **could** arrive tomorrow.

他可能明天到。

could 与完成式连用，则指过去未实现的动作。如：

(29) It **could** have been seen from here if it had not been so dark.

如果天不那么黑，你可能从这儿望见它的。（实际上已望不见）

3) 表允许。如：

(30) You *can* borrow my bike tomorrow.

明天你可以借用我的自行车。

表这个意义时，can 用于疑问句时表要求，用于否定句时表不许。如：

(31) *Can* you lend me a hand?

你能帮我一把吗？

(32) This sort of thing *can* 't go on!

这类事不能再继续了！

could 指现在时，仅用于疑问句表更委婉的要求。如：

(33) *Could* I interrupt a moment?

我可以插句话吗？

但这种表允许的用法可用于间接引语。如：

(34) Father said I *could* swim in the river.

爸爸说我可以在河里游泳。

4) 表怀疑。如：

(35) *Can* it be true?

那会是真的吗？

表这个意义时，can 仅用于一般疑问句，并有感情色彩。

can 用于一般式，指现在。如：

(36) *Can* he really be ill?

他真的会病了吗？

can 用于进行式，指将来。如：

(37) *Can* he be making the investigation all alone?

他会独自进行调查吗？

can 用于完成式，指过去。如：

(38) *Can* she have told a lie?

她会说谎吗？

can 用于完成式或完成进行式时亦可表持续的动作。如：

(39) *Can* she really have been at home all this time?

她真的会一直在家吗？

(40) *Can* she have been waiting for us so long?

她会等我们这么久吗？

could 指现在时亦可有这些用法，但暗含着更不确定的意义。如：

(41) *Could* it be true?

（42）*Could* she be telling lies?

（43）*Could* he have said it?

（44）*Could* he have been at home all this time?

（45）*Could* she have been waiting for us so long?

5）can't 表不大可能。如：

（46）It *can't* be true.

那不大可能是真的。

can't 会有感情色彩。如：

（47）He *can't* be really ill.

他不大可能真的病了。（指现在）

（48）She *can't* be telling lies.

她不大可能说谎。（指现在）

（49）He *can't* have said it.

他不大可能说过那种话。（指过去）

（50）She *can't* have been at home all this time.

她不大可能一直在家。（指过去）

（51）She *can't* have been waiting for us so long.

她不大可能等我们这么久。（指过去）

could 亦可有这些用法，但语气委婉。如：

（52）It *could*n't be true.

（53）She *could*n't be telling lies.

（54）He *could*n't have said it.

（55）She *could*n't have been at home all this time.

（56）She *could*n't have been waiting for us so long.

6）can 和 could 用于特殊疑问句，有感情色彩，表惊讶、迷惑等。如：

（57）What *can(could)* he mean?

他可能是什么意思呢?

（58）What *can(could*) he be doing?

他可能在干什么呢?

（59）What *can(could*) he have done?

他可能干什么了呢?

（60）Where *can(could)* he have gone to?

他可能去哪儿了呢?

7）can 与 could 的比较：can 与 could 表能够与可能时，can 表真实，could 表非真实。如：

(61) He **can** speak English.

　　他能说英语。（表能够）

(62) He **could** speak English if necessary.

　　他在必要时能说英语。

(63) You **can** get the book from the library.

　　你可以从图书馆借到这本书。（表可能）

(64) You **could** get the book from the library if necessary.

　　你在必要时可从图书馆借到这本书。

表允许和推测时,只是 could 语气较为委婉,含义较不确定。如:

(65) **Can** I use your pen?

　　我可以借用你的笔吗?（表允许）

(66) **Could** I use your pen?

　　（较为委婉）

(67) **Can** it be true?

　　那可能是真的吗?（表推测）

(68) **Could** it be true?

　　（较不确定）

(69) It **can**'t be true.

　　那不大可能是真的。（表不大可能）

(70) It **could**n't be true.

　　（较不确定）

8) 用于固定习语。如:

(71) She **can**'t help crying.

　　她不禁哭起来。

(72) He **could**n't help laughing.

　　他不禁笑起来。

(73) I **can**'t but ask him about it.

　　关于那件事我只得问他。

(74) They **could**n't but refuse him.

　　他们不得不拒绝他。

9.8　may(might) 的形式和用法

may(might) 有下列几种形式:

	肯定式	否定式	缩略否定式
现在式	may	may not	mayn't
过去式	might	might not	mightn't

［注］mayn't 比较少见。

may 是现在式，多指现在。如：

（1）It *may be* true.

那可能是真实的。

might 是 may 的过去式，可用于指过去。如：

（2）He told me that it *might be* true.

他告诉过我那可能是真的。

亦可用于指现在，但语气较为缓和、委婉，含义更不确定，或表虚拟语气。如：

（3）It *might be* true.

那可能是真的。

（4）*Might* I come and see you?

我可以来看你吗？

may（might）的基本用法是：

1）表可能，暗含不确定，等于 possibly，perhaps 或 maybe。如：

（5）He *may be* busy getting ready for his trip.

他也许在忙于准备外出旅行。

may 表可能时，可用于肯定句和否定句。如：

（6）He *may be* at home.

他也许在家。

（7）He *may not be* at home.

他也许不在家。

may 表可能时，常指将来。如：

（8）He *may come* soon.

他也许马上就来。

may 也可指现在。如：

（9）He *may not know* about it.

他也许不知道那件事。

(10) I never see him about now. For all I know, he *may*

be writing a book.

　　　　我近来从未见他来着。就我所知，他也许在写书。

may 用于完成式时指过去。如：

　　(11) You *may have read* some account of the matter.

　　　　你也许读到过关于这件事的一些报道。

may 用于完成式或完成进行式时亦可指持续的动作。如：

　　(12) He *may have been* at home for about two hours.

　　　　他也许在家待了两小时了。

　　(13) He *may have been waiting* for us for an hour.

　　　　他也许等我们一小时了。

might 表可能时亦可有这些用法，与 may 的区别在于它的含义更不确定。如：

　　(14) He *might come* soon.

　　　　他也许马上就会来的。

　　(15) He *might be* ill.

　　　　他也许生病了吧。

　　(16) He *might be doing* his lessons now.

　　　　他也许正在做功课吧。

　　(17) He *might have spoken* to her yesterday.

　　　　他昨天也许同她说过话吧。

2）表允许。如：

　　(18) The director is alone now. So you *may see* him now.

　　　　局长现在是独自一人，所以你可以现在去见他。

表这个意义时，may 可用于肯定句和疑问句，亦可用于否定句，但不太常用。如：

　　(19) You *may smoke* in here.

　　　　你可以在这儿抽烟。

　　(20) *May* I *smoke* in here?

　　　　我可以在这儿抽烟吗？

　　(21) You *may not smoke* in here.

　　　　你不可在这儿抽烟。

may 表允许时仅用于一般式。

might 用于疑问句，语气更委婉。如：

　　(22) *Might* I *join* you?

　　　　我可以参加你们一道吗？

might 亦可用于间接引语。如：

(23) He told me that I *might smoke* in the room.

　　　他告诉我可以在房间里抽烟。

　3）表责备，只用 might，用于肯定句。可用于一般式和完成式，后者则表未实现的动作。如：

(24) You *might ask* before you borrow my car.

　　　你可以先问问我再借我的车子嘛。

(25) You *might have helped* me.

　　　你满可以帮我一把嘛。

　4）may 与 might 的比较：

might 可表虚拟语气，may 则不可。如：

(26) It *might* help a little if you would only keep clean.

　　　你只要愿意保持清洁，情况或许就会好一些。

　在多数情况下，might 比 may 语气更为缓和委婉，含义更不确定。如：

(27) *May* I *speak* to him now?

(28) *Might* I *speak* to him now?

(29) He *may come* a little later.

(30) He *might come* a little later.

　表可能时只用 may 指现在，一般不用 might 指过去，might 只用于间接引语中。表责备时则只用 might。如：

(31) You *may find* the book at the library.

　　　你可以在图书馆找到这本书。

(32) You *might have considered* your parents' feelings.

　　　你本可考虑你父母的感情嘛。

　5）用于固定习语。如：

(33) You *may as well* give him the letter.

　　　你还是把信给他为好。

(34) I *might as well* stay at home tonight.

　　　我今晚还是待在家里吧。

(35) His appearence has changed so much that you *may well* not recognize him.

　　　他的外貌变化很大，你很可能认不出他来。

(36) Roy Wilson, the new doctor, was twenty-eight, large, heavy, mature and blond. He *might have been* a Scandinavian sailor.

　　　罗伊·威尔逊是新来的医生，28 岁，身高体重，发育成熟，头发金黄，简直像个斯堪的那维亚水手。

6）may 可用于某些宾语从句和目的、让步状语从句。如：

（37）I fear he **may fall** ill.

我恐怕他会生病。（用于宾语从句）

（38）He is coming here so that they **may discuss** it without delay.

他就要到这里来，这样他们可能立即讨论那件事。（用于目的状语从句）

（39）However cold it **may be** , we'll go skiing.

天不管多冷，我们都要去滑雪。（用于让步状语从句）

7）can 与 may 的比较：

can 与 may 只有在表可能和允许时意义相同。但在这种情况下，它们也不能随意互换：表可能时，may 仅用于肯定句，而 can 则可用于各种句式。如：

（40）He **may find** this book at the library.

他可以在图书馆找到这本书。（may 用于肯定句）

（41）He **can find** this book at the library.

他能在图书馆找到这本书。（can 用于肯定句）

（42）**Can** he **find** this book at the library?

他能在图书馆找到这本书吗？（can 用于疑问句）

（43）He **cannot find** this book at the library.

他不可能在图书馆找到这本书。（can 用于否定句）

表允许时，二者意义无甚区别，只是 may 较正式些，而 can 则较口语化。如：

（44）**May** I **speak** to you for a moment，professor？

我可以跟你谈一会儿吗，教授？

（45）**Can** I **have** a cup of tea，mother？

我可以喝杯茶吗，妈妈？

9.9 must 的形式和用法

must 只有一种形式，其现在式与过去式同形。

肯定式	否定式	缩略否定式
must	must not	mustn't

它可指现在或将来，用于完成式时则可指过去，其过去式仅用于间接引语。

must 的基本用法是：

1）表义务。如：

（1）You *must talk* to your daughter about her future.

你必须跟你的女儿谈谈她的前途。

（2）*Must* he *do* it himself?

他必须亲自干那事吗?

表这个意义时，must 用于一般式，并用于肯定句和疑问句。

2）在否定结构中表不许。如：

（3）He *must not leave* his room.

他不许离开他的房间。

表这个意义时，must 用于一般式。

3）表坚定的建议。如：

（4）You *must come* and *see* us when you're in London.

你到伦敦后应当来看看我们。

（5）You *mustn't* miss the film. It is very good.

你不可错过那个影片，它很好看。

表这个意义时，must 用于一般式，用于肯定句和否定句。

4）表推测，暗含很大的可能性。如：

（6）He *must be* ill. He looks so pale.

他一定是病了。他的脸色苍白。

（7）It *must be* late as the streets are deserted.

时间一定很晚了，街上已空无一人。

表这个意义时，must 仅用于肯定句，不能用于疑问句或否定句。它可以用于不同时式，仅可指现在，动态动词则用于进行式。如：

（8）Let's have something to eat. You *must be starving.*

我们吃点东西吧。你一定饿了。

5）可用于不同时式，表不同意义。表义务。如：

（9）You *must stay* here.

你必须待在这儿。

亦可表推测。如：

（10）He *must be* over fifty.

他一定有五十开外了。

must 可用于完成式，指过去。如：

（11）It is six o'clock. She *must have come* home.

现在是六点，她一定到家了。

must 用于完成进行时，可表持续的动作。如：

(12) It ***must have been raining*** all the night. There are big
puddles in the garden.

雨一定是下了整整一夜，花园里有大片大片的水。

(13) He ***must have been*** here since breakfast.

早饭后他一定是在这儿。

6) 用于间接引语，表过去。如：

(14) He said he ***must*** go.

他说他必须去。

7) 用于固定习语。如：

(15) He ***must needs*** go there.

他偏偏要去那儿。

8) must 与 may 的比较。二者均可表推测，但侧重点不一样：
may 暗含不确定，must 暗含很可能。如：

(16) For all I know, he ***may be*** an actor. His face seems
so familiar.

就我所看，他可能是个演员，他似乎很面熟。

(17) He ***must be*** an actor. His voice carries so well.

他一定是个演员，他的声音很洪亮。

may 和 must 均可用于否定句，表不许，但 may 较少用。对 may
表要求时的否定回答，一般用 must not 或 cannot。如：

(18) — ***May*** I ***smoke*** here?

我可以在这儿抽烟吗？

— No, you ***mustn't (can't).***

不，不行。

9.10 have to 的形式和用法

词组 have to 也是情态动词。它由 have+to 组成，因此具有
have 的各种时式。如：

(1) He is an invalid and ***has to have*** a nurse.

他是个病弱之人，需要护士照顾。

(2) She knew what she ***had to do***.

她知道她需要做什么。

(3) I ***shall have to reconsider*** my position.

我将不得不重新考虑我的立场。

(4) He is always ***having to exercise*** judgement.

他经常需要进行判断。

（5）My impression was that he was **having to force** him-self to talk.

我的印象是，他需要强使自己说话。

（6）I **have had to remind** you of writing to her all this time.

我不得不老提醒你写信给她。

（7）The people **had had to be told** that an experiment was taking place that day.

必须通知人们，那天将进行试验。

（8）"As a matter of fact," he said, "I**'ve been having to spend** some time with the research people."

"事实上，"他说，"我必须一直同研究人员一起待一些时间。"

（9）It wouldn't have been very nice for the Davidsons to **have to mix** with all those people in the smoking-room.

戴维森一家人非得与吸烟间的所有那些人混在一起，是不大好的事。

（10）**Having to work** alone, he wanted all his time for his research.

他必须单干，所以他想把他的全部时间投入研究工作。

have to 的疑问和否定结构多用助动词 do 构成。如：

（11）Why **do** I **have to** do everything?

为什么事事都得我干？

（12）**Did** he **have to** tell them about it?

他必须把那件事告诉他们吗？

（13）You **don't have to** explain.

你不必作解释了。

（14）There was a grin on his face. He **did not have to** tell me that he already knew.

他咧嘴而笑。他不需要告诉我他已知道了。

have to 的基本用法是：

1）表客观的义务或需要。可用于各种句式，但只用于一般式。如：

（15）He **had to do** it.

他必须做那件事。

（16）**Did** he **have to do** it?

他得做那件事吗?

(17) He **did not have to do** it.

　　他不需要做那件事。

在否定句中，have to 表不需要，must 表不许。试比较:

(18) You **don't have to go** there.

　　你不需要去那儿。

(19) You **mustn't go** there.

　　你不可去那儿。

2) 在口语中，have got to 亦可表义务和需要，与 have to 基本同义。如:

(20) He **has got to go** right now.

(21) **Has** he **got to go** right now?

(22) He **hasn't got to go** just yet.

3) 固定词组 had better 表可取，意谓"最好"，或"应该"，常用于一般式。如:

(23) You**'d better get** some sleep.

　　你最好去睡一睡。（对同辈或小辈，对长辈不可用 you had better）

(24) What **had** we **better do** ?

　　我们最好干什么?

(25) **Hadn't** we **better stop** now?

　　我们现在停下来不好吗?（亦可说 Had we better not...?但 had better 一般不可用于肯定疑问句）

有时可省去 had。如

(26) **Better** say yes, if they ask you.

　　如果他们问你，你最好说"是"。

had better 亦可用于进行式，意谓"最好立即"。如:

(27) I think I**'d better be going.**

　　我想我最好就走。

had better 亦可用于完成式，表未完成动作。如:

(28) You **had better have done** that.

　　你最好把那件事做完。（可是你没有做完）

[注] had best 与 had better 同义，但较少用。

9.11 be to 的形式和用法

词组 be to 亦可看作情态动词。它只有现在式和过去式两种形式。如：

（1）The book of Irish Fairy Tales *is to appear* soon.

这本爱尔兰童话集即将出版。

（2）We *were to meet* at six.

我们约定六点见面。

be to 的基本用法是：

1）表计划，只用于肯定句和疑问句。如：

（3）When *is* the wedding *to be* ?

婚礼什么时候举行？

（4）John and Mary *are to* be married in October.

约翰和玛丽定于十月结婚。

（5）We *were to discuss* it the following week.

我们打算下周讨论那件事。

be to 的过去式可用于完成式，表未完成的计划。如：

（6）I promised to go to a club with her last Tuesday，and I really forgot all about it. We *were to have played* a duet together.

我答应本周二同她去俱乐部，可我真的把这事全忘了。我们原打算一起二重唱的。

2）表命令，只用于肯定句和否定句。如：

（7）All junior officers *are to report* to the colonel at once.

全体下级军官都必须立即向上校报告。

（8）Norman says I *am to leave* you alone.

诺曼要我不理会你。

3）表可能，多用于被动结构。如：

（9）Her father *was* often *to be seen* in the bar of this hotel.

在这家旅馆的酒吧间经常可见到她父亲。

（10）Where *is* he *to be found* ?

在哪儿可找到他？

4）表应该，多用现在式。如：

（11）What *is to be done* ?

应该怎么办？

(12) He*'s to blame.*

该怪他。

5）表注定，多用过去式。如：

(13) He *was to be* my teacher and friend for many years
to come.

在后来许多年里，他是我的老师和朋友。

(14) He did not know at the time that he *was* never *to see*
his native place again.

当时他不知道，他再也见不到他的故土了。

6）用于固定习语。如：

(15) What *am* I *to do* ?

我该怎么办？

(16) Where *am* I *to go* ?

我该向何处去？

7）用于条件从句。如：

(17) If we *are to* succeed，we must redouble our efforts.

我们要想成功，必须加倍努力才行。（are to 意为"想
要"）

8）must，have to 与 be to 的比较：表现在时，三者皆表义务，
但侧重不一样。must 强调说话者主观的看法。如：

(18) I *must do* it.

我必须做那件事。

(19) He *must do it* himself.

他必须自己做那件事。

have to 强调客观的需要。如：

(20) What a pity you *have to go* now.

可惜你马上要走了。

(21) He *has to do* it himself.

他得自己做那件事。

be to 强调应该。如：

(22) The traffic regulations *are to* be observed.

应该遵守交通规则。

用过去式时，must 只用于间接引语中。如：

(23) He said he *must do* it himself.

他说过他必须独自去做那件事。

had to 表客观需要。如：

（24）I *had to sell* my car.

　　我只得卖车。

was（或 were）to 表过去的动作。如：

（25）We *were to meet* him at the station.

　　我们打算去车站接他。（在一定的上下文中也可意谓
　　"我们本打算去车站接他的"）

9.12　be going to 的形式和用法

词组 be going to 亦可看作情态动词，有现在式和过去式两种
形式。

be going to 的基本用法是：

1）表打算。如：

（1）What *are* you *going to do* tomorrow?

　　你明天打算干什么?

（2）I'*m not going to argue* with you to-night.

　　今晚我不打算跟你争论。

2）表即将。如：

（3）Look out! The ice *is going to crack* !

　　当心! 冰要塌了!

（4）The wall *is going to collapse* !

　　那墙要倒啦!

3）表决心。如：

（5）I'*m going to oppose* the proposal.

　　我要反对这项建议。

（6）I'*m not going to have* this.

　　我不能容忍这种行为。

4）表肯定。如：

（7）My sister *is going to have* a baby.

　　我的姐姐要生孩子了。

（8）There'*s going to be* trouble.

　　要出事了。

5）表可能。如：

（9）It'*s going to rain* .

　　要下雨了。

（10）*Is* it *going to be* fine tomorrow?

　　明天会是晴天吗?

6）表命令。如：

(11) Now you *are going to hurry.*
现在你要快点了。

(12) Pete，you *are going to stop* sirring me.
彼得，你不要再叫我"先生"了。

7）词组 be about to 亦有情态意义，表即将。如：

(13) The meeting *is about to begin.*
会议即将开始。

(14) He *is about to break down.*
他眼看要垮了。

9.13   ought to 的形式和用法

情态动词 ought to 只有一种形式：

肯定式	否定式	缩略否定式
ought to	ought not to	oughtn't to

ought to 的基本用法是：

1）表义务，用于各种句式。如：

(1) You don't look well. You *ought to go* to see the doctor.
你气色不好，应该去瞧大夫。

(2) You *oughtn't to smoke* so much?
你不应该抽这么多烟。

(3) *Ought* you *to smoke* so much?
你应该抽这么多烟吗？

[注] 在美国英语中，ought to 在否定和疑问句中可省去 to，如：

① You *oughtn't smoke* so much.
你不应该抽这么多烟。

② *Ought* you *smoke* so much?
你应该抽这么多烟吗？

一般说来，ought to 用以指将来，指现在时则用于进行式。如：

(4) At your age you *ought to be earning* your living.
你到这个年龄应当自食其力了。

ought to 亦可用于完成式，在肯定句中表未完成的动作。如：

（5）You *ought to have done* something to help him.

你本应该做些事去帮助他。

在否定句中，则表已完成的动作，如：

（6）You *oughtn't to have married* her，David. It was a great mistake.

你本不该跟她结婚，戴维，那是个大错误。

在间接引语中表过去时形式不变，如：

（7）He said you *ought to* tell the police.

他说你应当去报警。

［注］ought to 往往与 should 同义，在生活交际中人们多用后者。但有时 ought to 有针对性，should 则表一般的忠告，试比较：

We *ought not to tell* falsehoods.　我们可不应该说谎话。

We *should not tell* falsehoods.　我们不应该说谎话。

2）表推测，暗含很大的可能，其语气较 must 弱。如：

（8）Ask John. He *ought to know.*

去问约翰吧。他该知道。

（9）These plants *ought to reach* maturity after five years.

这些植物五年后就该长成了。

9.14　shall 与 should 的形式和用法

shall 和 should 用作助动词时，should 是 shall 的过去式；用作情态动词时，shall 和 should 是两个不同的词。

1）shall 表义务，用于第二、第三人称。如：

（1）You *shall do* as you see me do.

你照我的样子办。

（2）He *shall be punished* if he disobeys.

他如不服从就要受处罚。

在当代英语中，shall 多用于正式法律文字。如：

（3）The vendor *shall maintain* the equipment in good repair.

卖方须完好地维护设备。

（4）There *shall be* no adultery.

不许通奸。

有时在从句中相当于 must。如：

（5）It has been decided that the proposal **shall not be opposed.**

已经决定不得反对这项提议。

2）shall 表许诺，用于第二、第三人称，用于肯定句和否定句。如：

（6）You **shall have** my answer tomorrow.

你明天可以得到我的答复。

（7）She **shall get** her share.

她可以得到她的一份。

3）shall 表征询意见，用于第一、第三人称，并用于疑问句。如：

（8）**Shall I get** you some fresh coffee，Miss Fleure？

费勒小姐，我给您点淡咖啡好吗？

（9）What **shall** we **do** this evening？**Shall** we **go** to the theatre？

我们今晚干什么？去看戏好吗？

（10）What **shall** he do next？

他下一步干什么呢？

［注］美国英语亦可用 will，如：

Will I see you in the morning？No？Then good luck to you.

（我明早见你好吗？不行？那就祝你走运。）

4）should 表义务，可用于各种句式，通常指将来。如：

（11）You **should do** what your parents tell you.

你应该照你父母的话办。

（12）He **should do** some work，but he doesn't want to.

他应该做些工作，但是他不想做。

用于第一人称疑问句，表征询意见。如：

（13）**Should I open** the window？

我可以开窗户吗？

亦可指现在。如：

（14）You **shouldn't feel** so unhappy over such trifles.

对这种小事，你不应该感到这么不高兴。

指现在亦可用进行式。如：

（15）You **shouldn't be sitting** in the sun.

你不应该坐在阳光下。

should 用于完成式时，用于肯定句，表应完成但未完成的动作。

如：

(16) He looks very ill. He *should have stayed* at home.

他看样子病很严重，本应该待在家里。

用于否定句，则表不应完成但已完成的动作。如：

(17) They *shouldn't have concealed* it from us.

他们本不应该对我们隐瞒那件事。

5) should 表推测，暗含很大的可能。如：

(18) The film *should be* very good as it is starring first-class actors.

这部影片是一流演员主演的，可能拍得很好。

(19) Three weeks *should suffice.*

三个星期可能足够了。

有时有"有根据或把握"的含义。如：

(20) I *should know* her among a thousand.

她在千百人中，我也会认识她。

6) should 可在某些从句中，表虚拟语气。如：

(21) I suggest that you *should stay* here as if nothing had happened.

我建议你应该待在这儿，好像什么事也没有发生。

(22) She was terrified lest they *should go on* talking about her.

她感到害怕，唯恐他们再说她的事。

(23) Suddenly she began to cry, burying her head under the book so that I *shouldn't see.*

她突然开始哭起来，把头埋在书下，使我看不见。

(24) If he *should drop in* , give him my message.

他如来访，就将此条给他。

7) should 表感情色彩，常用在以 why，how 开头的疑问句中。如：

(25) Why *shouldn't* you *invite* him?

为什么你竟不邀请他？

(26) I don't see why we *shouldn't make* friends.

我不明白为什么我们竟不是朋友。

(27) I don't see any reason why he *shouldn't be* happy.

我不明白为什么他竟不愉快。

(28) How *should I know* ?

我怎么知道？

注意下面一例中 should 用于一种特殊结构：

> （29）As I was crossing the street, whom **should I meet** but Aunt Ann.
>
> 我过街时见到的竟是安姑母。（用于特殊结构）

有时可用于完成式。如：

> （30）I went into business with her as her partner. Why **shouldn't I have done** it?
>
> 我同她合伙做生意。为什么我不应这样干？

> （31）There were good reasons why she **should not have played** bridge.
>
> 她本很有理由不玩桥牌。（但她玩了）

在 that 引导的从句中，should 亦可表感情色彩。如：

> （32）I'm sorry that you **should think** so badly of me.
>
> 你竟把我想得这样坏，我感到遗憾。

> （33）It is absurd that such things **should happen** to a family like theirs.
>
> 真可笑，这种事竟发生在他们那样的家庭中。

should 还用于一些特殊结构，表感情色彩。如：

> （34）That it **should come** to this!
>
> 事情竟到了这种地步！

> （35）To think that it **should have happened** to me!
>
> 谁想到这种事竟发生在我身上！

8）must, should 与 ought to 的比较：三者均表义务，但 must 最强烈。如：

> （36）You **must do** it at once.
>
> 你必须立即做这件事。

而 should 和 ought to 则是"应当"的意思。如：

> （37）You **should do** it at once.

> （38）You **ought to do** it at once.

should 与 ought to 含义相似，常可互换。但 ought to 常指特殊情况，而 should 则常指一般情况。如：

> （39）You **ought to help** him; he is in trouble.
>
> 你应该帮助他，他有麻烦。

> （40）You **should use** the definite article in the sentence.
>
> 在这个句子中你应该用定冠词。

must，ought to 与 should 均可表推测，暗含很大的可能，但 must 用得较多，语气也较顺。

9）should，ought to 与 was/were to 用于完成式的比较：should＋完成式与 ought to＋完成式表所期望的动作未完成，was/were to＋完成式则表所计划的动作未完成。如：

(41) You **should have helped** him.
    你本该帮助他的。

(42) You **ought to have warned** him.
    你本该预先提醒他的。

(43) He **was to have arrived** last week.
    他本该上周到的。

9.15 will（would）的形式和用法

will（would）有下列几种形式：

	肯定式	缩略肯定式	否定式	缩略否定式
现在式	will	'll	will not	won't 'll not
过去式	would	'd	would not	wouldn't 'd not

will 是现在式，用于指现在。如：

(1) Nancy **will not shove** the heavy load on to others.
    南希不愿把重担推给别人。

would 是 will 的过去式，用于指过去。如：

(2) They asked us if we **would have** a look-round first.
    他们问我们想不想先去四下转转。

但亦可指现在，语气比较缓和、委婉。如：

(3) **Would** you please **pass** me the salt?
    请递给我盐好吗？

will 的基本用法是：

1）will（would）表意愿，主要用于第一人称；will 指将来，would 通常用于间接引语，指过去的将来。如：

(4) I **won't argue** with you.
    我不愿意跟你争辩。

(5) I said I **would do** anything for him.

我说过我愿意为他做任何事。

2）will（would）表拒绝，用于否定句。如：

（6）The doctor knows I *won't be operated* on.

大夫知道我不想做手术。

（7）He was wet through, but he *wouldn't change*.

他全身湿透了，但不想换衣服。

如主语为物，则意为"不起作用"。如：

（8）The drawer *won't shut*.

抽屉关不上了。

（9）My fountain pen *wouldn't write*.

我的自来水笔不能写字了。

3）will（would）表习惯或反复发生的动作。如：

（10）John *will fall* asleep in church.

约翰做礼拜时老睡觉。

（11）Most often we *would find* him lying on a couch, reading.

我们经常看到他躺在一张长沙发上看书。

有时重读 will 就有批评的含义。如：

（12）You *will keep* forgetting things.

你总是不断地忘事儿。

will 可表客观事实。如：

（13）Gold *won't dissolve* in hydrochloric acid.

金在盐酸中不溶解。

4）will（would）表请求，指将来，用于疑问句。如：

（14）*Will* you *dine* with me tomorrow, Lewis?

刘易斯，明天你同我一道吃饭好吗？

（15）You'll *forgive* me, *won't* you?

你会原谅我，不是吗？

如用 would，则语气更客气。如：

（16）*Would* you *mind* closing the door?

请关上门好吗？

5）will（would）用于 if 引导的条件从句，亦表意愿。如：

（17）No, we are not going to quarrel at all if you'll only *let* me talk.

不，我们根本不会吵架，只要你让我说话。

（18）If you *would stand* by me I should have another try.

如果你肯支持我，我就再试一次。

6) will 表料想，指现在或将来；用于进行式时指现在；用于完成式时则指过去。皆用于第二、第三人称。如：

(19) This **will be** the school，I believe.

我想这大概是那所学校。

(20) Hurry up. They **will be waiting.**

快点儿吧。他们一定在等我们哩。

(21) You **will have heard** the news，I'm sure.

我想你大概听到了这个消息。

有时 will 表难免。如：

(22) Boys **will be** boys.

孩子毕竟是孩子。

(23) Accidents **will happen.**

事故难免发生。

7) would 表感情色彩，用于肯定句和否定句。如：

(24) — Auntie Meg has been very brave.

梅格姑母一直很勇敢。

— Yes. She **would be** brave.

是呀，她当然勇敢。（意料中的事）

(25) — I don't understand him and I don't approve of his decision.

我不明白他的意思，所以不赞同他的决定。

— No，you **wouldn't.**

是呀，你当然不赞成。（我没有指望你赞成）

8) would 用于 wish 后的从句中。如：

(26) I wish the rain **would stop** for a moment.

我希望雨停一会儿。

(27) I wish they **wouldn't insist** on it.

我希望他们不坚持那一点。

9) would 用于固定习语。如：

(28) "I**'d rather do** it myself," said Luke.

"我宁愿自己干，"卢克说。

(29) He**'d sooner die** than let me think he was a failure.

他宁死也不让我认为他是个失败者。

would... mind 用于疑问句和否定句。如：

(30) **Would** you **mind** my staying here for a while?

你在意我在这儿待一会儿吗？

（31）I **wouldn't mind** your telling them about it.

我不在意你把那件事告诉他们。

10）would 与 used to 的比较：二者均可表习惯。如：

（32）When we were children we **used to/would** go skating every winter.

我们小时每年冬天都去滑冰。

used to 与 would 之不同在于 used to 有现在已无此习惯的含义，并可表一次性动作。如：

（33）I **used to** have an old Rolls Royce.

我曾有过一辆旧的罗尔斯·罗伊斯小轿车。（此处不能用 would）

9.16 need 的形式和用法

need 既可用作情态动词，亦可用作实义动词。用作情态动词时，它只有一种形式，后跟不带 to 的动词不定式，只用于否定句和疑问句。用作实义动词时，它有动词的全部形式，即现在时单数第三人称 needs，现在分词 needing 以及过去式和过去分词 needed，后跟带 to 的不定式，可用于一切句式。如：

	情 态 动 词	实 义 动 词
肯定式		He **needed** to escape.
否定式	He **needn't escape**.	He **doesn't need** to escape.
肯定疑问式	**Need** we escape?	**Do** we **need** to escape?
否定疑问式	**Needn't** he escape after all?	**Doesn't** he **need** to escape after all?

情态动词 need 的基本用法是：

1）表需要，指现在或将来，只用于否定句和疑问句。如：

（1）You **need not meet** him unless you'd like to.

除非你愿意，你不需要见他。

（2）**Need** I **repeat** it?

我需要再将它重复一遍吗？

need 一般不用于肯定句，但可用于含有否定意味的肯定句中。

如：

    （3）He **need** do it but once.

        他只需做一次。(but once＝no more than one)

    （4）All you **need do** is say yes to his questions.

        对他的问题，你只需答"是"。(All you need do is＝You need do no more than)

need 的过去式形式不变。如：

    （5）He said he **need not hurry.**

        他说他不必匆忙。

    （6）She wished there **need be** no such thing.

        她但愿无须有此等事。

need 可用于完成式，表不需要完成但已完成的动作，暗含时间或精力的浪费。如：

    （7）You **needn't have bought** it.

        你没有必要买它。（但你却买了）

    （8）You **needn't have stayed.**

        你没有必要停留。（但你却停留了）

有时亦可与进行式连用。如：

    （9）We **needn't be standing** here in the rain.

        我们没有必要站在这里被雨淋。

2）情态动词 need 和实义动词 need 偶尔也有揉合的情况。如：

    （10）All he **needs have** is foresight.

        他所需要的是预见性。

    （11）I guess a man just **need to** talk to somebody sometime.

        我看一个人有时仅仅是需要和人聊聊罢了。

[注] 在美国英语中，常用 needn't 代替 don't have to，如 You **needn't** tell George（你不必告诉乔治）。

3）shouldn't，oughtn't to 与 needn't 等加完成式的比较；shouldn't＋完成式和 oughtn't to＋完成式表已完成不该完成的动作，needn't＋完成式表已完成不需要完成的动作。如：

    （12）You **shouldn't have come.**

        你本不应该来。

    （13）You **oughtn't to have written** to them.

你本不应该给他们写信。
(14) You **needn't have come.**
你本不需要来。

9.17 dare 的形式和用法

同 need 一样，dare 既可用作情态动词，亦可用作实义动词。用作情态动词时，它只有一种形式，后跟不带 to 的不定式，主要用于否定句和疑问句。用作实义动词时，它有动词的全部形式，即现在时单数第三人称 dares，现在分词 daring 以及过去式和过去分词 dared，后跟带 to 的不定式，可用于一切句式。如：

	情 态 助 动 词	实 义 动 词
肯定式		He **dared** to escape.
否定式	He **daren't** escape.	He **doesn't dare** to escape.
肯定疑问式	**Dare** we escape?	**Do** we **dare** to escape?
否定疑问式	**Dare** he **not** escape?	**Doesn't** he **dare** to escape?

情态动词 dare 的基本用法是：

1）表敢于，指现在或过去。如：

  （1）I **dare not go** there.
     我不敢去那儿。

  （2）**Dare** you **ask** him?
     你敢问他吗？

  （3）I don't know whether he **dare try.**
     我不知道他是否敢试试。

指过去时形式不变。如：

  （4）The king was so hot-tempered that no one **dare tell** him the bad news.
     国王脾气很大，没有人敢对他讲坏消息。

dare 可用于完成式。如：

  （5）I **daren't have done** it yesterday, but I think I dare now.
     我昨天不敢做此事，但我想我现在敢做了。

2）情态动词 dare 和实义动词 dare 偶尔有揉合的情况。如：

（6）She **dared say** no more.

她不再敢说了。

（7）I **didn't dare come** before because I was told you were very strict.

我以前不敢来，因为我听说你非常严厉。

3）用于固定习语。如：

（8）My son is not in town, but **I dare say** he will be before long.

我儿子现不在城里，不过我想不久他会来的。

4）dare say 可连写。如：

（9）I **daresay** you are right.

我想你是对的。

第十章 非限定动词

一、概　　说

10.1 非限定动词的含义和种类

非限定动词（non-finite verb）是动词的非谓语形式。非限定动词与限定动词不同。限定动词（finite verb）在句中用作谓语，受主语的人称和数的限制。如：

（1）I **put** my book **down** and **look out of** the window.

我放下书，望着窗外。

（2）Hunger and disease **are** world problems.

饥饿和疾病是世界性问题。

非限定动词在句中不可单独用作谓语，不受主语的人称和数的限制；它在句中可以用作其它句子成分。非限定动词有三种，即不定式、动名词和分词。如：

（3）Scientists hope **to find** a cure for cancer.

科学家们希望找到一种治疗癌症的方法。（不定式 to find 用作宾语）

（4）**Backpacking** is popular among college students.

背行李包旅行在大学生中很流行。（动名词 backpacking 用作主语）

（5）People **walking** in poorly lighted areas at night should be extremely careful.

夜间在光线差的地方走路的人应当特别小心。（现在分词 walking 用作定语）

（6）Badly **torn** garmetns should be mended by an **experienced** seamstress.

破得厉害的衣服应当找有经验的女缝工缝补。（过去分词 torn 和 experienced 用作定语）

非限定动词由于不能用作谓语，因而没有语法上的主语，但它往往有逻辑上的主语。如：

（7）How can I get **to know** her?

我怎么能认识他呢？（不定式 to know 的逻辑主语

是 I)

（8）I can't bear him **staying up** so late.

我不能忍受他这么晚睡。（动名词 staying 的逻辑主语是 him）

（9）Who is that **speaking**?

您是哪一位？（现在分词的逻辑主语是 that）

（10）They plan further talks with **interested** parties on this question.

他们就此问题打算与有关各方进一步谈判。（过去分词 interested 的逻辑主语是 parties）

非限定动词短语往往可以转化成各种从句。如：

（11）The foreign guests hope to join the National Day celebration of Beijing. →The foreign guests hope that they can join the National Day celebration of Beijing.

外宾希望参加北京的国庆庆祝会。（不定式短语转化为宾语从句）

（12）The man standing there is our English teacher. →The man who is standing there is our English teacher.

站在那儿的那个人是我们的英语教师。（现在分词短语转化为定语从句）

（13）I regret being unable to help. →I regret that I cannot help.

我感到抱歉，不能帮助你。（动名词短语转化为宾语从句）

10.2　非限定动词的性质

非限定动词具有双重性质，即它既有动词性质，又有非动词性质。

1）非限定动词的动词性质表现在：

a）有时式与语态的变化。如：

（1）I want **to talk** to you, Jill.

我想跟你谈谈，吉尔。(to talk 是不定式一般式)

（2）They are said **to have left** London.

据说他们已经离开伦敦。(to have left 是不定式完成式)

（3）You've no need **to be fearing**.

你没有必要害怕。(to be fearing 是不定式进行式)

(4) *Turning* a corner quickly is frightening to pedestrians.
行车急拐弯是会惊吓行人的。(turning 是动名词一般式)

(5) I remember *having read* about it in the newspapers.
我记得在报上读到过这条消息。(having read 是动名词完成式)

(6) I don't like *being watched.*
我不喜欢被人盯着。(being watched 是动名词被动式)

(7) *Having been asked* to stay, I couldn't very well leave. 既然要我留下,我就不好走了。(having been asked 是现在分词完成被动式)

b) 可被状语所修饰。如:

(8) *To drink while driving* is dangerous.
开车时喝酒很危险。(不定式 to drink 为状语 while driving 所修饰)

(9) *Rollerskating on rough pavement* invites accidents.
在不平的路面上滑旱冰容易出事故。(动名词 rollerskating 为状语 on rough pavement 所修饰)

(10) *Increasing from* 2.5 *thousand million in* 1950, the population of the world reached 5 thousand million in 1987.
世界人口已从1950年的25亿增加到 1987 年的 50 亿。
(现在分词 increasing 为状语 from... in 1950 所修饰)

(11) A chimney *filled with soot* requires the services of a qualified chimneysweep.
布满烟灰的烟囱需要合格的烟囱清扫工去清扫。(过去分词 filled 为状语 with soot 所修饰)

c) 及物动词须有宾语。如:

(12) *To kill bugs,* spray the area regularly.
为了杀虫,请定期在地面上洒药。(及物动词不定式 to kill 的宾语是 bugs)

(13) Have you any reason for *saying such a thing* ?
你有什么理由说这种话吗?(及物动词动名词 saying 的宾语是 such a thing)

(14) **Having plenty of time,** we walked to the station.

时间很充裕，我们步行去了车站。（及物动词现在分词
having 的宾语是 plenty of time）

2）非限定动词的非动词性质表现在：

a）相当于名词。如：

(15) **To eat** is to live.

吃饭是为了生活。（不定式 to eat 相当于名词，用作
主语）

(16) Teachers despise **cheating.**

教师厌恶作弊。（动名词 cheating 相当于名词，用作
宾语）

b）相当于形容词。如：

(17) A **crying** child is easily comforted by a few soothing
words.

哭闹的孩子容易用几句好话安慰。（现在分词 crying
相当于形容词，作定语）

(18) A **watched** pot never boils.

心急锅不开。（过去分词 watched 相当于形容词，作
定语）

10.3 非限定动词短语

非限定动词与其宾语或状语连用即构成非限定动词短语。非限
定动词短语有三种：

1）不定式短语。如：

（1）He gave her a knife **to cut the bread with.**

他给她一把刀子切面包。

（2）**To cooperate with others** is important.

同他人合作很重要。

2）动名词短语。如：

（3）He likes **reading aloud.**

他喜欢朗读。

（4）**Loading heavy weights** requires great skill.

装重货要求高技巧。

3）分词短语。如：

（5）It's a mixture **consisting of oil and vinegar.**

那是一种油和醋的混合物。（现在分词短语）

（6）We ate *sitting on the grass.*

我们坐在草地上吃饭。（现在分词短语）

（7）The book *just referred to* is translated into Chinese.

刚才谈到的那本书已经译成中文。（过去分词短语）

（8）*Mocked at by everybody,* he had my sympathy.

尽管人们都嘲弄他，我却对他抱有同情。（过去分词短语）

二、不 定 式

10·4　不定式的形式和性质

不定式有两种形式：一是带 to 的不定式（to-infinitive），一是不带 to 的不定式 （bare infinitive）。后者即通常所谓的动词原形。

不定式有时式和语态的变化：

	主 动 语 态	被 动 语 态
一般式	to write	to be written
进行式	to be writing	
完成式	to have written	to have been written

不定式既有动词性质，又有名词性质。

1）不定式的动词性质表现在：可有时式和语态的变化，可有宾语和状语并组成不定式短语。如：

（1）He was too clever a man *to be bluffed.*

他是个很灵的人，不会为虚张声势所吓倒。（有语态变化）

（2）The film star Ann Wilson is the 34 th actress　*to play* this part on the London stage.

影星安·威尔逊是伦敦舞台上扮演这个角色的第 34 个女演员。（有宾语）

2）不定式的名词性质表现在：在句中可用作主语、宾语等。如：

（3）*To be* content with little is true happiness.

知足长乐。（用作主语）

（4）The man，without fuss，agreed *to serve* as witness.

这个人没有异议，同意作证人。（用作宾语）

10.5 不定式的功用

不定式在句中可用作主语、表语、宾语、定语、同位语、状语和补语等。

1）用作主语。如：

（1）*To see* is to believe.

百闻不如一见。

（2）*To err* is human， *to forgive* divine.

犯错误是人之常情，宽恕是超凡的。

当代英语常用 it 作为语法上的主语，即形式主语，将真实主语不定式放在谓语之后。如：

（3）It always pays *to tell* the truth.

说实话总是不吃亏的。

（4）It's been a pleasure *to be* able to help you.

能够帮助你是一种荣幸。

2）用作表语。如：

（5）The duties of a postman are *to deliver* letters and newspapers.

邮递员的任务就是投递信与报纸。

（6）My chief purpose has been *to point out* the diffi-culties of the matter.

我的主要意图是指出这个问题的困难所在。

（7）The important thing is *to save* lives.

救人要紧。

3）用作宾语，其逻辑主语同时也是全句的主语。如：

（8）They demanded *to be shown* the authentic docu-ments.

他们要求出示真实可靠的文件。

（9）Mr. Chairman，I beg *to move* that the meeting be ad-journed.

主席先生，我提议休会。

［注］当复合宾语中的宾语是不定式时，则须将真实宾语不定式放在它的补语之后，而将形式宾语 it 放在宾语补语之前。如：

① She found it difficult *to answer* the question.

　　　　她发现回答这个问题很困难。

　　② He feels it his duty *to help* others.

　　　　他认为帮助别人是他的责任。

　　有不少形容词（包括已变成形容词的分词）可后接不定式，这种不定式也可叫做宾语。如：

　　（10）I am very glad *to see* you.

　　　　　我见到您很高兴。

　　（11）We are sorry *to leave.*

　　　　　我们真不愿离去。

　　（12）He is sure *to come.*

　　　　　他一定会来的。

　　这样的形容词多是表示思想感情的。除上述形容词外，还有 able. afraid，anxious，careful，content，determined，eager，foolish，free，inclined，likely，lucky，prepared，quick，ready，slow，willing 等。

　　上述句子中的不定式与句子主语皆是主谓关系。但有时不定式和主语却是动宾关系。如：

　　（13）Volleyball is very interesting *to watch.*

　　　　　打排球看起来很有意思。

　　（14）She's very nice *to talk* to.

　　　　　和她谈话是愉快的。

　　（15）This problem is difficult *to solve.*

　　　　　这个问题难解决。

　　4）用作定语，通常皆置于其所修饰的名词或代词之后。它与其所修饰的名词或代词可能是主谓关系。如：

　　（16）The next train *to arrive* was from New York.

　　　　　下一列到站的火车是从纽约开来的。

　　（17）All dead. I was the only one *to grow up.*

　　　　　都死了。我是唯一成活的。

　　（18）He was always the first *to come* and last *to leave* the office.

　　　　　他总是第一个到办公室，最后一个离开。（first 与 last 之后省去了 person）

　　也可能是动宾关系，这时不定式即通常所谓的反射不定式。如：

　　（19）It was a game *to remember.*

　　　　那是一场令人难忘的球赛。

　（20）He has too many things **to do.**
　　　　他要做的事太多了。

　（21）I have nothing **to say** on this question.
　　　　在这个问题上，我没有什么话要说。

　　反射不定式也可以是"不定式＋介词"结构，这里的介词一般不可省去。如：

　（22）I need a pen **to write with.**
　　　　我需要一支笔写字。

　（23）Give me some paper **to write on.**
　　　　给我一些纸写字。

　（24）There are some things **to be grateful for.**
　　　　有一些事应该为之表示感激。

　　此外还有两种抽象名词常后接不定式。一种是与常后接不定式的动词同源的名词。如：

　（25）His wish **to visit** China is quite understandable.
　　　　他访问中国的愿望是完全可以理解的。（名词 wish 与常后接不定式的动词 wish 同源）

　（26）Her decision **to be** a pianist is final.
　　　　她对要做一个钢琴家已下了最后的决心。（decision 与常后接不定式的动词 decide 同源）

　　另一种是与常后接不定式的形容词同源的名词。如：

　（27）He is reputed for his ability **to speak** four languages.
　　　　他以能讲 4 国语言而闻名。（ability 与常后接不定式的形容词 able 同源）

　（28）The child was all eagerness **to go** on the picnic.
　　　　这孩子对去野餐非常心切。（eagerness 与常后接不定式的形容词 eager 同源）

　5）用作同位语。如：

　（29）He gave the order **to start** the attack.
　　　　他发出了开始进攻的命令。（to start 与 order 同位）

　（30）He followed the instruction **to walk** along a certain street where I picked him up.
　　　　他照吩咐沿某一条街走，我在那里搭他上了车。

　　［注］请注意下面句子中用作同位语与定语的不定式的不寻常位置：

① The enemy came close to the town and the order came **to evacuate the people.**

故人离城近了，于是发出了疏散市民的命令。(to evacuate the people 置于动词 came 之后，这显然是因为要使句子平衡的缘故)

② China's first boxing training centre has been set up in Guang-zhou aimed at bringing on an upsurge in this **yet to be systemized** event.

中国第一个拳击训练中心已在广州成立，其目的是要在这一尚无组织的运动项目上掀起一个热潮。(yet to be systemized 置于名词 event 之前)

6）用作状语，表目的、结果、原因等。

a）表目的，其逻辑主语通常亦是全句的主语。如：

（31）I stayed there **to see** what would happen.

我留在那里看看会发生什么事。

（32）He will go to the clinic tomorrow **to be examined** by the doctor.

他明天去诊所让大夫检查。

（33）Here, visitors were halted **to have** papers **examined.**

来人在这里留步以检查证件。

在强调这种目的状语时，不定式前可加 in order 或 so as。如：

（34）Many farmers fertilize their crops **in order to make** them grow more quickly.

许多农民给庄稼施肥，为的是让庄稼长得更快些。

（35）I'll write down his telephone number **so as not to forget** it.

我要把他的电话号码写下来，以备不忘。

在强调或突出这种目的状语时，也可将不定式或 in order 加不定式置于句首（so as 较少置于句首）。如：

（36）**In order to make** a study of the kangaroo, he came to Australia.

为了研究大袋鼠，他来到了澳洲。

（37）**To conceal** my emotion, I buried my face in my hands.

为了掩盖我的激动情绪，我用手捂着脸。

b）表结果，其逻辑主语通常亦是全句的主语。如：

（38）He lived **to be** a very old man.

他活得很长。

（39）In 1935 he left home never **to return.**

　　　1935年，他离开家再也没回来。
　(40) What have I done **to offend** you.
　　　我干什么惹你生气了？
　请注意下列句子中的 so... as to... , such... as to... , enough
to... , only to... 以及 too... to 等结构中的不定式皆表结果：
　(41) The house is so high and narrow as **to resemble** a
　　　tower.
　　　　这房子又高又狭，像一座塔。
　(42) His indifference is such as **to make** one despair.
　　　　他如此冷淡，令人感到绝望。
　(43) He lifted a rock only **to drop** it on his own feet.
　　　　他搬起石头砸了自己的脚。
　(44) He has money enough **to spare**.
　　　　他有多余的钱。(来自 He has money to spare，亦常说
　　　　We have enough (plenty) to spare)
　(45) The tea is too hot **to drink**.
　　　　茶太热，不能喝。

[注] 有时 too ... to ... 结构并不意谓"太……而不能……"。如：
　① I'm only too glad **to stay** at home.
　　　我太想留在家里啦。(too 修饰 glad to stay at home)
　② I'm just too anxious **to help** you.
　　　我正是想帮助你哩。(too 修饰 anxious to help you)
　③ You are too ready **to find** faults in other people.
　　　你就爱找别人的岔儿。(too 修饰 ready to find... people)
　下面两句中的不定式则是定语：
　④ I had too much **to drink**.
　　　我喝多了。
　⑤ You have too much **to say**.
　　　你真多嘴。

c) 表原因，其逻辑主语通常亦是全句的主语。如：
　(46) I trembled **to think of** it.
　　　　我一想到那件事就不寒而栗。(亦可看作时间状语)
　(47) She wept **to see** him in such a terrible state.
　　　　她看到他这种可怕的样子就哭了。(亦可看作时间
　　　　状语)

(48) Mary，hang the idiot *to bring* me such stuff!

玛丽，这该死的蠢货，竟给我带来了这些货色！

d）偶尔表让步或条件。如：

(49) You couldn't do that *to save* your life.

你即使为了救自己的命也不能那样做。(表让步)

(50) *To look at* him you could hardly help laughing.

看到他你就会忍不住笑起来。(表条件)

7) 用作独立成分（亦可看作一种句子状语）。如：

(51) *To begin with*，I do not like its colour.

首先，我不喜欢它的颜色。

(52) *To tell the truth*，the film was a great disappointment to me.

说实在的，那个影片使我大为失望。

(53) *To make a long story short*，we agreed to disagree.

长话短说，我们同意各自保留不同的看法。

(54) How time flies，*to be sure* !

时光真是过得快啊！

(55) The dog is，*so to speak*，a member of the family.

那狗可以说是家庭的一员了。

除上述例句中用作独立成分的不定式短语外，还有 to be brief (简言之)、to be exact (精确地说)、to be frank with you (老实对你说吧)、to do him justice (说句对他公道的话)、to crown all [更为好（坏）的是]、to say nothing of (姑且不讲)、to conclude (总而言之) 等。

8) 用作宾语补语在下列句子中，宾语与用作宾语补语的不定式构成复合宾语，二者在逻辑上是主谓关系。如：

(56) What decided him *to give up* his job?

是什么决定他放弃工作的？(to give up 是宾语 him 的补语)

(57) I'll leave you *to attend* the matter.

我将托你照管此事。(to attend 是宾语 you 的补语)

(58) We would like you *to have* an opportunity to appreciate Chinese art.

我们想给你们一个欣赏中国艺术的机会。(to have 是宾语 you 的补语)

有一些动词后面的宾语补语常是 to be，这样的动词有

believe, consider, declare, find, imagine, know, prove, suppose, feel, think, understand 等。如：

(59) I know this ***to be*** a fact.

我知道这是事实。

(60) They all felt the plan ***to be*** unwise.

他们都觉得那个计划是不明智的。

(61) We believe her ***to be*** innocent.

我们相信她无罪。

[注] 宾语补语 to be 在 consider, believe, declare, find, prove, think, imagine 等之后常可省去，如上述两句即可变为：

① We believe her innocent.

② I consider him too lazy.

在上述动词的被动结构中，后面的 to be 亦可省去。如：

③ She was believed innocent.

④ He was considered too lazy.

有一些动词后用作宾语补语的不定式通常不带 to。这种动词有两类：一类是感觉动词（perceptional verb），如 feel, see, hear, watch, notice 等。如：

(62) I saw him ***come***.

我看见他来了。

(63) I heard him ***sing***.

我听见他唱歌了。

(64) We felt the house ***shake***.

我们感到房子摇动。

另一类是某些使役动词（causative verb），如 make, let, have 等。如：

(65) Let him ***do*** it.

让他做吧。

(66) I would have you ***know*** that I am ill.

我想要你知道我病了。

(67) They made the boy ***go*** to bed early.

他们强迫那男孩早睡。

[注] 上述感觉动词与使役动词转换为被动结构时，其后的不定式一般须带 to。如：

　　① He was seen *to come.*

　　② The boy was made *to go* to bed early.

在动词 find 与 help 之后，不定式可带 to 亦可不带 to。如：

　　(68) He was surprised to find the sheep *(to) break* fence at this season.

　　　　他发现羊在此季节越出羊栏，感到惊讶。

　　(69) Help me *(to) get* him to bed.

　　　　帮我把他弄上床睡觉。

在动词 know 后用作宾语补语的不定式有时也可不带 to。如：

　　(70) I never knew anything *make* such a difference !

　　　　我从不知道有什么事会产生如此大的影响！

　　(71) I have never known a man *die* of love，but I have known a disappointed lover *lose* weight.

　　　　我从不知有人死于爱情，但我知道有失恋者消瘦下去。

　　9）用作主语补语。在下列句中，主语与用作主语补语的不定式短语构成复合主语，二者在逻辑上是主谓关系。如：

　　(72) The room was found *to be* empty.

　　　　那个房间被发现是空的。(to be 是主语补语)

　　(73) The young man was considered *to have* great promise.

　　　　这个青年被认为大有前途。(to have 是主语补语)

　　(74) He is said *to be* from New Zealand.

　　　　据说他是新西兰人。(to be 是主语补语)

　　10）有时可引导独立句，表愿望、惊讶等情绪。如：

　　(75) Oh，*to be* in England now that April's there !

　　　　啊，能回到现已是 4 月的英国该多好啊！

　　(76) You people ! *To think* we have to support your kind with taxes.

　　　　你们这些人！想想看，我们竟然必须纳税养活你们这一帮人。

　　(77) And *to imagine* for a moment he'd ever come here to visit !

　　　　想一想看，他竟会有一天到这里访问！

10.6　不定式的独立结构

不定式具有它自己的独立主语时，二者即构成不定式独立结构，常用作状语，表伴随情况。如：

（1）We divided the work, he *to clean* the window and I *to sweep* the floor.

我们分了工，他擦窗户，我扫地。(he ... window 和 I ... floor 皆为不定式独立结构)

（2）A number of officials followed the emperor, some *to hold* his robe, others *to adjust* his girdle, and so on.

许多官员尾随皇帝之后，有的拎着皇帝的衣袍，有的则给他整腰带等。(some... robe 和 others... and so on 皆为不定式独立结构)

不定式独立结构偶尔亦可用作主语。如：

（3）I *to bear* this is some burden.

我担负此物颇不轻松。(I to bear this 是不定式独立结构)

10.7　"for＋名词（代词）＋不定式"结构

for 加名词或代词宾格再加不定式可构成复合结构，它在句中可用作：主语、表语、宾语、定语、状语等。

1）用作主语。如：

（1）*For a child to do that job* is just inconceivable.

让一个孩子做这项工作那真是不可思议。

（2）*For the goods to be packed in strong cases* is necessary.

把货物包装在坚实的箱子里是必要的。

［注］以上两句常用形式主语 it，可变为：

① It's just inconceivable for a child to do that job.

② It is necessary for goods to be packed in strong cases.

请注意下面句子中的形容词后接的"of＋名词（或代词宾格）＋不定式"结构：

（3）It's kind *of you to say so.*

谢谢你的美言。(此句可简化为 It's kind of you)

（4）It is very good *of you to come.*

谢谢你的光临。

（5）How silly *of you to do that.*

你干那事，真傻。

这种形容词还有 honest，bad，stupid，bold，clever，cruel，courteous，nice，rude，sensible，tactful，thoughtful，typical，wise，wrong 等。

有时也可用形容词后接"to＋名词（或代词宾格）＋不定式"结构。如：

（6）It will hardly be covenient *to me to release you* from your engagement.

由我使你免于践约，那将是不适当的。(to 也可代之以 for)

2）用作表语。如：

（7）That is *for you to decide.*

那个由你决定。

（8）A solution would be *for shops to open at noon and close about 9 p.m.*

办法将是商店中午开门，晚 9 点关门。

3）偶尔用作动词的宾语。如：

（9）I meant *for you to eat* , son.

我的意思是要你吃，孩子。

（10）He shouted *to me to come* .

他大声叫我来。(to me to come 在此用作 shouted 的宾语)

但更多是用作某些形容词的宾语。如：

（11）He was anxious *for his brother to meet you.*

他急于要他的兄弟见你。

（12）He was quite willing *for everyone else to come.*

他很愿意让别的人都来。

4）用作定语。如：

（13）It's time *for us to go.*

是我们走的时候了。

（14）That would be a matter *for the people to decide.*

那是应由人民决定的事。

5）用作目的状语。如：

（15）He stood aside *for her to pass.*

他靠边站让她过去。

（16）*For a vote to be valid,* the deputy must be present and vote in person.

为了使每一票都有效，代表必须出席亲自投票。

10.8　"疑问词＋不定式"结构

疑问词 who，what，which，when，where 和 how 后加不定式可构成一种特殊的不定式短语，它在句中可用作主语、宾语、表语等。

1）用作主语。如：

（1）*When to start* has not been decided.

何时动身尚未决定。

（2）*How to earn daily bread by my pen* was then the problem.

如何靠我的笔吃饭在当时是一难题。

2）用作宾语。如：

（3）I don't know *what to do.*

我不知道该怎么办。

（4）He did not know *whether to go there or not.*

他不知道是否该去那里。

3）用作表语。如：

（5）The difficulty was *how to cross the river.*

困难在于如何过河。

（6）The question was *where to go.*

问题在于到哪儿去。

4）用于双重宾语。如：

（7）I can tell *you where to get this book.*

我可以告诉你哪里可以买到此书。

（8）I asked *him how to learn English.*

我问他如何学习英语。

有时疑问词前可用介词。如：

（9）I have no idea *of how to do it.*

我不知道如何做此事。

10.9　不定式的完成式

不定式完成式所表的动作发生在谓语动词之前，它在句中可用作主语、表语、宾语、状语、补语等。

1）用作主语。如：

（1）*To have known* her is a privilege.

认识了她真是荣幸。

2）用作表语。如：

（2）The aim of physical culture is *to build up* the people's health.

体育旨在增进人民的健康。

3）用作宾语。如：

（3）By 1992，he hopes *to have opened* a branch overseas.

到 1992 年，他希望能在海外开一分店。

4）用作定语。如：

（4）There is no need *to have bought* a new pair of shoes for me.

没有必要给我买一双新鞋。（to have bought 意谓"已买"）

5）用作状语。如：

（5）He is too young *to have seen* the old society.

他太年轻，没有见过旧社会。

6）用作宾语补语。如：

（6）They might have found it impossible *to have lived* together so long, had not a particular circumstance occured.

如不是情况特殊，他们是不可能长久住在一起的。（现多用一般式 to live）

7）用作主语补语。如：

（7）The game was originally scheduled *to have taken place* in Rome.

这场球赛原本定在罗马举行。（亦可用一般式 to take place）

[注] 动词 remember 后接的不定式完成式可表过去完成的动作，如 I remember *to have seen* it（我记得见过它）。

不定式完成式亦可表过去未完成的动作。如：

（8）I intended *to have finished* my work last night.

我本想昨晚完成作业的。（现多说 I had intended to finish...）

（9）We were *to have sailed* next morning.

我们本定于第二天早上启航。

10·10 不定式的进行式

不定式进行式表示正在进行的与谓语动词同时发生的动作，其含义与一般进行时态相似。它在句中可用作主语、表语、宾语、定语、状语、补语等。

1）用作主语。如：

（1）Just *to be doing* something was a help.

做点事是有益处的。

2）用作表语。如：

（2）What he really wants is not *to be wanting* somebody.

他的真正需要不在急需一个什么人。

3）用作宾语。如：

（3）You won't want *to be washing* at this time of night.

在夜里这时候你不要洗澡。

4）用作定语。如：

（4）Well, it's time *to be making* for home.

好，是回家的时候了。

5）用作状语。如：

（5）You are too young *to be meeting* young men.

你太小，不能交男朋友。

6）用作宾语补语。如：

（6）Let's *be moving,* we're wasting time.

我们就走吧，我们在浪费时间呢。

7）用作主语补语。如：

（7）Come, I'm supposed *to be calling* you to lunch.

喂，我是来叫你吃午饭的。

10·11 不定式的被动式

不定式被动式在句中可用作主语、表语、宾语、定语、状语、补语等。

1）用作主语。如：

（1）**To be obeyed** was natural to her.

她生性要别人听命于她。

2）用作表语。如：

（2）The problem remains **to be solved.**

这个问题还有待解决。

3）用作宾语。如：

（3）It needs not **to be said** that they are very happy to-gether.

不消说他们在一起非常幸福。

4）用作定语。如：

（4）There were plans **to be made** at once.

要立即制定计划。

5）用作状语。如：

（5）He has returned only **to be sent** away again.

他回来之后又被打发走了。

6）用作宾语补语。如：

（6）The captain ordered the flag **to be hoisted.**

船长命令升旗。

[注] want，like，wish，have，get，leave，see，watch，hear，make 等动词后用作宾语补语的被动不定式可省去 to be。在美国英语中，动词 order 后用作宾语补语的被动不定式亦可省去 to be。

7）用作主语补语。如：（美国英语亦可省去 to be）

（7）The book is intended **to be read** and not **to be torn.**

这书是供人阅读而不是供人撕毁的。

8）用于"for＋名（代）词＋不定式"结构。如：

（8）He was anxious for the performance **to be repeated.**

他盼望表演重复一次。

9）有些句子习惯上须用不定式被动式。如：

（9）Such things are **to be seen** any day.

这种事哪一天都可遇到。

（10）Sure you know what is **to be done.**

你肯定知道应该怎么办。

（11）This is a day never **to be forgotten.**

这是令人难忘的一天。

（12）There was no sound **to be heard.**

听不到有什么声音。

(13) The infectious disease is likely ***to be wiped*** out in a few years.

这种传染病在几年之内即可消灭。

但在下列情况下，则既可用被动式亦可用主动式，而意义无甚区别：

(14) The house is ***to be let*** (to let.)

此房出租。（被动式似较多用，to let 多用在广告中）

(15) There is no time to lose (***to be lost***).

时间紧迫。（口语中多用主动式）

(16) It's too hot to eat (***to be eaten***).

这东西太烫，不能吃。

但有时二者却有所区别。如：

(17) There is nothing ***to do.***

无事可做。（有"无聊"之义）

(18) There is nothing ***to be done.***

不能做什么了。（意即"没有办法了"）

(19) There is nothing ***to see.***

没有什么可看的了。（即"没有什么值得看的了"）

(20) There is nothing ***to be seen.***

看不见有什么。（即"什么也没看见"）

(21) I am ready ***to shave.***

我要刮脸了。（自己刮自己的脸）

(22) I am ready ***to be shaved.***

我准备好刮脸了。（由别人给刮脸）

有些句子虽表被动，但习惯上却用主动式。如：

(23) She's ***to blame*** for this.

这应怪她。（亦可说 She is to be blamed for this）

(24) The reason is not far ***to seek.***

道理很浅显。

(25) What's ***to pay*** ?

要付多少钱？

英语里还有一种双重被动式（double passive），即"be＋过去分词＋不定式被动式"结构。常用这种双重被动式的动词有allow，announce，attempt，believe，desire，enable，expect，intend，know，mean，order，permit，propose，report，say 等。如：

(26) The books *are* not *allowed to be taken* out of the room.

不许将书携出室外。

(27) More than 250 tons of oranges *are expected to be harvested* this year in the county.

这个县今年可望收获 250 多吨柑橘。

(28) I let him know what *was intended to be done.*

我告诉他应干什么。

10·12   不定式的否定式

不定式的否定式由 not 或 never 加不定式构成。如:

(1) He decided *not to do* it.

他决定不做那事。

(2) Try *not to be* late.

尽量不要迟到。

(3) This is some information *not to say.*

这是一些不可对人言的情报。

试比较下列句子:

(4) She wished *never to see* him again.

她希望永不再见到他。

(5) She *never wished* to see him again.

她从不希望再见到他。

(6) Let's *not go.*

我们不要去吧。

(7) *Don't let's* go.

我们可不要去。(语气较上句强)

(8) It *doesn't seem* to be right.

这似乎不对头。(较口语化)

(9) It seems *not to be* right.

这似乎不对。

10·13   不带 to 的不定式

关于不带 to 的不定式(包括某些动词原形在内)的用法,有以下几种情况。

1) 动词原形 go 与 come 等在口语中可后接不带 to 的不定式。如:

（1）Go *tell* her.

去告诉她吧。

（2）Come *have* a glass.

来喝一杯吧。

（3）Try *knock* at the back door if nobody hears you at the front door.

前门如没有人听见，你就试敲后门。

上述句中动词原形之后亦可用 and 和不带 to 的不定式。如：

（4）Go and *tell* her.

去告诉她吧。

（5）Tom told me to be sure and *remember* the rabbits every day.

汤姆告诉我每天都一定要记得喂兔子。

2）在 rather than 与 other than 等之后用不带 to 的不定式。如：

（6）I would rather go than *stay*.

我宁愿走不愿留。

（7）No one could do other than *admire* it.

人人都不得不赞赏它。

3）含 do 的名词性从句用作主语时，其表语如是不定式，在口语中常省去 to。如：

（8）"All I did was *hit* him on the head," the boy said.

"我只是打了他的头，"那男孩说道。

（9）What a fire-door does is *delay* the spread of a fire long enough for people to get out.

防火门的用处就是减缓火的蔓延，让人们逃脱。

4）cannot but，cannot choose but 与 cannot help but 之后的不定式一般皆不带 to。如：

（10）I *cannot* but *admire* his courage.

我不能不钦佩他的勇敢。

（11）He *could not choose but love* her.

他不禁爱上了她。（在当代英语中 choose 多被 help 所代替）

（12）The cause *could not help but be* advanced today.

今天不能不推进这一事业。

在连词 but 之前如有动词 do，其后的不定式亦不用 to。如：

（13）We have nothing to do now but *wait*.

现在我们只得等待。

(14) Theodore never does anything but *talk.*

西奥多光说不干。

连词 but 之前如无 do，其后的不定式则一般皆带 to。如：

(15) They desired nothing but *to succeed.*

他们只想成功。

(16) I have no choice but *to accept* the fact.

我只有承认事实。

5）在一些固定词组中须省去 to。如：

(17) I hear that little beggar of mine *let fly* at you with his catapult yesterday.

我听见昨天我那个小家伙用弹弓射你了。

(18) I used to sit there，*making believe* to learn Japanese.

我常坐在那里，装作学日语。

(19) If I can't have the real thing, I can *make do* with the imitation.

如果我得不到真品，那也可以用仿制品对付一下。

6）为了避免重复而省去 to。如：

(20) I'm really puzzled what to think or *say.*

我真不知道该怎么想怎么说才好。

(21) It's just impossible to see that and not *weep.*

看见那个景象而不哭是不可能的。

但两个不定式如有对照或对比之义，则不可省去 to。如：

(22) *To be or not to be* — that is the question.

是生还是死，这就是问题所在。

(23) I came *not to scold,* but *to praise* you.

我不是来骂你而是来夸你的。

7）疑问词 why 引导的省略句中的不定式在当代英语中一般须省去 to。如：

(24) *Why talk* so much about it?

这样大谈它干么?

(25) *Why not try* again?

干么不再试呢?

10·14　省去动词原形的不定式

如句子前面已经出现过同样的动词，为了避免重复，句子后面的不定式常省去动词原形，只留下不定式符号 to。如：

（1）He may go if he wishes to.

他可以走，如果他愿意的话。（省去前已出现的 go）

（2）A number of veterans retired and some were ready to.

很多老队员已退役，有一些也准备退役。（省去前已出现的 retire）

（3）Don't go till I tell you to.

等我叫你走你再走。（省去前已出现的 go）

有时连不定式符号 to 亦可省去。如：

（4）You will make it if you try.

你会成功的，如你试图的话。（try 后省去 to make it）

（5）I wish you would come if you had time.

我希望你来，你如有时间的话。（time 后省去 to come）

10·15　分裂不定式

在不定式符号 to 和动词原形之间有时可插入一个副词，构成所谓分裂不定式（split infinitive）。所插入的副词 习惯上常与不定式的动词原形连用，故分裂不定式要合乎习惯，不可滥用。如：

（1）He liked **to half close** his eyes.

他喜欢半闭着眼睛。

（2）He was too ill **to really carry out** his duty.

他病得实在不能履行职责了。

（3）He prepared **to silently accompany** her.

他准备默默地陪伴着她。

（4）It is too heavy for me **to even lift.**

它很重，我都掀不动它。

有时在 to 与动词原形之间可以插入一个以上的词。如：

（5）He made up his mind **to once more become** a suitor to her hand.

他下决心再一次向她求婚。

运用分裂不定式往往可以避免歧义。如：

（6）I remember **to have plainly refused** his offer.

我记得已明确地拒绝了他的建议。

如将副词 plainly 置于 to have refused 之前就会产生歧义，因为它既有可能修饰不定式，也有可能修饰 remember。

三、动 名 词

10·16 动名词的构成和性质

动名词由动词原形加词尾-ing而成，其构成法与现在分词一样。动名词有时式和语态的变化：

	主 动 语 态	被 动 语 态
一般式	doing	being done
完成式	having done	having been done

动名词既有动词性质，又有名词性质。

1）动名词的动词性质表现在：可有宾语和状语从而组成动名词短语。如：

（1）I hope you don't mind *my saying it.*

我希望你别介意我说的话。（有宾语 it）

（2）Are you for or against *staying here* ?

你赞成还是反对留在这里？（有状语 here）

2）动名词的名词性质表现在：在句中可用作主语、宾语等。如：

（3）*Travelling* abroad can be very exciting.

出国旅行会是很激动人的。（用作主语）

（4）In Lent he gives up *smoking* and *drinking.*

在大斋期，他戒了烟酒。（用作宾语）

10·17 动名词的功用

动名词在句中可用作主语、表语、宾语、定语、补语等。

1）用作主语。如：

（1）*Seeing* is believing.

百闻不如一见。

（2）*Saving* is having.

节约即是收入。

在一些句子中，常用 it 作形式主语，将用作真实主语的动名词放在句末。it is 可后接 no use, no good, fun 等名词。如：

（3）It is no use *crying.*
　　哭没有用。

（4）It is no good *objecting.*
　　反对也没有用。

（5）It's great fun *sailing* a boat.
　　扬帆驾舟是十分有趣的。

it is 亦可后接 useless，nice，good，interesting 等形容词。如：

（6）It is useless *speaking.*
　　光说没有用。

（7）It's so nice *sitting* here with you.
　　和你坐在一起真是愉快。

（8）It's good *hearing* English spoken.
　　听到人讲英语，我很高兴。

2）用作表语。如：

（9）The main thing is *getting* there in time.
　　首要的事是及时到达那里。

(10) His main extravagance is *smoking.*
　　他的主要嗜好是吸烟。

(11) This is not *playing* the game.
　　这样做就不公正诚实了。

动名词作表语时与进行时态中的现在分词形式相同，但其所属结构迥异，二者不可混淆。试比较：

(12) Her job was *washing* clothes.
　　她的工作是洗衣裳。（washing 是动名词，用作表语）

(13) She was washing clothes.
　　她在洗衣裳。（washing 是现在分词，与 was 构成过去进行时，用作谓语）

3）用作宾语。如：

(14) Have you finished *reading* the book?
　　你读完那本书了吗？

(15) I suggest *doing* it in a different way.
　　我建议换一种方法做此事。

(16) A person certainly loses when he gives up *trying.*
　　一个人放弃了努力就肯定一无所得。

动名词作为宾语，亦可用在复合宾语中。如：

(17) The pain in my throat made *speaking* difficult.

我的喉咙痛，造成说话困难。

(18) Do you find *living* here interesting?

你觉得住在这里有意思吗？

动名词亦可用作介词的宾语。如：

(19) He has a strong objection to *leaving* early.

他极力反对早动身。

(20) She is afraid of *going* out alone.

她怕单独一个人出去。

(21) Are you interested in *buying* second-hand books?

你对买旧书有兴趣吗！

介词有时可以省去。如：

(22) He meant to go *hunting*.

他要去打猎。（省去 on）

(23) I have been some time *answering* this question.

我想了一些时间之后才回答这个问题。（省去 in）

(24) What can prevent us *getting* married ?

有什么能阻止我们结婚呢？（省去 from）

4）用作定语。如：

(25) Everybody was at his *fighting* post.

每一个人都守在自己的战斗岗位上。

(26) They set up an *operating* table in a small temple.

他们将手术台架设在一座小庙里。

(27) He may be in the *reading* room，for all I know.

他说不定在阅览室里。

有一些复合动名词亦可用作定语。如：

fact-finding committee　调查委员会

peace-keeping troops　维持和平部队

5）用作补语。如：

(28) I call this *robbing* Peter to pay Paul.

我管这叫做拆东墙补西墙。（robbing 用作宾语补语）

(29) This is called *turning* things upside down.

这叫做把事物颠倒了。（turning 是主语补语）

10.18　动名词复合结构

名词属格或物主代词后加动名词，即构成动名词复合结构。在动名词复合结构中，名词属格或物主代词是动名词的逻辑主语。这种复合结构在句中多用作主语或宾语。

1) 用作主语。如：

(1) *Sophia's having seen them* did not surprise us.

索菲亚看见了他们，并不使我们感到惊讶。

(2) It's no use *your trying to deceive me.*

你想骗我是没有用的。

在口语中也有用名词通格和代词宾格的情况。如：

(3) *My daughter staying up so late* worried me.

我的女儿睡得很晚令我担心。

(4) Our safety depends on you coming at once.

我们的安全系于你立即到来。

2) 用作宾语。如：

(5) Excuse *my interrupting you.*

请原谅我打断你的话。

(6) There seemed to be a slight appearance of *the gale's abating.*

大风似乎显得小点儿了。

在当代英语中，动名词复合结构用作宾语时，其名词多用通格。如：

(7) I hate *people being unhappy.*

我不愿人们不快乐。

(8) I am not in favour of *mother selling the old home.*

我不赞同母亲卖掉老房。

动名词复合结构用作宾语时，现在用代词宾格的情况也不少。如：

(9) You say nothing about *us calling.*

你不要说我们来拜访的事。

(10) I have often heard of *him working hard.*

我常听到他刻苦用功的话。

3) 注意在下列句子中，代词和动名词都是直接宾语，故代词须用宾格：

(11) Pardon me saying it.

请恕我此言。

(12) She forgave him doing it.

她原谅了他做那事。

10·19　动名词的时式

动名词有一般式与完成式两种时式。其形式变化与现在分词相同。

1) 动名词一般式所表的动作可与谓语动词所表的动作同时发生。如：

（1）A gregarious person, he loves just *talking* with people.

他是一个爱交际的人，爱与人聊天。

（2）A big job should be done in *popularizing* education.

普及教育应该花大力气。

动名词一般式所表的动作也可能与谓语动词所表的动作异时发生。如：

（3）On *finding* that the engine was working badly, the pilot was obliged to land.

飞机驾驶员一发现引擎不灵就被迫下降。（发生在谓语动词之前）

（4）I shall never forget *seeing* the Great Wall for the first time.

我永不会忘记第一次看见长城的情景。（发生在谓语动词之前）

（5）Martin insisted on *going* to work in spite of his illness.

马丁坚持要抱病工作。（发生在谓语动词之后）

（6）He is not afraid of *dying*.

他不怕死。（发生在谓语动词之后）

2) 动名词完成式所表的动作皆发生在谓语动词所表的动作之前。如：

（7）Allan repented *having shot* the bird.

阿伦悔不该射死那只鸟。

（8）Edith denied *having been* there.

伊迪丝否认到过那里。

（9）His audacity comes from *having seen* the worst happen, from *having endured* the keenest pain.

他有胆识是由于他有过最坏的遭遇，忍受过最强烈的痛苦。

[注] 由于动名词的一般式与完成式皆可表发生在谓语动词前的动作,故二者往往意思相同。但前者显然比较简洁。如 I remember **locking** the door (我记得把门锁上了) 显然较 I remember **having locked** the door 简洁。有些动词,如 enjoy,则一般不后接动名词完成式。

10.20 动名词的被动式

动名词的被动式也有一般式与完成式两种。

1) 动名词一般式用于被动式。如:

    (1) He narrowly escaped **being run over.**
        他差一点被车压着。

    (2) I have not the least objection to his **being shot.**
        我对枪毙他毫无异议。

2) 动名词完成式用于被动式。如:

    (3) He prided himself on **having** never **been beaten** in chess.
        他为奕棋上从未被击败而自豪。

    (4) His arm was not in a sling, and showed no sign of **having been damaged.**
        他的手臂并未用吊腕带吊起,也没有受过伤的迹象。

3) 有些动名词在句中具有主动的形式,但含有被动的意义。如:

    (5) The house needs **repairing.**
        房子需要修缮。

    (6) Such hardships are beyond **bearing.**
        这样的苦是不堪忍受的。

    (7) If a thing is worth **doing**, it is worth **doing** well.
        一件事如值得做,就应把它做好。

有时动名词的含义是模棱两可的,应由上下文而定。如在 The **shooting** of the hunters was terrible 这一句中,动名词 shooting 可能有主动意义,即"枪击"或"放枪";也可能有被动意义,即"被枪杀"。

10.21 动名词的否定式

动名词的否定式由 not 或 never 加动名词构成。如:

    (1) I fancy it has done you a lot of good **not going.**
        我看不去对你倒太好了。(not going 是动名词一般式的否定式)

    (2) He was nervous from **having never** before **spoken** in

public.

他由于从未做过公开演讲而感到紧张。(having never
spoken 是动名词完成式的否定式)

10·22 动名词与不定式的比较

一般地说，动名词着重进程，不定式着重结果。如：

(1) *Seeing* is believing.

眼见为实。

(2) *To see* is to believe.

(3) Your work needs *correcting.*

你写的东西需要修改。

(4) Your work needs *to be corrected.*

(5) I prefer *staying* indoors on cold winter evenings.

在冬天的夜晚我宁愿待在家里。

(6) I prefer *to stay* indoors on cold winter evenings.

但有时二者意义有差异：

1) 动名词的逻辑主语可能泛指人们，而不定式的逻辑主语则常
常是句子中的名词或代词。如：

(7) I scorn *telling* lies.

我蔑视说谎。

(8) I scorn *to tell* a lie

我不屑于说谎。

(9) I hate *smoking.*

我讨厌吸烟。

(10) I hate *to smoke.*

我不爱吸烟

2) 动名词表一般或抽象的多次性行为，而不定式则往往表具体
的或一次性的动作。试比较：

(11) *Playing* with fire is dangerous.

玩火危险。(泛指玩火)

(12) *To play* with fire will be dangerous.

玩火会发生危险。(指一具体动作)

(13) *Talking* for hours at a stretch is more exhausting
than you seem to think.

一连讲几个小时的话会比你似乎想像的要累。
(泛指讲话)

(14) *To talk* for hours at a stretch is more exhausting

than you seem to think.

你一连讲几个小时的话可比你似乎想像的要累。

（指个人的感受）

3）在某些动词之后只能用动名词，而另一些动词之后只能用不定式。常后接动名词的动词有 acknowledge，admit，advocate，avoid，consider，contemplate，defer，delay，deny，dislike，enjoy，escape，evade，fancy，finish，grudge，imagine，include，keep，mind，miss，postpone，practise，recall，recollect，repent，resent，resist，risk，stop，suggest 等；短语动词有 have done，give up 等。

常后接不定式的动词有 afford，agree，aim，ask，claim，choose，decide，decline，demand，desire，determine，expect，fail，hope，manage，offer，plan，pretend，promise，refuse，resolve，threaten，wish 等。

[注] care，hesitate，long，bother，tend，trouble 等皆为不及物动词，故其后接的不定式不是宾语，而是状语。

4）有不少动词既可后接动名词亦可后接不定式，常见的有 attempt，begin，continue，deserve，disdain，dread，endure，fear，forget，hate，help，intend，learn，like，love，mean，need，neglect，omit，prefer，proceed，propose，regret，remember，scorn，start，try，want 等。

上述动词后接的动名词与不定式在意义上往往没有什么区别。但有时二者的意义却有所不同。试比较：

(15) Try **knocking** at the back door if nobody hears you at the front door.

前门如没有人答应，就敲后门试试看。(try 意为"试")

(16) Try **to get** some sleep.

试图去睡一会儿吧。(try 意谓 "试图" 或 "企图")

(17) I regret **missing** the film.

我懊悔没有看上那部电影。(动名词 missing 指过去)

(18) I regret **to say** that I cannot come.

我很抱歉，不能来了。(不定式 to say 指现在)

(19) I can't help **laughing.**

我不禁笑了起来。(help 后接动名词意谓 "避免")

(20) I can't help **to clean** the place up.

我不能帮助打扫这地方。(help 后接不定式意谓 "帮助")

(21) She proposes *catching* the early train.

她建议赶早班火车。

(22) She proposes *to catch* the early train.

她打算去赶早班火车。

(23) This means *helping* you.

这意味着帮助你。(mean 后接动名词意谓"意味着")

(24) I meant *to help* you.

我意在帮你。(mean 在此后接不定式意谓 "意在")

5) 动词 stop 和 quit 可后接动名词和不定式，但二者的句子功用不同。试比较：

(25) He stopped *smoking* last week.

他上星期戒了烟。(stop 在此是及物动词，动名词 smoking 是宾语)

(26) He stopped *to smoke.*

他停下来吸烟。(stop 在此是不及物动词，不定式 to smoke 用作目的状语)

(27) I've quit *smoking.*

我已戒烟。(quit 在此是及物动词，动名词 smoking 是宾语)

(28) At noon the men quit *to eat.*

中午工人们停下来吃饭。(quit 在此是不及物动词，不定式 to eat 用作目的状语)

短语动词 go on 后接的动名词与不定式不仅其句子功用不同，其含义亦不一样。试比较：

(29) They went on *talking.*

他们继续谈着。(动名词talking 是宾语，意谓不停地谈下去)

(30) They went on *to talk* about other matters.

他们接着又谈别的事情。(不定式是目的状语，意谓接着做另一件事)

6) 有的动词其后接的动名词表已完成的动作，不定式则表未完成的动作。如：

(31) I remember *locking* the door.

我记得把门锁上了。(locking 表已完成的动作)

(32) Remember *to lock* the door.

记得要锁门。(to lock 表未完成的动作)

(33) He enjoys *visiting.*

他对访问感到愉快。(visiting 表已完成的动作)

(34) He expects *to visit.*

他期望访问。(to visit 表未完成的动作)

动词 forget(常用过去一般时与现在完成时)后亦可接不定式或动名词。其后的不定式表未完成的动作。如：

(35) I forgot *to buy* the book.

我忘买书了。

(36) He has forgotten *to pay* back the money he borrow-ed.

他忘记还所借的款。

动词 forget(但常用于将来一般时的否定和疑问结构)后接的动名词表已完成的动作。如：

(37) I shall never forget *seeing* the Swiss Alps for the first time.

我将永不会忘记第一次看到瑞士阿尔卑斯山时的情景。

(38) Shall you ever forget *hearing* her sing?

你会忘记听她的歌唱吗？

偶尔也用于现在时态。如：

(39) I forget *posting* it.

我忘记已把它寄出了。

如用过去一般时 forgot，则应先接介词 about，再接动名词。如：

(40) I forgot about *doing* it.

我忘记已做此事了。

或后接从句。如：

(41) I forgot that I had done it.

7) 在含有 cannot (could not)的否定结构中，有的动词须后接动名词，有的动词则多后接不定式。如：

(42) I can't stand *being* kept waiting.

我不堪久候。(can't stand 后须接动名词)

(43) She could not forbear *to cry out.*

她不由得喊叫起来。(could not forbear 后多接不定式)

8) 有些动词后接动名词主动式可表被动意义，而不定式则须用其被动式表被动意义。如：

> (44) I won't bear *thinking of.*
>
> 　　　我不堪被人想念。
>
> (45) I won't bear *to be thought about.*

> (46) It needs *repairing.*
>
> 　　　它需要修理。
>
> (47) It needs *to be repaired.*

9) 有些动词在书面语中多后接动名词，在口语中多后接不定式。如：

> (48) It started *raining.*
>
> 　　　开始下雨了。
>
> (49) It started *to rain.*

> (50) I fear *offending* her.
>
> 　　　我害怕冒犯她。
>
> (51) I fear *to offend* her.

10) 在 should（would）like，love 等之后须用不定式。如：

(52) I'd like *to thank* you again.

　　　我愿再次感谢你。

(53) I'd love *to come* sometime.

　　　日后我愿意来的。

11) 修辞上需要变换，为了避免连用不定式或动名词。如：

(54) The students have begun *planning* *to open* a class on the correct use of characters for workers in nearby factories.

学生们已开始计划为附近工厂的工人开办一个正确运用汉字的班。（这里用动名词 planning 显然较好，如用不定式 to plan 则很难上口）

10.23　"介词＋动名词"结构与不定式的比较

有些动词、名词和形容词之后常接"介词＋动名词"结构（大多数同源的动词、名词和形容词后接同一个介词），有些动词、名词和形容词则常后接不定式。

1) 关于其后常接不定式与动名词的动词，已在本章前节列举过，这里不再重复。现只就常后接"介词＋动名词"结构的动词列举几例如下：

　　　　abstain from doing sth　避免做某事
　　　　amount to doing sth　等于做某事

apologize for doing sth　为做某事而表歉意

succeed in doing sth　做成功某事

believe in doing sth　信仰做某事

dream of doing sth　梦想做某事

object to doing sth　反对做某事

insist on doing sth　坚持做某事

take to doing sth　开始做某事

think of doing sth　想做某事

worry about doing sth　担心做某事

有些动词后接"名词＋介词＋动名词"结构。如：

aid somebody in doing sth　帮助某人做某事

accuse somebody of doing sth　控诉某人做某事

congratulate somebody on doing sth　恭贺某人做某事

devote... to doing sth　把……奉献给做某事

doom somebody to doing sth　注定某人做某事

excuse somebody for doing sth　原谅某人做某事

pay attention to doing sth　注意做某事

prevent somebody from doing sth　阻止某人做某事

（from 可省去）

有些动词之后既可接"介词＋动名词"，亦可接不定式，二者意义上有时相同，有时则有所不同。如：

agree on doing sth　协议做某事

agree to do sth　同意做某事

aim at doing sth　旨在做某事

aim to do sth　旨在做某事（美国英语多用此说法）

aspire to doing sth　渴望去做某事

aspire to do sth　渴望去做某事

contribute to doing sth　助成某事

contribute to do sth　助成某事

forget about doing sth　忘记已做某事

forget to do sth　忘记去做某事

think about doing sth　考虑做某事

think to do sth　想要或记得做某事

有的动词之后既可接"名词＋介词＋动名词"，亦可接"名词＋不定式"。如：

assist somebody in doing sth　帮助某人做某事

assist somebody to do sth　帮助某人做某事

I finally got him to do it.
我终于请他做了此事。（不定式 to do 表已完成的动作）
I soon got the machine to running.
我很快就开动了机器。（动名词 running 仍在进行）

2）有些名词之后常用不定式，如 ability，ambition，anxiety，curiosity，disposition，mind，obligation，permission，refusal，reluctance，temptation，tendency，wish，yearning 等。

有些名词之后则常可接"介词＋动名词"结构。如：

advice on doing sth　关于做某事的忠告
aptitude for doing sth　做某事的资质
delay in doing sth　对做某事的延误
difficulty in doing sth　做某事中的困难（in 可省去）
excuse for doing sth　对做某事的借口
experience in doing sth　做某事方面的经验
fancy for doing sth　对做某事的迷恋
interest in doing sth　对做某事的兴趣
genius for doing sth　对做某事的天赋
habit of doing sth　做某事的习惯
no harm in doing sth　做某事无害
idea of doing sth　做某事的念头
method of doing sth　做某事的方法
motive for doing sth　做某事的动机
object of doing sth　做某事的目的
passion for doing sth　对做某事的热情
plan for doing sth　做某事的计划
possibility of doing sth　做某事的可能性
surprise at doing sth　对做某事感到的谅讶
skill in doing sth　做某事的技能
apology for doing sth　为做某事的道歉
hope of doing sth　做某事的希望
success in doing sth　做某事的成功

［注] 上述名词中有些还可后接其它介词，如advice 还可后接about，experience 还可后接of 等。

有些名词之后既可接"介词＋动名词"，亦可接不定式。如：

attempt(企图)< at doing sth
               to do sth

chance(机会)< of doing sth
              to do sth

aversion(厌恶)< to doing sth
              to do sth

claim(要求)< to doing sth
            to do sth

choice(选择)< of doing sth
            to do sth

effort(努力)< at doing sth
            to do sth

capacity(能力)< of doing sth
            to do sth

desire(欲望)< of doing sth
            to do sth

freedom(自由)< in doing sth
            to do sth

honour(荣幸)< of doing sth
            to do sth

intention(意愿)< of doing sth
            to do sth

opportunity(机会)< of doing sth
            to do sth

objection(反对)< to doing sth
            to do sth

patience(忍耐)< in doing sth
            to do sth

necessity(必要)< of doing sth
            to do sth

reason(理由)< for doing sth
            to do sth

propensity(倾向)< for doing sth
            to do sth

mood(心绪)< for doing sth
            to do sth

$$\text{time(时间)} \begin{cases} \text{for doing sth} \\ \text{to do sth} \end{cases}$$

$$\text{way(方法)} \begin{cases} \text{of doing sth} \\ \text{to do sth} \end{cases}$$

$$\text{failure} \begin{cases} \text{(失败)in doing sth} \\ \text{(未)to do sth} \end{cases}$$

3）有些形容词之后常接不定式，如 able，difficult，easy，free，eager，likely，lucky，ready，sure 等。

有些形容词则常后接"介词＋动名词"结构。如：

adept at (in) doing sth　熟练于做某事

averse to doing sth　厌恶做某事

aware of doing sth　意识到做某事

apprehensive of doing sth　对做某事担忧

apologetic for doing sth　为做某事道歉

busy in doing sth　忙于做某事（in 可省去）

capable of doing sth　能够做某事

confident of doing sth　对做某事有信心

angry about doing sth　对做某事恼怒

equal to doing sth　等于做某事

equivalent to doing sth　相当于做某事

exact in doing sth　精确地做某事

fond of doing sth　喜爱做某事

guilty of doing sth　为做某事而内疚

hopeful of doing sth　希望做某事

awkward at doing sth　笨拙于做某事

fearful of doing sth　害怕做某事

keen on doing sth　爱好做某事

intent on doing sth　坚决要做某事

tired of doing sth　厌倦做某事

sick of doing sth　厌倦做某事

responsible for doing sth　对做某事负责

suitable for doing sth　适合于做某事

unconscious of doing sth　未意识到做某事

right in doing sth　做某事做得对

wrong in doing sth　做某事做错了

有些形容词之后既可接"介词＋动名词"，亦可接不定式。二者有时意义相同。如：

desirous（想望的）〈 of doing sth / to do sth

fortunate（幸运的）〈 in doing sth / to do sth

content（满足的）〈 with doing sth / to do sth

unworthy（不值的）〈 of doing sth / to do sth

proud（自豪的）〈 of being / to be

但有时二者意义却有区别。如：

(1) She is good *at playing* the piano .
   她擅长于弹钢琴。
(2) It is good *to eat.*
   它很好吃。

(3) Our team is certain *of winning.*
   我们球队相信会打赢。
(4) Our team looks certain *to win.*
   我相信我们球队会打赢。

(5) He is afraid *of dying.*
   他怕要死了。（怕病好不了）
(6) He is afraid *to die.*
   他怕死。（怕死后的结果）

10·24 名词化的动名词

动名词既有名词的特征，又有动词的特征。但有些动名词却已完全变为名词而没有动词的特征了，这种动名词被称做名词化的动名词（verbal）。试比较：

(1) I like *swimming* in the sea.
   我喜欢在大海中游泳。(swimming 后有状语 in the sea，为动名词)
(2) How do you like *swimming* ?
   你喜欢游泳吗？(swimming 在此意谓一种运动，为名词化的动名词)

名词化的动名词与名词一样，可有冠词、定语限定或修饰；有的甚至具有复数形式。如：

（3）**The sinking** of the Titanic has never been forgotten.

泰坦尼克号的沉没从未被遗忘。（前有定冠词 the）

（4）He made **a living** as a teacher before liberation.

解放前他以教书为生。（前有不定冠词 a ）

（5）His **acting** is first-rate.

他的表演是第一流的。（前有定语 his）

（6）English has **many borrowings** from other languages.

英语有许多外来的词语。（有复数形式）

英语里同一概念可由名词化的动名词或同源的名词来表达。但二者含义往往是有区别的。

1）名词化的动名词的动作意味较名词更强。如：

struggling — struggle 斗争，挣扎

negotiating — negotiation 谈判

mentioning — mention 提及

imaginating — imagination 想像

2）二者意义有时亦不相同。如：

printing 印刷 — print 印刷字体

paying 付款 — pay 工资

ending 结局 — end 结束

colouring 着色 — colour 颜色

3）名词化的动名词表持续工作，名词表一次性动作。如：

running 跑 — a run 跑一次

rowing 划船 — a row 划一次

swimming 游泳 — a swim 游一次

walking 散步 — a walk 一次散步

4）名词化的动名词表未完成的动作，名词表已完成的动作（即结果）。如：

collecting 收集 — collection 收藏品

working 工作 — work 作品

composing 作曲 — composition 乐曲

translating 翻译 — translation 译作

5）有些名词化的动名词没有复数形式，名词则有复数形式。如：

crying — cries 叫喊

shouting — shouts 大声喊叫

laughing — laughs 笑声

believing — beliefs 信仰

四、现 在 分 词

10.25 现在分词的构成和性质

分词也是一种非限定动词。分词有现在分词和过去分词两种。现在分词由动词原形加词尾 -ing 构成,其具体构成法见本书 6.3。表动作的现在分词的逻辑主语一般可在句中找到。

现在分词有时式和语态的变化:

	主 动 语 态	被 动 语 态
一般式	doing	being done
完成式	having done	having been done

现在分词既有动词性质,又有形容词性质。

现在分词的动词性质表现在可有状语和宾语并组成现在分词短语。如:

（1）*Going down town* I met a friend.

我到市区时遇到一个朋友。(现在分词 going 有状语 down town)

（2）Do you know that man *carrying a large umbrella* ?

你认识那个拿着一把大雨伞的人吗？(现在分词 carrying 有宾语 a large umbrella)

现在分词的形容词性质表现在可用作定语等。如:

（3）He is a modest, *understanding* man.

他是一个谦虚而能谅解的人。(现在分词 understanding 用作定语)

10.26 现在分词的功用

现在分词在句中可用作表语、定语、状语、补语等。

1) 用作表语,可有比较形式,亦可被 very 等副词所修饰。如:

（1）This story is *very interesting.*

这个故事很是有趣。

（2）This film is *more exciting* than any that I've ever

seen.

这部影片比我所看过的都更令人激动。

2）用作定语，多置于它所修饰的名词之前。如：

（3）He is an **attacking** player.

他是一个攻击型的运动员。

（4）He asked an **embarrassing** question.

他提了一个令人难堪的问题。

现在分词有时也可置于它所修饰的名词之后。这种现在分词往往相当于一个定语从句，表一时一事。如：

（5）This is Mr. Smith **speaking**.

我是史密斯先生。（电话用语）

（6）Oh, it's the cake **burning**.

噢，糕点烧焦了。

有些现在分词作为定语则必须置于它所修饰的名词之后，它已与其前的名词构成一种固定的搭配。如：

（7）There is nothing **doing**.

不行！（nothing doing 是一固定词组，表示拒绝）

（8）Let's drop the subject for the time **being**.

让我们现在不再谈这个话题了吧。（for the time being 是一固定词组）

（9）They've had rich harvests for three years **running**.

他们已连续三年获得丰收。（running 常置于表示时间的名词之后表示"连续的"）

用作定语的现在分词有两种。一种已转化为形容词，已无动词性质，不但可被副词 very 所修饰，而且可有比较的变化。另一种则仍有动词性质，不可被副词 very 所修饰，也没有比较的变化。试比较：

a **promising** young man 一个有为的青年（promising 已转化为形容词，无动词性质）

a **leading** comrade 领导同志（未转化为形容词，仍有动词性质）

常见的已转化为形容词的现在分词有 alarming, amusing, astonishing, charming, daring, demanding, encouraging, confusing, disappointing, discouraging, exciting, grasping, interesting, inviting, misleading, pleasing, promising, refreshing, revealing, shocking, striking, surprising 等。

但多数现在分词并未转化为形容词：

    a *knowing* smile　会意的微笑

    developing countries　发展中国家

    working people　劳动人民

    running water　自来水

    welcoming speeches　欢迎辞

    a *changing* world　不断变化的世界

    those *stirring* years　那些激动人心的岁月

    a *crushing* blow　沉重的一击

    the *neighbouring* states　邻国

    a *standing* committee　常务委员会

    guiding principles　指导原则

有的现在分词和与其同根的形容词皆可用作定语。如：

    differing systems　相异的制度

    different systems　不同的制度

    varying prices　各不相同的价格

    various prices　各种（不同）的价格

由上面的两例可以看出，现在分词用作定语时有动词性质，具有能动性，而形容词则只表一种品质或性能。有时二者的意义则完全不同。如：

    loving　钟爱的

    lovely　可爱的

现在分词短语一般皆须置于其所修饰的名词之后，相当于一个定语从句，但较从句简洁，故多用于笔语中。如：

(10) A little child *learning to walk* often falls.

    学走路的小孩常常跌跤。

(11) Houseplants *requiring constant attention* are not suitable for working couples with little spare time.

    业余时间不多的双职工不宜养育经常需要护理的家种植物。

以上所举的现在分词及其短语皆是限制性定语。现在分词及其短语亦可用作非限制性定语。如：

(12) There I met a friend, *fishing.*

    我在那里遇见一个朋友，他在钓鱼。

(13) He was a great realist, *writing about ordinary men and women in their misfortunes.*

    他是一个伟大写实主义者，写了许多平凡的不幸中的人。

现在分词短语用作定语时，其所表的时间一般应与句中的谓语动词所表的时间相同。以上诸例皆是如此。但有时二者所表的时间亦可不同，尤其当现在分词表示经常或瞬间动作的时候。如：

(14) A young man *writing novels* came to speak to us yesterday.

一位写小说的青年昨天来向我们作报告。（现在分词 writing＝who writes）

(15) Do you know the number of people *coming to the party* ?

你知道来参加晚会的人数吗？（现在分词 coming＝who will come）

3) 用作状语，表时间、原因、结果、条件、让步、方式或伴随情况。表时间时其动作可能发生于谓语动词的动作之前或其后，亦可能与谓语动词同时发生。现在分词用作状语时可置于句首，亦可置于句末，但表结果时常置于句末；表条件时则可置于谓语之前或其后。如：

(16) *Stepping carelessly off the pavement,* he was knocked down by the bus.

他不小心离开了人行道，被公共汽车撞倒了。（表时间，发生于谓语动作之前，置于句首）

(17) He went out *shutting the door behind him.*

他出去后将门随手关上。（表时间，发生于谓语动作之后，置于句末）

(18) She broke her looking glass，*dressing to go out.*

她在外出前穿着时把镜子打破了。（二者同时发生，置于句末）

(19) *While flying over the Channel,* the pilot saw what he thought to be a meteorite.

飞过英吉利海峡时，驾驶员认为他看见了一颗陨星。（强调动作同时发生时，现在分词前可用 when 或 while）

(20) *Being sick* I stayed at home.

我因病待在家中。（现在分词 being 常表原因）

(21) *Seeing that it was raining,* George put on his mackintosh.

鉴于下雨,乔治穿上了雨衣。(seeing that 是一表原因的固定说法)

(22) Robert used the phone to cancel his lunch date with Basil, *having suddenly remembered a previous engagement.*

罗伯特打电话取消了他与巴兹尔吃午餐的约会,因为他突然想起已另有他约。(置于句末的现在分词完成式常表原因)

(23) According to this theory, a large meteor *hitting the moon* would melt the surface rock by the force of the collision.

根据此理论,一颗大流星落在月球上所产生的碰撞力就会使月球表面上的岩石熔化。(表条件,置于谓语之前)

(24) Sit down, Emma. You will only make yourself more tired, *keeping on your feet.*

坐下吧,埃玛。你老站着,只会弄得你更累。(表条件,置于谓语之后)

(25) *Knowing all this,* they made-me pay for the damage.

他们尽管了解这一切,还是要我赔偿损失。(表让步,置于句首)

(26) Finally we appealed to a famous doctor *knowing it was very improper to ask him to work on a dog.*

最后我们向一位名医呼救,虽然我们知道请他给一条狗治病是很不适宜的。(表让步,置于句末)

(27) The child fell, *striking his head against the door* and *cutting it.*

那孩子跌倒了,头碰在门上碰破了。(表结果,置于句末)

(28) He said that the leaves of his jasmine plant had turned yellow. He thought that it was due to a water shortage so he applied more water, *only making things worse.*

他说他的茉莉花的叶子变黄了。他想是缺水所致,于是多浇了水,结果反而更糟。(表结果,与 only 连用)

(29) He died a glorious death *fighting the bandits for us.*

他为我们与匪徒战斗，光荣牺牲了。(表方式)
(30) He sat in the armchair, *reading the newspaper.*
他坐在扶手椅上读报纸。(表伴随情况)

[注] 有少数现在分词常放在某些形容词之前，起一种相当于副词的功用，
往往意谓 "极" 或 "非常"。如：
freezing (biting, piercing) cold　极冷
burning (steaming, scorching) hot　极热
raving mad　疯狂
soaking wet　湿透

5）用作宾语补语，与其前的宾语构成复合宾语。具有这种复合宾语的谓语动词多为表示感觉的动词。如：
(31) I saw the naughty boy *hitting the dog.*
我看见那个顽皮孩子打狗。
(32) I felt the house *shaking.*
我觉得房子在摇晃。
这样的动词还有 find, hear, smell, observe, watch, notice, look at, listen to 等。另外，有些使役动词如 have, set, get, catch, keep, leave 等亦可后接含有现在分词的复合宾语。如：
(33) We'll soon have you *walking about again.*
我们将很快地使你能再走动。
(34) Can you get the clock *going again* ?
你能使这钟再走吗？
作为宾语补语的现在分词有时其前可有as，前面的动词多用 regard, consider, describe, quote, picture, see, think of 等。如：
(35) We consider this sentence pattern *as being useful.*
我们认为这种句型是有用的。(being 可省去)
(36) They regarded the contract *as having been broken.*
他们认为合同已被破坏。

[注] 有人认为上述句子中 as 后不是现在分词而是动名词。

6）用作主语补语，多用于被动结构，与主语构成复合主语。如：
(37) He was seen *going upstairs.*
有人看见他上楼的。
(38) She was heard *singing all the time.*

人们听到她一直在唱。

10.27 现在分词的独立结构

现在分词可有其独立的逻辑主语。这种主语常常是名词或代词主格，置于现在分词之前，二者构成一种分词独立结构。现在分词独立结构常用作状语，置于句首或句末，偶尔也置于句中。现在分词独立结构多用在书面语中。

1) 表时间。如：

（1）*The dark clouds having dispersed，* the sun shone again.

乌云已散去，太阳又普照大地了。

（2）*The question being settled，* we went home.

问题解决之后，我们就回家了。

2) 表原因。如：

（3）*The monitor being ill* we'd better put the meeting off.

班长病了，我们最好还是延期开会吧。

（4）*The river having risen in the night，* the crossing was impossible.

夜里河水上涨，渡河不可能了。

3) 表条件。如：

（5）*Weather permitting，* we'll have the match tomorrow.

天气允许的话，我们将于明天进行比赛。

（6）*Other things being equal，* I would buy the black dress not the white one.

其它方面如皆相同，我将买那件黑的衣服，不买那件白的。

4) 表方式或伴随情况。如：

（7）Their room was on the third floor，*it's window over-looking the sportsground.*

他们的房间在三层楼上，窗户俯视着操场。

（8）*He guiding her，* they stumbled through the street.

他引着她，两个人蹒跚地穿过那条街。

（9）He，*God willing，* would be in the village before the second next month.

他，如果情况允许，将于下月 2 日前来到这个村庄。

有时这种现在分词独立结构具有一种解释性的功能。如：

(10) We redoubled our efforts, *each man working like two.*

我们加倍努力,每一个人就像干两个人的活。

(11) Only three fissile materials are known at present, *these being uranium-235, uranium-233 and plutonium.*

现在只知道三种可裂变物质,即铀-235,铀-233 和钚。

现在分词独立结构之前可用介词 with。介词 with 在此没有什么意义,只是比较口语化。如:

(12) *With Mr. Ade taking the lead,* they decided to set up a trading company.

以艾德先生为首,他们决定成立一个贸易公司。(用作方式状语)

(13) We went into a large waiting room *with a large fan spinning overhead.*

我们走进一个大候诊室,头上有一个大电扇运转着。(用作定语)

(14) *With the whole meeting in uproar,* the chairman abandoned the attempt to take a vote.

整个会议吵做一团,于是主席放弃了投票的企图。(用作原因状语)

10.28 现在分词的完成式

现在分词完成式所表的动作发生在谓语动词所表的动作之前,常用作状语,表时间和原因。表时间时常置于句首,表原因时常置于句末或句首。如:

(1) *Having noted down our names and addresses,* the policeman dismissed us.

那警察把我们的姓名和地址记下之后就让我们走了。(表时间)

(2) I was unable to accept your invitation, *having promised to accompany my mother to the concert.*

我因已答应陪我母亲赴音乐会而不能接受你的邀请。(表原因)

(3) *Not having met him,* I cannot tell you what he is like.

我没有见过他,所以说不出他的模样。(表原因)

现在分词完成式一般不用作定语，但也有例外。如：

（4）Any man *having witnessed the attack* is under sus-
pecion.

任何目击此次袭击的人都有了嫌疑。

现在分词完成式亦可用于分词独立结构。如：

（5）My turn *having come round,* I was ushered into the
examining room.

轮到我时，我就被引入考试室。

现在分词完成式有时可被现在分词一般式所代替。如：

（6）*Passing through the wall of mud,* they found a cheerful
company assembled.

穿过土墙，他们发现有一伙人欢聚在一起。(passing ＝
having passed)

有时现在分词一般式与完成式虽皆表已完成的动作，但二者的
含义稍有不同：前者与谓语动词无时隔，后者与谓语动词则有时隔。
试比较：

（7）*Locking the door,* she went out.

她锁上门走了出去。(locking 与 went out 之间无时隔)

（8）*Having finished his pipe,* he rose from the table.

他抽完了烟斗之后，从饭桌旁站了起来。(having
finished 与 rose 有时隔，以免唐突无礼)

10.29 现在分词的被动式

现在分词的一般式和完成式皆有被动式。如：

（1）The house *being built* is a big project.

正在施工的那幢楼是一项很大的工程。(现在分词一般
式被动式，用作定语)

（2）This *having been said.* Let us return to our subject.

道完了此事，让我们言归正传吧。(现在分词完成式被
动式，用于独立结构)

（3）*Being surrounded,* the enemy troops were forced to
surrender.

敌军被包围了，结果被迫投降。(现在分词一般式被动
式，用作原因状语)

（4）Did you see the boy *being questioned by the police*？

你看见那男孩受到警察审问了吗？(现在分词一般式被

动式，用作宾语补语）

有时现在分词的一般式的被动式与其完成式的被动式完全同义，皆表示已完成的动作，这时用一般式的被动式较好。如：

（5）*Being written in haste，* the composition is full of mistakes.

这篇文章仓猝写就，因而错误百出。(being written 较 having been written 好)

但现在分词一般式的被动式有歧义时，则应用现在分词完成式的被动式表已完成的动作。如：

（6）She rebuked herself for forgetting what she really knew quite well，*having been told it often.*

她常被告以此事，所以她责备自己忘记了她实已熟知的事。(如用 being told it often，除可能具有 having been told it often 的含义外，也可能具有"经常被告诉"的意思)

10·30　现在分词的否定式

现在分词的否定式由 not 加现在分词构成。如：

（1）*Not seeing* John，I asked where he was.

我看不见约翰，于是问他在何处。(现在分词一般式的否定式)

（2）I left at noon，*not staying* to hear the commencement address by John Buchan.

我中午即离去，没有留下听约翰·布坎在毕业典礼上的演说。(现在分词一般式的否定式)

（3）*Not being seen* by any one，he escaped.

他趁无人看见时逃跑了。(现在分词被动式的否定式)

（4）*Not having done* it right，I tried again.

我由于没有做对，所以又试了试。(现在分词完成式的否定式)

10·31　垂悬的现在分词

现在分词用作状语时，其逻辑主语应与句子中的主语一致。如：

（1）He was lying on the couch，*enjoying his pipe.*

他躺在睡椅上吸着烟斗。

但有时现在分词的主语与其所在句中的主语并不一致，这种现在分词即所谓垂悬分词（dangling participle）。垂悬分词的逻辑主语有时是句中的非主语成分。如：

（2）***Walking or sleeping，*** this subject was always in my mind.

不论是走路或是睡觉，我总是在想着这个问题。（walking or sleeping 的逻辑主语是句中的 my）

（3）***Wiping the sweat from his brow，*** it seemed to Kunta that his people were always enduring one hardship or another.

孔塔抹去额上的汗珠，似乎觉得他的人民总是在受这样那样的苦。（wiping 的逻辑主语是句中的 Kunta）

有时现在分词的逻辑主语泛指"我们"。如：

（4）***Using the electric energy，*** it is necessary to change its form.

我们使用电能时须改变其形式。

（5）***Granting these differences，*** the service was a service.

我们姑且承认这些区别，但礼拜还是礼拜。

有时现在分词的逻辑主语须从上下文决定。如：

（6）***Trying to sit up*** , the whole room had reeled.

他想坐起来，但觉得整个房间旋转。

（7）***Entering the house，*** the door closed with a bang.

那人进了屋，门砰的一声就关上了。

有时现在分词用来表示说话人对所说的话表示一种态度，它们已变成固定词组，可以看作一种句子的独立成分。如：

generally（strictly，etc.）speaking　一般（严格等）地说

judging from...　　从……来判断

talking of ...　　说到……

allowing for...　　考虑到……

considering...　　考虑到……

counting...　　算上……

assuming...　　假定……

supposing...　　假定……

barring...　　除去……

10.32　现在分词与不定式的比较

在复合宾语中，宾语补语既可用不定式，亦可用现在分词。二者的区别是：

1）不定式表动作的全过程，现在分词只表动作过程的一部分。如：

（1）I saw him *go* upstairs.
　　 我看见他上楼去了。
（2）I saw him *going* upstairs.
　　 我看见他上楼的。

2）有时不定式表一次性动作，现在分词表重复性动作。如：

（3）She felt the tears *roll down* her cheeks.
　　 她感到眼泪流了下来（一次性动作）
（4）She felt the tears *rolling down* her cheeks.
　　 她感到眼泪不断地流了下来。（重复性动作）

3）有时不定式表事实，现在分词则具有描写色彩。如：

（5）We saw the sun *rise.*
　　 我们看见了日出。
（6）We saw the sun *rising* behind the trees.
　　 我们看见太阳从树后出来。

4）有时因谓语动词的含义不同而须用不定式或现在分词。如：

（7）You should send your shoes *to be repaired.*
　　 你应将鞋子送来以便修补。（必须用不定式）
（8）The explosion sent glass *flying* everywhere.
　　 玻璃被炸得飞向四处。（必须用现在分词）

5）谓语动词 have 表"想要"时，其后则须用不定式。如：

（9）What would you have me *do* ?
　　 你想要我做什么呢？

谓语动词 have 表"使"时，其后也多用不定式。如：

（10）Have Smith *come* and see me.
　　　 叫史密斯来见我。(have 在此有"吩咐"的意思)

谓语动词 have 表"允许"时，后接不定式和现在分词皆可，二者意义无甚区别。表"允许"的 have 常用于否定结构。如：

（11）I won't have you *say* such things.
　　　 我不许你这样讲话。
（12）I won't have you *saying* such things.

10.33　现在分词与动名词的比较

现在分词用作定语时，与动名词不同。首先，现在分词不重读，动名词则须重读。如：

　　　a ′*sleeping* ′child　熟睡的孩子（现在分词不重读）

　　　a ′*sleeping* car　卧车（动名词须重读）

其次，现在分词表示其所修饰的名词的动作，也可以说，现在分词与其所修饰的名词在逻辑上具有主谓关系。动名词则表示其所修饰的名词的性质，二者在逻辑上无主谓关系。再以上述两个短语为例。现在分词 sleeping 即表示其所修饰的名词 child 的动作，在逻辑上，child 是主语，sleeping 是谓语。动名词 sleeping 则表示其所修饰的名词 car 的性质或用途，二者在逻辑上没有主谓关系。

再次，现在分词用作定语时，其前可有副词、形容词或名词，这些词皆与现在分词有密切关系。如：

　　　a hard-*working* student　一个很用功的学生（现在分词 working 之前有副词 hard，是 working 的状语）

　　　a good-*looking* girl　一个漂亮的姑娘（现在分词 looking 之前有形容词 good，是 looking 的表语）

　　　a man-*eating* animal　一种吃人的动物（现在分词 eating 之前有名词 man，是 eating 的宾语）

动名词用作定语时，其前可以有形容词，但此形容词不是修饰动名词，而是修饰"动名词＋名词"结构。如：

　　　a big *waiting* room　一大间候车室（形容词 big 不修饰动名词 waiting，而是修饰 waiting room）

名词（代词）之后的现在分词常表进程，动名词常表事实。如：

　　（1）I saw him *smoking.*

　　　　我看见他在吸烟。（现在分词表进程，him 不可变为 his）

　　（2）I dislike him *smoking.*

　　　　我厌恶他吸烟。（smoking 是动名词，因为 him 可变为 his，全句＝I dislike the fact that he smokes）

有些以 -ing 结尾的词到底是现在分词，还是动名词，语法家们意见不一。如：

　　（3）He is busy *writing* something.

　　　　他在忙于写东西。

有的语法家认为 writing 是现在分词，表方面（respect）；有的语法家则认为是动名词，其前省去了介词 in。

有一些现在分词已转化为介词，如 regarding，concerning，notwithstanding，considering，granting，according to 等。

五、过 去 分 词

10·34 过去分词的形式、读音和性质

过去分词也是一种非限定动词，其构成与读音已在本书 6.3 中讲过，其不规则形式见本书 6.4。过去分词一般只有一种形式，但有少数过去分词有两种不同的形式。如：

>born 生，borne 负担
>got 得到，gotten 得到的
>hung 悬挂，hanged 绞死
>lit 燃着，lighted 燃着
>rotted 被腐烂，rotten 腐烂的
>struck 被打击，stricken 被打击的
>sunk 陷下，sunken 陷下的

由以上例词可以看出不同形式的过去分词可具有不同的意义。有时二者的用法亦不一样。如：

（1）His cheeks have **sunk** in.

他的两颊陷了下去。（过去分词 sunk 是主要动词，与助动词 have 构成谓语动词）

（2）He was **sunk** in thought.

他陷入沉思。（过去分词 sunk 是非限定动词，用作表语）

（3）The old man has **sunken** cheeks.

那位老人的两颊陷了下去。（过去分词 sunken 是非限定动词，相当于形容词，用作定语）

由此可以看出，作为非限定动词，过去分词 sunk 与 sunken 的区别在于：前者的动词性质较强，后者则已相当于形容词。

有少数过去分词用作形容词时，其读音与一般过去分词不同。如：

>beloved （敬爱的）读作/biˈlʌvid/
>blessed （有福的）读作/ˈblesid/
>learned （博学的）读作/ˈləːnid/
>aged （年老的）读作/ˈeidʒid/
>crooked （扭曲的）读作/ˈkrukid/

cursed（被咒骂的）读作/'kə:sid/

过去分词也有双重性，一方面有动词的性质。如：

（4）I saw the ball *thrown* into the garden.

　　　我看见那球被扔进了花园。

另一方面相当于形容词。如：

（5）She's very *worried.*

　　　她很担心。

10·35　过去分词的功用

过去分词在句中不可用作谓语。它相当于形容词和副词，在句中可用作表语、定语、状语、补语等。过去分词的逻辑主语一般可在句中找到。

1）用作表语。如：

（1）Never touch an electric wire when it is *broken.*

　　　绝不要动断了的电线。（表状态）

（2）He's *gone.*

　　　他走了。（不久前发生的动作）

（3）If you get very *exhausted,* only a tremendous sense of purpose can sustain you.

　　　你如感到筋疲力尽，只有一种强烈的目的感会使你支撑下去。（连系动词为 get）

（4）The coming week is sure to be *agitated.*

　　　下一周肯定会使人感到不安。（用于 to be 之后）

（5）We are *determined* to build a reservoir here in the shortest possible time.

　　　我们决心尽快地在这里建一水库。（后接不定式）

（6）I am *convinced* of his honesty.

　　　我深信他的诚实。（后接介词）

（7）Are you *satisfied* that I am telling the truth?

　　　你相信我说的是实话吗？（后接 that 从句）

2）用作定语，多表已完成的动作。如：

（8）The child gave a cry and with *outstretched* arms ran forward.

　　　那孩子叫了一声，伸开两臂向前跑去。（非永久性）

（9）Did you pay a visit to the tomb of the *unknown* soldier?

你去看了无名英雄之墓吗？（永久性）

(10) Her job was to take care of the **wounded** soldier.

她的工作就是照料这个伤员。（不久前发生的动作）

(11) This is not necessarily a **cancer-ridden** illness.

这不一定是一种癌症。（过去分词与名词连用）

过去分词短语用作定语时，一般皆置于其所修饰的名词之后，其意义相当于一个定语从句，但较从句简洁，多用于笔语中。如：

(12) There were twenty or thirty monkeys **huddled along the branches** as still as statues.

有二三十个猴子蜷缩在树枝上，静如塑像。

(13) Trucks and buses were driven on gas **carried in large bags** on the roof.

卡车与公共汽车皆烧煤气，煤气是装在车顶上的袋中。

过去分词短语有时亦可用作非限制性定语，前后常有逗号。如：

(14) Some of them，**born and brought up in rural villages，** had never seen a train.

他们当中有一些人，生长在农村，从未见过火车。

用来修饰人的过去分词有时可以转移到修饰非人的事物，变成所谓的转移形容语。这种过去分词在形式上虽不直接修饰人，但它所修饰的事物仍与人直接有关。如：

(15) The general stared at him in **startled** admiration.

将军以惊讶而赞赏的眼光注视着他。

句中的过去分词 startled 在形式上修饰名词 admiration，但实际上乃指句中的主语 the general。

有些转移分词与名词已形成固定说法。如：

a decided step　决定性的步骤

a foregone conclusion　已成之定论

a troubled place　是非之地

guarded optimism　审慎的乐观

有时及物的过去分词所修饰的名词并非它的受事者，而是它的执行者。如：

a devoted friend　一个忠实的朋友

a practised man　一个技艺熟练的人

his threatened foe　对他具有威胁的人

3）用作状语，表时间、原因、条件、让步、方式、伴随情况等。

如：

(16) *Approached* in the dark the bulbs looked lonely and purposeless.

在黑暗中走进时，那些电灯显得孤单而无意义。（表时间）

(17) *Asked* why he came to do Twelfth Night，he said that he felt a sort of responsibility to introduce Shakespeare's plays to Chinese audiences.

当他被问到为什么来演出《第十二夜》时，他说他感到有责任把莎士比亚的剧作介绍给中国观众。（表时间）

(18) The couple took good care of the baby *while occupied* by their work.

这对夫妇一边工作，一边很好地照顾着婴儿。（强调时间概念时，过去分词之前可用连词 when 或 while）

(19) *Born and bred* in the countryside，he was bewildered by the big city.

他生长在乡下，对这座大城市感到迷惑。（表原因）

(20) *Gone* from home so long，they joyously embraced their mates of boyhood.

他们久离家乡，高兴地拥抱他们的儿时伙伴。（表原因）

(21) *United* ，we stand；*divided* ，we fall.

团结则存，分裂则亡。（表条件）

(22) *Seen* in this light，the matter is not as serious as people generally suppose.

如从这个角度看，问题并不像人们一般料想的那样严重。（表条件）

(23) *Mocked* at by everybody，he had my sympathy.

人人都嘲笑他，但我却同情他。（表让步）

(24) *Beaten* by the police， *sent* to jail，Gandhi invented the principle of nonviolent resistance.

尽管受警察的殴打，被投入监牢，甘地却首创了非暴力抵抗的原则。（表让步）

(25) *Although exhausted* by the climb，he continued his journey.

他虽然爬得很累，但他仍继续前进。（强调让步观念

时，过去分词前可用连词 although）

(26) The lichens came **borne** by storms.

这些地衣是由暴风雨带来的。（表方式）

(27) Trains in this country spend too much time **stopped** ,
waiting for other trains.

在这个国家，火车停留等待其它火车的时间太长了。
（表伴随情况）

4）用作宾语补语，其前的谓语动词多是感觉动词和使役动词。
如：

(28) He heard the chain and bolts **withdrawn.**

他听见门上的链和栓被拉开了。

(29) I should like this matter **settled** immediately.

我希望此事立刻得到解决。

使役动词 have 也常后接含有过去分词的复合宾语，但过去分
词所表的动作有时由他人完成，有时则由句中的主语所经历。如：

(30) He had his window **broken** to pieces.

他的窗户给打破了。（被他人打破）

(31) He had his arm **broken.**

他的手臂摔断了。（自己的经历）

5）用作主语补语。如：

(32) The fire is reported **controlled.**

火情据报已被控制。

(33) He was seen **angered** at the delay.

他被看见对延误而生气。

10.36 过去分词的独立结构

过去分词有时可有其独立主语，二者构成一种分词独立结构。
过去分词的独立主语常由名词或代词主格担任，一般置于过去分词
之前。过去分词独立结构多用在笔语中，常用作状语，可置于句首、
句末或句中。如：

(1) **This done,** we went home.

做完此事，我们就回家了。（表时间）

(2) **All our savings gone,** we started looking for jobs.

积蓄全部用完了，我们就开始找工作。（表原因）

(3) She gazed, **her hands clasped to her breast.**

她凝视着，双手叉在胸前。(表方式或伴随情况)

（4）***Arthur gone***，he was allowed to make visits like other acquaintances.

阿瑟走后，他就像其他相识的人一样被允许来拜访了。(表条件)

（5）As yet few have done their full duty，***present company excepted.***

迄今全部完成任务的人很少，在座的人除外。(表除外)

（6）It rained and rained，***vehicles bogged down and bridges washed out.***

雨不断地下，车辆陷入泥沼，桥梁被水冲走。(表结果)

有的过去分词独立结构只起一种解释的作用。如：

（7）Fifty people came，***all told.***

一共来了 50 人。

下面句子中由 given 和 granted 引导的结构亦可看作是过去分词独立结构的倒装形式：

（8）***Given time***，he would win by perseverance.

如给以时间，他就会凭毅力取胜。

（9）***Granted your premises***，your conclusion is still false.

就算你的前提正确，你的结论仍是错误的。

10.37　过去分词与现在分词的比较

现在分词与过去分词在意义上不同。一般说来，现在分词表主动的意义，过去分词表被动的意义。试比较：

exploiting classes　剥削阶级
exploited classes　被剥削阶级
a moving film　一个动人的影片
a moved audience　一场被感动了的观众
an interesting book　一本有趣的书
an interested reader　一位感兴趣的读者

许多过去分词皆来自及物动词。但也有少数过去分词来自不及物动词，故无被动的含义。这种过去分词可称作不及物过去分词或主动过去分词，常见的有：

admitted	自认的	advanced	先进的
agreed	同意的	assembled	集合的

become　变成	deceased　死去的
escaped　逃走的	determined　决心，坚决的
faded　凋谢的	failed　失败了的
fallen　倒（降）下的	foregone　预定的
gathered　集合的	gone　已去的
grown　成长了的	mistaken　错了的
retired　退休的	returned　回来的
resolved　决心	risen　升起的
settled　解决了的	travelled　富有旅行经险的
turned　变成	vanished　消失了的

　　用作定语或表语的现在分词和过去分词在其所表的动作上亦不相同。现在分词所表的动作皆未完成，过去分词所表的动作则多已完成。试比较：

> boiling water　正在煮沸的水
> boiled water　已煮沸的水（可能已不热）

> developing countries　发展中国家
> developed countries　发达国家

　　和某些现在分词一样，有些过去分词也已变作形容词。它们已失去了动词的性质，所以可被副词 very，too 等所修饰，并可有比较等级。这种过去分词常见的有：

advanced　先进的	aged　年老的
blessed　有福的	conceited　自负的
contented　满足的	crooked　扭曲的
cursed　被咒骂的	disappointed　失望的
distinguished　杰出的	excited　激动的
frightened　害怕的	interested　感兴趣的
learned　博学的	limited　有限的
pleased　高兴的	pronounced　明显的
reserved　沉默的	surprised　惊讶的
tired　厌倦的	

　　尚未转化为形容词的过去分词用作定语或表语时，一般不可用副词 very 等修饰，而可用副词 much 修饰。但有一些过去分词虽尚未转化为形容词，却也可以被副词 very 所修饰。常见的有：

alarmed　惊恐的	amazed　惊讶的
amused　感到有趣的	balanced　平衡的
bored　感到厌烦的	disturbed　感到不安的
divided　有分歧的	embarrassed　感到难堪的

exhausted　困乏的	fascinated　被迷住的
hurt　被伤害了的	lined　有皱纹的
puzzled　迷惑的	relaxed　放松的
satisfied　满意的	shocked　吃惊的
specialized　专门的	worried　担心的

有些过去分词既可被 much 所修饰，又可被 very 所修饰。但被 much 所修饰的过去分词的动词性质要强于被 very 所修饰的过去分词。试比较：

（1）He's **very pleased** with himself.
　　　他洋洋自得。
（2）He seems to be **much pleased** with himself.
　　　他似乎很得意的样子。

[注] 如不知在某一过去分词之前应用 very 还是应用 much，则可用副词 greatly。

10·38　过去分词两种用途的比较

过去分词用作表语时，相当于形容词，表状态；过去分词用于被动语态时则表动作。试比较：

（1）The road is **completed**.
　　　道路已竣工。
（2）The road was **completed** yesterday.
　　　道路于昨日竣工。

例（1）中的过去分词 completed 是表语，表状态；例（2）中的过去分词用于被动语态，是全句谓语中的主要动词，表动作。再如：

（3）My grandfather is **buried** here.
　　　我的祖父葬在此地。（用作表语）
（4）My grandfather was **buried** here last year.
　　　我的祖父去年葬在此地。（用于被动语态）
（5）The top of the mountain is **covered** with snow.
　　　山顶上盖着雪。（用作表语）
（6）The top of the mountain is **covered** by a cloud.
　　　山顶被一片云笼罩着。（用于被动语态）
（7）She was **surprised** at the audience's enthusiasm.
　　　她对观众的热情感到惊讶。（用作表语）
（8）She was **surprised** by the audience's enthusiasm.

观众的热情使她感到惊讶。（用于被动语态）

10.39　过去分词与现在分词被动式的比较

及物过去分词与现在分词一般被动式都有被动意义，有时二者无甚区别。如下面句子中用不用 being 皆可：

（1）This **(being) done,** I set about cleaning the windows.

做完此事，我就开始擦洗窗户。

（2）**(Being) seized** with a sudden fear, she gave a scream.

她突然感到害怕，叫了一声。

但在某些情况下，二者则是有区别的。如：

（3）I saw the net **being hauled in.**

我看见鱼网正在被拉上来。（现在分词一般被动式表正在进行的动作）

（4）I saw the net **hauled in.**

我看见鱼网被拉了上来。（过去分词表已完成的动作）

（5）That was an **inspired** suggestion.

那是一项有人授意的建议。（过去分词可用作前置定语，现在分词一般被动式则不可）

（6）Certain poisons, **used** as medicines in small quantities, prove not only innocuous, but beneficial.

某些毒品，如少量用作药品，证明不但无毒，而且有益。（过去分词在此表条件，不可代之以现在分词一般被动式）

（7）**Being written** in haste, the composition is full of mistakes.

这篇文章由于仓卒写就，因而错误百出。（这里强调原因，故应用现在分词一般被动式）

（8）I must have my hair **cut.**

我应该理发了。（have，get 等使役动词后的复合宾语不用现在分词一般被动式）

在下面一些比较固定的分词独立结构中一般多用过去分词：

all told　总计

all things considered　考虑了一切因素之后

this accomplished　完成这项工作之后

this explanation given　这样解释之后

all said and done　毕竟

10·40　名词化的过去分词

有些过去分词也可以用作名词，我们可以将它们唤作名词化的过去分词。这种过去分词不但有单数形式，而且有复数形式，并具有可数性。如：

（1）She said that she was afraid of the *unknown.*

她说她害怕不明的事态。（单形，无单、复念，不可数）

（2）He was an *outcast.*

他是一个流亡者。（单形，单念，可数）

（3）The *dispossessed* are demanding their rights.

被剥夺者在要求他们的权利。（单形，复念，不可数）

（4）Let *bygones* be *bygones.*

往者已矣。（复形，复念，不可数）

（5）He gave a series of *broadcasts.*

他作了一系列广播。（复形，复念，可数）

第十一章　虚拟语气

11.1　语气的含义和种类

语气 (mood) 是一种动词形式，用以表示说话者的意图或态度。英语中的语气有三种。

1) 直陈语气 (indicative mood)，表示所说的话是事实。如：

（1）France lies on the windward side of Europe.

法国位于欧洲向风的一面。

（2）The harsh weather last year was the result of turbulence in the upper atmosphere.

去年的恶劣气候是高空大气层的湍流造成的。

2) 祈使语气 (imperative mood)，表示所说的话是请求或命令。如：

（3）Make yourself at home.

请随便，不要客气。（表请求）

（4）Don't be late.

不要迟到。（表命令）

3) 虚拟语气 (subjunctive mood)，表示所说的话只是一种主观的愿望、假想和建议等。如：

（5）We only wish we could help.

我们但愿能提供帮助。（表愿望）

（6）If there were no gravity, we should not be able to walk.

假若没有引力，我们就不能行走。（表假想）

（7）He suggests that we should all go to see the film.

他建议我们都去看这个电影。（表建议）

11.2　虚拟语气的形式

虚拟语气的基本形式共有七种。

1) 动词原形，用于一切人称和数。如：

（1）Long *live* the Communist Party of China !

中国共产党万岁！

（2）If that *be* so, we shall take action at once.

如果情况是那样，我们就立刻采取行动。

2）动词的过去式，用于一切人称和数，be 的过去式用 were。如：

(3) If you *loved* me, you wouldn't say that.

假若你爱我，你就不会说那种话。

(4) If I *were* in your shoes, I'd accept the terms.

假若我处在你的地位，我就会接受这些条件。

3）had＋过去分词，用于一切人称和数。如：

(5) We would've called a cab if Harold *hadn't offerd* us a ride home.

假若哈罗德不说要驾车送我们回家，我们就会叫出租汽车了。

(6) If we *had left* earlier, we wouldn't have missed the train.

假若我们早点起身的话，我们是不会错过火车的。

4）时态助动词 should＋动词原形，用于一切人称和数。如：

(7) They suggested that we *should meet* at the station.

他们建议我们在车站会面。

(8) If you *should see* Celia, give her my best wishes.

假若你见到希莉娅的话，代我向她致以最好的祝愿。

5）时态助动词 should ＋ have＋过去分词，用于一切人称和数。如：

(9) If the steamer *should have left* port at noon, it will be passing through the canal now.

轮船如果中午离港，它现在大概正穿过运河。

(10) It is strange that she *should have done* it.

真奇怪，她竟会干出这种事来。

6）时态助动词 should（第一人称）和 would（第二、三人称）＋动词原形。如：

(11) If I were you, I *should take* his advice.

我如是你，就会听他的忠告。（美国英语常用 would 代替 should）

(12) He said he *would go* if I went.

他说我去他就去。

7）时态助动词 should （第一人称）和 would （第二、三人称）＋have＋过去分词。如：

(13) If father hadn't sent me, I *shouldn't have come*.

如不是父亲派我来，我是不会来的。（美国英语常用 would 代替 should）

(14) You **wouldn't have seen** her if it hadn't been for him.

如果不是他，你就不会见到她。

［注］虚拟时态有不少与直陈语气的某些时态形式相同，但二者的内涵及其所表的时间皆不一样，切不可混淆。

11.3 条件句的种类

条件句有真实条件句与非真实条件句两种。真实条件句所表的假设是可能发生或实现的，句中的条件从句与结果主句皆用直陈语气。如：

(1) Oil floats if you pour it on water.

你如把油倒在水里，油就浮起来。

(2) If I have enough money next year, I will go to Japan.

假若明年我有钱，我就去日本。

非真实条件句所表的假设则是不可能或不大可能发生或实现的，句中的条件从句与结果主句皆须用虚拟语气。现将用于非真实条件句中的虚拟时态列表如下：

	条 件 从 句	结 果 主 句
与现在事实相反	If I (we, you, he, they) ＋动词过去式 (be 的过去式用 were)	I (we) should / you would / he would / they would ＋动词原形
与过去事实相反	If I (we, you, he, they) ＋had＋过去分词	I (we) should / you would / he would / they would ＋have＋过去分词
与将来事实可能相反	If I (we, you, he, they) ＋动词过去式 (be 的过去式用 were)	I (we) should / you would / he would / they would ＋动词原形

［注］美国英语的结果主句，不管什么人称，皆常用 would。

1）与现在事实相反的非真实条件句，条件从句的谓语用动词的过去式（be 的过去式用 were），结果主句的谓语用 should（第一人称）或 would（第二、三人称）＋动词原形。如：

(3) If we **left** now, we **should arrive** in good time.

假如我们现在就走的话，我们就会及时到达。

（4）If I *were* you，I *would refuse* the money .

假如我是你的话，我就不会要那钱。（would 代替了
should）

（5）Even if he *had* the money，he *wouldn't buy* it.

他即使有钱也不会买它。

2）与过去事实相反的非真实条件句，条件从句的谓语用 had＋
过去分词，结果主句的谓语用 should（第一人称）或 would（第二、
三人称）＋have＋过去分词。如：

（6）We *would've dropped* by if we *had had* time.

假若我们有时间的话，我们就会顺道拜访了。

（7）I *wouldn't have known* what these were for if I *hadn't
been told.*

假如别人不告诉我，我就不会知道这些东西是干什么
的了。

但虚拟式 were 也可表与过去事实相反。如：

（8）If I *were* not busy，I *would have come.*

假如我不忙，我就会来了。

表过去时间的假设亦可用虚拟式 should have＋过去分词。这
种虚拟式所表的动作并非完全不可能发生，它只是表示一种偶然
性，并常和直陈语气连用。但也可与虚拟语气连用。如：

（9）You can imagine what would have happened to her if
she *should have told* the truth.

你可以想像，如果她道出了真情，她的遭遇会如何。

美国大众语常用 would have＋过去分词表示与过去事实相反
的假设。如：

（10）If this sleeplessness *would have been allowed* to go
on，she would have collapsed.

这种失眠如果任其发展，她就会垮掉的。

3）与将来事实可能相反的非真实条件句，条件从句的谓语用动
词的过去式（be 的过去式用 were），结果主句用 should（第一人
称）或 would（第二、三人称）＋动词原形。如：

（11）If you *dropped* the glass，it *would break.*

假如你把玻璃杯掉在地上，它会打碎的。

（12）If you *lived* there for a while，you*'d change* your mind
about that place.

假如你在那里住上一段时间，你就会改变对那地方的看法了。

[注]如无上下文，下面句中的 rained 有歧义，可能是表与将来事实可能相反的虚拟语气，也可能是表过去习惯的直陈语气：

If it rained we would stay indoors and read.

如果下雨，我们就待在家里看书。

在与将来事实相反的条件句中，其条件从句的谓语亦可用 were to＋动词原形。这种虚拟时式比较正式，多用于书面语中，其假想性很强，实现性甚小。如：

(13) If he **were to come**, what **should** we **say** to him?

假如他来了，我们对他说什么呢？

在与将来事实相反的条件句中，其条件从句的谓语还可以用 should＋动词原形。这种形式并不强调意愿，只强调一种有偶然实现的可能性。如：

(14) If he **should see** me, he **would know** me.

假如他看见我，就会认识我。

这种形式往往有不为人所欢迎的含义。如：

(15) If he **should go away**, I **should be grieved**.

他如离去，我就会感到悲伤。

有时可用 would 代替 should，以免与结果主句中的 should 重复。如：

(16) If you **would be** interested, I **should be** very glad to send you a copy of my book.

你如感兴趣，我将高兴寄给你一册我的书。

在这种条件句中，结果主句常用直陈语气或祈使语气。如：

(17) If the train **should be** late, what will you do?

如果火车晚点了，你将怎么办？（结果主句用疑问句）

(18) If we **should fail** in this, we are ruined.

我们这个计划如果失败，我们就倒霉了。（结果主句用直陈语气）

(19) If you **should meet** Henry, tell him I want to see him.

假如你见着亨利，告诉他我要见他。（结果主句用祈使语气）

关于过去式、should＋动词原形与 were to＋动词原形这三种虚拟式的可能性孰大孰小的问题，语法家们认为它们的可能性虽都

不大,但相比较,were to+动词原形的可能性最小,should+动词原形次之,过去式更次之。试比较:

(20) If the ship *left* at noon, it *would pass through* the canal between 2 and 2:30 p.m.

这艘船如果中午启航,下午 2 时至 2 时半之间将穿过运河。(有可能,但不大)

(21) If the ship *should leave* at noon, it *would pass through* the canal between 2 and 2:30 p.m.

(可能性较上例小)

(22) If the ship *were to leave* at noon, it *would pass through* the canal between 2 and 2:30 p.m.

(可能性最小)

[注] 虚拟过去式有时并不表示"不大可能实现的假设",而是表示一种希望或不希望发生的动作。如:

① If we *caught* the early train, we'd get there by lunch time.

假如我们赶上早班火车,到午饭时间我们就会到达那里了。(表希望)

② If we *missed* the train, we should have to wait an hour at the station.

假如我们赶不上这班火车,我们就得在车站等一小时。(表不希望)

11.4 情态动词用于虚拟语气

有不少情态动词也可用于虚拟语气。如:

(1) It *might help* a little if only you *would keep* clean.

你只要愿意保持清洁,可能就会好一些。

(2) If you left at ten, you *should arrive* in time.

你如十点动身,你就会及时到达。(should 意味着可能)

(3) I *couldn't be* angry with him if I tried.

我即使想生他的气,也做不到。

(4) If I hadn't warned you, you *could have been killed*.

我如不是警告了你,你就可能丧命了。

(5) If he were wise, he *should have come* to see me.

他如若聪明,就应该来见我。

[注] 在 I should not take this medicine, if it **would upset** you（如果此药会使你感到不适，那我也不用它了）一句中，if 从句之后省去了另一if 从句，即 if you took it，所以 would 在此是助动词，而不是情态动词。

　　情态动词 may（might）是一种特殊的虚拟语气，它可以用在从句中表目的、让步。如：

（6）I must learn English well so that I **may** serve the people better.

　　我必须学好英语，以便更好地为人民服务。（非正式文体用 can）

（7）He died in order that others **might** be saved.

　　他为了拯救别人而死。（非正式文体用 could）

在让步从句中多用 may。如：

（8）We must observe the customs of the country, whatever they **may** be.

　　不论怎样，我们都必须遵守本国的习俗。

（9）However hard it **may** rain, we shall have to go.

　　不论雨多大，我们都得走。

may 还可以用在独立句中表祝愿。如：

（10）**May** you be happy!

　　愿你幸福！

（11）Long **may** you live!

　　愿你长寿！

11.5　连词 if 的省略

　　在书面语中，条件从句可以不用连词 if，而将谓语中的过去式 were, had 或 should 等移至主语之前。如：

（1）**Were** you in my position, you would do the same.

　　假如你处在我的地位，你也会这样干的。

（2）**Had** he been in your position, he'd probably have done the same.

　　假如他处在你的地位，他可能也会这样干的。

（3）**Should** they attack us, we'll wipe them out completely.

　　假如他们进攻我们，我们就把他们彻底消灭干净。

（4）**Had** I time, I would come.

假如我有时间，我会来的。

（5）I will go, **should** it be necessary.

假如有必要，我会去的。

[注]在虚拟时态中，可移至主语之前的除 were，had 和 should 外，偶尔还有 did 和 would，could 等。如：

① There are other articles, to which, **did** time permit, we might draw attention.

还有其它一些文章，如时间允许，我们还可以提请注意。

② **Would** space allow, I should like to quote the notice in full.

如有篇幅，我会引用通知全文的。

③ "Joyce!" and Joyce would have been astonished **could** she have heard his voice.

"乔伊斯！"乔伊斯如听到他的叫声，她会吃惊的。

11·6 条件从句与结果主句所表的时间不一致

当条件从句与结果主句所表的时间不一致时，虚拟语气的形式应作相应的调整。如：

（1）If I **had spoken** to him yesterday, I **should know** what to do now.

假如昨天我对他说了，现在我就知道该怎么办了。

（2）You **would be** much better now if you **had taken** my advice.

假如你接受了我的意见，你现在就会好得多。

（3）If father **hadn't sent** me, I **shouldn't be** here.

假如父亲没有叫我来，我现在就不会在这里。

（4）If he **knew** this, it **would have had** to be by accident.

假如他已知道此事，那一定会是偶然的。

如条件从句用 if I were...，结果主句则可用表任何时间的虚拟形式。如：

（5）If I **were not** busy, I would have come.

假如我不忙，我就会去了。（were 表过去）

（6）If I **were** you, I would go.

假如我是你，我会去的。（were 表现在）

11.7　含蓄条件句

非真实条件句中的条件从句有时不表出来，只暗含在上下文中，这种句子叫做含蓄条件句。含蓄条件句大体有三种情况。

1）条件暗含在短语中。如：

（1）What would I have done without you?

如没有你，我会怎么办呢？（条件暗含在介词短语 without you 中）

（2）It would be easier to do it this way.

这样做会比较容易。（条件暗含在不定式短语 to do it this way 中）

（3）This same thing, happening in wartime, would a-mount to disaster.

同样的事，如发生在战时，就会酿成大祸。（条件暗含在分词短语 happening in wartime 中）

（4）But for your help we couldn't have succeeded in the experiment.

如果没有你的帮助，我们的实验是不会成功的。（暗含条件是 but for your help）

（5）He must have the strength of a hippopotamus, or he never could have vanquished that great beast.

他一定是力大如河马，否则他绝不会击败那只庞大的野兽。（暗含条件是连词 or）

（6）Alone, he would have been terrified.

如是单独一人，他是会感到害怕的。（暗含条件是 alone）

2）条件暗含在上下文中。如：

（7）You might stay here forever.

你可以永远待在这儿。（可能暗含 if you wanted to）

（8）We would have succeeded.

我们本来是会成功的。（可能暗含 if we had kept trying）

（9）Your reputation would be ruined.

你的名誉会败坏的。（可能暗含 if you should accept it）

（10）I would appreciate a little of your time.

谢谢你给我一点时间吧。（可能暗含 if you were so

kind as to give me a little of your time）

3）在不少情况下，虚拟式已变成习惯说法，很难找出其暗含的条件。如：

　　（11）You *wouldn't know*.
　　　　　你不会知道。

　　（12）I *would like* to come.
　　　　　我愿意来。

　　（13）I *wouldn't have dreamed* of it.
　　　　　这是我做梦也不会想到的。

　　（14）He told the story in such minute detail that he *might* himself *have* been an eye-witness.
　　　　　他将那事讲的非常仔细，简直就像是他亲眼看见一样。

11.8　省去结果主句的非真实条件句

非真实条件句如省去结果主句，则常表示一种不可能实现的愿望。这种条件句常用 if only 来引导。如：

　　（1）If only you would listen to reason.
　　　　　你如听从道理就好了。

　　（2）If only he were here.
　　　　　如果他在这儿就好了。

　　（3）If I had never married.
　　　　　我不结婚就好了。

　　（4）If at least it had some artistic merit.
　　　　　它起码应有些艺术性才好。

　　（5）If only I could smash the ground with my fist and make the oil flow!
　　　　　我真想用我的拳头从地里打出油来啊!

11.9　不用 if 引导的条件从句

非真实条件句中的条件从句除用 if 引导外，还可用 when，unless，lest，suppose，as if，for fear，in case，on condition 等词语来引导。如：

　　（1）The peasants prepared to feed the city *when* it *should be freed*.
　　　　　农民已准备在这座城市解放后供给粮食。

　　（2）*Lest* you *should* not *have heard* all, I shall begin at the beginning.

我怕你没有听全，所以我再从头开始讲一遍。

（3）*Unless* I *were* well，I wouldn't be at school.

除非我好了，否则我不会上学。

（4）*Suppose* you *were given* a chance to study in America，would you accept?

假如给你一个到美国学习的机会，你会接受吗？

（5）He can use the bicycle *on condition* that he *should return* it tomorrow.

如果明天能还回来，他就可以借用这辆自行车。

（6）*In case* I *forget*，please remind me of my promise.

如果我忘了，请提醒我的诺言。

（7）Susan is walking slowly *as if* she *were* tired.

苏珊走得很慢，就像是累了似的。

［注］与 if 一样，上述词语所引导的条件从句亦可用直陈语气，表可能实现或发生的事。

11.10　虚拟语气的其它用法

虚拟语气除主要用于条件句即状语从句外，还可用于主语从句、宾语从句、表语从句、定语从句等。

1）用于主语从句，其谓语用 should＋动词原形（或 should＋have＋过去分词）或只用动词原形（尤其是美国英语）。should 在此是助动词，本身并无实义。这种主语从句由连词 that 所引导，常用在 It is（was）important（necessary，desirable，imperative，advisable）that... 句型中。如：

（1）It is important that we *should speak* politely.

我们说话要有礼貌，这是很重要的。

（2）It is imperative that we *should practise* criticism and self-criticism.

应当进行批评与自我批评。

［注］这种句型中的主语从句亦可用直陈语气，如 It was important that he *made* an explicit statement on this score last week（他上个星期对于这一方面做了明确的说明，这是很重要的）。

这种主语从句中的 should 有时有感情色彩。如：

（3）It is strange that he *should have gone away* without telling us.

真奇怪，他没有通知我们就走掉了。

全句的表语亦可以是名词。如：

（4）It is a pity that she *should fare* so badly.

她竟吃得那么差，真可怜。

这种主语从句还常用在 It is（was）desired（suggested，settled，proposed，requested，decided，etc.）that... 句型中。如：

（5）It is desired that this rule *shall be brought* to the attention of the staffs.

希望这条规则引起全体职员的注意。（shall 在当代英语中已较少见）

（6）It is settled that you *leave* us，then?

那么你离开我们已是定了的啰?

2）用于宾语从句，一种是用作动词 wish 的宾语的从句，表示愿望，常省去连词 that。这种从句的谓语动词可用过去式，表示与现在事实相反；亦可用过去完成式，表示与过去事实相反。如：

（7）I wish I *wasn't going* to Bristol.

我真希望不是去布里斯托尔。

（8）We wish you *had come* to our New Year's party.

我们真希望你来参加了我们的新年联欢会。

宾语从句的谓语如是 would＋动词原形，则是一种常用的希求。如：

（9）I wish you *would stay* a little longer.

我希望你再待一会儿。

也可以用 would rather，would sooner 等表示愿望，但其宾语从句常用虚拟过去式。如：

（10）I would rather you *came* tomorrow.

我宁愿你明天来。

（11）I'd sooner she *left* the heavy end of the work to some one else.

我宁愿她把重活留给别人。

另一种是谓语用 should＋动词原形或只用动词原形的 that 从句，作为 demand，suggest，propose，order，arrange，insist，command，require，request，desire 等动词的宾语。如：

(12) He suggested that we **should leave** early.

他建议我们早点动身。

(13) The detective insisted that he **should have** a look.

警探坚持要查看。

(14) The judge ordered that the prisoner **should be re-manded.**

法官命令被告还押。

有些动词，如 think，expect，believe，其否定式的宾语从句亦可用 should＋动词原形。如：

(15) I never thought he **should refuse.**

我万没有想到他会拒绝。

(16) She did not expect that you **should come.**

她没有预料你会来。

还有一种是用作某些形容词或相当于形容词的过去分词的宾语的 that 从句，其谓语是 should＋动词原形或 should＋have＋过去分词。如：

(17) I was glad that he **should go.**

他走，我很高兴。

(18) I'm ashamed you **should have done** such a thing.

我真感到羞耻，你竟会做这种事情。（省去了 that）

3）用于表语从句，由 that（可省去）所引导，其谓语是 should＋动词原形。句子主语常常是 suggestion，proposal，idea，motion 等名词。如：

(19) My suggestion is that we **should tell** him.

我的建议是我们应该告诉他。

(20) Our only request is that this **should be settled** as soon as possible.

我们唯一的请求就是尽快解决这个问题。

虚拟语气也可以用于同位语从句。如：

(21) There was a suggestion that Brown **should be dropped** from the team.

有一项建议是布朗应该离队。

4）用于定语从句，常用在 It is time (that)... 句型中。定语从句常用虚拟过去式。如：

(22) It is time we **left.**

我们该走了。

（23）It is time we **went** to bed.

我们该去睡觉了。

虚拟时态亦可用在由关系代词引导的定语从句中。如：

（24）A man might pass for insane who **should see** things as they are.

一个看到事物本来面目的人可能会被认为是疯子。

11·11 动词原形用于正式文体

动词原形作为虚拟时态皆用在正式文体中（非正式文体用直陈语气）。它在条件从句中所表的假设是可能实现的，所以其结果主句应用直陈语气。如：

（1）This, if the news **be** true, is a very serious matter.

如果消息属实，这可是一桩非常严重的事情。

（2）If the heart **be** malformed, the condition may be ascertained by the X-ray examination.

如果心脏呈畸形，这种情况即可用爱克斯光检查确定。

动词原形也可用在目的与让步状语从句中。如：

（3）Let us act and not shrink for fear our motives **be** misunderstood.

让我们行动起来，不要退缩，以免我们的动机遭到误解。

（4）**Let** him say what he will, he cannot make matters worse.

不管他说什么，他也不会使事态变得更糟了。

动词原形有时可置于主语之前。如：

（5）All magnets behave the same, **be** they large or small.

磁铁不论大小，其性能都一样。

（6）She'll be sixteen years old, **come** May.

五月到来，她就16岁了。（come May ＝ when May comes）

虚拟式动词原形也可用在主语从句和宾语从句中。如：

（7）It is necessary that every member **inform** himself of these rules.

每一个会员必须熟记这些规则。（用于主语从句）

（8）The doctor insists that I *give up* smoking.
医生坚持要我戒烟。（用于宾语从句）

［注］虚拟式动词原形的否定式是 not＋动词原形。如：
I would like to suggest newspaper reporters *not write* this kind of article any more.
我愿建议报纸记者不要再写这种文章了。

虚拟式动词原形亦常用在独立句中，表愿望。如：
（9）Long *live* the People's Republic of China！
中华人民共和国万岁！
（10）God *bless* you！
上帝保佑你。
（11）God *damn* it！
该死的！
（12）The devil *take* you！
见鬼去吧！
（13）So *be* it then.
就那样吧。

11.12 虚拟时态与谓语动词时态的关系

从句中的虚拟时态往往不受全句谓语时态的影响。
1）用于主语从句。试比较：
（1）It is important that he *should know* about this.
他必须知道此事。
（2）It was important that he *should know* about this.
他必须知道此事。
2）用于宾语从句。试比较：
（3）I suggest that we *should go* tomorrow.
我建议我们明天走。
（4）I suggested that we *should go* the next day.
我建议我们第二天走。
（5）She said，"If I were a boy I *would join* the army."
她说，"我如是男孩，就参军。"
（6）She said that if she were a boy，she *would join* the army.
她说她如是男孩就参军。

但强调现在时刻的虚拟式在间接引语中需要遵守时态一致的原则。试比较：

（7）"If I **knew** how it worked，I **could tell** you what to do，" he said.

"假如我知道它是如何运行的话，我就会告诉你该怎么办，"他说道。

（8）He said that if he **had known** how it worked，he **could have told** me what to do.

他说假如他知道它是如何运行的话，他就会告诉我该怎么办。

但如不强调时间性，间接引语中的虚拟时态仍不变。如：

（9）"If I **knew** the answer to all your questions，I'**d be** a genius，" he said.

"我如知道你所有问题的答案，我就是天才了，"他说道。

（10）He said that if he **knew** the answer to all my questions，he'**d be** a genius.

他说他如知道我所有问题的答案，他就是天才了。

但如果全句谓语是虚拟语气，其后从句的时态则多受其影响，现在时态应随之而变为过去时态。如：

（11）I **would think** he was wrong.

我看他是错了。（须用 was，试比较：I think he is wrong）

（12）It **would seem** that she was right.

她似乎是对的。（须用 was，试比较：It seems that she is right）

11.13 虚拟式 were 与过去完成虚拟式的特殊用法

虚拟式 were 常用在较老的或典雅的英语中。（表真实条件，当代英语则常用直陈语气）如：

（1）The king despatched his favourite courtier to see if she **were** really as charming as fame reported.

国王派他的宠臣来看她是否真地美如其名。

（2）If it **were** so，it was a grievous fault.

如是这样，那可是一大过失。

在较老的英语中，过去完成虚拟式可用作过去将来完成虚拟式。如：

（3）I would give all my goods that it **had** never **hap-**
pened.

我愿倾我所有，如此事不会发生的话。（= might
never have happened）

在非正式文体中，过去完成虚拟式可表与现在事实相反的假
设。在这种情况下，结果主句中的过去将来完成虚拟式也随之而实
指现在时间。如：

（4）If I **had had** the money I should have paid you.

我如有钱，就会付你的帐。（=If I had the money I
should pay you）

（5）I wish that poor Strickland **had been** still alive. I won-
der what he would have said when I gave him twenty-
nine thousand eight hundred francs for his picture.

我但愿可怜的斯特里克兰德现在还活着。我不知道当
我付给他 29 800 法郎买下他的画时他会说些什么呢。
（had been＝were，请注意 would have said 也表现在，
等于 would say）

这种表现在的过去完成虚拟式亦可用来表愿望。如：

（6）I wish I **had been** rich enough to give you the money.

我但愿能付得起你这笔钱。

11.14　was 用作虚拟式

在当代英语中，尤其在口语中，单数主语常用 was 代替虚拟式
were。如：

（1）If I **was** you, I would go.

我如是你，我就去。

（2）If it **wasn't** for me, you'd have taken the wrong path
a long time ago.

如不是我，你早就走上邪路了。

（3）I wish I **was** ten years younger.

我但愿年轻 10 岁。

（4）I shall act by her as tenderly as if I **was** her own
mother.

我将温存满怀地待她，就像她的生母一样。

有时 was 发生的可能性大于 were。如：

（5） He looks as if he **was** ill.

他像是病了。

[注] 但在正式文体中仍须用 were，如须说 if I were in your position（假如我处于你的地位）。又，as it were 与 were it not for me 中的 were 亦不可代以 was。

11.15 虚拟时态的进行式

虚拟时态亦有进行式。如：

（1） — You mean you didn't hear?

你的意思是说你没有听见？

— If I did, **would** I **be asking**?

我如听见，还会问吗？

（2） — How about the tea-leaves?

那茶叶哪？

— You beggar, you **might be going** to die if you didn't get it.

你这家伙，没有它你简直要死啦。

（3） If we **weren't living** in the twentieth century, I would think you were a sorcerer.

如果我们不是生活在 20 世纪的话，我准会认为你是一个男巫。

（4） I suppose it's almost time we **were leaving.**

我猜想我们差不多该走了。

（5） Sometimes she would suggest I **should be saving** some of the money.

有时她会建议我应该省下点钱。

11.16 语气的变换

有时说话人会中途变换语气。如条件从句开始用虚拟语气（强调可能性不大），而结果主句却变为直陈语气（强调可能性大）。如：

（1） Should there possibly be any such case, I have not seen it.

如果可能有这样的情况，我是没有见过的。

（2） I am not bad looking if my skin were not so sallow.

我并不难看，如果我的皮肤不是灰黄的话。

有时恰恰相反，条件从句用直陈语气（强调可能性大），结果主句中途却变为虚拟语气（强调可能性不大）。如：

（3）If he lost his health and lost his job we would all have starved.

假如他失去了健康，失去了工作，我们就都会挨饿。

（4）I should hate and despise myself if I desert the brave fellow in his present extremity.

假如我抛弃了这位现在处于困境的勇士，我将痛恨和蔑视我自己。

（5）When it rains you wouldn't think it was the same place as on a fine day.

一下雨你就不会认为它与晴天时是同一个地方了。

11.17 虚拟语气用作请求

虚拟语气有时并不表示与事实相反的假设，而是表示委婉客气的请求。如：

（1）If you were to help him, it would keep him safer.

你如肯帮他，他就会安全一些。

（2）Our messages, both ways, will go through you. It would be best if you didn't write them down, but carry them in your head.

来往的消息都将靠你传递。你最好是不要写下，而是要记在脑子里。

（3）— Shall I call for you?

我来叫你好吗？

— It would probably save time if we met downtown. You tell me where.

我们如在市区碰头倒会节省时间哩。你说在哪儿吧。

这种表示请求的虚拟语气还可与祈使语气连用。如：

（4）If you enjoyed this book, just send your name and address and ten dollars to us.

你如喜爱此书，将你的姓名、地址及 10 美元寄与我们即可。

第十二章 形容词、副词

一、形 容 词

12.1 形容词的定义和特征

形容词（adjective）是用来描写或修饰名词（或代词）的一类词。形容词的语法特征是：

1）一般置于其所修饰的名词之前。如：

（1）A **solitary** tree stood in the field after the horrible fire.

大火过后一株孤零零的树矗立在田野里。

（2）The **tremendous** strength of the champion gave him the confidence he needed to win the bout.

夺取冠军的巨大力量给了他打赢这场比赛所需的信心。

2）多数形容词具有比较等级。如：

（3）I suppose Velasquez was a **better** painter than El Greco.

我认为委拉斯开兹是一个比格列柯更出色的画家。

（4）Shelia was **the most active** of us.

希莉亚在我们中最活跃。

3）有独特的后缀。如：

-able，-ible：eatable 能吃的，accessible 容易得到的

-al： formal 正式的，central 中心的

-ant，-ent：important 重要的，different 不同的

-ary，-ory：elementary 基本的，contradictory 矛盾的

-ful： useful 有用的，doubtful 怀疑的

-ic： patriotic 爱国的，heroic 英勇的

-ive： comparative 比较的，progressive 进步的

-less：helpless 无助的，useless 无用的

-ous：famous 著名的，dangerous 危险的

-y： dirty 肮脏的，rainy 多雨的

以及否定前缀。如：

-un：unhappy 不幸的, unequal 不相等的

-in：incomplete 不完全的, indifferent 不关心的

12.2 形容词的种类

形容词根据其构成可分为简单形容词与复合形容词。

1）简单形容词由一单词构成。如：

good 好的 green 绿的

long 长的 large 大的

bright 明亮的

有些形容词由分词构成。如：

interesting 引起兴趣的 charming 媚人的

disappointing 令人失望的 （以上是现在分词）

learned 博学的 tired 疲倦的

spoiled 宠坏了的 （以上是过去分词）

2）复合形容词由一个以上的词构成。如：

good-looking 好看的 heart-breaking 令人伤心的

hand-made 手工制作的 duty-free 免税的

new-born 新生的 absent-minded 漫不经心的

有些短语和句子亦可构成形容词。如：

a hard-to-please employer 难以取悦的雇主

a life-and-death struggle 生死存亡的斗争

a get-rich-quick scheme 一个发财快的计谋

形容词又可根据其与所修饰名词的关系分为限制性形容词（restrictive adjective）与描述性形容词（descriptive adjective）。

限制性形容词表示事物的本质，其位置紧挨着它所修饰的名词，二者关系如同一体。限制性形容词不可缺少，否则会影响名词的意义。如：

a Catholic church 天主教教堂

a French dish 法式菜

a Shakespearian play 莎士比亚剧

描述性形容词又称作非限制性形容词。它仅起一种描绘性的作用，其位置可在限制性形容词之前。如果省去不用，亦不致影响所修饰名词的本义。如：

an impressive Catholic church 一座气势宏伟的天主

教教堂

a delicious French dish 一道味美的法式菜

　　　　a historical Shakespearian play　一出莎士比亚历史剧
　　形容词的限制性与描述性并非固定不变。同一个形容词，如
true，即可作限制性形容词，如 a true report（真实的报告）；又可作
描述性形容词，如 a true scholar（真正的学者）。

　　多数形容词皆可独立运用，但有少数形容词则不可，它们必须
与特定的介词连用。这种形容词唤作相对形容词（relative
adjective）。如：

　　（1）I am *averse to* shopping down town because I dislike
　　　　crowds.

　　　　我不乐意在市区买东西，因为我不喜欢人挤人。

　　　　（averse 须后接介词 to）

　　（2）Where are you *bound for*?

　　　　你上哪儿去？（bound 后接介词 for）

　　有些形容词在意义上有主动与被动之分。不少具有被动意义的
形容词以 -ble 结尾。试比较：

　　　　respectful　对人尊敬的（主动）
　　　　respectable　受人尊敬的（被动）

12.3　形容词的功用

　　形容词可修饰名词和代词，在句中用作定语、表语、补语、状语、
独立成分等。

　　1）用作定语。如：

　　（1）A *good* boy must behave himself.

　　　　好孩子应当行为规矩。

　　（2）The *old* man was too feeble to take his usual daily
　　　　stroll.

　　　　这个老人太虚弱，已不能像平常那样每天散步了。

　　（3）The wind from the north is bringing *heavy* rains.

　　　　北风带来大雨。

　　有些形容词只能用作定语，故称之为定语形容词。如：

　　（4）She's an utter stranger to me.

　　　　她对我来说是个完全陌生的人。（utter 只能作定语）

　　形容词作定语时，有时表面上修饰甲，实质上乃指乙（多指
人）。这种形容词叫做转移形容词（transferred epithets）。如：

　　（5）I passed a *sleepless* night.

　　　　我度过了一个不眠之夜。

　　（6）A lackey presented an *obsequious* cup of coffee.

一男仆献媚地送上一杯咖啡。

有些形容词形式上修饰名词，实际上相当于副词，修饰名词所内含的动作。如：

an early riser 起得早的人（＝somebody who rises early）

a hard worker 勤劳的工人（＝somebody who works hard）

a frequent visitor 常客（＝somebody who visits frequently）

同一个形容词，用作定语时，在不同的上下文中可能有不同的意义。如：

a mad doctor　精神病医生或有精神病的医生

a criminal lawyer　刑事律师或犯罪的律师

2）用作表语。如：

（7）He is very *strong.*

他非常健壮。

（8）That's *excellent*！

那太好了！（可省去 that's，变成 Excellent！再如 Wonderful！真棒！）

（9）Be *careful*！

小心！（形容词一般不可单独表示命令与劝告，故不可省略为 Careful！）

有些形容词只能用作表语，故称之为表语形容词。这种形容词常见的有 well，ill 以及以 a- 起首的 afraid，alike，awake，aware，ashamed，alone，alive 等。

（10）The patient is *asleep.*

病人睡着了。

（11）I'm *glad* to see you.

见到你真高兴。（形容词作表语后接动词不定式）

（12）He's *fond* of music.

他喜欢音乐。（形容词作表语后接介词短语）

（13）Are you *sure* he will come?

你肯定他会来吗？（形容词作表语后接宾语从句）

3）用作主语补语。如：

（14）The room was found *empty.*

房间发现是空的。

（15）Don't marry *young.*

不要早婚。

4）用作宾语补语。如：

(16) Have you got everything **ready** for the journey?

你准备好了行装没有？

(17) I can't drink it **hot.**

这东西热的我不能喝。

(18) Who has left the door **open** ?

谁把门敞开的？

5）有些形容词可用作副词，修饰另一形容词。如：

icy cold　冰冷的　　　　　**ghostly** pale　像鬼一般苍白的

real good　真好的　　　　　**mighty** clever　非常聪明的

wide open　大开的　　　　　**jolly** good　很好的

dead tired　十分疲倦的　**dark red**　深红的

［注］在口语 nice and clean（挺干净）和 good and ready（准备妥当）中的 nice 与 good 实际上亦相当于副词。

6）用作独立成分。如：

(19) **Strange to say** , he is still ignorant of it.

说也奇怪，他还不知道这件事。

(20) I said it would happen，and **sure enough** it did happen.

我说它会发生，它果然发生了。

(21) **More important,** he's got a steady job.

更重要的是他得到了一个稳定的工作。（当代英语也常用副词形式 more importantly）

12.4　名词化的形容词

用作名词的形容词叫做名词化的形容词。名词化的形容词常与定冠词连用。

1）泛指一类人，含复数概念，作主语时要求复数动词。如：

（1）**The good** are happy.

善者长乐。

（2）**The sick** were sent home.

病员被送回家。

（3）**The English** are great lovers of tea.

英国人很喜欢喝茶。

2）指抽象事物，作主语时要求单数动词。如：

（4）**The beautiful** can never die.

美是不朽的。

（5）**The true** is to be distinguished from **the false.**

真伪要辨明。

（6）The moon was at **the full.**

今宵月正圆。

3）有些形容词可加复数词尾 -s。如：

（7）I asked one of the **locals** which way to go.

我向一个当地人问路。

（8）This book deals with only the **fundamentals** of **economics.**

此书只讲述经济学的基础知识。

（9）We are taking our **finals** next week.

我们下星期举行期末考试。

12.5 形容词的位置

形容词一般置于它所修饰的名词之前。如：

（1）The boy spent all of his free time playing **electronic** games.

这个男孩用他所有课余时间去玩电子游戏。

（2）The railroads are still a **significant** mode of transport.

铁路现在还是一种重要的运输方式。

（3）He likes to boast about his **culinary** skills.

他喜欢夸自己的烹调技术。

但在某些情况下，它却可置于它所修饰的名词之后。

1）形容词修饰由 some，any，every，no 等构成的复合不定代词时须后置。如：

（4）Tell me something **interesting.**

给我说些有意思的事。

（5）Anyone **intelligent** can do it.

任何有智力的人都能做这件事。

（6）In the 1930's everything **Japanese** was in the dog house.

在 30 年代，日本的一切东西都不受欢迎。

（7）No，there is nothing **special.**

不，没有什么特别的东西。

（8）We're going anywhere very **exciting.**

我们打算去任何令人激动的地方。

2）表语形容词必须后置。如：

（9）The house **ablaze** is next door to me.

那家着火的房子就在我的隔壁。

（10）The boats **afloat** were not seen by the enemy.

水上的小船没有被敌人发现。

有些形容词用作非限制性定语时亦可后置。如：

（11）The man，**silent，** stood beside her.

这个男人一声不吭，站在她旁边。

（12）The man，**nervous，** opened the letter.

这个男人神情紧张地拆开信。

3）以 -able 和 -ible 结尾的形容词可置于前有最高级形容词或 only 等词的名词之后。如：

（13）That is the greatest difficulty **imaginable.**

那是最大不过的一种困难。

（14）That is the only solution **possible.**

那是唯一可行的解决办法。

（15）He is the best person **available.**

他是现有的最好人选。

［注］上述三例中的形容词亦可置于名词之前而意义不变。

另外，还有 past，positive，total，following，preceding 等亦可前置或后置而意义不变。如：

in past years 或 in years past　过去的年月

positive proof 或 proof positive　正面的证据

total sum 或 sum total　总数

the preceding years 或 the years preceding　以前的年月

the following days 或 the days following　以后的日子

4）在由古法语演变来的固定短语中。如：

court-martial　军事法庭

the body politic　国家

postmaster general　邮政部长

还有些是受法语表达影响的短语。如：

accounts payable　应付帐目

president-elect　当选总统

下列固定用法亦属于这一类：

Monday to Friday inclusive　星期一至星期五，含首尾
　两天

Poet Laureate　桂冠诗人

devil incarnate　魔鬼的化身

5）和空间、时间单位合用时。如：

two months ago　两个月以前

a ruler twelve inches long　12 英寸长的尺

a well fifteen feet deep　15 英尺深的井

6）形容词 enough 一般须后置。如：

(16) I have time *enough.*

我有足够的时间。

但也可前置。如：

(17) I have *enough* time.

7）成对的形容词可以后置。如：

(18) There was a huge cupboard, *simple and beautiful.*

有一个大食橱，简朴而美观。

(19) She has many pencils, *blue and red.*

她有许多铅笔，有蓝的，有红的。

(20) It was an accident *pure and simple.*

这完全是一桩偶然事故。

后置形容词有时可有两个以上。如：

(21) Never had I seen a face so *happy, sweet* and
radiant.

我从未见过如此幸福甜美容光焕发的面孔。

8）形容词短语一般须后置，往往相当于定语从句。如：

(22) I think he is a man *suitable for the job.*

我认为他是适合做这项工作的人。

(23) We need a place *twice larger than this one.*

我们需要一个比这里大一倍的地方。

(24) A man *so difficult to please* must be hard to work
with.

一个如此难以取悦的人一定不好共事。（也可说 so
difficult a man to please...）

12.6　前置形容词的排列顺序

有一个以上的词语修饰名词时，它们的次序往往比较固定。限定词一般皆置于第一位，其它修饰语则常根据其与名词的亲疏关系依次排列。如：

a weak small spare old man　一个瘦弱的小老头儿（不定冠词＋描绘形容词＋特征形容词［大小→形状→年龄］＋名词）

the first beautiful little white Chinese stone bridge　那第一座美丽的中国小白石桥（定冠词＋数词＋描绘形容词＋特征形容词［大小→颜色］＋专有形容词＋名词性定语＋名词）

a few new major urban highways　几条新的主要城区公路（不定代词＋特征形容词［新旧→大小］＋类属形容词＋名词）

a pretty purple silk dress　一件漂亮的紫绸女衣（不定冠词＋描绘形容词＋表颜色的形容词＋表材料的形容词＋名词）

a very valuable bronze Egyptian cat　一只非常珍贵的埃及铜猫（不定冠词＋描绘形容词＋名词性定语＋专有形容词＋名词）

a tall intelligent young Chinese officer　一个聪慧的个子很高的年轻的中国军官（不定冠词＋描绘形容词［短词→长词］＋表特征的形容词［年龄］＋专有形容词＋名词）

some sour green eating apples　一些酸绿的食用苹果（不定代词＋描绘形容词＋表颜色的形容词＋动名词＋名词）

从上述词语看来，修饰名词的次序大致为：限定词（包括冠词、物主、指示、不定代词等）→数词→描绘形容词（短词在前，长词在后）→表特征的形容词（包括大小、形状、新旧、年龄等，次序也大致如此，但不甚固定）→表颜色的形容词→表类属的形容词（包括专有形容词和表材料质地的形容词）＋名词性定语（包括动名词）＋名词。但在语言实际中，例外情况为数不少。如上述名词性定语bronze 置于专有形容词 Egyptian 之前。

有些形容词的次序可以颠倒而意义不变，如既可说 a thin dark face，亦可说 a dark thin face。有时则意义可能大不一样，如 dirty British books 意谓"弄脏了的英国书"，而 British dirty books 则很可能意谓"英国的黄色书籍"。

上述词语多用于笔语中，口语中很少有形容词堆砌的情况。

二、副　　词

12.7　副词的定义和特征

副词 (adverb) 是用以修饰动词、形容词、其它副词以及全句的词，表示时间、地点、程度、方式等概念。如：

（1）She did not speak to him *much.*

　　　她不和他常说话。（修饰动词）

（2）He turned to the *politically* active youth.

　　　他变成了政治上积极的青年。（修饰形容词）

（3）"What happened?" I asked, *rather* sharply.

　　　"发生了什么事？"我颇为严厉地问。（修饰副词）

（4）*Unfortunately*, he wasn't at home when we came.

　　　遗憾的是，当我们来到时他不在家。（修饰全句）

副词具有多样性。在词义上，有些副词本身含有实义，有些则仅为了强调而已。如：

（5）A bat *suddenly flew* out.

　　　一只蝙蝠突然飞走了。（有实义）

（6）I am *extremely* sorry.

　　　我非常对不起。（强调用）

在功用上，有些副词可修饰单词、短语、从句以及全句。如：

（7）We *often* talked about bulls and bull-fighters.

　　　我们时常谈论公牛和斗牛士。（副词 often 修饰动词 talked）

（8）Lucia returned home at 5 o'clock *precisely.*

　　　露西娅正5点回到家。（副词 precisely 修饰 at 5 o'clock 短语）

（9）You shouldn't work so hard, *especially* after you have been ill.

　　　你不应该这样用功，特别是在你生病以后。（副词 especially 修饰 after 从句）

（10）You will *probably* find this book in the library.

　　　你大概会在图书馆找到这本书。（副词 probably 修饰全句）

在形式上，许多副词带有后缀 -ly，有些则与形容词等其它词类相似。如：

带后缀 -ly　strongly, quickly, badly 等。

不带后缀 -ly　slow, high, now 等。

12.8　副词的种类

副词可按其意义分为：

1）方式副词，具有最典型的状语形式，即形容词加后缀 -ly。如：

quickly　快地　　　　　neatly　整洁地

awkwardly　笨拙地　　　largely　大半地

2）地点、方向副词。如：

here　这里　　　　　　away　远离

outside　外面　　　　　left　左边

straight　径直　　　　　west　向西

这类副词还应包括可用作副词的介词形式。如：

come *in*　进来　　　　step *down*　走下

有些表示地点、方向的古英语形式不时还见于文学作品中。如：

hither（＝here）　这里

thither（＝there）　那里

yonder（＝over there）　那边

hence（＝from here）　从这里

thence（＝from there）　从那里

whither（＝where）　往哪里

3）时间副词，有的表确定时间。如：

yesterday　昨天　　　　today　今天

tomorrow　明天

这类副词有的具有名词形式，并有复数形式。如：

（1）He works *nights* and sleeps *days.*

他夜间工作白天睡觉。

有时一个词组为一个时间单位。如：

last week　上周

a month ago　一个月以前

the day before yesterday　前天

有的表不定时间。如：

recently　最近　　　nowadays　现今

still　仍然　　　　already　已经

immediately　立刻　　just　刚刚

还有的表时间序列。如：

now　现在	then　然后
before　以前	first　首先
next　其次	later　后来

有的表时间频率。如：

always　永远	often　经常
sometimes　有时	never　决不

4）强调副词，有的从程度上强调，回答 how much。如：

very　很	too　太
quite　十分	rather　颇
extremely　极	more　较

这类副词中有些仅用于非正式文体。如：

so　这么	pretty　相当
awfully　非常	terribly　极其
dreadfully　极端	horribly　分外

有的从程度上强调，回答 how complete。如：

almost　几乎	entirely　完全
nearly　差不多	partially　部分
wholly　整个	utterly　彻底

有的从意义上强调。如：

especially　特别	even　甚至
exactly　确实	just　正好
only　仅仅	simply　简直

这类副词一般位于其所修饰的词之前。如

（2）She was not *especially* pretty.

　　她不是特别漂亮。

（3）This isn't *exactly* right.

　　这不全对。

这类副词还可修饰名词、代词、介词短语和从句等。如：

（4）*Even* John agreed to come.

　　连约翰也同意来。（修饰名词 John）

（5）*Only* she could come.

　　只有她能来。（修饰代词 she）

（6）He went to the party *only* because of his wife.

　　他仅仅是由于他妻子的缘故才去参加晚会。（修饰介词
　　短语）

（7）I don't know **exactly** when I can come.

我不知道具体什么时间我能来。（修饰从句）

[注] 副词 only 常放在全句谓语之前，但并不一定修饰谓语。如：

① I'll **only** be a moment.

我只一会儿就回来。（only 修饰 a moment）

② I **only** heard John.

我只听见约翰的声音。（only 修饰 John）

副词还可按其形式分为：

1）简单副词。如：

just　刚刚　　　　well　好

back　在后　　　　near　在附近

very　很　　　　enough　足够

有些简单副词与形容词同形。如：

a **near** relation　近亲（形容词）

to come **near**　走近（副词）

a **fast** car　行得快的车（形容词）

to drive **fast**　开快车（副词）

a **daily** newspaper　日报（形容词）

a **daily** published newspaper 每日出版的报纸（副词）

[注] pretty 一词用作形容词时，意谓"漂亮的"，应读重些；用作副词时，意谓"相当"，应读轻些。试比较：

a 'pretty dark dress　一件漂亮的黑女装

a 'pretty 'dark dress　一件相当黑的女装

在非正式文体中，有些形容词可用作副词。如：

real nice　真好　　　awful good　极好

plain silly　太傻　　**mighty** helpful　大为有助

美国英语中的 sure 等于英国英语中的 certainly 或 of course。如：

（8）— Would you like to come?

你愿意来吗？

— **Sure** !

当然！

2）复合副词。如：

somehow	不知怎么地	nowhere	无处
therefore	因此	somewhat	有点

有的常用于书面。如：

whereupon	因此	hereby	特此
herewith	顺此	whereto	向那里

3）派生副词，许多副词由形容词和分词后加后缀-ly 而成。如：

odd→oddly　奇怪的→奇怪地

interesting→interestingly　有趣的→有趣地

determined→determinedly　决意的→决意地

注意以辅音＋y（读作/i/）结尾的形容词变为副词时，须将 y 变为 i，再加 -ly，如 easily，happily 等。以 -ll 结尾的形容词变为副词时，只加 -y，如 chilly，fully 等。以辅音＋le 结尾的形容词变为副词时须省去 -le，再加 -ly，如 ably，idly，singly，simply（supplely 例外），subtly 等。以 -ue 结尾的形容词变为副词时，须省去 -e，再加 -ly，如 truly，duly 等。以 -ic 结尾的形容词变作副词时，须加 -ally，如 heroically，domestically，tragically 等。（但 public 的副词形式须作 publicly）。此外，shy 和 sly 的副词形式常作 shyly 和 slyly，gay 和 dry 则有两种副词形式，分别为 gaily，gayly 和 drily，dryly。

[注] 有些形容词一般并没有派生副词形式，如 difficult，big，future，以及以 a- 起首的 awake，alive，asleep 等。除由形容词和分词派生的副词外，还有从其它词语变来的副词，如 weekly（名词＋ly）, firstly（数词＋ly）, mostly（不定代词＋ly）, overly（介词＋ly）, matter-of-factly（短语＋ly）等。

有些副词有两种不同的形式，一种与形容词同形，另一种由形容词加后缀 -ly 构成。二者有时区别不大，只不过不带 -ly 的副词常用于非正式英语中而已。如：

> drive **slow**　汽车开慢点
> drive **slowly**　汽车开慢点
> **direct** to the office　直接去办公室
> **directly** to the office　直接去办公室

[注] 上列成对副词有时并不能相互通用，如副词 slow 一般只与 go，drive，walk 等动词连用；direct 则多用于表路程和表时间等。

但在许多情况下，二者是有区别的。有的在意义上不同。如：

> *pretty* good　相当好
> *prettily* dressed　穿着漂亮
> work *hard*　工作努力
> *hardly* enough　几乎不够

有的则只是在用法上不同：不带 -ly 的副词往往用在直接或具体的场合，带 -ly 的副词往往用在抽象的场合。试比较：

> jump *high*　跳得高（具体）
> *highly* developed　高度发展的（抽象）

> Follow *close* behind.　紧跟在后面。（具体而直接）
> She resembles her father *closely.*　她很像她父亲。
> （抽象）

副词除常用的后缀外，还有一些其它后缀。如

-wise：clockwise　顺时针方向地

-ward(s)：northward(s)　向北方

-fashion：schoolboy-fashion　学生式

-ways：sideways　斜着

-style：cowboy-style　牛仔型

有些副词带有前缀 a-。如：

abroad　在国外　　ahead　在前面

around　在周围　　aloud　大声

alike　相像、同样　alone　独自

副词还可按其功用分为：

1）句子副词，这类副词往往和整个句子具有松散的语法关系，而不是修饰某个动词。如：

（9）*Fortunately*，no one was hurt.
　　　幸亏没有人受伤。

（10）He *evidently* thinks that he can do no wrong.
　　　他显然认为他不会做错事。

这类副词还有一些。如：

presumably　大概　　　　actually　实际上

obviously　显而易见　　　evidently　显然

unexpectedly　出其不意　decidedly　明显

表示轻微程度感情的感叹词，如 well, indeed, now 以及表示肯定与否定的 yes 和 no，也可属于这一类。

词组也可作为句子副词，如 by all (no) means, in my opinion, strangely enough 等。

2）连接副词，这类副词用以连接句子、分句或从句，类似句子副词。它们可表示各种关系。

有的表结果。如：

therefore　因此　　　　accordingly　从而

有的表添补。如：

moreover　再者　　　　besides　此外

有的表对比。如：

however　不管怎样　　　nevertheless　然而

有的表条件。如：

otherwise　否则

有的表时间。如：

then　然后

连接副词用法见第十三章连词部分。

3）解释副词，这类副词用于举例或列举。如：

namely　即　　　　i.e.（＝that is）　那就是

for example　例如　e.g.（＝for example）　例如

as　如　　　　　viz（＝namely）　即

4）关系副词，这类副词有 when，where，why 等，用以引导定语从句。如：

(11) We visited the house **where** a famous poet once
lived.

我们参观了一位著名诗人曾经住过的房子。

(12) I have heard my father speak of the war of 1870 **when**
he was in the militia.

我听父亲说过 1870 年的战争，他当时在当民兵。

5）缩合连接副词，这类副词主要由先行词与关系副词缩合而成，多用以引导名词性从句，它们有 when（＝the time when），where（＝the place where），why（＝the reason why），whenever（＝any time when），wherever（＝any place where），however（＝no matter how）等。带有 -ever 的副词常引导状语从句，有"任何"或"不论"的含义。如：

(12) You don't know **when** you are lucky.

你在福中不知福。(when 引导一宾语从句)

(13) That's **where** I first met her.

那就是我第一次遇见她的地方。(where 引导一表语从句)

(14) That's *why* he didn't come.

这就是他没有来的原故。(why 引导一表语从句)

(15) Come and see me *whenever* you want to.

你什么时候想来见我都可以。(whenever 引导一时间状语从句)

(16) Sit *wherever* you like.

你爱坐哪儿都可以。(wherever 引导一地点状语从句)

(17) *Wherever* I am I will be thinking of you.

我不论在哪儿，都会想你的。(wherever 引导一地点状语从句)

(18) The painting looks wrong *however* you look at it.

这张画不论怎么看都显得不对劲。(however 引导一方式状语从句)

6）疑问副词，这类副词有 when，where，why，how，用于疑问句。如：

(19) *When* will he arrive?

他什么时候到?

(20) I asked *when* he would arrive.

我问他什么时候到。

7）感叹副词。如：

(21) *How* beautifully she dressed!

她穿着得多漂亮啊！（修饰副词）

(22) *How* beautiful she is!

她多漂亮！（修饰形容词）

12·9　副词的功用

副词在句中主要用作状语，修饰动词、形容词、副词和全句。

1）修饰动词，方式副词可直接修饰动词。如：

（1）The boy threw the ball *quickly.*

这个男孩抛球抛得快。

地点、时间副词也可修饰动词。如：

（2）The boy quickly threw the ball *there* twice *yesterday.*

这个男孩昨天在那儿两次抛球抛得快。

2）修饰形容词，有些副词可在形容词前修饰形容词。如：

（3）The *very* small boy threw the ball quickly.

这个很小的男孩抛球抛得快。

[注] 副词 quite 修饰可比较的形容词时，意谓"相当"，如 That's quite good。当它修饰不可比较的形容词时，则意谓"十分"或"完全"，如 She's quite right。

3）修饰副词，有些副词可在另一副词前修饰副词。如：
（4）She drives **rather** fast.
她车开得相当快。

[注] 副词 enough 修饰形容词与副词时则须置于其后。如：
① It's hot **enough** to go swimming.
天气真够热，可以去游泳。（修饰形容词 hot）
② He swam quickly **enough** to pass the test.
他游得真够快，可以通过测试。（修饰副词 quickly）

4）修饰全句，有些副词可修饰整个句子。如：
（5）**Ordinarily** we eat breakfast at seven.
平常我们是 7 点吃早饭。
（6）**Hopefully** we can get this done before dark.
我们希望能在天黑以前把这项工作做完。（hopefully＝we are hopeful that）
此外，副词还有下列几种用法：
5）修饰小品词（即用作副词的介词）和介词，有一些强调副词，特别是 right，well，可修饰小品词和介词。如：
（7）He knocked the man **right** out.
他把那个人完全打败了。（修饰小品词 out）
（8）They left her **well** behind.
他们把她远远丢在后面。（修饰小品词 behind）
（9）He made his application **well** within the time.
他按时递交了申请书。（修饰介词 within）
6）修饰某些不定代词和数词。如：
（10）**Nearly** everybody came to our party.
几乎所有的人都来参加我们的晚会了。（修饰代词 everybody）
（11）They have improved **roughly** half their equipment.
他们已改进了大约一半的设备。（修饰数词 half）

(12) *Virtually* all the students paticipated in the discussion.

实际上所有学生都参加了讨论。(修饰代词 all)

(13) We counted *approximately* the first thousand votes.

我们数的大约是首批千张票。(修饰数词 the first thousand)

7) 修饰名词，置于"不定冠词＋名词"之前，用以增强语气。这类副词最常用的有 quite 和 rather。如：

(14) We had *quite* a party.

我们举行了一个蛮好的晚会。(修饰 a party)

(15) It was *rather* a mess.

事情相当糟。(修饰 a mess)

(16) *Even* a child can understand that.

连孩子也明白那样的事。

某些副词可直接置于名词之前。如：

(17) Who was the *then* Prime Minister?

谁是当时的总理？

(18) He has *inside* information about the talks.

他有关于这次会谈的内部情报。

某些副词可直接置于名词之后。如：

(19) Life *here* is full of joy.

这里的生活充满欢乐。

(20) I met her the week *before.*

上上个星期我见过她。

(21) The meeting *yesterday* lasted more than three hours.

昨天的会开了三个多小时。

8) 用作表语。如：

(22) Father is *away.*

父亲离家在外。

(23) Is anybody *in* ?

里面有人吗？

(24) The meal was *afterwards.*

后来吃的饭。

9) 用作宾语补语。如：

(25) Ask him *in* , please.

请他进来。

(26) I went to see him only to find him *out.*

我去看他，不料他不在家。

10) 用作介词宾语，有些表示地点、时间的副词可以用作介词宾语。如：

(27) Come over *here* !

到这边来!

(28) He lives not far from *there.*

他住的离那儿不远。

(29) Don't put off until *tomorrow* what can be done to-day.

不要将今天可做的事拖到明天。

(30) It happened the day before *yesterday.*

这事发生在前天。

12·10　副词的位置

副词的位置比较灵活。

1) 有的副词，如 sometimes，often，soon，perhaps 等，可置于句首、句中或句末。如：

（1）*Sometimes* she comes late.

有时她来得晚。（置于句首，即在主语前，这是最强调的位置）

（2）She *sometimes* comes late.

（置于句中，和谓语动词一起）

（3）She comes late *sometimes.*

（置于句末，在动词及宾语或补语之后，这个位置的强调性弱于句首，但强于句中）

2) 有些副词常用在句中，多表频度，如 often，always，never，seldom 等。它们的位置又与动词有无助动词有关。句中无助动词时，副词置于动词 be 之后，其它动词之前。如：

（4）She is *always* late.

她总是晚到。（副词置于 is 之后）

（5）He *always* comes late.

他总是晚到。（副词置于 comes 之前）

动词带有一至三个助动词时，副词通常置于第一个助动词之后。如：

（6）I shall *always* remember it.

我将永远记住这件事。(副词置于助动词 shall 之后)

动词前有情态动词时，副词置于情态动词之后。如：

（7）You must ***never*** get off the tram when it is moving.

电车开动时你绝不可下车。(副词置于情态动词 must 之后)

可以置于句中的副词还有 already，really，just，still，certainly，almost，nearly，suddenly 等。

3）句中副词如移至助动词之前，则是为了强调紧跟在其后的助动词。如：

（8）He ***never*** has been and ***never*** will be successful.

他现在和以后都不会成功。(强调助动词 has 和 will)

（9）You ***never*** can tell.

你很难说。(强调情态动词 can)

4）多数副词皆置于谓语动词之后，如有宾语，则置于宾语之后。如：

（10）Please read ***carefully.***

请仔细地读。

（11）Please read the poem ***carefully.***

请仔细地阅读这首诗。

但如副词在句中的地位不很重要，它亦可置于动词之前。如：

（12）He ***carefully*** read the poem.

他仔细地读了那首诗。

如果宾语部分较长，副词也可置于动词与宾语之间。如：

（13）Please read ***carefully*** all the sections in the book that deal with adverbs.

请仔细阅读书中讨论副词的所有部分。

[注]有些可作介词的副词，既可放在宾语之后，亦可放在宾语之前，如 I'll put the light ***on*** 或 I'll put ***on*** the light。但宾语如是人称代词，则须说 I'll put it ***on*** 。这样的副词还有 up，down，in，out，away 等。

5）在疑问句中，副词一般只能放在句中或句末。如：

（14）Does he ***usually*** work so late?

他通常都工作到这么晚吗?

在有一个助动词或情态动词的疑问句中，副词常放在实义动词之前。如：

（15）Has he ***fully*** recovered?

他完全康复了吗?

(16) Can you *honestly* say you have done your best?

你能老实说你已经尽了最大的努力吗?

在有两个助动词或情态动词的疑问句中,副词的位置与其在陈述句中的位置相同。如:

(17) Will he be *severely* punished?

他会受到严厉的处罚吗?(陈述句为 He will be *severely* punished)

6)在祈使句中,多数副词置于句末。如:

(18) Do it *quickly*!

快干!

(19) Go there *tomorrow.*

明天去那里。

副词 never 和 always 一般在祈使句中占有句首位置。如:

(20) *Never (Always*) buy expensive clothes.

决不要(或总是要)买贵重的衣裳。

7)有时表示序列的副词位于句首。如:

(21)*First* deliver the package,*then* go to the post office.

先送包裹,然后去邮局。

[注] 关于修饰形容词、副词、名词以及全句的副词的位置见前节有关各部分。

三、形容词、副词的比较等级

12·11 比较等级的含义

英语里形容词与副词有三个比较等级,即原级(positive degree),比较级(comparative degree)和最高级(superlative degree)。

一般说来,表示"等于"时用原级。如:

(1) I'm just as *busy* today as I was yesterday.

我今天和昨天一样忙。

表示二者的比较时用比较级。如:

(2) I'm much *busier* today than I was yesterday.

我今天比昨天忙多了。

表示"最……"时用最高级。如:

（3）That was the **busiest** day of my life.

　　那是我一生中最忙的一天。

　　在汉语里，可以说"北京的天气比上海冷"，或"这个幼儿园的孩子被照顾得比那个幼儿园好"，在英语里则必须用 that 或 those。如：

（4）The weather of Beijing is colder than **that** of Shanghai.

（5）The children of this kindergarden are better taken care of than **those** of that kindergarden.

12.12　形容词的比较等级

　　形容词比较等级的规则变化如下表：

构 成 法	原 级	比 较 级	最 高 级
1. 单音节词末尾加 -er 和 -est	great　伟大的	greater	greatest
2. 单音节词如以 -e 结尾，只加 -r 和 -st	brave　勇敢的 fine　好的	braver finer	bravest finest
3. 闭音节单音节词如末尾只有一个辅音字母，须先双写这个辅音字母，再加 -er 和 -est	big　大的 hot　热的	bigger hotter	biggest hottest
4. 少数以 -y, -er, -ow, -ble 结尾的双音节，末尾加 -er, 和 -est（以 -y 结尾的词，如 -y 前是辅音字母，则变 y 为 i，再加 -er 和 -est。以 -e 结尾的词仍只加 -r 和 -st）	happy　快乐的 clever　聪明的 narrow 狭窄的 able　能	happier **cleverer** narrower abler	happiest cleverest narrowest ablest
5. 其它双音节和多音节词皆在前面加单词 more 和 most	difficult 困难的	more difficult	most difficult

注意：

1) 形容词比较等级所加的 -er 和 -est，自成一个音节，分别读作 /ə/ 和 /ist/。如：

tall	taller	tallest
happy	happier	happiest
thin	thinner	thinnest
fine	finer	finest

如果形容词原级的词末为不发音的字母 r，在加 -er 和 -est 时 r 要发 /r/ 音。如：

near	nearer	nearest
clear	clearer	clearest

如果形容词原级词末的发音为 /ŋ/，在加 -er 和 -est 时，/ŋ/ 音后须加一个 /g/ 音。如：

long	longer	longest
strong	stronger	strongest

2) 有些单音节词的比较等级常用 more 和 most，如 glad，fond，shy，sly（但 like 只可用 more 和 most）。有些单音节词则用 -er 和 -est 或 more 和 most 皆可，如 free，clear 等。有些双音节词亦如此，如 secure，cruel，pretty，lively 等（但 real 只可用 more 和 most）。当代英语似有多用 more 和 most 的趋势。

分词形容词的比较等级一律用 more 和 most，如：

worn	more worn	most worn
tired	more tired	most tired
interesting	more interesting	most interesting

［注］注意 wicked 不是分词，故须用 -er 和 -est。

3) 英语里有些形容词的比较等级变化是不规则的。这些形容词有：

{good well	better	best
{bad ill	worse	worst
{many much	more	most
{little few	less	least

far	farther	farthest
	further	furthest
old	older	oldest
	elder	eldest
late	later	latest
	latter	last

[注] 不定代词 many，much，little，few 和形容词一样亦有比较等级，故皆列在这里。

little 作"小"解时，其比较等级一般与 small 同。few 则常用规则的比较等级 fewer 和 fewest，但在当代英语里亦可用 less 和 least。

elder 和 eldest 在英国英语里只可表家庭成员之年长关系，如 his elder brother，his eldest child。但在美国英语里，不论指"老、旧"或"长幼"，皆用 older 和 oldest。

另外还有 former，foremost；inner，innermost；hinder，hindmost；outer，outmost（utmost）；upper，uppermost 等比较形式。

4）英语里表示"较不……"和"最不……"时可用 less 与 least。如：

difficult，less difficult，least difficult

有些复合形容词亦有两种比较形式。如：

well-behaved	better-behaved	best-behaved
	more well-behaved	most well-behaved
well-known	better-known	best-known
	more well-known	most well-known

5）英语里有一些形容词由于其词义而不可能有比较等级形式，如：right，excellent，wrong，naked，perfect，infinite，simultaneous，wooden，absolute，chief，entire，eternal，final，fatal，possible，main，inevitable，primary，sufficient，supreme，unanimous，universal，utter，vital，whole 等。

但这并不是绝对的。例如有人可能会说：

（1）You brother is **more right** than you seem to realize.
你弟弟要比你似乎所认为的更正确。

（2）You are younger and your digestion should be **more perfect.**
你年轻，你的消化力应当比较强。

12·13　副词的比较等级

副词比较等级形式的变化与形容词大致相同，但以后缀 -ly 结尾的副词须用 more 和 most。如：

hard	harder	hardest
fast	faster	fastest
early	earlier	earliest
quickly	more quickly	most quickly
carefully	more carefully	most carefully

［注］early 末尾的 -ly 并非后缀，故其比较等级不用 more 和 most。又，有些副词的比较等级既可用 -er 和 -est，亦可用 more 和 most，如 often 等。

下列副词的比较等级为不规则变化：

well	better	best
badly	worse	worst
much	more	most
far	farther / further	farthest / furthest

12·14　形容词、副词比较等级的基本用法

形容词与副词都有三个比较等级。

1) 原级常用于 "as＋原级＋as" 结构。如：

（1）He's **as tall as** I.

他和我一样高。（口语中一般用 me）

（2）He likes her **as much as** he likes his sister.

他很喜欢她，同喜欢他的姐妹一样。

否定的原级用 not as... as 或 not so... as，二者一般无甚区别。如：

（3）He does **not** smoke **so heavily as** his brother.

他没有他兄弟抽烟抽得凶。

注意下面句中的词序：

（4）Germen is just **as difficult** a language **as** English.

德语同英语一样难学。（不定冠词须放在 difficult 之后）

在一定的上下文中，as... as 结构中的 as 从句可省去。如：

（5）To criticize like him one must be **as generous** and **as** *wise.*

要想像他那样进行文学批评，我们就必须和他一样地大度和聪慧。

2）比较级常用于"比较级＋than"结构。如：

（6）He is **taller than** I.

他比我高。（口语中一般用 me）

（7）She sees me **more often** than she sees her brother.

她见我比见她弟弟更经常。

否定比较与否定原级一样，也用 not as (so)... as ... 结构，例见本节例（3）。

也可用 less... than 结构。如：

（8）This word is **less** frequent in British English **than** in American English.

这个词在英国英语里比在美国英语里少见。（往往可代之以 This word is not so frequent in British English as in American English）

也可用副词比较级。如：

（9）This word is used **less frequently** in British English **than** in American English.

这个词在英国英语中不及在美国英语中常用。

在一定的上下文中，than 从句可以省去。如：

（10）You ought to have told me **earlier.**

你应当早些对我说。

[注] 注意 He is the taller of the two（他是两个人中的较高者）这一句中的 taller 前有定冠词 the。

3）最高级常用于"the＋最高级＋比较范围"结构，比较范围为短语或从句。如：

（11）This is **the best** picture in the hall.

这是大厅里最好的一张画。（比较范围为短语）

（12）This is **the best** picture that he has ever painted.

这是他所画的画当中最好的一幅。（比较范围为从句）

（13）He sings **the best** in the class.

他在班里唱得最好。（the 在此是副词）（副词最高级常可省去 the）

在非正式文体中，比较范围亦可用"of any..."短语。如：

(14) The dog has a funny, short tail and certainly the funniest face *of any* dog in the world.

这狗有一条短而逗人的尾巴，它的脸肯定是世上最逗人的狗脸了。

形容词的否定最高级也可用 the least。如：

(15) She wanted to know how to do it with *the least* amount of bother.

她想知道如何干这件事麻烦最少。

在一定的上下文中，表示"比较范围"的短语或从句可省去。如：

(16) This is *the best* possible answer.

这是最好的回答了。

在一定的上下文中，形容词最高级后的名词（即所谓中心词）亦可省去。如：

(17) This is *the best* of all.

这是所有当中最好的。

12.15 形容词、副词比较等级的其它用法

形容词、副词的比较等级还有一些其它用法。

1）原级的其它用法

a）as (so)... as 结构前可以用 just, almost, nearly, half 等词表示程度。如：

（1）She hasn't been *quite so unlucky* as she pretends.

她并不很像她所装做的那样倒运。

（2）He doesn't dress *half so strangely* as Tom.

他的衣着的奇异远不及汤姆。

（3）You're sewing *nearly* as *neatly* as your mother.

你的针线活差不多和你母亲一样干净利落。

b）注意下面句中 as... as 的用法：

（4）She is *as gifted as* she is diligent.

她不但有天赋，而且勤奋。

（5）The slogan is *as easy* to remember *as* it is hard to forget.

这个口号好记而且难忘。

有时 as 从句中的主语和连系动词可省去。如：

（6）Come *as soon as* possible.

尽快来吧。

有些 as... as 结构则是现成说法, 如 as well as, as much as, as far as, as far back as, as good as, as long as, as soon as, as often as not 等。

c) as 从句的省略结构, 可以省去整个谓语部分, 保留主语。如:

(7) Is he *as handsome as* his brother?

他有他哥哥漂亮吗?

(8) Does she dance *as gracefully as* her sister?

她的舞跳得有她姐姐优美吗?

可以省去部分谓语部分, 保留主语和 be, have 或助动词。如:

(9) I have *as many* assignments *as* you have.

我的作业和你一样多。

(10) Now hold your breath *as long as* you can.

现在你要尽量地摒住呼吸。

可以省去主语与谓语部分, 只保留修饰语 (多为状语)。如:

(11) It's *as warm* there *as* in Beijing.

那里的天气和北京一样暖和。

(12) I told her I had never been in *so many* hotels in my life *as* since I came to Europe.

我对她说我一生中从没有像我到欧洲后住过这样多的旅馆。

2) 比较级的其它用法

a) 比较级前可用 many, much, far, a little, a bit, slightly, a great (good) deal, a lot, completely 等词语表示不定度量。如:

(13) The sun is *much bigger* than the earth.

太阳比地球大得多。

(14) The buildings look *far uglier* in London than here.

伦敦的建筑比这里难看得多。

(15) They will come back *a little* later.

他们过一会儿就回来。

(16) The sun is *a lot bigger* and *brighter* than the moon.

太阳比月亮大得多、亮得多。

(17) I could not answer for my feelings for a week in advance, *much less* to the end of my life.

对我自己的感情我无法提前保证一个星期, 更不用说

　　　　　保证到死了。

　　b）比较级前可用 any 和 no。如：

　　　（18）He was too tired to walk *any further.*
　　　　　　他太累了，走不动了。

　　　（19）— Have you *any more* ?
　　　　　　你还有吗？
　　　　　— Oh, sorry， *no more.*
　　　　　　噢，对不起，没有了。

　　　（20）The train is *no longer* in sight.
　　　　　　列车再也看不见了。

　　　（21）*No sooner* had he left the house than it began to rain.
　　　　　　他刚离开家就开始下雨了。

　注意下面句子的结构及含义：

　　　（22）I *don't* like smoking *any more than* you do.
　　　　　　我和你同样不喜欢吸烟。

　　　（23）I know *no more* Spanish *than* I know Greek.
　　　　　　我对西班牙语和希腊语同样都不懂。

　　c）no more（less）than 与 not more（less）than 的含义不同，
前者言其少（多），后者则只意谓“不多（少）于”。试比较：

　　　（24）I have *no more than* five yuan in my pocket.
　　　　　　我口袋里的钱只不过 5 元。（no more than 等于“只不
　　　　　　过”，言其少）

　　　（25）I have *not more than* five yuan in my pocket.
　　　　　　我口袋里的钱不多于 5 元。（not more than 等于“不多
　　　　　　于”，“至少”，无言其多或少的含义）

　　　（26）He is *no less* determined *than* you.
　　　　　　他的决心不亚于你。（no less determined than 等于“其
　　　　　　决心不亚于你”，言其大）

　　　（27）He is *not less* determined *than* you.
　　　　　　他的决心不比你小。（not less determined than 等于
　　　　　　“其决心不小于”，无言其大或小的含义）

　　d）比较级前可用“数词＋名词”构成的名词短语表示确定的度
量。如：

　　　（28）He is *two inches taller* than his father.
　　　　　　他比他爸爸高两英寸。（或说 He is taller than his
　　　　　　father by two inches. ）

(29) She could not take **a step further.**

她一步也不能走了。(a 在此等于 one)

e）比较级可与 even，still，yet 等副词连用表示"更加"。如：

(30) In that small room he seemed **even bigger** than I remembered him.

在那个小房间里，他的块头似乎显得比我所记得的更加大了。

(31) We are working **still harder** now.

现在我们工作更加努力。

(32) This is bad; that is **yet worse.**

这个坏，那个更坏。

表示"因此而更加……"则用"all，so much，none 等＋副词 the ＋比较级＋（表示原因的状语），这种结构之后不可再接 than 从句。如：

(33) I walked around for two hours yesterday, and the doctor said I was **none the worse** for it.

昨天我转游了两小时，而大夫说我的病情并未因此而恶化。

(34) His unkindness hurt me **all the more** because I had been previously so kind to him.

以前我曾经对他很好，因此他的不友好更加使我难过。

在一定的上下文中，原因状语可省去。如：

(35) If that is the case, **all the better.**

如果事实是那样，那就更好了。(if 从句内含原因)

(36) If you are able to come, **so much the better.**

如果你能来，那就更好了。(if 从句内含原因)

(37) I know there's danger ahead, but I'm **all the more** set on driving forward.

我知道前面有危险，但我因此而更加决心驱车向前。

（前一分句内含原因）

f）表语中比较两个形容词时，不管形容词有多少音节，皆须用 more... than... 结构，其意往往是 ... rather than...，可译为"是……而不是……"或颠倒词序译作"与其说是……，不如说是……"。如：

(38) That little girl is **more** shy **than** timid.

那个小姑娘是害羞而不是胆怯。

(39) She is *more* keen *than* wise.

她与其说是聪明，不如说是敏锐。

上述表语结构中的形容词不可用 -er 和 -est，亦不可用 than 从句。但下面一类句子除外：

(40) This room is *longer than* it is broad.

这个房间的长大于宽。

(41) His hair was yet *darker than* it was grey.

他的黑发尚多于白发。

[注] 上述 more... than... 结构亦可用于名词、介词短语等。如：

① She is *more* mother *than* wife.

她是贤妻，更是良母。(亦可说 She is more a mother than a wife 或 She is more of a mother than a wife)

② It's *more* like blue *than* green.

它是绿的，但更像是蓝的。

上述 more... than... 亦可用于非表语结构。如：

③ It'll do you *more* harm *than* good.

它会对你害多益少。

g) more than 作为固定词组意谓"多于"，常用于数词（或相当于数词的词）之前。如：

(42) *More than* 1000 people attended the meeting.

一千多人参加了会议。

(43) Tomorrow，don't make *more than* a few buns.

明天蒸少数几个馒头就行了。

英语中的 more than 往往有"多得惊人"的含义。如无此含义，则应用 over 或在名词后用 or more。如：

(44) There are *over* ten people in the room.

房间里有十多个人。

(45) There are ten chairs *or more* in the room.

房间里有十多把椅子。

more than 用于其它词语时则常意谓"不止"、"超过"等。如：

(46) She is *more than* pretty.

她何止是漂亮。(不可用 prettier 代替 more than pretty)

(47) You are *more than* welcome!

非常欢迎你!

(48) I **more than** saw it, I felt it too!

我不仅仅是看见了它,我都感觉到它了!

和 more than 意义相反的有 less than,worse than,little more than 等。如:

(49) He seemed **less than** overjoyed.

他似乎并不太高兴。

(50) You're **worse than** unfair. You're mean.

你不止是不公正。你是卑鄙。

(51) Employment statistics in that country amount to **little more than** best guess.

那个国家的就业统计和最好的猜测差不多。

[注] 类似的固定词组还有 rather than,sooner than,other than,nothing more(less)than 等。

h) 表示"越来越……"用"比较级+and+比较级"结构或"more and more+原级"。这种结构不可后接 than 从句。如:

(52) Things are getting **better and better** every day.

情况一天一天好起来。

(53) He is becoming **more and more active** in sports.

他越来越积极参加体育运动。

(54) As his work had become dominant, the rest had seemed to matter **less and less.**

由于他的工作占了主要地位,别的事似乎越来越无关紧要了。

亦可用"ever 等副词+比较级"表示"越来越……"。如:

(55) The road got **ever worse** until there was none at all.

道路越来越坏,直到最后连路也没有了。

(56) He grew **steadily more** gaunt and yellow and ugly.

他越来越瘦、越黄、越难看。

(57) Her position was becoming **daily more** insecure.

她的地位一天比一天不稳了。

i) 表示"越……,就越……"常用"副词 the+比较级+副词 the+比较级"结构。前者是状语从句,后者是主句。如:

(58) **The more , the better.**

越多越好。

(59) The more haste，*the less* speed.

欲速则不达。

(60)*The harder* she worked，*the more* progress she made.

她工作越努力，进步越大。

j) 比较级用于否定结构可表"最……不过"。如：

(61) *Nothing better*！

那最好不过了！

(62) There's *nothing cheaper.*

再便宜不过了。

(63) I *can't* agree with you *more.*

我再同意你不过了。

(64) He *couldn't* be *worse.*

他的情况再坏不过了。

(65) He had *never* felt *less* like talking to anyone.

他从未如此不想和人谈话过。

(66) This could give me *no greater* pleasure.

这使我再高兴不过了。

［注］英语里的比较结构也常用来表示最高级。如：

① She sings *better than anyone else* in her class.

她在班里唱得最好。(＝She sings best in her class)

② He's *abler and more active than anyone else* I know.

他在我所认识的人中是最能干最富有活力的了。(＝He's the
most able and active man I know)

k) 英语里的比较级有时并无具体的比较含义，这种比较级叫做绝对比较级。如：

younger generation　青年一代

higher education　高等教育

the *lower* classes　下层阶级

the *more complex* problems of life　生活中的较为复杂
的问题

l) than 从句的省略结构与 as 从句大致相同。它可以省去整个谓语部分，保留主语。如：

(67) She is *more highly* regarded *than* he.

她比他受到更高的重视。

(68) Does Peter wear his hair *longer than* Tom?

彼得留的头发比汤姆的长吗？

(69) She eats *less than* a bird.

她的食量比小鸟还少。

它可以省去部分谓语部分，保留主语和 be，have 或助动词。如：

(70) John drove much *more carefully than* Tim did.

约翰开车比吉姆小心得多。

(71) We all love ourselves *more* and hate ourselves *less than* we ought.

我们都对自己爱得过多，恨得过少。

这种比较从句中的 be，have 或助动词可移至主语之前，进行倒装。如：

(72) No leader of a party has kept himself in *greater* detachment from the sentiment of his *than* has the late Prime Minister.

任何政党的领袖都没有像已故首相那样不动感情。（助动词 has 移至主语 the late Prime Minister 之前）

比较从句可以省去主要动词，保留其余部分。如：

(73) Imperialism will not change its nature any *more than* a leopard will its spots.

帝国主义绝不会改变其本性，正如豹子绝不会改变其皮上的斑点一样。

比较从句可以省去主语和部分谓语部分，保留宾语。如：

(74) I love him *more than* her.

我爱他胜过爱她。

(75) They love their liberties even *more than* their lives.

他们热爱自由胜过他们的生命。

比较从句可以省去主语和部分谓语部分，保留修饰语。如：

(76) It's *pleasanter* travelling by day *than* by night.

白天旅行比夜晚旅行愉快。

[注] 注意习惯上用 more than usual，而不用 more than usually，如：Did you eat *more than usual* yesterday evening?（你昨晚吃得比平常多吗？）

比较从句可以省去主语（或将 than 看作代词作主语用），保留谓语部分（这种结构多用于正式文体中）。如：

(77) There is *more* in it *than* meets the eye.
它的内涵较表面要深。

(78) Don't eat *more than* is good for you.
不要吃得过量。

(79) There may be *more* importance in it *than* would seem.
它的重要意义可能要比看上去大。

[注] 在 He returned three days earlier than expected（他回来比所预料的早三天）一句中，than expected＝than he was expected。

下面一些句子的 than 从句省去了宾语：

(80) The box is *bigger than* I wanted.
这箱子比我想要的大。

(81) She told me *more than* I cared to know.
她告诉我的比我想知道的多。

在一些比较省略结构中，than 之后可用动词不定式。如：

(82) I know better *than to mention* it.
我才不会提它呢。

(83) I cannot do better *than to give* you an idea of how I did it
我只能告诉你我是怎么干的。

(84) There was nothing he desired more *than to see* the matter ended.
他最希望不过的是看到这事的结束。

[注] 有些固定词组的 than 之后须接不带 to 的不定式。如：

① Sooner *than yield* he resolved to die.
他宁死不投降。

② I would rather stay *than go.*
我宁愿留不愿去。

3）最高级的其它用法

a）最高级可被序数词以及 much，by far，nearly，almost，by no means 等词语所修饰。如：

(85) The Yellow River is the *second longest* in China.
黄河是中国的第二大河。

(86) Of the three boys Nick is *much the cleverest.*
这三个男孩中，尼克最最聪明。

(87) Of the three boys Nick is *almost the cleverest.*
这三个男孩中，尼克差不多是最聪明的了。

(88) Of the three boys Nick is *by no means the cleverest.*
这三个男孩中，尼克决不是最聪明的。

b）形容词最高级用作表语强调事物品质时应省去定冠词。如：

(89) This is where the river is *deepest.*
这是河流的最深处。

(90) Put the picture where light is *best.*
把这张画挂在光线最亮处。

如指事物，一般仍须用 the。如：

(91) This book is *the most difficult* that I have ever read.
这本书是我所读过的最难的一本书。(difficult 后省去了 one 或 book)

c）如果形容词前的 most = very，亦须省去定冠词 the。这种无"最"含义的最高级叫做绝对最高级（不重读）。如：

(92) It is a *most useful* book.
它是一本非常有用的书。

(93) They are *most useful* books.
它们是一些非常有用的书。

Most 作"非常"解时，不重读，但作"大多数"解时须重读。试比较：

(94) *Most* reputable writers have now abandoned this claim.
一些非常可尊敬的作家现在已经放弃了这种主张。(most 不重读，等于 very)

(95) *'Most* reputable writers have now abandoned this claim.
大多数可尊敬的作家现在已经放弃了这种主张。(most 重读，意谓"大多数")

"most＋形容词"用作表语时，most 如不重读，亦属绝对最高级；如重读，则意谓"最"。试比较：

(96) He was *'most eloquent* at the close of his speech.
他在他讲演的结尾最为雄辩。(most 重读，等于"最")

(97) He was *most eloquent* at the close of his speech.

他在他讲演的结尾非常雄辩。(most 不重读，等于
very)

有时带 the 的形容词最高级亦是绝对最高级，意谓"极"。如：

(98) We would like to help you with ***the greatest*** pleasure.

我们极其乐意帮助你。

(99) Oh, he made ***the rudest*** remark!

啊，他说了极为粗野的话。

下面一些现成说法中的绝对最高级省去了 the：

(100) I acknowledge, with ***sincerest*** thanks, your generous
gift.

对你慷慨的馈赠，我致以最衷心的谢意。

(101) With ***best*** wishes, Yours...

致以最良好的祝愿，你的……（信中结束语）

在正式文体中，the 有时亦被省去。如：

(102) She had eyes of ***deepest*** blue.

她有一双最深蓝的眼睛。

(103) Don't follow the way of ***least*** resistance.

不要走最省力气的路。

在"形容词最高级＋of＋名词（泛指）"的结构中，最高级亦表
very，一般不重读。如：

(104) He spoke in ***the softest of voices.***

他说话声音非常柔和。

(105) Everyone appeared to be in ***the best of health.***

大家看起来都很健康。

(106) We are ***the best of friends.***

我们是极好的朋友。

[注] 上述结构中的名词不可有修饰语，否则最高级则变为相对最高级，意
谓"最"。例如将上述例 (106) 改为 We are the best of his friends，其
意则变为"我们是他的最好的朋友"。再如 Table tennis is the most
popular of sports in China（乒乓球在中国最为盛行），由于 sports 有
修饰语 in China，因而 the most popular 在此亦是相对最高级，意谓
"最盛行的"。

d) 注意下面句子结构中的 of 短语不可或不宜后移。如：

(107) Of all the books I like this (the) ***best.***

在所有的书中，我最喜欢这本。（但可说 I like this best

of all）

(108) Of the many problems the **biggest** is how to curb the huge budget deficit.

许多难题之中，最大的就是如何减少庞大的预算赤字。

e）最高级可以和物主代词连用表示最佳情况或状态。如：

(109) I think he has done **his best.**

我认为他已经尽了最大的努力。

(110) Fragrant Hill is at **its best** in autumn when tinted leaves of maple trees everywhere greet the eye.

秋天是香山最美的时节；那时，红叶到处呈现在游人的眼前。

f）最高级在非正式文体中可表示二者的比较。如：

(111) This is **the shortest** of the two roads.

这是两条路中最短的一条路。

(112) I have two children; my **oldest** son is 17 years of age.

我有两个孩子，大的 17 岁。

g）最高级有时有"即使"的含义。如：

(113) There is no **smallest** doubt.

毫无疑问。

(114) The **slightest** neglect would cause a great loss.

即使最小的疏忽也会造成很大的损失。

4）英语里表示比较等级的手段还有：

a）用 equal(ly), same, enough 等表示 as... as...。如：

(115) No one's fingers are **equally** long.

没有一个人的手指是一样长。

(116) They are the **same** age.

他们同龄。

(117) It's clear **enough.**

够清晰了。（=It's as clear as is necessary）

b）用拉丁比较级 superior, inferior, senior, junior, prior, major, minor 等表示比较级。如：

(118) This carpet is far **superior** to that one in quality.

这条地毯的质量远胜过那一条。（后一般须接 to）

(119) Jones is **senior** to Smith.

琼斯比史密斯资格老。（后须接 to）

(120) He is having a *major* operation.

　　　　他正在接受一次大的手术。

[注] 注意下列词组中的拉丁比较级都是绝对比较级（无比较含义）：

　　senior citizens　老人

　　superior quality　优质

　　a *minor* point　不重要之点

c) "too＋原级" 和 "原级＋for 短语" 也可表示比较级。如：

(121) It's *too long.*

　　　　它太长了。(＝It's longer than is necessary)

(122) He is *tall for his age.*

　　　　对他那样的年纪来说，他是长得高的。(＝taller than normal)

有时单用原级亦可表比较级。如：

(123) You are five minutes *late.*

　　　　你晚了五分钟。(late＝too late)

第十三章　介词、连词、感叹词

一、介　　词

13.1　介词的定义和用法

介词（preposition）又叫做前置词，一般置于名词之前。它是一种虚词，一般不重读，在句中不单独作任何句子成分，只表示其后的名词或相当于名词的词语与其它句子成分的关系。

介词后面的名词或相当于名词的词语叫做介词宾语。可作介词宾语的词语通常有：

1）名词或名词性从句，如：

（1）He lives *near the Institute.*

　　　他住在学院附近。

（2）This will give you some idea *of what relativity means.*

　　　这会给你一些关于相对论意义的概念。

2）代词，如：

（3）I am angry *with him.*

　　　我生他的气。

3）动名词或动名词短语，如：

（4）I have an idea *for solving this problem.*

　　　我有一个解决这个问题的想法。

4）不定式（只限于介词 but 和 except），如：

（5）I could do nothing *but* just *sit* there and *hope.*

　　　我除了坐等别无它法。

（6）I can do nothing for them *except to send* them money.

　　　我除了给他们寄钱以外，什么也不能帮他们。

5）数词，如：

（7）Four *from seven* leaves three.

　　　7 减 4 余 3。

6）形容词，如：

（8）I know it *from old.*

　　　我早就知道它。

7）副词，如：

（9）I can't stay *for long.*

　　　我不能久待。

英语介词往往相当于汉语的动词。如：

　　（10）The policeman helped the old woman ***across*** the street.

　　　　警察帮助老大娘过马路。（介词 across 等于"过"）

　　（11）Are you ***for*** it or ***against*** it?

　　　　你赞成还是反对？（介词 for 等于"赞成"，介词 against 等于"反对"）

13.2　介词的种类

介词可按其构成分为：

1）简单介词（simple preposition），即单一介词，如 at，in，of，since 等。

2）复合介词（compound preposition），由两个介词组成，如 as for，as to，into，out of 等。

3）二重介词（double preposition），由两个介词搭配而成，但没有复合介词那样固定，如 from under，from behind，until after，except in 等。

4）短语介词（phrasal preposition），由短语构成，如 according to，because of，in spite of ，on behalf of，with reference to 等。

5）分词介词（participle preposition），由现在分词构成，如 regarding concerning including 等。

介词还可按其词义分为下列常见的几种：

1）表地点（包括动向），如 about，above，across，after，along，among，around，at，before，behind，below，beneath，beside，between，beyond，by，down，from，in，into，near，off，on，over，through，throughout，to，towards，under，up，upon，with，within，without 等。

　　[注] 有不少表地点的介词可表动向，除很明显的 across，around，over，towards，near 外，还有 among，behind，beneath，between，on，to，under 等。

2）表时间，如 about，after，around，as，at，before，behind，between，by，during，for，from，in，into，of，on，over，past，since，through，throughout，till（until），to，towards，within 等。

3）表除去，如 besides，but，except 等。

4）表比较，如 as，like，above，over 等。

5）表反对，如 against，with 等。

6）表原因、目的，如 for，with，from 等。

7）表结果，如 to，with，without 等。

8）表手段、方式，如 by，in，with 等。

9）表所属，如 of，with 等。

10）表条件，如 on，without，considering 等。

11）表让步，如 despite，in spite of，notwithstanding 等。

12）表关于，如 about，concerning，regarding，with regard to，as for，as to 等。

13）表对于，如 to，for，over，at，with 等。

14）表根据，如 on，according to 等。

15）表其它，如 for（赞成），without（没有）等。

13.3　介词短语及其功用

介词和介词宾语一起构成介词短语（prepositional phrase）。介词短语在句中可用作：

1）主语，如：

（1）That day **between three and four thousand shells**
    passed over our heads.
    那一天，有三千到四千发炮弹从我们头上飞过。

（2）**From Beijing to Tianjin** is two hours by train.
    从北京到天津坐火车需要二小时。

2）表语，如：

（3）She looks **like an actress.**
    她像演员。

（4）Mr. and Mrs. Smith are **from New York.**
    史密斯夫妇是纽约人。

[注]　以前人们多把 He is in the house 中的 is 看作行为动词（＝exists），从而把 in the house 看作状语。现在人们多把 is 看作连系动词，从而把 in the house 看作表语。

3）宾语，如：

（5）I'll give you **until tomorrow.**
    我给你限期到明天。

（6）The eight thieves served a sentence of **between 2 and 7 years.**

8 个盗窃犯服刑二到七年。

4）定语，如：

（7）The end **of colonialism** is now a question **of time.**

殖民主义的结束现在已是一个时间问题了。

（8）A friend **in need** is a friend indeed.

患难见真知。

5）状语，如：

（9）Albert has so much work to do that he is staying late **at the office.**

艾伯特工作很多，现在在办公室加班呢。

（10）Dona covered her face **with her hand** as if swooning.

多娜用手捂着脸，好像要昏过去。

（11）Lombard dropped **to his knees** and peeped **through the keyhole.**

隆巴德跪在地上，从锁孔往里窥视。

（12）**Notwithstanding the bad weather** ，the ship arrived on schedule.

尽管天气很坏，该船仍按时抵达。

6）补语，如：

（13）**As a scientist** ，he was dedicated to the truth.

作为一个科学家，他献身于追求真理。（主语补语）

（14）They found themselves **in a dark wood.**

他们不觉走入一座黑沉沉的树林。（宾语补语）

13.4 介词兼作副词和连词

有一些介词可兼作副词，这种介词亦可称作小品词（particle）。试比较：

（1）My mother is **in** the house.

我母亲在屋里。（介词）

（2）Is there anybody **in** ?

里面有人吗？（副词）

（3）The programme was broadcast **over** the radio.

这个节目是通过电台广播的。（介词）

（4）The programme is **over.**

这个节目播完了。(副词)

请注意下面两句中的与介词形式相同的副词:

（5）He turned **over** the page.

他翻过书页。(over 在此是副词,与 turned 组成短语动词)

（6）I've put **on** weight.

我体重增加了。(on 在此是副词,与 put 组成短语动词)

请注意下面两句中的与副词形式相同的介词:

（7）The boat moved slowly **down** the river.

那船沿河缓缓而下。(down 在此是介词)

（8）He climbed **up** the tree.

他爬上了树。(up 在此是介词)

还有少数介词可以兼作连词,如 after,before,since,till (until) 等。如:

（9）The ball goes up very high **after** it hits the ground.

这球着地后蹦得很高。

（10）It will not be long **before** they come back.

他们不久就回来。

（11）I can't make you out. You're so changed **since** last we met.

我认不得你了。自上次见面后,你可变多了。

（12）Will you be all right **until** I get back?

在我回来之前你会一切都好吗?

13.5　介词与其它词类的搭配

由于英语名词的格的形态变化逐渐减少,因而介词与名词及其它词类的搭配关系也愈加重要。这种搭配,有许多已变成习惯,需要一一牢记。

1) 与名词的搭配,有的与后面的名词搭配,如:

at home　在家

by the door　在门口

in the city　在城里

at three o'clock　在 3 点钟

on Sunday　在星期日

during the night　在夜晚

till next week　到下周为止

in 1921　在 1921 年

over the weekend　整个周末

with care　小心地

for good　永久地

past hope　已无希望

across the country　全国

in excitement　激动地

有的与前面的名词搭配，如：

acquanintance with　与……相识

attention to　对……注意

contribution to　对……贡献

desire for　对……愿望

devotion to　献身于

independence of　独立于

equality with　与……平等

interest in　对……感兴趣

love for　对……的热爱

objection to　对……反对

offence against　冒犯……

outlook on　对……眺望

persistence in　坚持……

popularity with　为……所欢迎

similarity to　与……类似

sympathy with　对……同情

2）与动词的搭配，如：

account for　说明

aim at　针对

amount to　合计

begin with　从……开始

cooperate with　与……合作

depart from　离开

die of　死于

indulge in　耽于

interest oneself in　感兴趣于

lead to　导致

listen to 听

meddle with 乱动

object to 反对

offend against 冒犯

persist in 坚持

play with 玩弄

refer to 归于

specialize in 专攻

sympathize with 同情

3) 与形容词搭配，如：

absent from 不在（某处）

afraid of 害怕

averse to 不喜欢

clever at 擅长

equal to 与……平等

faithful to 对……忠实

famous for 以……著称

full of 充满

guilty of 犯（罪等）

hostile to 对……有敌意

independent of 独立于

indulgent in 耽于

interested in 感兴趣于

keen on 喜爱

opposite to 与……对面

partial to 偏爱

popular with 受……的欢迎

similar to 与……类似

sympathetic with 对……同情

注意：

1) 词根或词源相同的名词、动词和形容词多共用一个介词，如：

indulge
indulgence } in 耽于
indulgent

sympathy
sympathize } with 同情
sympathetic

$$\left.\begin{array}{l}\text{object}\\ \text{objection}\end{array}\right\} \text{ to } \quad 反对$$

$$\left.\begin{array}{l}\text{popular}\\ \text{popularity}\end{array}\right\} \text{ with } \quad 受欢迎$$

但也有例外，如：

$$\left\{\begin{array}{l}\text{equal to}\\ \text{equality with}\end{array}\right. \quad 与……相等$$

$$\left\{\begin{array}{l}\text{married to}\\ \text{marriage with}\end{array}\right. \quad 同……结婚$$

2）一个名词、动词或形容词往往可以和一个以上的介词搭配，其意义有所不同，如 look for 与 look at；compare with 与 compare to；feel sympathy for somebody 与 have no sympathy with someone's foolish opinions 等。但有时区别并不大，如 friendly with（或 to），popular with（或 among），originate in（或 from）等。现在就连 die of 与 die from 的区别也似乎不甚明显了。

13·6 介词的后置

前已说过，介词一般须放在名词之前，但在下列情况下，则常后置（常在全句或分句或从句之末）：

1）介词宾语为疑问词时。如：

（1）What are you talking *about* ?

你们在谈什么？

（2）Where are you *from* ?

你是哪里人？

（3）What *for* ?

为什么？

在间接疑问句和感叹句中介词亦可后置。如：

（4）I don't know what you are talking *about.*

我不知道你们在谈什么。（间接疑问句）

（5）What a jolly mess I am *in* !

我所处的局面多么糟啊！（感叹句）

2）介词宾语为关系代词或缩合连接代词时。如：

（6）Do you remember the book which the teacher referred us *to* ?

你记得老师叫我们看的那本书吗？

（7）That's what he is talking *about.*

那就是他所谈的事。

[注] 在正式文体中，介词亦可放在疑问词、关系代词、连接代词之前。如：

① *With* whom did you go?

你同谁一道去?

② This is the book *from* which I got the story.

这就是我从中读到这个故事的那本书。

③ *From* what I hear, he is a good swimmer.

我听说，他是个优秀的游泳运动员。(from what I hear 是一固定词组，from 须置于 what 之前)

3) 在其它情况下。如：

(8) "There's nothing to be afraid *of* ," Mother said.

"没有什么可怕的，" 妈妈说道。

(9) It is a fact that here I could not find one garbage can to throw trash *in.*

确实，我在这里连一个倒垃圾的垃圾桶都找不到。

(10) We helped the troupe avoid the kind of trouble it had met *with* elsewhere.

我们帮助这个剧团避免了它在别处曾遇到过的那种麻烦。(介词 with 在此并不位于句末)

(11) I will try to get it over *with* as quickly as possible.

我一定尽快地把它结束。(to get it over with 是一固定说法)

13.7 介词的省略

现代英语在某些情况下看来有一种省略介词的趋势。

1) 省去 as，如：

(1) I consider him an expert.

我认为他是一位专家。(him 之后省去 as，现在一般认为不应用 as)

2) 省去 at，如：

(2) What time did you arrive home?

你什么时候到家的?（what 前省去 at）

(3) It is hard work keeping the grass green this time of year.

一年中这个时节保持绿草不枯，要费很大气力。(this time 前省去 at)

3）省去 by，如：

(4) I sent the letter airmail.

我将此信由航空寄出。(airmail 前省去 by)

(5) I want to go economy.

我要节约。(economy 前省去 by)

4）省去 from，如：

(6) Illness prevented him going.

疾病使他未能成行。(going 前省去 from)

(7) Can't you stop the child getting into mischief?

你就不能使孩子不淘气？(getting 前省去 from)

5）省去 in，如：

(8) I had started a schoolboy diary the same year I entered the Latin School, in 1928.

我作为学生记日记是我于1928年进入拉丁学校时开始的。(the same year 前省去 in)

(9) They have recruited few new barbers the past three years.

在过去三年中，他们很少补充新理发师。(the past... 前省去 in)

有些动名词之前常省去 in，如：

(10) I have been some time answering this question.

我想了一些时候才回答这个问题。(answering 前省去 in)

(11) He showed his appreciation for her assistance helping him practise English.

他对她帮他练习英语表示感谢。(helping 前省去 in)

6）省去 of，如：

(12) The Pacific Ocean is so big that it could hold twenty countries the size of the United States.

太平洋很大，它可以装得下 20 个美国那样大的国家。(the size 前省去 of)

(13) What colour is it?

它是什么颜色？(what 前省去 of)

(14) He plunged out the doors.

他冲出门口。(美国英语 out＝out of)

7）省去 on，如：

(15) The police arrested him on an assault charge the evening of November 18.

警察于 11 月 18 日以殴打罪逮捕了他。(the evening 前省去 on)

(16) He meant to go hunting.

他意欲打猎。(hunting 前省去 on。现今也有语法家认为 go 是连系动词，hunting 是表语)

8) 省去 to，如：

(17) He never failed to show the traditional respect due Prof. Lin.

他对林教授一向按照传统尊崇备至。(due 后省去 to)

(18) The reception accorded the book has been very gratifying.

这本书受到欢迎是非常可喜的事。(accorded 后省去 to)

9) 在列举一系列名词时，介词可省去，以免重复，如：

(19) When you're lying without moving, you suddenly get an itch on the shoulder, the head, the back.

当你躺着一动不动时，你会突然感到肩上、头上、背上一阵搔痒。(the head 与 the back 前省去 on)

但在下面句子中由于强调介词 of，故须重复：

(20) He was guilty *of* vanity, *of* several meannesses.

他有虚荣心，干过好几桩卑劣的事。

下面一句中连词 and 前后的介词不同，故一般皆不可省略：

(21) Dr. Sun has agreed to be an adviser *to* and member *of* the board of the college.

孙博士同意担任这所学院的顾问和董事。

[注] 在某些现成说法中，介词的宾词亦可省略。如：

① Have you put the kettle *on*?

你把水壶放在炉子上了吗？(介词 on 后省去 the fire)

② When do you go *off*?

你什么时候休息？(介词 off 后省去 duty)

二、连　词

13.8　连词的定义和种类

连词（conjunction）是连接单词、短语、从句、分句或句子的一种虚词，在句中不单独作句子成分，一般不重读。

连词按其构成可分为：

1）简单连词（simple conjunction），如 and，or，but，if，because 等。

2）关联连词（correlative conjunction），如 both... and...，not only... but also... 等。

3）分词连词（participial conjunction），如 supposing，considering，provided 等。

4）短语连词（phrasal conjunction），如 as if，as long as，in order that 等。

连词按其性质又可分为：

1）等立连词（co-ordinative conjunction），这种连词是用以连接并列的单词、短语、从句或分句的，如 and，or，but，for 等。

2）从属连词（subordinative conjunction），这种连词是用以引导名词性从句和状语从句的。前者如 that，whether 等，后者如 when，although，because 等。

[注] 英语里有些连接副词的性质与等立连词相似。常用的连接副词有 besides，hence，however，meanwhile，moreover，still，then，therefore，thus 等。

13.9　连词的用法

1）等立连词（包括连接副词）用法举例：

（1）Time **and** tide wait for no man.

岁月不待人。

（2）The fur coat was soft，**also** warm.

这件皮大衣很轻，也很暖。（亦可用 and also）

（3）We have received your telegram **as well as** your letter of 20th May.

我们不仅接到了你的5月20日的信，也接到了你的电报。

（4）The car was almost new；**besides**，it was in excellent condition.

那汽车几乎是新的，另外，其机器性能也极好。

（5）**Both** the wheat **and** the barley will be shipped tomorrow.

小麦和大麦明天都要装船运走。

（6）The car was quite old **but** in excellent condition.

这部车相当旧了，但机器性能还非常好。

（7）She is very hard-working indeed, **but then** she always has been, hasn't she?

她确实非常刻苦，但话又说回来，她一向如此，不是吗？

（8）Mr. Jennings, **either** we manage this case, **or** you manage it.

詹宁斯先生，要么我们处理这个案件，要么你处理。

（9）He decided to leave at dawn, **for** he had many miles to cover.

他决定黎明启程，因为他要走许多英里。

（10）The coach was not on good. terms with any of the players, **hence** team morale was rather low.

教练与运动员的关系都不好，所以全队的士气相当低。

（11）He knew what he wanted; **however** he didn't know how to get it.

他知道他需要什么；但是他不知道怎样去得到它。

（12）He will be back in ten minutes. **In the meantime** let's wait outside.

他过 10 分钟就回来。此时我们就在外面等着吧。

（13）He moved steadily, looking **neither** left **nor** right.

他从容地走着，既不左顾也不右盼。

（14）The plan had certain weaknesses, **nevertheless** we decided to adopt it.

这个计划有某些缺点，不过我们还是决定采纳。

（15）The children were tired and cross, **nor** were their parents in a much better humour.

孩子们厌烦、乖戾，父母的心绪也不甚好。

（16）It was **not only** unkind **but also** untrue.

它不仅不仁慈，而且不实在。

(17) " *On the one hand* I don't like this job, *but on the other hand* I can't get a better one,"said the young man.

"我一方面不喜欢这个工作，但另一方面，我又找不到更好的工作，"那青年说道。(on the one hand 可省去不用)

(18) She'd like to go *only* he promised not to.

她想去，只要他保证不去。

(19) Be quick, *or* it may be too late.

快点，不然就会迟到。

(20) Hurry up, *or else* you'll miss the last bus.

快点，不然你就赶不上末班车了。

(21) You must work hard; *otherwise* you will not learn English well.

你必须用功；否则就学不好英语。

(22) The rain began to fall, *so* we went home.

开始下起雨来，于是我们回家了。

(23) There seemed no chance of coming to an agreement; *therefore* it was decided to break off negotiations.

似乎已没有达成协议的可能，因此决定中止谈判。

(24) Some people like strong tobacco, *whereas* others don't.

有些人喜欢抽烈性烟，而有些人则不喜欢。

(25) They are the same, *yet* not the same.

它们又一样，又不一样。(连词 yet 常用以连接两个相互矛盾的方面，but 则不一定)

2）从属连词用法举例：

(26) The novel became even more popular *after* it was made into a movie.

这部小说在拍成电影后更加受欢迎了。

(27) He knows English perfectly *though* he has never been to England.

他通晓英语，虽然他从没有到过英国。

(28) *As* he predicted, the wind changed.

正如他预料的，风向变了。(as 在此意谓"如同")

(29) *As* winter approached, the days became shorter.

冬天到来后白昼变短了。(as 在此意谓 "当……时")

(30) **As** I have not read the book, I cannot tell you anything about it.

因为我没有读过这本书，所以关于它我不能对你说什么。(as 在此意谓 "因为")

(31) I'll do it **as** you told me.

我就照你的意思办。(as 在此意谓 "按照")

(32) Sick **as** he was, he came to work.

虽然他病了，但仍来上班。(as 在此意谓 "虽然")

(33) **As far as** I am concerned, I know nothing about it.

就我来说，对这件事一无所知。

(34) He stopped there **as if** he were petrified with terror.

他停在那里，似乎被吓呆了。

(35) You may take my dictionary **as long as** you don't keep it too long.

只要使用时间不太长，你可以把我的词典拿去。

(36) **As soon as** he stops talking, let's go get some coffee.

等他话音一停，咱们就去弄点咖啡。

(37) I took this road **because** the policeman told me to.

我走这条路是因为警察叫我走的。

(38) How can you leave **before** the film is over?

电影还没散场，你怎么能离开呢？

(39) **By the time** he got there, everyone else had arrived.

他到达那里时，别人已都到了。

(40) I'll finish it **even if** it takes me all night.

即使熬一个通宵我也要把这件事干完。

(41) **Every time** my father comes to Beijing, he goes to visit the Monument to the People's Heroes with respect.

我父亲每次来北京，总要去敬谒人民英雄纪念碑。

(42) Bill would have come **if** he'd known you were here.

如果比尔知道你在这里，他就会来了。

(43) **In case** you see him, ask him about it.

如果你见着他，问问他这件事。

(44) The invitations were sent out early **in order that** the delegates might arrive in time for the conference.

邀请书发出得很早，以便让代表们及时到会。

(45) He packed the instruments very carefully *lest* they should be broken during transportation.

他把仪器小心包装好，以免在运输中破损。

(46) That is wrong, *no matter* who says it.

不管是谁说的，那都是错误的。

(47) *Now* you are here, you'd better stay.

既然来了，你就待着吧。

(48) You must return *once* he has given you the money.

他一给你钱，你就必须回来。

(49) I haven't run into Mike once *since* classes began.

开课以后我一次也没碰见麦克。

(50) I'll wash the dress *so that* you can wear it.

我把这件衣服洗了，你好穿上。

(51) He is cleverer *than* us all.

他比我们大家都聪明。

(52) I strongly believe *that* he is innocent.

我坚信他是无辜的。

(53) They set off half an hour earlier *that* they might get there in time.

他们早出发半小时，以便及时到达那里。

(54) *The moment* the speaker appeared on the platform, we all stood up and clapped warmly.

主讲人一出现在讲台，我们就都起立，热烈鼓掌。

(55) *Until* Mary leaves, we'd better not discuss it.

在玛丽离开之前，我们最好不讨论这件事。

(56) I refuse to do it *unless* you help.

你如不协助，我是不干的。

(57) May I borrow that novel *when* Donna finishes it?

等唐娜看完这本小说后，我可以借吗？

(58) *Whether* we go or *whether* we stay, the result is the same.

我们是去还是留，结果都一样。

(59) He stood quite silent *while* she appealed to him.

当她向他求助时，他站着一声不吭。

三、感 叹 词

13·10 感叹词的定义

感叹词（interjection）是用以表示喜怒哀乐等感情或情绪的词。它没有一定的实义，所以也是一种虚词，不能在句中构成任何句子成分。但它与全句有关连，故亦可当作独立成分看待。如：

（1）*Oh,* it's you.

　　啊，是你。

感叹词后可用逗号，语气较强时亦可用惊叹号，如：

（2）*Heavens* ! How dull you are!

　　天哪!你真笨!

13·11 常用感叹词的用法

常用感叹词有：

ah /ɑ:/表惊奇、高兴、同意等，如：

（1）*Ah* ! you are both of you good-natured.

　　啊!你们俩都是好脾气。

aha /ɑ:'hɑ:/ 表得意、高兴等，如：

（2）*Aha* ! Now I understand!

　　啊哈!现在我明白了!

alas/ə'lɑ:s/表痛苦、焦急等，如：

（3）*Alas* ! The white house was empty and there was a bill in the window.

　　啊呀!那白房子空了，窗子上有出租广告。

bravo /'brɑ:'vəu/ 表欢呼鼓劲，如：

（4）*Bravo* ! we've won the finals.

　　好样的!我们决赛胜了。

o /əu/ 表惊奇、恐惧、痛苦、高兴等，如：

（5）*O* for a camera !

　　啊，有一架照相机该多好!（后一般不用逗号或感叹号）

oh /əu/（同上）（后须接逗号或感叹号）

（6）*Oh* , what a lie!

　　啊，多大的谎言!

bah /bɑ:/ 表鄙视，如：

（7） Bah ！What a mess!

　　　咩! 多糟啊!

fie /fai/ 表轻蔑，如：

（8） **Fie** upon you!

　　　去你的!

hurrah /hu'rɑː/ 表欢呼，如：

（9） **Hurrah** ！We're going to have an extra day's holiday.

　　　乌拉! 我们要多放一天假啰。（亦可拼作 hurray，hoorah，hooray）

感叹词多置于句前，如上述诸例。但也可置于句中或句末，如：

（10） Help arrived， **alas** ! too late.

　　　啊!援助来得太晚了。（置于句中）

（11） You're reading the newspaper， **eh** ?

　　　你在看报呢，呃!（置于句末，后常用问号）

表示各种感情的常用感叹词除上列举的以外，还有 bosh （胡说），ha ha（哈哈），heigh-ho（嗨嗬），hem（哼），hey（嗨），hum（哼），pish（呸），pooh-pooh（呸呸），pshaw（哼），so（就这样），tush（咩），tut-tut（啧），ugh（咄），wow（哇）等。

第十四章　句子

14.1　句子的定义

句子是包含主语和谓语部分的一组词。它有一定的语法结构和语调，用以表达一个比较完整的独立的概念。句子开头第一个字母要大写，句子末尾要有句号、问号或感叹号。如：

(1) The foundation of democracy is the will of the people to preserve liberty.

民主的基础就是人民维护自由的意愿。

(2) What motives governed his actions?

是什么动机支配他的行动的？

(3) This concerto is great!

这支协奏曲真好！

14.2　句子的种类和类型

句子按其用途可分为四个种类。

1) 陈述句 (declarative sentence)，用以陈述事实。如：

(1) The daisy is a common flower in English fields.

雏菊在英格兰大地上是一种常见的花。

(2) I don't care what she thinks.

我不在乎她想什么。

2) 疑问句 (interrogative sentence)，用以提出问题。如：

(3) Your friend is a doctor, isn't he?

你的朋友是个医生，对吗？

(4) When do we meet again?

我们什么时候再见面？

3) 祈使句 (imperative sentence)，用以表示命令、请求等。如：

(5) Have a good sleep and think it over.

好好睡一觉，再仔细考虑一下。

(6) Let the meat cook slowly.

把肉用文火煮。

4) 感叹句 (exclamatory sentence)，用以表示各种强烈的感情。如：

(7) What a coincidence to meet in San Francisco!

在旧金山见面真是一种巧合！

（8）The noise will deafen us all!

该噪音会使我们大家耳聋的！

句子按其结构可分为四种型式。

1）简单句(simple sentence)，由一个主语部分和一个谓语部分组成。如：

（9）The cause of the fire was a cigarett-end.

这次火灾是一根烟头造成的。

（10）He asked to see the chief of the tribe.

他求见这个部落的酋长。

2）并列句 (compound sentence)，由两个或两个以上的分句组成。如：

（11）Cotton is falling in price, and buyers hold off.

棉花正在落价，可买主仍犹豫不决。

（12）Henry prefers strawberry pie, but his wife always bakes apple pie.

亨利喜欢吃草莓馅饼，可是他妻子却经常烤苹果馅饼。

3）复合句 (complex sentence)，由主句和其它从句组成。如：

（13）I have to hurry to deposit this money before the bank closes.

我得赶在银行关门前把这笔钱存起来。

（14）He was an oldish man who wore thick glasses.

他年纪大了，戴着很深的眼镜。

4）并列复合句 (compound complex sentence)，即含有复合句的并列句。如：

（15）The ad said that the coat was on sale for ＄20, but it was actually ＄22.

广告说这件外衣卖 20 美元，可它实际上是 22 美元。

（16）I asked a man who has a wife and three children who did the cooking in his house and he replied that whoever came home from work first did it.

我问一个有妻子和三个孩子的人，他家谁做饭；他回答说，谁先下班回来，谁就做饭。

14.3 句子的成分

句子由各个组成部分构成，这些组成部分叫做句子的成分

(members of the sentence)。总的说来,句子皆由两大部分组成。一是主语部分 (subject group),一是谓语部分 (predicate group)。如:

　　(1) The People's Republic of China was born in 1949.

　　　　中华人民共和国成立于 1949 年。

　　句中的 the People's Republic of China 即是主语部分,was born in 1949 即是谓语部分。但句子的成分要比句子的两大部分更加明确具体,可分为主语、谓语(或谓语动词)、表语、宾语、定语、状语、补语、独立成分等。如:

　　(2) The weather was quite nice.

　　　　天气相当好。(weather 是主语,nice 是表语,quite 是状语)

　　(3) I need a quiet room to study in.

　　　　我需要一间安静的屋子进行学习。(need 是谓语或谓语动词,room 是宾语,quiet 是定语)

　　(4) In a fierce shootout five criminals were shot dead.

　　　　在一次猛烈交火中,五个罪犯被打死。(dead 是主语补语)

　　(5) Unfortunately, he had his watch stolen.

　　　　很不幸,他的表被偷了。(unfortunately 是独立成分,stolen 是宾语补语)

　　词类与句子的成分不同。前者纯指单词的分类,后者则指词类、短词、从句等在句子中的功能。词类中也只有具有实义的词类,如名词、代词、数词、动词、形容词和副词等,才可用作句子的成分。其它无实义的虚词,如冠词、连词和介词,则不可用作句子的成分。

14.4 主语

　　主语 (subject) 是一个句子的主题 (theme),是句子所述说的主体。它的位置一般在一句之首。可用作主语的有单词、短语、从句乃至句子。

　　1)名词用作主语。如:

　　(1) A *tree* has fallen across the road.

　　　　一株树倒下横在路上。

　　(2) Little *streams* feed big rivers.

　　　　小河流入大江。

　　2)代词用作主语。如:

（3）*You*'re not far wrong.

你差不多对了。

（4）*He* told a joke but *it* fell flat.

他说了一个笑话，但没有引人发笑。

3) 数词用作主语。如：

（5）*Three*'s enough.

三个就够了。

（6）*Four* from seven leaves three.

7 减去 4 余 3。

4) 名词化的形容词用作主语。如：

（7）The *idle* are forced to work.

懒汉被迫劳动。

（8）*Old and young* marched side by side.

老少并肩而行。

5) 副词用作主语。如：

（9）*Now* is the time.

现在是时候了。

（10）*Carefully* does it.

小心就行。

6) 名词化的介词用作主语。如：

（11）The *ups* and *downs* of life must be taken as they come.

我们必须承受人生之沉浮。

7) 不定式用作主语。如：

（12）*To find* your way can be a problem.

你能否找到路可能是一个问题。

（13）It would be nice *to see* him again.

如能再见到他，那将是一件愉快的事。

8) 动名词用作主语。如：

（14）*Smoking* is bad for you.

吸烟对你有害。

（15）*Watching* a film is pleasure, *making* one is hard work.

看电影是乐事，制作影片则是苦事。

9) 名词化的过去分词用作主语。如：

（16）The *disabled* are to receive more money.

残疾人将得到更多的救济金。

(17) The *deceased* died of old age.

　　死者死于年老。

10) 介词短语用作主语。如：

(18) *To Beijing* is not very far.

　　到北京不很远。

(19) *From Yenan to Nanniwan* was a three-hour ride on horseback.

　　从延安到南泥湾骑马要走三小时。

11) 从句用作主语。如：

(20) *Whenever you are ready* will be fine.

　　你不论甚么时候准备好都行。

(21) *Because Sally wants to leave* doesn't mean that we have to.

　　不能说因为萨利要走因而我们也得走。

12) 句子用作主语。如：

"*How do you do* ?" is a greeting.

"你好!"是一句问候语。

主语可由一个以上的名(代)词等构成，这种主语可唤作并列主语。如：

(22) *He and I* are old friends.

　　我和他是老朋友。

(23) The *Party and government* show great concern for our welfare.

　　党和政府非常关怀我们的生活。

英语常用无人称的名词作主语。如：

(24) A *gun* wounded him.

　　有人用枪打伤了他。

(25) The happy *news* brought them all to my home.

　　他们听到这好消息后就都来到我的家。

英语还常将表示时间、地点的词用作主语。如：

(26) *Today* is your last lesson in French.

　　今天是你们最后一堂法文课。

(27) *Tian An Men Square* first saw the raising of our five-star red flag on October 1st，1949.

　　1949 年 10 月 1 日天安门广场上升起了我们的第一面五星红旗。

和汉语一样,英语的主语有时用得不合逻辑。如:

(28) The **kettle** is boiling.

水壶开了。

(29) My **tent** sleeps four people.

我的帐篷睡四个人。

有时为了强调或补充,在口语中,说话人往往用名词(或代词)重复主语。如:

(30) He is a nice man, **your friend Johnson.**

他是个好人,你的朋友约翰逊。

(31) The poison **it** has worked.

那毒药,它起作用了。

(32) To see you after such a long time, **that** was good.

过了这么久又见到你,这太好了。

有时重复主语的名词(代词)可带有 be,have 或助动词。如:

(33) It went too far, **your game did.**

太过分了,你耍的花招太过分了。

(34) He was happy, **he was.**

他真快乐,真快乐。(he was 亦可单独成句,变为 He was)

[注] 注意在 Lion hunter, snake handler, midwife and cook — he has been all those and more(猎狮人、耍蛇人、接生者和厨师,这些以及其它职业,他都干过)这一句中的前四个名词不是主语而是外位成分。

14.5　谓语

谓语 (predicate) 或谓语动词 (predicate verb) 的位置一般在主语之后。谓语由简单动词或动词短语(助动词或情态动词＋主要动词)构成。

由简单动词构成的谓语有如:

(1) What **happened** ?

发生了什么事?

(2) I **doubt** it.

我对此抱怀疑态度。

(3) He **worked** hard all day today.

他今天苦干了一天。

短语动词亦是简单动词,如:

（4）The plane *took off* at ten o'clock.

飞机是十点起飞的。

由动词短语构成的谓语有如：

（5）I *am reading.*

我在看书。（由助动词 am 和现在分词 reading 构成）

（6）I *don't happen* to know.

我并不知道。（由助动词 do 的否定式和动词原形 happen 构成）

（7）What*'s been keeping* you all this time?

这半天你在干什么来着？（由助动词 has been 和现在分词 keeping 构成）

（8）You *can do* it if you try hard.

你努力就可以做到。（由情态动词 can 和动词原形 do 构成）

（9）We *were beaten* by their team.

我们败给他们队了。（由助动词 were 和过去分词 beaten 构成）

英语常用某些动作名词代替表动态的谓语动词，以表生动。这种动作名词之前常用没有多大意义的动词 have，get，take，give 等。如：

（10）I *had a swim* yesterday.

我昨天游了一次水。（had a swim 代替了 swam）

（11）*Take a look* at that！

你看看那个！（take a look 代替了 look）

（12）He *gave a sigh.*

他叹了口气。（gave a sigh 代替了 sighed）

（13）I *got a* good *shake-up.*

我受到了很大的震动。（a good shake-up 代替了 was shaken up thoroughly）

14.6 表语

表语的功能是表述主语的特征、状态、身份等。它也可以说是一种主语补语。它位于连系动词之后，与之构成所谓的系表结构。在系表结构中，连系动词只是形式上的谓语，而真正起谓语作用的则是表语。可以用作表语的有名词、代词、数词、形容词、副词、不定式、动名词、分词、介词短语、从句等。

1) 名词用作表语。如：

（1）It's a *pity* that we shall be a little late.

令人遗憾的是我们将要迟到一会儿。（连系动词是 is）

（2）He became *king* when he was a child.

他在儿时就当了国王。（连系动词是 became）

（3）This student will make a good *teacher.*

这个学生会成为一位良好的教师。（连系动词是 make）

表时间和地点的名词可用作表语，其前的连系动词 be 意谓"发生"、"存在"等。如：

（4）The wedding was that *Sunday.*

婚礼是在那个星期天举行的。

（5）Nobody can be two *places* at once.

无人可以同时存在于两地。

注意下面句子中的系表结构：

（6）She was *all ears* when I told her the story.

我给她讲这个故事时，她聚精会神地听。（类似的结构还有：all attention 注意力很集中，all smiles 满脸笑容）

下面句子中用作表语的名词具有抽象概念，相当于形容词：

（7）He was *fool* enough to spend all the money at once.

他真傻，把钱一下子全花了。

（8）He was *master* of the situation.

他能掌握局势。

名词 's 属格亦可用作表语。如：

（9）That hat must be *Tom's.*

那帽子一定是汤姆的。

2) 代词用作表语。如：

（10）So that's *that.*

就是这样。

（11）She is very tired and looks *it.*

她很累了，并已显出来了。

（12）*Whose* is that sweater？

那件毛衣是谁的？

3) 数词用作表语。如：

（13）We are *seven.*

我们一共 7 人。

(14) I'll be **twenty-four** in May.

到 5 月我将是 24 岁。

4）形容词用作表语。如：

(15) Are you **busy** ?

你有空吗？

(16) Please feel **free** to say what you really think.

请随便谈谈你的真实想法吧。

(17) He will not rest **content** with these victories.

他决不满足于这些胜利。

注意下面句子中的系表结构：

(18) Our dream has come **true.**

我们的梦想实现了。（come 作为连系动词还常后接 easy，loose，natural 等）

(19) Her skin went **brown** in the sun.

她的皮肤晒黑了。（go 作为连系动词还常后接 mad，hungry，bad，wrong，blind 等。）

(20) He fell **sick.**

他病了。（fall 作为连系动词还常后接 asleep，flat，short，ill，silent 等）

(21) Keep **fit.**

保重。（keep 作为连系动词还常后接 quiet，calm，cool，well，warm，silent，clean，dry 等）

(22) The well ran **dry.**

这口井干枯了。（run 作为连系动词还常后接 short，loose，wild，cold 等）

5）副词用作表语。如：

(23) Are you **there** ?

你听着吗？（电话用语）

(24) Is anybody **in** ?

里面有人吗？

(25) My day's work is **over.**

我这一天的工作做完了。

6）不定式用作表语。如：

(26) All I could do was to **wait.**

我只能等待。

(27) My answer to his threat was **to hit** him on the nose.

我对他的威胁的回答是照他的鼻子打去。

(28) To have knowledge is *to know* the true from the false, and high things from low.

求知就是辨别真伪与高卑。

连系动词 seem, appear 等常后接不定式 to be, 以加强连系动词的力量。如：

(29) A thin person always seems *to be* taller than he really is.

一个瘦个子总似乎比他的实际高度要高些。

(30) The verdict appears *to be* just.

判决似乎是公正的。

7) 动名词用作表语。如：

(31) Complimenting is *lying.*

恭维即是说谎。

(32) Is that *asking* so much?

这是要的高了吗?

(33) Crowning "stars" among literary upstarts is *killing* them.

把所谓"明星"捧作文坛新贵即是扼杀他们。

8) 分词用作表语。如：

(34) It's *surprising* that you haven't met.

真想不到你们未见过面。(surprising 是现在分词)

(35) I was so much *surprised* at it.

我对此事感到很惊讶。(surprised 是过去分词)

(36) I'm very *pleased* with what he has done.

我对他所干的活很满意。(pleased 是过去分词)

(37) I feel *inclined* to agree.

我倾向于同意。(be 或 feel inclined 可看作是固定搭配)

9) 介词短语用作表语。如：

(38) She is *in good health.*

她很健康。

(39) They appear *out of breath.*

他们似乎喘不过气来了。

(40) The show is *from seven till ten.*

演出时间为 7 点至 10 点。

介词 of 表"具有"时，其短语亦常用作表语。如：

(41) I'm quite *of your opinion.*

　　我完全同意你的意见。

(42) It appears *of no value.*

　　它似乎没有价值。

引导表语的介词 of 还常后接 age，benefit，birth，charm，consequence，harm，importance，interest，kind，nature，origin，quality，significance，stock，type 等。

10) 从句用作表语。如：

(43) Is that *why you were angry* ?

　　这就是你发怒的原因吗？

(44) That is *what he means.*

　　这就是他的意思。

(45) This is *where I first met her.*

　　这就是我初次与她会面的地方。

(46) My strongest memory is *when I attended a Chinese wedding.*

　　我最深的印象是我参加一次中国婚礼的情景。

14.7　宾语

宾语（object）在句中主要充当动作的承受者，因此一般皆置于及物动词之后。如：

(1) Our team beat *all the others.*

　　我们的球队打败了所有其他球队。

(2) You can leave *your luggage* with me.

　　你可以将你的行李存在我这里。

但有时为了强调，宾语亦可置于句首。如：

(3) *Two weeks* you shall have.

　　你可以有两周的时间。

(4) *A lot of help* I get from you, young lady !

　　我可得到你不少帮助啊，年轻的姑娘！

有时则为了上下文的衔接而将宾语置于句首。如：

(5) *This much* we have achieved ; but we are not complacent.

　　我们取得了这么多的成就，但我们并不自满。

可以用作宾语的有名词、代词、数词、名词化的形容词、副词、不定式、动名词、名词化的分词、介词短语、从句等。

 1) 名词用作宾语。如：

  （6） She is expecting a *baby* in July.

   她将于 7 月分娩。

  （7） Do you fancy a *drink* ?

   想喝一杯吗？

  （8） Paper catches *fire* easily.

   纸是易燃的。

 2) 代词用作宾语。如：

  （9） They won't hurt *us.*

   他们不会伤害我们。

  （10） Where did you buy *that* ?

   你在哪儿买的那个？

  （11） *What* does it mean?

   它是什么意思？

 3) 数词用作宾语。如：

  （12） If you add 5 to 5，you get *10.*

   5 加 5 得 10。

  （13） Subtract *2* from 10 and you have *8.*

   10 减去 2 得 8。

 4) 名词化的形容词用作宾语。如：

  （14） I shall do my *possible.*

   我将尽力而为。

  （15） He is always helping the *poorer* than himself.

   他总是帮助比他穷困的人。

 5) 副词用作宾语。如：

  （16） He left *there* last week.

   他上个星期离开了那里。

  （17） You must tell me the *when* — the *where* —the *how.*

   你必须告诉我事情是何时、何地和怎样发生的。

[注] 除上述词类可用作宾语外，还有其它词类。如：

 ① I have no *say* in it.

  我对它没有发言权。（动词 say 用作宾语）

 ② Did you say " *for* " or " *against* "?

  你赞成还是反对？（介词 for 与 against 用作宾语）

 ③ But me no *buts.*

你不要老对我说"但是但是"了。(连词 but 用作宾语)

6) 不定式用作宾语。如:

(18) Does she really mean **to leave** home?

她真的要离开家吗?

(19) Remember **to buy** some stamps, won't you?

记着买一些邮票好吗?

7) 动名词用作宾语。如:

(20) He denied **visiting** her house.

他否认去过她的家。

(21) He stopped **smoking** last week.

他上星期戒烟了。

8) 名词化的分词(主要是过去分词)用作宾语。如:

(22) He never did the **unexpected.**

他从不做使人感到意外的事。

(23) More and more people like wearing **ready-mades** now.

现在愈来愈多的人爱穿现成的服装。

9) 介词短语用作宾语。如:

(24) The City Health Department is giving us **until this evening.**

市卫生局给我们的限期是到今晚为止。

(25) That day we sent **between three and four thousand shells** among the enemy troops.

那一天我们向敌军发射了三、四千发炮弹。

10) 从句用作宾语。如:

(26) Do you understand **what I mean** ?

你明白我的意思吗?

(27) I wondered **how old he was.**

我不知道他有多大年纪。

11) 句子用作宾语。如:

(28) He said, **"You're quite wrong. "**

他说道,"你全错了。"

(29) How would you explain " **Half a loaf is better than no bread** "?

你如何解释"半块面包比没有面包好"呢?

宾语除表动作的承受关系外，有时亦可表其它一些关系：

1）宾语表使役的对象。如：

(30) Please let *me* through.
请让我过去。

(31) I must have *my hair* cut soon.
我得快理发了。

(32) They made *the naughty boy* go to bed early.
他们强迫那顽皮孩子早点睡觉。

2）宾语表动作的结果。如：

(33) She made *a fire.*
她生了个火。

(34) He's digging *a hole.*
他在挖一个洞。

(35) Baird invented *television.*
白尔德发明了电视。

3）宾语表动作的工具。如：

(36) He struck *his hand* on his knee.
他用手拍膝。

(37) She was pointing *her fingers* at me.
她用手指指着我。

(38) He wiped *his forearm across his lips.*
他用前臂擦了擦嘴。

4）宾语表动作的目的。如：

(39) She nodded *assent.*
她点头表示同意。

(40) They kissed *good-bye.*
他们吻别了。

(41) She bowed *her thanks.*
她鞠躬表示感谢。

5）宾语表转喻。如：

(42) When the interval came he went out to smoke a *pipe.*
中间休息时他出去抽烟斗。

(43) She poured out a full *cup* and presented it to him with both hands.
她斟满了一杯酒然后用双手捧给他。

(44) He wiped off the *table.*

他将桌子擦拭干净。

6）宾语表动作的时间和地点。如：

(45) Some slept **the night** in the office.

一些人夜里睡在办公室。

(46) She swam **the river.**

她游过了河。

7）宾语是与动词的同源关系，即所谓同源宾语（cogna-teobject）。这种宾语用在某些不及物动词之后，并往往有定语修饰。如：

(47) Chris will **sing a song** for us.

克里斯将要给我们唱支歌。

(48) As he slept he **dreamed a dream.**

他睡中做了一个梦。

(49) Her son **died a hero's death** in battle.

她的儿子在战斗中英勇牺牲了。

(50) She **lived a happy life.**

她生活得幸福。

(51) They **fought a hard fight.**

他们进行了一场苦斗。

[注] 但下列句中不及物动词后的名词一般不看作是宾语，而应看作是状语：

① He ran a **mile.**

他跑了 1 英里。

② It weighs two **kilograms.**

它重 2 千克。

③ It costs twenty **dollars.**

它的价格是 20 美元。

英语中有些动词需要两个同等的宾语，即直接宾语（direct object）与间接宾语（indirect object）。直接宾语一般指动作的承受者，间接宾语指动作所向的或所为的人或物（多指人）。具有这种双宾语的及物动词叫做与格动词（dative verb），常用的有 answer，bring，buy，deny，do，fetch，find，get，give，hand，keep，leave，lend，make，offer，owe，pass，pay，play，promise，read，refuse，save，sell，send，show，sing，take，teach，tell，throw，wish，write 等。间接宾语一般须与直接宾语连用，通常放在直接宾

语之前。如：

    (52) He never made me such excuses.

        他从未向我表示过这种歉意。

    (53) I have found him a place.

        我给他找到了一个职位。

    (54) She made her son a scarf.

        她为她的儿子做了一条领巾。

由于种种原因，间接宾语亦可置于直接宾语之后，但其前一般须用介词 to 或 for。如：

    (55) I gave my address to him.

        我把我的地址给了他。（强调间接宾语 him）

    (56) He threw the ball to me, not to Tom.

        他将球扔给了我，没有扔给汤姆。（强调 me 和 John，并使二者形成对照）

    (57) I have found a place for Bob, who is my brother.

        我给鲍勃找到了一个职位，他是我的兄弟。（间接宾语 Bob 后有修饰语）

如两个宾语都是代词，间接宾语亦应放在直接宾语之后，如：

    (58) Give it to me.

        把它给我。

    (59) Why didn't you show it to him?

        你为什么没有将它给他看？

在正式文件中，间接宾语即使放在直接宾语之前，亦可带介词 to，如：

    (60) Her affectionate devotion gave to her husband a haven of rest after his long wanderings.

        在她的丈夫经过长期流浪之后，她的钟爱之情给他提供了一个避难之所。

被强调的间接宾语还可以置于句首，如：

    (61) To me he owes nothing.

        他不欠我什么。（这种被强调的间接宾语一般须带 to）

含有这种双宾语的主动句变为被动句时，一般地说，直接宾语和间接宾语皆可用作主语。不用作主语的直接宾语或间接宾语叫做保留宾语（retained object）。如：

    (62) He gave me a book yesterday.

        昨天他给了我一本书。

(63) I was given a book by him yesterday.

　　　昨天他给了我一本书。

(64) A book was given (to) me by him yesterday.

　　　昨天他给了我一本书。

　　有一些及物动词后面的间接宾语总是位于直接宾语之前，不可移至直接宾语之后，如：

(65) I kissed her good night.

　　　我用吻向她道了晚安。

　　如果直接宾语是一从句，间接宾语亦必须放在直接宾语之前，如：

(66) I wrote him that he should come at once.

　　　我写信叫他马上来。

　　有一些及物动词可有两个直接宾语，因为两者皆可单独使用，如：

(67) I asked him a question.

　　　我问了他一个问题。

　　亦可单独用其中任一个直接宾语，如：

(68) I asked him.

　　　我问了他。

(69) I asked a question.

　　　我问了一个问题。

　　如宾语带有补语，即构成复合宾语（complex object），可以担任复合宾语的有名词、形容词、介词、非限定动词等。如：

(70) The terrorists are holding *many people hostage.*

　　　这些恐怖分子将许多人扣作人质。（名词作宾语补语）

(71) No one ever saw *him angry.*

　　　从未有人见他恼怒过。（形容词作宾语补语）

(72) They found *treasure in the chest.*

　　　他们在那只箱子里找到了珠宝。（介词短语作宾语补语）

(73) The comrades asked *Dr. Bethune to take cover.*

　　　同志们请白求恩大夫隐蔽一下。（不定式作宾语补语）

(74) Aren't you ashamed to have *everybody laughing* at you?

　　　你弄得人们都笑你，难道不害臊？（现在分词作宾语补语）

（75）The kings had *the pyramids built* for them.

这些国王为他们自己建造了金字塔。（过去分词作宾语补语）

除及物动词需要宾语外，介词亦需要宾语，构成介词短语。如：

（76）I said it only *in fun.*

我只是说笑而已。

（77）The school is just *past the church.*

过了教堂就是学校。

（78）Drinks are *on me* !

酒钱归我付!

（79）They were elected from *among the workers.*

他们是从工人当中选出的。

不少介词与动词已构成固定的短语动词，所以介词的宾语亦变为短语动词的宾语，如 think of, listen to, insist on, persist in, yearn for, aim at, look for, abide by, account for, agree with, fall behind, live by, pay for 等等。有的介词则与"动词＋名词"一起构成固定的短语动词，如 take care of, pay attention to 等等。

介词亦可与"连系动词 be＋形容词"构成固定词组，如 be fond of, be careful about, be angry with, be eager for 等等。

形容词有时亦需要宾语，形容词的宾语多为不定式。如：

（80）I am unable *to move.*

我动不了啦。

（81）It's sure *to rain.*

肯定要下雨了。

（82）She is always ready *to give* a hand.

她总是愿意帮助人。

[注] 本为形容词的 like 与 worth 现已被看作介词。

14.8 补语

补语（complement）是一种补足主语和宾语的意义的句子成分。补足主语意义的句子成分叫做主语补语（subject complement），补足宾语意义的句子成分叫做宾语补语（object complement）。

1）形容词用作主语补语时常置于主语之前，后有逗号。如：

（1）*Tired and sleepy* , I went to bed.

我又累又困，就去睡了。

（2）**Steady and punctual**, he started writing and left off at the same hours each day.

他持稳而准时，每天皆按时开始和停止写作。

有时亦可置于主语之后，前后皆有逗号，与非限定性定语相似。如：

（3）The man, **cruel beyond belief**, didn't listen to their pleadings.

那人不可置信地残酷，不听取他们的恳求。

（4）Chen, **only 1.30 metres tall**, won her third gold when she triumphed in the individual floor exercises.

陈只有 1.30 米高，却在个人自由体操中获得成功而第三次夺得金牌。

主语补语亦常置于谓语动词之后，全句形成"主＋谓＋主补"结构。如：

（5）Maggie gaped **round-eyed**.

玛吉目瞪口呆。

（6）Are you all right? You act **strange**.

你病了吗? 你有点异乎寻常呀。

主语补语在被动句中应放在被动语态之后。如：

（7）He was found **dead**.

他被发现死了。（在主动句中 dead 是宾语补语）

主语补语亦可置于宾语之后，全句形成"主＋谓＋宾＋主补"结构。如：

（8）He got off the bench **very nervous**.

他不安地从长凳上下来。

（9）She gazed at him **speechless** for a moment.

她无言凝视了他一会儿。

上述谓语和宾语之后的主语补语之前皆不用逗号。但如与主语的关系比较松散，主语补语之前亦可用逗号。如：

（10）Her gaze travelled round, **irresolute**.

她犹疑不决，向四周凝视。

（11）He found a young and beautiful girl, who kept shouting and crying, **obviously mad**.

他发现了一个年轻貌美的姑娘，这个姑娘又喊又哭，分明是疯了。

2) 可用作主语补语的词语除形容词外，还有名词、数词、不定式、分词、介词短语、从句等。如：

(12) He was called *Oliver Barret.*

他名叫奥利弗·巴雷特。(名词用作主语补语，位于被动语态之后)

(13) Lincoln was born *a poor farmer's boy* and died *President of the United States.*

林肯生下来时是一个贫苦农民的儿子，死时则是美国的总统。(名词短语 a poor farmer's boy 是主语补语，位于被动语态之后；名词短语 President of the United States 亦用作主语补语，位于谓语动词之后)

(14) He was seen *to go upstairs.*

有人看见他上楼去了。(不定式短语用作主语补语，位于被动语态之后)

(15) *Starting as a street vendor* , he is now general manager of a trading corporation in Beijing.

他原来是一个街道摊贩，现在则是北京一家贸易公司的总经理。(现在分词短语用作主语补语)

(16) He came home *quite changed.*

他回到家时已完全变了。(过去分词短语用作主语补语)

(17) He came home *out of humour.*

他回到家时很不高兴。(介词短语用作主语补语，位于谓语动词之后)

(18) People are just born *what color they are.*

人们的肤色是天生的。(名词性从句用作主语补语)

有时用作主语补语的名词、代词、形容词、分词等之前可加上介词 as (有的语法家将这种 as 唤作限定词) 而意义不变。如：

(19) *As a true friend* he stood by me to the end.

作为我的真挚朋友，他助我一直到底。(用作主语补语的名词之前有 as)

(20) He is a model worker and he is respected *as such.*

他是一位模范工作者，并因此受到尊敬。(用作主语补语的代词 such 之前必须有 as)

(21) Even *as a young boy* , he was regarded *as very promising.*

他早在少年时代已被认为将大有作为。(用作主语补语的名词短语 a young boy 之前有 even as;用作主语补语的形容词短语 very promising 之前有 as,as 在此不可少)

(22) The successful enterprise will go down in local history **as representing the best that our town can do.**

这项企业将以本市的楷模而永垂于本市的历史。(用作主语补语的现在分词短语之前有 as ,此 as 亦不可少)

主语补语之前有时亦可用介词 for。如:

(23) He was taken **for my brother.**

他被误认作我的兄弟。

3) 宾语补语一般皆置于宾语之后。如:

(24) John wears his hair **very long.**

约翰留着很长的头发。

(25) She has her hands **black.**

她把手弄黑了。(如说 black hands ,则意谓她手的肤色是黑的)

但有时亦可置于宾语之前。如:

(26) He pushed **open** the door, went into the hall.

他将门推开,进入了大厅。(强调 the door)

宾语补语偶尔亦可置于主语之前。如:

(27) **As the main eating implement** ,the Chinese use chopsticks every day.

中国人每天都要用筷子作为主要的吃饭用具。(为了强调)

4) 可以用作宾语补语的有名词、形容词、不定式、动名词、分词、介词短语等。如:

(28) They named the child **Jimmy.**

他们将孩子命名为吉米。(名词用作宾语补语)

(29) My mother looks so young that you would think her **my sister.**

我的母亲面很嫩,你会以为她是我的姐姐。(名词短语用作宾语补语)

(30) She boiled the egg **hard.**

她将鸡蛋煮老了。(形容词用作宾语补语)

(31) I found the book very **interesting.**

我发现那本书很有趣。(形容词短语用作宾语补语)

(32) The comrades wanted Dr．Bethune *to take cover.*

同志们要白求恩大夫隐蔽一下。(不定式用作宾语补语)

(33) Tom is ill. Let's *go and see him.*

汤姆病了，我们去看看吧。(不定式短语用作宾语补语)

(34) I call this *robbing Peter to pay Paul.*

我把这个叫做拆东墙补西墙。(动名词短语用作宾语补语)

(35) I have guests *coming.*

我有客人要来。(现在分词用作宾语补语)

(36) Can I have this parcel *weighed here* ?

我可以在这儿称一下这个包裹吗？(过去分词短语用作宾语补语)

(37) I found everything *in good condition.*

我发现一切情况都很好。(介词短语用作宾语补语)

宾语补语之前有时有 as 而意义不变。如：

(38) I regard this *as of great importance.*

我认为这个具有重要意义。

在某些情况下，宾语补语之前可用 for 。如：

(39) Don't take his kindness *for granted.*

不要把他的友善看作是当然的事。

14.9 定语

定语是用来说明名词(代词)的品质与特征的词或一组词。可用作定语的有形容词、名词、代词、数词、副词、不定式、动名词、分词、介词短语、从句和句子等。

1) 形容词用作定语是大量的。如：

(1) She is a *natural* musician.

她是一位天生的音乐家。

(2) You're a *proper* fool if you believe it.

你如相信它就是一个十足的傻瓜。

(3) He must be the best violinist *alive.*

他一定是最好的在世的小提琴手了。(形容词后置)

2) 名词用作定语。如：

    a baby girl　女婴

    well water　井水

  sports car　双座轻型汽车

  a *fool's* paradise　虚幻的天堂（名词's 属格用作定语）

  the works *of Shakespeare*　莎士比亚的著作（名词 of 属格
    用作定语）

3）代词用作定语。如：

  （4）*Your* hair needs cutting.

    你该理发了。（物主代词用作定语）

  （5）He is a friend *of mine.*

    他是我的一个朋友。（名词性物主代词 of 属格用作
    定语）

  （6）*Everybody's* business is *nobody's* business.

    人人负责就是无人负责。（不定代词属格用作定语）

4）数词用作定语。如：

  （7）There's only *one* way to do it.

    做此事只有一法。（基数词 one 用作定语）

  （8）Do it now, you may not get a *second* chance!

    现在就干吧，你可能再也没有机会了！（序数词
    second 用作定语）

基数词用作定语时可后置。如：

    page 24　第 24 页

    Room 201　201 房间

    the year 1949　1949 年

5）副词用作定语时常后置。如：

    the room *above*　楼上的房间

    the world *today*　今日世界

    the way *out*　出路

    a day *off*　休息日

6）不定式用作定语。如：

  （9）Her promise *to write* was forgotten.

    她忘记了答应写信的事。

  （10）That's the way *to do it.*

    那正是做此事的方法。（不定式短语用作定语）

  （11）She has a wish *to travel round the world.*

    她有周游世界的愿望。（不定式短语用作定语）

不定式复合结构亦可用作定语。如：

(12) It's time *for us to go.*

我们该走了。

(13) The note was a simple request *for a porter to be sent to Room 210.*

这个字条就是请派一个搬运工人到 210 室去。

7) 动名词用作定语。如：

a *walking* stick 手杖

sleeping pills 安眠药片

eating implements 吃饭用具

learning method 学习方法

8) 分词用作定语。如：

a *sleeping* child 正在睡中的小孩（现在分词）

a *drinking* man 嗜酒者（现在分词）

a *retired* worker 一个退休工人（过去分词）

a *faded* flower 一朵谢了的花（过去分词）

分词短语也常用作定语。如：

(14) He is talking to a girl *resembling Joan.*

他在和一个貌似琼妮的姑娘谈话。（现在分词短语）

(15) His face is transfigured with the ecstasy of a dream *come true.*

梦想实现的喜悦使他容光焕发。

9) 介词短语用作定语。如：

(16) This is a map *of China.*

这是一幅中国地图。

(17) The wild look *in his eyes* spoke plainer than words.

他那凶暴的目光说明得再清楚不过了。

(18) He always has a clear insight *into what is needed.*

他总是能洞察需要什么。（介词短语由介词 into 和一名词性从句构成）

在 "a ＋单位词＋of＋名词" 结构中，定语往往不是 "of＋名词"，而是 "a ＋单位词＋of"。如：

a basket of eggs 一篮子鸡蛋

a bunch of flowers 一束花

a group of girls 一群女孩子

a herd of cattle 一群牛

a mass of buildings 一群体建筑物

a number of people 若干人

a packet of cigarettes 一包香烟

10) 从句用作定语，即定语从句。如：

(19) The car **that's parked outside** is mine.

停在外面的汽车是我的。（限制性从句）

(20) Your car, **which I noticed outside,** has been hit by another one.

我在外面看见你的汽车了，它给另一辆车撞了。（非限制性从句）

定语的位置一般比较固定。单词用作定语时，多置于其所修饰的名词之前；短语和从句用作定语时，一般皆置于其所修饰的名词之后。但有一些情况需要注意。如：

1) 在某些受到法语影响的固定说法中，用作定语的形容词必须后置。如：

the President **elect** 当选而尚未就任的总统

Viceroy **Designate** 任命而尚未赴任的总督

court- **martial** 军事法庭

Attorney **General** 美国司法部长

from time **immemorial** 从很古的时候起

heir- **apparent** 法定继承人

the body **politic** 国家

2) 表语形容词用作定语时一般须后置。如：

(21) He spoke like a man **afraid.**

他说话时像是很害怕似的。

(22) I'm the most happy man **alive.**

我是世上最幸福的人。

3) 以-ble 结尾的形容词用作定语时常后置。如：

(23) Please put your idea into the simplest language **possible.**

请用最简单的语言将你的想法说出来。

(24) Somebody told me recently that swimming in winter was the best form of exercise **imaginable.**

近来有人告诉我冬泳是最好的一项运动。

常后置的形容词还有 present, proper 等。如：

(25) All the people **present** voted for him.

　　　　　出席的人都投了他的票。

　　(26) Japan *proper* excludes the outlying islands.
　　　　　日本本土不包括周围列岛。

4) 形容词等用作复合不定代词的定语时须后置。如：

　　(27) I would like to have something *interesting to read.*
　　　　　我想找些有趣的东西来读。

　　(28) Nobody *decent* will go there.
　　　　　正派人不会到那里去的。

　　(29) Is there anything *on* tonight?
　　　　　今晚有什么（广播或电视）节目吗？（on 在此是副词用作定语，后置）

5) 形容词成对时，常可后置。如：

　　(30) It was April, *balmy and warm.*
　　　　　那是四月，气候和煦。

　　(31) Some were snobs *pure and simple.*
　　　　　有些人是十足的势利鬼。

　　(32) Every object, *animate or inanimate,* causes a certain feeling within the person who observes it.
　　　　　每一样东西，有生命或无生命，都使观者有所感。

6) 用作定语的单词本身具有修饰语时，一般须后置。如：

　　(33) At three, she was taller than playmates *seven or eight years old.*
　　　　　她三岁时已高于七八岁的玩伴。

　　(34) Never had I seen a face *so happy, sweet and radiant.*
　　　　　我从未见过如此快活、甜蜜、喜悦的面容。

　　(35) It was a company *a hundred strong.*
　　　　　那是一个有一百人的连队。

7) 不定式用作定语时须后置，但不定式的被动式用作定语时却可借助连字符前置。如：

　　　　　a *never-to-be-forgotten* day　一个难忘的日子

　　　　　an *impossible-to-be-realized* wish　一个不可能实现的愿望

　　　　　a *much-to-be-longed-for* place　一个令人很向往的地方

8) 单个分词用作定语时可以前置（例见前），但亦可后置。如：

　　　　　for the time *being*　目前（现在分词后置）

labour *lost*　　徒劳（过去分词后置）

分词短语一般皆后置，但过去分词短语有时亦前置，表示限制性。如：

　　an *unheard-of* crime　前所未闻的犯罪

　　a *homemade* jam　家做果酱（已变成一单词）

9) 有时后置的定语并不紧接其所修饰的名词，这种定语叫做隔离定语。如：

（36）Here an accident happened *of a very extraordinary kind.*

　　　这里发生过很不寻常的事件。（介词短语较谓语动词happened 长，故置于其后）

（37）There are many people living *who cannot understand the best literature of our time.*

　　　有很多在世的人不懂得我们这个时代的优秀文学。（定语从句由于较长而置于 living 之后）

另外，定语还有限制性（restrictive）与非限制（nonrestrictive）之分。对其所修饰的名词来说是必不可少的定语，叫做限制性定语，通常不用逗号将二者隔开。如：

　　the *present* writer　　本作者

　　a writer *of novels*　　　小说作家

　　the will *to live*　生的意志

　　the man *who wrote this book*　　这本书的作者

反之，对其所修饰的名词只是一种补充说明，并非必不可少的定语，叫做非限制性定语，二者之间一般皆有逗号。如：

（38）The *fine, old* bridge that used to span the Thames near Somerset House was designed by John Rennie.

　　　往昔横跨在萨默塞特大楼附近的泰晤士河上的那座精致的老桥是约翰·伦尼设计的。（that 从句则是限制性定语）

（39）The young man，*who used to be idling around,* is now our mechanic.

　　　那个青年过去无所事事，现在是我们的机修工。

14.10　同位语

当两个指同一事物的句子成分放在同等位置时，一个句子成分可被用来说明或解释另一个句子成分,前者就叫做后者的同位语

(appositive)。这两个句子成分多由名词（代词）担任。同位语通常皆放在其所说明的名词（代词）之后。

1）名词用作同位语是大量的。如：

（1）We have two children，*a boy and a girl.*

我们有两个孩子，一男一女。

（2）*We，the Chinese people，* are determined to build China into a powerful and prosperous country.

我们中国人民决心将中国建成一个强大的繁荣的国家。

有时同位语和其所说明的名词是同一个名词，如：

（3）She won her first victory，*a victory* that was app-lauded by the public.

她获得第一个胜利，一个得到公众欢呼的胜利。

2）代词用作同位语。如：

（4）They *all* wanted to see him.

他们都想见他。

（5）Let's *you and me* go to work，Oliver.

咱们俩去工作吧，奥利弗。

3）数词用作同位语。如：

（6）Are you *two ready* ?

你们俩准备好了吗?

（7）They *two* went，we *three* stayed behind.

他们俩去了，我们三个留了下来。

4）不定式与动名词用作同位语。如：

（8）Their latest proposal，*to concentrate on primary edu-cation，* has met with some opposition.

他们最近提出的集中全力于初等教育的提议遭到了某些人的反对。（不定式短语用作同位语）

（9）The first plan，*attacking at night，* was turned down.

第一个计划是夜袭，被拒绝了。（动名词短语用作同位语）

5）of 短语用作同位语。如：

the city *of Rome* 罗马城

the art *of writing* 写作艺术

the vice *of smoking* 吸烟嗜好

下面结构中的同位语则是第一个名词，但也可以看作其后省去了 sort 或 kind：

the rascal of a landlord　恶棍地主

a brute of a husband　一个横蛮的丈夫

his termagant of a wife　他的凶悍的妻子

6) 从句用作同位语，即同位语从句。如：

(10) The news *that we are having a holiday tomorrow* is not true.

明天放假的消息不确。

(11) We are not investigating the question *whether he is trustworthy.*

我们不是在调查他是否可信赖的问题。

整个句子亦可用作同位语。如：

(12) He has never travelled in Europe, that is to say, *he has only been to Paris and immediately returned.*

他从未周游过全欧洲，换言之，他只是到了巴黎之后立即就回来了。

7) 同位语的位置，如前所述，一般皆紧跟在其所说明的名词之后，但有时二者亦可被其它词语隔开。如：

(13) The tickets cost five dollars *each.*

这票每张五美元。

(14) We are *none of us* perfect.

我们都不是完美无缺的。

(15) They spread the lie everywhere *that Tom was guilty of theft.*

他们到处散布谣言说汤姆犯有盗窃罪。

同位语与其所说明的名词之间常插入一些词语，常见的有 namely（即），viz.（＝that is），that is（亦即），that is to say（那就是说），to wit（即），in other words（换言之），or（或），or rather（更正确地说），for short（简略言之），for example（例如），for instance（例如），say（比如，假定说），let us say（假定说），such as（比如），especially（尤其是），particularly（特别是），in particular（特别是），mostly（多半），chiefly（主要），mainly（基本上），including（包括）等。如：

(16) I am pleased with only one boy, namely, *George.*

我只对一个男孩满意，那就是乔治。

(17) I like Lu Xun's works, especially *The Ture Story of Ah Q.*

我喜欢鲁迅的著作，尤其是《阿Q正传》。

(18) There are three very large rivers in Africa , viz. *the Congo, Niger and Nile.*

非洲有三条很大的河，即刚果河、尼日尔河和尼罗河。

(19) There are many big cities in Europe，for example，*London, Paris and Rome.*

欧洲有许多大城市，如伦敦、巴黎和罗马。

(20) He works all day，that is to say， *from 9 to 5.*

他全天工作，也就是说，从上午九时至下午五时。（介词短语 from 9 to 5 在此是 all day 的同位语）

(21) They brought fruit，such as *bananas and oranges.*

他们带来了水果，如香蕉、桔子等。

同位语亦可置于其所说明的名词之前。如：

Comrade Li　李同志

General Brown　布朗将军

Professor Johnson　约翰逊教授

Lady Caldwell　考德威尔夫人

my friend Wang Min　我的朋友王敏

8）同位语和定语一样，亦有限制性与非限制性之分。限制性同位语前后无逗号，非限制性同位语则有逗号。试比较：

(22)*My friend* Wang Min is from Hunan.

我的朋友王敏是湖南人。（限制性）

(23) The man， *my teacher，* never rides a bike.

那人是我的老师，他从不骑自行车。（非限制性）

但限制性同位语之前有时也可用破折号。如：

(24) In future prose, two fields are certainly sure to find cultivation — *the field of the essay and the field of the sketch.*

在未来的散文中，人们肯定将致力于两种领域——小品文与随笔。

9）动词、形容词、副词等亦可有其同位语。如：

(25) Asked about the likelihood of a recession，he responded："We're going to continue to expand，*to continue* to have an increase in productivity. "

当被问到衰退的可能性时，他答道："我们将继续扩展，继续增强生产力。"（动词的同位语）

(26) She is more than pretty, that is, **beautiful.**

她不止漂亮而已，她是很美的。(形容词的同位语)

(27) He is working as hard as before, that is to say, **not very hard.**

他工作的劲头和过去一样，这就是说，不很努力。(副词的同位语)

有时同位语在形式上并不与其所说的词语同位，但在意义上却是同位的，如：

(28) The number reached 22 million in the first half of this year, **up 16 percent from a year ago.**

(进入境)人数今年上半年达到2千2百万，比上年增加了百分之十六。

(29) It might last a whole purgatory — or **for ever.**

这(苦难)可能会和整个炼狱一样长——即永久延续下去。

10) 同位语与主语补语不同，前者强调等同，意在说明或解释，主语补语则弥补主语意义之不足，有表述主语的性质。试比较：

(30) **My friend** Tom is a big football player.

我的朋友汤姆是一位大足球运动员。

(my friend 与 Tom 等同，故是同位语)

(31) **A mere child,** he had to work like a beast of burden.

他还仅仅是一个孩子时就不得不当牛作马。

(a mere child 用以表述主语，故是主语补语)

14.11 状语

状语(adverbial)是修饰动词、形容词、副词以及全句的句子成分。如：

(1) The girl is improving **remarkably.**

这个女孩大有进步。(副词 remarkably 用作状语，修饰动词短语 is improving)

(2) The girl is **remarkably** beautiful.

这个姑娘非常美。(副词 remarkably 用作状语，修饰形容词 beautiful)

(3) The girl is improving **remarkably** fast.

这个女孩进步得很快。(副词 remarkably 用作状语，修

饰副词 fast）

（4）*Unfortunately,* the message never arrived.

不幸,通知从未到达。（副词 unfortunately 用作状语,修饰全句）

状语亦可修饰短语和从句。如：

（5）He has travelled *entirely* around the world.

他周游了全世界。（副词 entirely 用作状语,修饰短语 around the world）

（6）I did it *only* because I felt it to be my duty.

我做此事仅仅是因为我觉得它是我的责任。（only 修饰 because 引导的从句）

状语虽是一种修饰语,但有时在基本结构中却是必需的,否则基本结构的意义就不会完整。如：

（7）He lived *in London.*

他住在伦敦。

（8）The chrysalis slowly turned *into a butterfly.*

那蛹慢慢地变成了蝴蝶。

（9）It costs *too much.*

它太贵了。

可用作状语的有副词、名词、代词、数词、形容词、不定式、分词、介词短语、从句等。

1）副词最常用作状语,位置比较灵活,可置于句末、句首和句中。如：

（10）He speaks the language *badly* but reads it *well.*

这种语言,他讲得不好,但阅读力很强。（置于句末）

（11）*Naturally* we expect hotel guests to lock their doors.

当然我们期望旅馆的旅客把房门锁上。（置于句首）

（12）If I remember *rightly* ,we turn left now.

我如记得不错,我们现在该左转弯了。（置于从句之末）

（13）He has *always* lived in that house.

他一向住在那栋房子里。（置于句中,位于助动词与主要动词之间）

（14）I couldn't very *well* refuse to go.

我不大好拒绝去。（位于句中）

副词用作状语修饰形容词和其它副词时,一般皆前置。如：

(15) The kitchen is **reasonably** clean.

　　厨房还算干净。(副词用作状语修饰形容词)

(16) He did the work **fairly** well.

　　那工作他做得还算好。(副词用作状语修饰另一副词)

但副词 enough 用作状语时须后置。如:

(17) Is the room big **enough** for a party?

　　这个房间容得下一个晚会吗? (副词 enough 后置,修饰形容词)

(18) He didn't run quickly **enough** to catch the bus.

　　他跑得不够快,没有赶上那部公共汽车。(后置,修饰副词)

2) 名词用作状语,多置于句末。如:

(19) Wait **a moment.**

　　等一会儿。

(20) They walked **single file.**

　　他们单行走。

(21) The Party teaches us to serve the people **heart and soul.**

　　党教导我们要全心全意为人民服务。

有些名词在一些固定词组中用作状语,置于其所修饰的词之前,如:

　　　　pitch black　漆黑的

　　　　bottle feed　喂婴儿以瓶奶

　　　　day-dream　做白日梦

　　　　ice-cold　冰冷的

　　　　showroom new　崭新的

3) 一些指示代词、不定代词可以用作状语,多置于其所修饰的词语之前。如:

(22) I can't eat **that** much.

　　我可吃不了那么多。

(23) We have walked **this** far without stopping.

　　我们不停地走了这么远。

(24) We'll buy it if it's **any** good.

　　如它真好,我们就买。

(25) My coffee is **none** too hot.

　　我的咖啡不很热。

(26) There were **some** thirty people there.

那里大约有 30 人。

(27) Can you move along **a little** ?

你可以往前边挪一挪吗？（a little 后置）

4）数词有时亦可用作状语，多置于动词之后。如：

(28) I hate riding **two** on a bike.

我不喜欢两个人骑一辆自行车。

(29) He wouldn't sit **thirteen** to dinner.

他不愿意在宴会上坐第 13 个座位。

(30) **Ten to one,** he will come tomorrow.

十有八九他明天会来。（比例用作句子状语，置于句首）

5）某些形容词有时可以用作状语，多置于另一形容词之前。如：

> **devilish** cold　极冷
>
> **tight**-fitting　紧贴身的
>
> **new**-born　新生的
>
> **white** hot　白热化的
>
> **dead** tired　累极
>
> nice and fast　快得很

6）不定式用作状语，多置于句末，强调时亦可置于句首。如：

(31) At the top we stopped **to look at** the view.

到了顶上，我们停了下来眺望景色。

(32) You have only to ask **to get** it.

你只要请求即可得到它。

(33) **To kill** bugs，spray the area regularly.

为了杀死臭虫，这地方要经常喷洒。（为了强调置于句首）

7）分词用作状语，多置于句首与句末，有时也置于句中。如：

(34) **Arriving at the station,** we learned that the train had already gone.

到了车站，我们获悉火车已开走了。

(35) I began to get the shakes **just thinking about the test.**

我一想到考试，就心惊胆战。

(36) This thing, **happening at the right time,** has helped our cause.

此事发生的时机适宜，故有助于我们的事业。

8) 介词短语用作状语，多置于句末和句首，但有时亦可置于句中。如：

(37) I've been feeling slightly ill *for a week.*

我感到稍有不适已经一个星期了。

(38) *At the moment* he's out of work.

他目前没有工作。

(39) *At the end of the film,* I was in tears.

看到影片的末尾时，我流泪了。（两个介词短语最好分开，一个置于句首，一个置于句末）

(40) Where *on earth* is it?

它到底在哪儿呀？

9) 从句用作状语，多置于句末或句首。如：

(41) We chatted *as we walked along.*

我们边走边聊。

(42) *Even if she laughs at him,* he adores her.

尽管她嘲笑他，他还是很喜欢她。

状语按其修饰关系共有两大类：一是一般状语，修饰句中动词、形容词、副词等句子成分；另一类是修饰或说明或连接句子的句子状语。

第一类状语为数最多。按其用途，它又可分为时间、地点、方面、原因、结果、目的、条件、让步、程度、方式、伴随情况等11种。

1) 时间状语，多位于句末和句首，有时亦可置于句中。如：

(43) Shall we do the shopping *today or tomorrow* ?

我们是今天还是明天出去买东西呀？（置于句末）

(44) *After taking my name and address,* he asked me a lot of questions.

他把我的姓名和住址记下后，还问了我许多问题。（置于句首）

(45) In cotton China *now* leads the world.

在棉花产量方面中国现在在世界上是领先的。（置于句中）

注意时间状语一般不可置于谓语与宾语之间。

有些表示不定频度的时间副词，如always, usually, often, frequently, sometimes, occasionally, seldom 等，用作状语时，常

置于句中。如：

> (46) I will **always** remember her.
> 我将对她永志不忘。(置于助动词与主要动词之间)

> (47) I **always** stay in bed late on Sundays.
> 星期天我常睡懒觉。(置于谓语动词之前)

> (48) George is **always** late for school.
> 乔治上学总是迟到。(置于连系动词与表语之间)

> (49) He **usually** leaves before eight o'clock.
> 他通常于 8 时前离家。(置于谓语动词之前)

> (50) Such places are **seldom** visited.
> 这种地方很少有人来旅游。(置于被动语态之中)

[注]频度副词大都不仅可置于句中，亦可置于句末与句首。句首的语气最强，句末次之，句中的语气最弱。如：

① We go there **often**.
我们常到那里去。(句末)

② He **often** sees us.
他常来看我们。(句中)

③ Very **often** he comes in late.
他常常迟到。(句首)

一个以上的时间状语并列使用时，一般说来，最小的时间单位在前，后接较大的时间单位，最大的时间单位应放在最后。如：

> (51) They reached home **at five o'clock in the evening.**
> 他们于傍晚 5 时到家。

> (52) We'll discuss the matter **during lunch tomorrow.**
> 我们将于明日午餐时讨论这件事。

> (53) He'll be staying here **for the summer every year.**
> 他将于每年夏天住在这里。

[注] 但在口语中可说 tomorrow at eight（明天 8 点）或 tonight at nine（今晚 9 点）等。

2) 地点状语，多置于句末，有时也位于句首和句中。如：

> (54) There are plenty of fish **in the sea.**
> 海里有许多鱼。(置于句末)

> (55) She kissed her mother **on the platform.**

她在月台上吻了她的母亲。(置于句末)

(56) **There** she goes, driving too fast as usual.

她走了,车还是开得太快。(置于句首)

(57) Signs were **everywhere** numerous.

到处有许多招牌。(置于句中)

地点状语除表位置外,亦表出发、去向、距离等。如:

(58) Do you speak **from experience** ?

你这是经验之谈?

(59) Are you going **to the station** ?

你去火车站吗?

(60) He went on driving **for hundreds of miles.**

他继续驾驶汽车走了数百哩。

和并列的时间状语一样,并列的地点状语也应将小的地点放在前面,将大的地点放在后面。如:

(61) The books lie **on the table in the library.**

那些书都放在图书馆的那张桌子上。

(62) The meeting will be held **in the Great Hall of the People in Beijing in China.**

会议将在中国北京人民大会堂举行。

当地点状语与时间状语并列时,一般应将地点状语置于时间状语之前。如:

(63) **At the airport last night** two events took place.

昨晚飞机场发生了两件事。

(64) I stayed **there for three weeks last year.**

去年我在那里待了三个星期。

有时由于种种原因,亦可将地点状语置于时间状语之后。如:

(65) Millions of books are printed **every day in China.**

中国每日都出版成百万册的书籍。(由于强调地点状语)

(66) Several agreements were signed **yesterday in Beijing's Great Hall of the People.**

昨天在北京的人民大会堂签订了好几项协定。(由于地点状语较长)

有时为了避免句子头重脚轻,可将时间状语移至句首。如:

(67) **The whole morning** he was working with his shears in the garden.

整个上午他都在花园里做修剪工作。

3）方面状语，多置于句末和句首。如：

(68) He is quick *in action.*
　　　他行动敏捷。

(69) Are you sure *about the arrival time* ?
　　　你肯定知道到站的时间吗？

(70) *So far as I am concerned,* you can do what you like.
　　　就我而论，你可以自行其是。

(71) *With respect to your requests,* we regret that we are not able to assist you in this matter.
　　　关于你的请求，我们很遗憾，不能在此事上给你帮助。

4）原因状语，包括表理由的状语，多置于句末，有时亦可置于句首。如：

(72) She did it *out of curiosity.*
　　　她做此事是出于好奇。

(73) *For reasons of health* he was unable to finish the book.
　　　由于健康的原因，他未能写完这部书。

(74) I eat potatoes *because I like them.*
　　　我吃土豆是因为我喜欢它。

(75) *Because he was ill* , Tom lost his job.
　　　汤姆由于生病而失去了工作。

5）结果状语，多由不定式、分词和从句表示，常位于句末。如：

(76) She woke suddenly *to find someone standing in the doorway.*
　　　她醒来，突然发现有一个人站在门口。

(77) For a long time, China has lacked adequate forests, *causing many catastrophes.*
　　　长期以来，中国都缺乏充足的树林，造成了许多灾难。

(78) She spoke so softly *that I couldn't hear what she said.*
　　　她说得声音很轻，我没有能够听到她说些什么。

6）目的状语，多由不定式、介词短语和从句等表示，常位于句末，强调时亦可置于句首。如：

(79) He ran *for shelter.*
　　　他跑去避雨。

(80) Did you come to London *for the purpose of seeing your family* ?

你来伦敦就是为了看你的家人吗？

(81) *In order to get into a good school* , I must study even harder.

为了考入一个好的学校，我必须更加用功。

(82) The young girl *to please the king* accepted the knight.

那少女为了讨国王的欢心接受了那骑士的求爱。

7) 条件状语，多由短语和从句表示，常置于句末和句首。如：

(83) We'll be lucky *to get there before dark.*

我们如能在天黑以前到达那里就很幸运了。

(84) I wouldn't have been there *except for him.*

如不是他，我是不会去那儿的。

(85) *Turning to the right，* you will find the place you are looking for.

向右拐，你就会找到你要找的地方。

(86) *If he were to come，* what should we say to him?

如若他来，我们将对他说什么呢？

8) 让步状语，常由短语和从句表示，可置于句末和句首。如：

(87) They played cricket *in spite of the rain.*

他们冒雨打板球。

(88) *Despite the difficulties，* they finished the job.

尽管困难重重，他们还是把工作完成了。

(89) *For all his money，* he didn't seem happy.

他尽管有钱，但似乎并不幸福。

(90) He helped me *although he didn't know me.*

他虽然并不认识我，但却帮助了我。

9) 程度状语，常由副词、介词短语及从句等表示。单词多置于其所修饰的句子成分之前或之后，短语和从句一般皆置于其所修饰的句子成分之后，但有时亦可置于其所修饰的句子成分之前。如：

(91) The lecture was not *very* interesting.

这次讲课不很有趣。(very 一般只可置于其所修饰的句子成分之前)

(92) Oddly *enough* , we didn't meet, although we were both there.

真怪，我们没有碰面，虽然我们都去了那里。(enough

用作状语时须置于其所修饰的句子成分之后）

(93) *To what extent* would you trust them?

你对他们信任程度如何?

(94) At that time politicians were not known *to the degree that they are today.*

那时政治家们并不像今天这样为人所知晓。

(95) He's remarkably sure of himself, *to that extent* he remains very much the old Slote.

他很有自信心,就此而论,他还很像往日的斯洛特。

10) 方式状语,常由副词、短语、从句等表示。多位于句末,亦可置于句首或句中。方式状语表示方式,亦表示手段、比较、使用工具以及施事等。如:

(96) She looked at him *concernedly.*

她关切地看着他。

(97) *Reluctantly* she climbed to the top of the stone staircase.

她勉强地爬到了石阶的顶上。

(98) She listened *attentively* to the lecture.

她注意地听讲。

(99) Don't look at me *like that* !

不要那样看人!

(100) He smiled *in an encouraging way.*

他微笑着以示鼓励。

(101) He died a glorious death *fighting the bandits for us.*

他为了我们打匪徒而光荣牺牲。

(102) He worked carefully, *as an expert works.*

他干得很谨慎,就像一个专家一样。

(103) You look *as if you need a rest.*

你看来好像需要休息。

11) 伴随情况状语,常由短语和独立主格等表示,多位于句末和句首。如:

(104) *Besides its being of no use to you,* it is worse than of no use to me.

它除对你无用外,对我更是比无用还要糟。

(105) My train starts at six, *arriving at Chicago at ten.*

我的火车 6 时出发,10 时将到达芝加哥。

(106) He stood there, *pipe in mouth.*

他站在那里，嘴里衔着烟斗。

(107) "What are you waiting for?" Henry said, *his impatience rising.*

"你还等什么？"亨利说道，他不耐烦了。

从上面的例句看，状语有三种位置：句末、句首与句中，句末一般为最常见的状语位置。在同一句中，如有一个以上的状语并列出现，总的说来，单词应在前，依次是名词短语、介词短语、非限定动词短语，最后是状语从句。如：

(108) The woman went *weekly to church.*

那女人每周都去做礼拜。（单词在介词短语之前）

(109)Having conducted 8 500 experiments over eight years, Meng went on *that year to turn out an effective fireproof paint.*

八年来试验了8 500次，这年孟仍继续干，创造出有特效的防火漆。（名词短语后接不定式短语）

(110) An underground group claimed responsibility *yesterday for the abduction of an American citizen, bringing to six the number of Americans held hostage in Lebanon.*

昨天一个地下组织说他们劫持了一个美国公民，这样就使在黎巴嫩的美国人质增加到六个。（名词在前，依次是介词短语和现在分词短语）

(111) Sally got the whiskey *from it for him before he went off.*

萨利在他走掉之前从柜子里拿出威斯忌酒给他。（两个介词短语后接一个状语从句）

有时为了避免笨重，单词、短语和从句可分开放置。如：

(112) "I have never seen so many people in the streets. We can *safely* talk *about millions,* " he added.

"我从未看见过街上有这么多人，我们可以有把握地说要以百万计，"他补充说道。

如从语义来看，状语的一般顺序应是方面状语在前，依次为方式状语、地方状语、时间状语、原因、结果、目的等状语。如：

(113) He went *hastily away.*

他匆匆而去。（方式状语位于地点状语之前）

(114) I stayed *there for three weeks.*

我在那里待了三个星期。（地点状语位于时间状语之前）

(115) She had lived *in poverty for thirty years.*

她在贫困中生活了 30 年。（方式状语位于时间状语之前）

(116) She kept writing letters *feverishly in her study all afternoon.*

她在书房里兴奋地写了一下午信。（方式状语在前，依次是地点状语和时间状语）

(117) He said that she was arrested *under security legislation for contravening a restriction order.*

他说她是由于违反了限制行动的命令根据安全法被捕的。（方式状语后接原因状语）

(118) He is one of 50 workers sent *by Beijing's Lido Hotel to Tibet to train local staff.*

北京丽都饭店派往西藏工人 50 名，以给当地培训职工，他是其中之一。（方式状语在前，后接地点状语，最后是目的状语）

句子状语是修饰或连接句子的状语。这类状语又可分为两种：一种是说明或评说全句的，另一种是用以连接句子的。

说明或评说性句子状语多放在句首或句中；有时也可以放在句末，但其前多有逗号。如：

(119) *Frankly ,* I don't like it.

坦白地说，我不喜欢它。（亦可说 I don't like it, frankly。但如说 She admitted it frankly, 其意则是：她坦率地承认了这一点）

(120) *Of course* I remember you.

我当然记得你。（也可以说 I remember you, of course.）

(121) Can you *simply* show us and not try to explain it?

你可以只给我们看看而不必进行解说吗?

(122) You're *just* talking nonsense, Oliver.

你全是在胡说，奥利弗。

(123) I don't want the money, *confidentially.*

作为机密，我不要这笔钱。

前面提到的表示不定频度的副词，如置于谓语动词（或主要动词）或表语之前，也常用作句子状语。

表否定的副词 not，never，hardly，seldom 等，如放在谓语（或主要动词）或表语之前，亦是这一种句子状语，如：

(124) You must*n't* smoke.

你可不要吸烟。(not 所否定的不单是 must，而是全句)

(125) She is ***never*** angry.

她从不生气。

(126) I ***hardly*** know him.

我几乎不认识他。(试比较：Hardly anyone likes him. 几乎没有什么人喜欢他。)

(127) He ***seldom*** comes late.

他很少迟到。

但需要强调助动词和连系动词时，则须将句子状语放在它们之前。如：

(128) I ***really*** must go.

我真的必须走。(强调助动词 must)

(129) I ***always*** am careful.

我总是小心的。(强调连系动词 am)

[注] 上述句子状语一般亦须置于位于句子或从句末的助动词和连系动词之前，如：

① — Must you go today?

　　你今天必须走吗？

　　— Yes, I really must.

　　　是的，我确实必须走。

② That's where she ***usually*** is at this time of day.

　　每天这时她通常都在那里。

疑问句中的疑问词被强调时，其后可用句子状语 ever，on earth，in the world 等。如：

(130) Who ***ever*** is that man?

那个人究竟是谁？

(131) Why ***on earth*** are you studying Latin?

你究竟为什么学拉丁语呢？

(132) What ***in the world*** has happened?

到底出了什么事？

表示愤怒时疑问词后可用 the devil，the hell 等句子状语，如：

(133) What *the devil* are you doing?

你究竟在干什么？

(134) What *the hell* do you want?

你到底要干吗？

连接性句子状语一般皆置于句首，如：

(135) He was too ill to stay. *Accordingly* we sent him home.

他病重不能久留，于是我们把他送回了家。

(136) *Thus* we see that plants need light.

因此我们看到植物需要光。

(137) Mrs. Brown came，*likewise* Mrs. Smith.

布朗太太来了，史密斯太太也来了。

(138) My brother was taught to read by my mother，and *similarly*，so was I.

我的兄弟识字是母亲教的，同样，我也是。

(139) *Incidentally*，where were you last night?

顺便问一下，你昨晚在哪儿啦？

(140) I don't want to go skating；*moreover*，the ice is too thin.

我不想去溜冰，再说冰也太薄。

(141) He said he was certain. *However*，he was wrong.

他说他肯定。然而他错了。

(142) The book is not a masterpiece — *still*，I like it.

这本书不是杰作，但我仍然喜欢它。

(143) *In that case* some one else will come.

如是这样，会有别人来的。

(144) *At any rate* he can not be as old as that.

不管怎样，他不可能有那么大年纪。

(145) You think me rich，but *on the contrary* I am very poor.

你以为我有钱，但恰恰相反，我是很穷的。

(146) She says we could use her car，and *what's more*，she'll pay for the petrol.

她说我们可以用她的车，而且她还愿付汽油费。

[注] 有一些连接句子的副词已变为连词，如 then，therefore，hence，

nevertheless 等。

14.12　独立成分

　　与全句没有语法关系的句子成分叫做句子的独立成分 (independent element)。可用作独立成分的通常有三种词语，即感叹语、呼语和插入语。

　　1) 感叹语，多置于句首，有的亦可置于句中或句末。如：

　　（1）*Oh，* John，will you come into my room，please?
　　　　噢，约翰，请你到我房间里来好吗?

　　（2）*There，there* ! don't cry.
　　　　好啦，好啦，别哭啦。

　　（3）*Why* ，the cage is empty!
　　　　啊唷，鸟笼是空的!

　　（4）Help arrived，*alas，* too late.
　　　　哎呀，援助来晚了。(alas 亦可置于句末)

　　（5）You're joking，*eh* ?
　　　　你是开玩笑，是吧?

　　2) 呼语，可置于句首、句末或句中。如：

　　（6）*John，* you are wanted on the phone.
　　　　约翰，有你的电话。

　　（7）*Comrades，* may I have your attention，please?
　　　　同志们，请注意。

　　（8）Good-bye，*everybody* !
　　　　大伙儿再见!

　　3) 插入语指插在句中的词语。如：

　　（9）The peasant woman receives nothing，since whatever she earns is the property — *as she herself is* — of the husband who has bought her as his wife.
　　　　农民妇女一无所得，因为她所挣得的——像她本人一样——都归将她买来做妻子的丈夫。

　（10）The writer tells us that the war lasted from 939 *(sic)* to 1945!
　　　　那位作者(竟然)告诉我们说这次战争从 939 年（确实如此说的）延续到 1945 年!

　（11）Business，*he reflected，* appeared as brisk as ever.
　　　　他在想，生意似乎一直很兴隆。(he reflected 亦可看作是句子状语)

第十五章　句子的种类

15.1　句子的种类

句子按其用途可分为陈述句、疑问句、祈使句和感叹句四种。如：

(1) The English have a wonderful sense of humour.
英国人有一种奇妙的幽默感。(陈述句)

(2) Who is your favourite author?
谁是你喜爱的作家？(疑问句)

(3) Don't believe all the gossip you hear.
别轻信听来的一切闲言碎语。(祈使句)

(4) How kind you are!
您真好啊！(感叹句)

15.2　陈述句

用以陈述事实或观点的句子叫做陈述句。(declarative sentence)。陈述句一般皆用降调，句末有句号。如：

(1) The earth is one of several planets revolving round the sun.
地球是绕太阳旋转的几个行星之一。

(2) Jackson impressed me with his force and his kindness.
杰克逊以他的力气和仁慈给我留下了深刻的印象。

陈述句的词序一般是主语＋谓语动词，或主语＋连系动词＋表语。如：

(3) The river flooded.
河水泛滥成灾了。

(4) *Martha is* my *fiancée.*
玛莎是我的未婚妻。

但是在某些情况下，主语和谓语动词可以倒装。如：

(5) There *exist different opinions* on this question.
关于这个问题有不同的观点。(there be 结构)

(6) "What is the matter with you?" *asked the doctor.*
"你哪儿不好?"医生问。(直接引语之后)

（7）From the window *came sounds of music.*

从窗户里传来了音乐声。

（8）Here *comes my brother.*

我弟弟来啦。

（9）Never in my life *have I seen* such a thing.

我一生中从未见过这样的事。(never 位于句首)

（10）*Should need arise,* we shall communicate with you again.

如有需要，我们将同你联系。(条件从句省去了从属连词)

陈述句分肯定结构和否定结构。肯定结构的谓语动词不含否定词。如：

（11）People have five senses：sight，hearing，smell，taste and touch.

人有五种感觉：视觉、听觉、嗅觉、味觉和触觉。

（12）Hamlet revenged his dead father.

哈姆莱特为他死去的父亲报了仇。

变肯定结构为否定结构时，将 not 置于第一个助动词或情态动词之后；现在一般时和过去一般时谓语动词不含助动词，则在动词前加 do（does）或 did 再加 not。如：

（13）She *has not* been sleeping well recently.

她近来睡得不大好。

（14）He *dared not* speak.

他不敢讲。

（15）We usually *do not* stay late.

我们一般不熬夜。

在非正式文体中，否定结构常用缩略式。否定缩略式有两种：一种是助动词的缩略式＋not；一种是助动词＋not 的缩略式。后者的语气似乎较前者强。如：

（16）He*'s not/isn't* / going to spend his summer vocation by the seaside.

他不打算去海滨度暑假。

（17）We'*ll not/shan't* /see him till Monday.

星期一以前我们不会见到他。

（18）I *don't* care what she thinks.

我不关心她想什么。

连系动词 be 的否定式与助动词 be 相同。如：

(19) He **is not** /He's **not** /He **isn't** / here yet.
    他还没有到。

实义动词 do 的否定式与普通动词相同。如：

(20) — What did you do on holiday?
       你们假日干什么了？
    — We **didn't** do anything.
       我们什么也没干。

实义动词 have 表"吃"等义时，其否定式与普通动词相同。如：

(21) She **does not** / **doesn't**/ have coffee with breakfast.
    她早餐不喝咖啡。

Have 表"有"时，有两种否定式。如：

(22) We **do not/don't** / have any money.
    我们没有钱。

(23) We **have not/haven't** /any money.
    我们没有钱。

在当代英语中，后者常为 have got 所代替。如：

(24) I **have not/haven't** /**got** a headache any longer.
    我不再患头痛病了。

陈述句可用来表命令。如：

(25) You will kindly do what you are told.
    请你按对你所说的做。

陈述句亦可用来表疑问，句末有问号，用升调。如：

(26) He's waiting in the church?
    他在教堂等着吗？

15.3 疑问句

用以提问的句子叫做疑问句 (interrogative sentence)。疑问句句末须用问号。疑问句有一般疑问句、特殊疑问句、选择疑问句、附加疑问句、修辞疑问句、感叹疑问句、反问句七种。

1) 一般疑问句 (general question)，需要用肯定词 yes 或否定词 no 来回答，因此也叫是非疑问句 (yes—no question)。这种疑问句句末多用升调，其基本结构为：助动词＋主语＋谓语，也就是说将陈述句的第一个助动词或情态动词提至主语之前。陈述句如不含助动词或情态动词，则在主语前加 do (does) 或 did，回答常用简略答语。如：

（1）— Have you locked the door?

你锁门了吗？

— Yes, I have.

是的，锁了。

— No, I haven't.

不，没有锁。

（2）— Can Mary play the piano?

玛丽会弹钢琴吗？

— Yes, she can.

是的，她会。

— No, she can't.

不，她不会。

（3）— Do you know Jack?

你认识杰克吗？

— Yes, I do.

是的，我认识。

— No, I don't.

不，我不认识。

陈述句如属主＋系＋表结构，则将连系动词提至主语之前。如：

（4）— Is John ill?

约翰生病了吗？

— Yes, he is.

是的，他生病了。

— No, he isn't.

不，他没有生病。

have 表"吃"等义时，与一般动词一样，须用助动词 do。如：

（5）— Did you have a good time in Japan?

你们在日本过得好吗？

— Yes, we certainly did.

是的，确实很好。

have 表"有"时，则有两种结构。如：

（6）— Have you (got) any sisters?

你有姐妹吗？

— No, I haven't.

不，没有。

（7）— Do you have any sisters?

你有姐妹吗？

— No, I haven't.

不，没有。

在一般疑问句的否定结构中，not 一般置于主语之后；但在非正式英语中常用缩略式，即将 -n't 与句首的助动词连在一起。回答一般疑问句的否定结构，应注意 yes 后接肯定结构，no 后接否定结构，这与汉语习惯不同。如：

（8）— Have you not read this book before?

你以前没读过这本书吗？

— Yes, I have.

不，我读过。

— No, I haven't.

是的，我没读过。

（9）— Didn't you speak to him yesterday?

你昨天没对他说吗？

— Yes, I did.

不，我说了。

— No, I didn't.

是的，我没说。

一般疑问句的否定结构往往用来表示提问人的惊讶、怀疑等。如：

(10) Don't you believe me?

你不相信我？（表惊讶）

(11) Are you not coming?

你不来吗？（表怀疑）

回答一般疑问句除用 yes 和 no 外，也可用 certainly, probably, perhaps, of course, all right, with pleasure 等代替 yes, 用 never, no at all 等代替 no。如：

(12) — Can you help me?

你能帮个忙吗？

— Certainly.

当然。

(13) — Have you been there?

你到过那里吗？

— Never.

从来没有。

有时还可以用似乎与问题无关的话来回答。如：

(14)　— Are you going to watch TV again?

你又要看电视？

— What else is there to do?

还有什么事可干呢？

2) 特殊疑问句 (special question)，是用来对句子中某一特殊部分提问的疑问句。这种疑问句句末多用降调，一般以疑问词（疑问代词和疑问副词）开始。如：

(15)　Who told you that?

那是谁告诉你的？

(16)　Which books have you lent him?

你借给了他哪些书？

(17)　Whose beautiful antiques are these?

这是谁的漂亮的古董？

(18)　How wide did they make the bookcase?

他们把书架做成多宽？

(19)　When will he arrive?

他什么时间到？

(20)　Where did you get that ladder from?

你从哪儿弄到那梯子的？

(21)　Why did you go this way?

你为什么走了这条路？

(22)　How did you mend it?

你是怎样修补的？

(23)　How much did you pay?

你付了多少钱？

(24)　How long have you been waiting?

你等多久了？

从以上例句可以看出，特殊疑问句使用的疑问词大多以 wh- 开头，所以也叫 wh- 疑问句。

从以上例句还可以看出，特殊疑问句的一般结构是：疑问词＋一般疑问句，但提问主语部分的疑问句除外。提问主语部分的特殊疑问句采用陈述句的词序。如：

(25)　Who is reading a book at the window?

谁在窗户下念书？

(26) What is lying on the table?

桌上放的是什么？

提问修饰主语的定语时亦采用这种结构。如：

(27) What book is lying on the table?

桌上放的是什么书？

(28) Whose children came here yesterday?

谁的孩子昨天来这里了？

(29) How many students work in the laboratory?

实验室里有多少学生工作？

特殊疑问句一般使用完全答语，即重复全部句子成分，但名词常由代词代替。如：

(30) — When did the teacher read an interesting story to the students?

什么时候教师给学生读了一个有趣的故事？

— He read it to them yesterday.

他是昨天给他们读的。

当然亦可以只回答提问部分。如：

(31) — What time does the next class begin?

下节课什么时间开始？

— At ten.

十点。

提问主语部分的疑问句一般使用简略答语，即用主语及谓语部分的助动词或情态动词。如：

(32) — Who is standing at the window?

谁站在窗户下？

— My sister is.

我妹妹。

(33) — Who can do it?

谁能做它？

— I can.

我能。

(34) — Who gives you English lessons?

谁给你们上英语课？

— Professor Smith does.

史密斯教授。

当然亦可只回答主语。如：

（35）— What book is lying on the table?

桌上放的是什么书?

— A French book.

一本法语书。

当疑问词作为"动词＋介词"短语的宾语时，介词一般置于句末。如:

（36）Where did you get that suit from?

你从哪儿买到那套衣服的?

如动词与介词已构成短语动词，则不可拆开。如:

（37）What are you looking for?

你在找什么?

有些句子中的介词必须位于句首。如:

（38）Since when have you lived here?

你从什么时候起住在这里的?

（39）On what grounds do you suspect him?

你凭什么怀疑他?

特殊疑问句的否定结构是将 not 置于主语之后。如:

（40）Why did you not come yesterday?

为什么你昨天没来?

但非正式英语中常将 not 的缩略式 -n't 与助动词或情态动词连写。如:

（41）Who doesn't know this rule?

谁不知道这条规则?

以 why don't you 及其缩略式 why not 开头的疑问句常表建议或请求。如:

（42）Why don't you give me a hand?

你帮我一下好吗?

（43）Why not go by train?

乘火车去不好吗?

特殊疑问句有一些缩略结构。如:

（44）How about（或 what about）going to the pictures?

去看电影怎么样?

（45）Why leave the door open?

干吗不关门?

（46）Where to go?

到哪儿去?

(47) What if it rains?

　　如果下雨怎么办?

还有不少简略的说法,如 What else?(还有什么?) So what?
(那又怎么样?) What next?(还有比这更荒唐的吗?) What then?
(下一步怎么办?) Who by?(谁写的?) Which way?(走哪条路?)等。

有时特殊疑问句可有一个以上的疑问词。如:

(48) Which present did you give to whom?

　　你把那一件礼物给了谁啦?

(49) Who said what to whom?

　　谁跟谁说什么啦?

有时特殊疑问句可采用陈述句结构。如:

(50) Your name is what?

　　你的名字是什么?

复合的特殊疑问句,常用来询问对方或第三者的想法或意见。
这种疑问句由一般疑问句和特殊疑问句两种结构揉合而成。在这种
复合结构中,特殊疑问句成了一般疑问句结构中的宾语。如:

(51) What do you think is the best film of the year?

　　你看今年的最佳影片是什么?

(52) What did you say his name was?

　　你刚才说的他的名字是什么?

3) 选择疑问句 (alternative question) 是提供两种或两种以上
的情况,供对方选择的。选择疑问句有两种:一种类似一般疑问句
的形式,一种类似特殊疑问句的形式。

第一种选择疑问句由两个或两个以上的一般疑问句构成,中间
用 or 连接,后一个疑问句常用简略式。如:

(53) Shall we go by bus or (shall we go) by train?

　　我们乘公共汽车去还是乘火车去?

(54) Do you like tea or (do you like) coffee?

　　你喜欢茶还是咖啡?

选择疑问句的第一句用升调,第二句用降调。如:

(55) Shall we go by bús or train?

　　我们乘公共汽车去还是乘火车去?(选择疑问句)

如重音在句末,则为一般疑问句。如:

(56) Shall we go by bus or train?

　　(一般疑问句)

这种选择疑问句形式上与一般疑问句相似,但内容上却与特殊

疑问句相似，因此不用 yes 或 no 回答，而且可以对句子的各个成分提问。如：

(57) — Did you spend the summer in California or in Florida?

你是在加利福尼亚还是在佛罗里达度的夏天？

— I spent it in Florida.

我在佛罗里达度的夏天。

(58) — Do you speak English or French?

你说英语还是法语？

— I speak English.

我说英语。

(59) — Is he resting or working?

他在休息还是在工作？

— He is working.

他在工作。

(60) — Are you a Democrat or a Republican?

你是民主党人还是共和党人？

— I am a Democrat.

我是民主党人。

在提问主语部分时，总是在第二个主语前加助动词或情态动词，并用简略回答。如：

(61) — Did you speak to them, or did the manager?

是你对他们说的，还是经理对他们说的？

— The manager did.

是经理对他们说的。

(62) — Will you go there, or will your wife?

是你去那儿，还是你妻子去？

— My wife will.

我妻子去。

第二种选择疑问句由一个特殊疑问句加两个或两个以上的选择答案（用 or 连接）构成。如：

(63) Who do you like best, Tom or Derek?

你最喜欢谁，汤姆还是德里克？

(64) Which ice cream would you like, chocolate, vanilla or strawberry?

你喜欢什么样的冰淇淋，巧克力的、香草的还是草莓的？

除了上述几种选择以外，还可用由 not 构成的是非选择。如：

(65) Do you want to buy it or not?

你想买它还是不想买它？

(66) Are you ready or not?

你准备好还是没有准备好？

下面三种说法都是对的：

(67) Are you coming or not?

(68) Are you coming or aren't you (coming)?

（重读第一个 coming）

(69) Are you or aren't you coming?

（重读 are）

4）附加疑问句（tag question）是附在陈述句之后，对陈述句所说的事实或观点提出疑问。这种疑问句由助动词或情态动词加主语（常与陈述句的主语相同）构成，前有逗号，后有问号。附加疑问句的结构实际上是一种简略的一般疑问句，所以其答语一般须用 yes 或 no。附加疑问句常常是反意的，所以也叫反意疑问句。陈述句如是肯定结构，其后的附加疑问句用否定结构；反之，陈述句如是否定结构，其后的附加疑问句则用肯定结构。附加疑问句的主语须用代词。如：

(70) — Your sister hasn't returned from San Francisco yet, has she?

你妹妹还没从旧金山回来，是吗？

— Yes, she has.

不，她回来了。

— No, she hasn't.

是的，她还没回来。

(71) — We were late, weren't we?

我们晚了，不是吗？

— Yes, we were.

是的，我们晚了。

— No, we weren't.

不，我们没有晚。

(72) — Mickey can't speak Russian, can he?

米基不会说俄语，对吗？

— Yes, he can.

不，他会说。

— No，he can't.

是的，他不会说。

如陈述句无 be 或助动词或情态动词，附加疑问句则用助动词 do（does）或 did。如：

(73) — John likes tea，doesn't he?

约翰喜欢喝茶，不是吗?

— Yes，he does.

是的，他喜欢喝。

— No，he doesn't.

不，他不喜欢。

(74) — She told you，didn't she?

她告诉你了，不是吗?

— Yes，she did.

是的，她告诉了。

— No，she didn't.

不，她没有告诉。

在正式文体中，否定附加疑问句不用缩略式，not 应置于主语之后。如：

(75) She knows you，does she not?

她认识你，不是吗?

陈述句中的 hardly，scarcely，rarely，seldom 亦表否定，故其后的附加疑问句应用肯定结构。如：

(76) You hardly know her，do you?

你几乎不认识她，对吗?

(77) He seldom goes out，does he?

他很少外出，对吗?

附加疑问句因音调不同，其含义亦有所不同。陈述句总是用降调，而附加疑问句既可用升调亦可用降调。用升调时希望对方对陈述句内容的真实性作出自己的判断，而说话人不带任何倾向性。如：

(78) He likes his jòb，dóesn't he?

他喜欢他的工作，不是吗?

(79) He doesn't like his jòb，dóes he?

他不喜欢他的工作，是吗?

用降调时则希望对方对陈述句的内容加以证实，说话人有明显的倾向性，即支持陈述句的内容。如：

> (80) He likes his jòb, dóesn't he?
>
>   他喜欢他的工作，不是吗？（希望对方回答：Yes, he does）
>
> (81) He doesn't like his jòb, dòes he?
>
>   他不喜欢他的工作，是吗？（希望对方回答：No, he doesn't）

否定陈述句后接肯定附加疑问句时，有时表示请求或询问。如：

> (82) You couldn't give me a lift, could you?
>
>   你可以让我搭你的车吗？（请求）
>
> (83) I'm not on the wrong train, am I?
>
>   我没有坐错火车吧，我坐错了吗？（询问）

还有一种附加疑问句并不表反意，陈述句与其后的附加疑问句可以都是肯定结构。这种附加疑问句用升调，常表示一种回忆或推断，有时带有惊讶、愤怒、讥讽等感情色彩。如：

> (84) You've had an accident, have you?
>
>   你遭到一次事故，是吧？（重复已说过的话）
>
> (85) Your car is outside, is it?
>
>   你的汽车停在外面，是吧？（表推断）
>
> (86) So he likes his job, does he?
>
>   那么他喜欢他的工作，是吗？（表惊讶）
>
> (87) Oh, you've had another accident, have you?
>
>   噢，你又出事故啦，是吗？（表愤怒）
>
> (88) So that's your game, is it?
>
>   原来那就是你的把戏，是吗？（表讥讽）

附加疑问句有时可用 eh? right? am I right? don't you think? isn't that so? 等。如：

> (89) She didn't pass the exam, eh?
>
>   她没有通过考试，呃？
>
> (90) They forgot to attend the lecture, am I right?
>
>   他们忘记去上那一次课了，对不对？

说话人有时可用附加疑问句和对方对话，表示同意、惊讶等。如：

> (91) — Their daughter is very clever.
>
>   他们的女儿很聪明。

　　　　— (Yes,) isn't she?

　　　　　可不是。（用降调，表同意）

　(92) — They're moving to New York.

　　　　　他们要迁到纽约去。

　　　　— Are they?

　　　　　是吗？（用升调，表惊讶）

　　5) 修辞疑问句 (rhetorical question) 是为了取得一种修辞上的效果而提出的，它实际上相当于陈述句，不需要回答，但肯定结构表否定，否定结构表肯定。这种疑问句如属一般疑问句，用升调；如属特殊疑问句，则用降调。如：

　(93) What more do you want?

　　　　你还想要什么呢？（意即你不应再想要什么了，应知足了）

　(94) Is it important?

　　　　这事对你有关紧要吗？（意即对你无关紧要，何必问呢？）

　(95) What do I care?

　　　　关我什么事？（意即我才不在乎呢）

　(96) Who doesn't know?

　　　　谁不知道？（意即谁都知道）

　(97) Haven't you got anything better to do?

　　　　你难道没有更值得的事可做吗？（意即当然有）

　　6) 感叹疑问句 (exclamatory question) 的形式虽是疑问句，实际是表感叹。肯定与否定结构皆可用。句末用感叹号。如：

　(98) Am I hungry!

　　　　我当然饿！

　(99) Hasn't she grown!

　　　　她成长得多快！（但如说 Has she not grown? 则是一般疑问句，问她长大了吗？亦可用肯定结构说 Has she grown! 但每个词皆重读，其意＝She has grown!）

　　7) 反问句 (echo question) 要求对方肯定或解释所说过的话。这种疑问句往往重复对方的话，或提出特殊疑问，句末用升调。如：

　(100) — I'm going to town.

　　　　　我要进城去。

　　　　— To town?

　　　　　进城？

— Yes.

是的。

（101） — Have you borrowed my pen?

你借我的钢笔了吗?

— (Have I) borrowed your pen?

借你的钢笔?

（102） — It cost five dollars.

它的价是五美元。

— How much did it cost?

它的价是多少?

— Five dollars.

五美元。

（103） — Take a look at this.

你看看这个吧。

— Take a look at what?

看什么呀?

15.4　祈使句

用以表示请求、命令、劝告、建议等的句子叫做祈使句（imper-ative sentence）。祈使句的结构与陈述句一样，但主语常省略。祈使句一般没有时态的变化，也不能与情态动词连用。

祈使句的主语常为第二人称 you。谓语用动词原形，否定结构用 don't 加动词原形。句子末尾用句号或感叹号，通常用降调。如:

（1）Put those things back in their places.

把那些东西放回原处。

（2）Look out! there's a car coming.

当心! 有车来了。

（3）Don't touch me!

不要碰我!

（4）Sit up straight, children! Don't lean over the table.

坐直，孩子们! 别靠在桌子上。

祈使句后面可用附加疑问句，以加强语气。如:

（5）Fetch me a chair, won't you?

请给我拿把椅子来，好吗?（附加疑问句为否定结构，祈使句为肯定结构，用升调）

（6）Come here, will you?

请这边来。（附加疑问句与祈使句均为肯定结构，用降调）

祈使句表请求时应加 please。如：

（7）Come in, please.

　　请进来。

祈使句可用被动式，但多属否定结构。如：

（8）Don't be deceived by his look.

　　不要被他的外貌所欺骗。（否定结构）

用 get 代替 be 时，则可用肯定结构。如：

（9）Get washed.

　　洗一洗吧。

（10）Get dressed.

　　穿好衣服吧。

祈使句偶尔也用进行式和完成式。如：

（11）Be listening to this station at the same time tomorrow night.

　　请于明晚同一时间收听本台的广播。

（12）Start the book and have finished it before you go to bed.

　　开始读这本书吧，要在睡觉前把它读完。

祈使句如需要强调对方时，亦可表出主语 you。如：

（13）You be quiet!

　　你安静！

用否定结构时，don't 一般置于句首即主语之前。如：

（14）Don't you open the door.

　　你不要开门。

祈使句亦可用第三人称作主语。如：

（15）Somebody open the door.

　　来个人把门打开。

（16）Parents with children go to the front.

　　带孩子的家长到前面去。

（17）Men in the front row take one step forward.

　　前排的士兵向前一步走。

用第三人称的带主语的祈使句否定结构与用第二人称的带主语的祈使句否定结构一样，don't 须置于主语之前。如：

（18）Don't anyone open the door.

　　　　　谁也别开门。

　　用第三人称的祈使句还可加谓语动词 let。如：

　(19) Let him be here by ten o'clock.

　　　　　让他十点前到这里来。

　(20) Let no one think that a teacher's life is easy.

　　　　　不要让人认为教师生活是轻松的。

　　这种祈使句的否定结构亦须加 don't。如：

　(21) Don't let the baby fall.

　　　　　别让婴孩掉下来。

　　let 也常用于第一人称，let me 表单数，let us (let's) 表复数。如：

　(22) Let me try.

　　　　　让我试试。

　(23) Let us have something iced to drink.

　　　　　让我们喝点冷饮。

　　在口语中，let's 有时也可表单数。如：

　(24) Let's give you a hand.

　　　　　让我帮帮你。

　　这种用 let 的祈使句的否定结构一般由 let 及人称代词加 not 构成。如：

　(25) Let us not talk of that matter.

　　　　　让我们别谈那件事吧。

　(26) Let us not say anything about it.

　　　　　关于那件事，让我们什么也别说。

　　在非正式英语中，常用 don't 构成否定结构。如：

　(27) Don't let's say anything about it.

　　　　　（英国英语）

　(28) Let's don't say anything about it.

　　　　　（美国英语）

　　在肯定祈使句之前可用助动词 do 以加强语气，但这种结构只用于第一人称祈使句和第二人称无主语的祈使句。如：

　(29) Do be quiet a moment.

　　　　　一定要安静一会儿。

　(30) Do let me go.

　　　　　一定让我去吧。

　　祈使句除用谓语动词表示外，还可用名词、形容词、副词等表示。如：

(31) Help！
救人哟！

(32) Patience！
要有耐心！

(33) Quickly！
快！

(34) Hands up！
举起手来！

15.5 感叹句

用以表示喜怒哀乐等强烈感情的句子叫做感叹句。感叹句句末常用感叹号，亦可用句号，一般用降调。感叹句的构成方法有三种。

1）陈述句、疑问句只要改变原来的音调（即变为降调）即可构成感叹句。如：

（1）The house is on fire！
房子着火啦！

（2）Mother，aunt is coming！
妈妈，姑妈来啦！

（3）Have you ever seen such a thing?！
你曾见过这种事吗?！

（4）Would you believe it！The servant's broken another dish.
你信吗，仆人又打碎了一只盘子！

（5）Stop probing！
不要盘根问底了！

2）将感叹词 what 或 how 及它所修饰的词置于句首，即可构成感叹句。how 后接形容词和副词，what 后接名词，主谓词序不倒装。如：

（6）How blue the sky is！
天空多蓝呀！

（7）How clever he is！
他多聪明呀！

（8）How quickly you walk！
你走得多快呀！

（9）How well you look！

你气色多好呀!

(10) What delightful weather we are having!

这天气多好呀!

(11) What a foolish mistake I have made!

我犯了一个多么愚蠢的错误呀!

how 修饰动词时动词不提前。如:

(12) How she sings!

她唱得多好呀!

(13) How he snores!

他的鼾声真大呀!

在感叹句中,what a 用来修饰单形可数名词,what 则用来修饰复形可数名词和不可数名词。如:

(14) What a tall boy he is!

他是一个多高的男孩子啊!

(15) What foolish mistakes you have made!

你犯了多么愚蠢的错误啊!

(16) What cold water you have brought me!

你给我拿来的水多凉啊!

有的不可数名词也可用 what a。如:

(17) What a mess we're in!

我们这儿多乱啊!

要注意区分强调的是形容词还是名词。强调形容词时用 how,强调名词时用 what。如:

(18) What a fine building that is!

那是一幢多么漂亮的建筑物啊!

(19) How empty and pedantic a thinker he is!

他是一个多么空虚而迂腐的思想家!

3) 单词或短语均可构成感叹句(省去其它句子成分)。如:

(20) Fire!

着火啦!

(21) Good heavens!

天哪!

(22) Listen! The cuckoo, Jon!

听啊!是布谷鸟,乔恩!

(23) The scent of lime flowers!

菩提花真香啊!

（24）What a hot day!
多么炎热的一天啊!

（25）How wonderful!
多妙啊!

15.6　there be 结构

there be 结构在英语里是一种常见的句子结构。它以引词 there 开始,后常接动词 be 的各种形式,再后才是主语,主语之后又常有表时间和地点的状语。它像是一种倒装句,但它已变成为一种自然的词序。这种结构中的 there 本身无词义,常弱读作/ðə/,其后的动词 be 具有"存在"之义,所以是一实义动词。如:

（1）There is a telephone in that room.
那间屋子里有一部电话。

（2）There are many apple trees in the garden.
花园里有许多苹果树。

（3）There was a symphony concert last night.
昨晚有一场交响乐音乐会。

there be 结构中的主语一般皆指不确定的事物。如:

（4）There is a lamp on the table.
桌上有一盏灯。

（5）There are some lamps on the table.
桌上有几盏灯。

（6）There is some cheese and some butter on the plate.
盘子里有一些奶酪和一些黄油。

there is 常用于单形名词。如后接一系列事物而第一个事物的名称为单形可数名词时,仍应用 there is。如:

（7）There is a textbook, a dictionary and some notebooks on the desk.
桌子上有一本教科书、一本字典和几本笔记。

但 there is 之后有时也可后接复形可数名词,这是由于说话人说出 there is 之后才想到后接的复形可数名词所致。如:

（8）There's some things I can't resist.
有些事物我是不能抗拒的。（正式说法应为 there are）

（9）There's hundreds of people on the waiting list.
登记排队的人有好几百。（正式说法应为 there are）

有时 there be 结构还可以在句末加副词 here 或 there。如:

(10) There's a screwdriver here.

　　　这里有一把螺丝刀。

(11) There are many children there.

　　　那里有许多小孩。

there be 结构可以用各种一般时态。如：

(12) There are very many English books in the library.

　　　图书馆里有很多英文书。

(13) There was a meeting at the club yesterday.

　　　昨天俱乐部有一个会。

(14) There will be a good wheat crop this year.

　　　今年小麦将有一个好收成。

它还可有完成时态。如：

(15) There hasn't been any rain for some days.

　　　几天来一直未下雨。

there be 结构还可以用情态动词。如：

(16) There may be another downpour tonight.

　　　今晚可能又有大雨。

(17) There must be something wrong.

　　　一定出什么毛病了。

(18) There used to be a cinema here before the war.

　　　这里战前曾有一座电影院。

there be 结构还可以用被动式，这时 be 即变成了助动词。如：

(19) There are now published millions of books every year in China .

　　　现在中国每年出版成百万册书。

(20) On the following day, there was held a splendid banquet.

　　　第二天大摆盛宴。

there be 结构还可以用疑问式，将 be 移至 there 之前。回答用 yes 或 no，后接简略答语。如：

(21) — Is there a telephone in your room?

　　　　你房间里有电话吗？

　　　— Yes, there is.

　　　　是的，有。

　　　— No, there isn't.

　　　　不，没有。

(22) — Will there be a meeting tonight?

今晚有会吗?

— Yes, there will.

是的,有。

— No, there won't.

不,没有。

(23) — Have there been any letters from Jack lately?

近日杰克有信来吗?

— Yes, there have.

是的,有。

— No, there haven't.

不,没有。

there be 结构的否定式有两种构成方法。一种是将否定副词 not 加在 be 之后构成。如:

(24) There isn't a telephone in the room.

房间里没有电话。

(25) There aren't any chairs in the room.

房间里没有椅子。

(26) There wasn't any water in the bottle.

瓶子里没有水。

(27) There won't be a meeting tonight.

今晚没有会。

(28) There hasn't been any rain for ten days.

近十天一直没有雨。

另一种是在主语前加不定代词 no。如:

(29) There is no smoking here.

这里不许抽烟。

(30) There are no books I want.

没有我需要的书。

there be 结构中的主语也可以是代词。如:

(31) There's but we two.

只有我们两个人。(口语中常用宾格 us,but 亦应代之以 only)

(32) Let's see, there's you and me...

让我想一想,有你,我……

there be 结构除可用 be 外,还可用其它动词。如:

(33) There came a scent of lime-blossom.
　　飘来了一阵菩提树的花香。

(34) Once upon a time there lived a king in China.
　　从前中国有一个国王。

(35) There appears to be a mistake.
　　似乎有一个错误。

there be 结构的主语之后可接不定式或从句。如：

(36) There's plenty of housework to do.
　　有许多家务要做。

(37) There was no one for us to talk to.
　　我们没有一个可说话的人。

(38) There's some people I'd like you to meet.
　　有几个人我希望你见见面。

there be 结构与实义动词 have 不同，前者表"存在"，后者表"所有"。试比较：

(39) There are several oak trees in the garden.
　　花园里有好几株橡树。（主语是 oak trees）

(40) They have several oak trees in the garden.
　　他们在花园里种有好几株橡树。（主语是 they）

there be 结构与表"存在"的主系表结构也不一样，前者表"在什么地方有什么东西"，后者表"什么东西在什么地方"，着重点是地方"。试比较：

(41) There is a lamp on the table.
　　桌上有一盏灯。

(42) The lamp is on the table.
　　灯在桌上。

句首的 there 如重读，则非引词，而是副词。如：

(43) 'There is the book I want.
　　那儿就是我所要的书。（there 是副词，有词义）

15.7　否定结构

英语和任何语言一样，也有肯定结构与否定结构之分。肯定结构较易理解，但否定结构较为复杂。英语里的否定结构多用否定词 not 以及 never, no, none, nothing 等来表示。关于否定结构的基本用法，已在本书有关章节讲过，这里我们只讲否定结构的种类以及一些习惯法。否定结构主要有下列几类：

1）一般否定。一般否定结构中的 not 是用以否定全句（亦即否定全句的中心谓语动词）的意义。如：

（1）This is not a book.

　　这不是书。（否定全句 This is a book.）

（2）He won't come.

　　他不会来。（否定全句 He will come.）

（3）Don't you go?

　　你不去吗？（否定全句 Do you go?）

2）部分否定。部分否定中的 not 不是用以否定全句，而是用以否定句中的某一部分。如：

（4）He is my nephew, not my son.

　　他是我的侄儿，不是我的儿子。（否定 my son）

（5）I told him not to go out.

　　我叫他不要出去。（否定 to go out）

（6）Not knowing, I cannot say.

　　我不知道，所以说不上。（not 否定 knowing，I cannot say 则是一个一般否定句）

3）转移否定。转移否定结构往往貌似一般否定结构（not 的位置与一般否定结构中的 not 完全相同），实际上却是一种部分否定结构。如：

（7）I don't think he will come.

　　我想他不会来。（not 不是否定 think，而是否定 he will come）

（8）I can't seem to get to sleep at nights.

　　我最近夜里简直睡不着。（＝I seem not to be able to get to sleep at nights. not 所否定的不是 seem，而是 to get to sleep at nights）

（9）All that glitters is not gold.

　　发光的不都是金子。（not 否定的不是 is，而是 all）

有时则是 not 由一部分转移到另一部分。如：

（10）Every morning he went out early to fish, but he had made a rule not to cast his net more than four times.

　　他每天早上出去捕鱼，但他规定撒网不超过 4 次。（not 所否定的不是 to cast his net 而是 more than four times）

4）双重否定。这里所谈的双重否定乃指用一个以上的否定词来强调否定的语气，常用在通俗的口语中。如：

    (11) He don't know nothing.

       他啥也不知道。(用两个否定词 not 和 nothing 强调否定)

    (12) Nobody don't know we're here.

       没有谁知道我们在这儿。(用两个否定词 nobody 和 not 强调否定)

    (13) She said Dr. Kaplan didn't want him to have no more treatments.

       她说卡普兰大夫不想再给他治疗了。(用 not 和 no 强调否定)

    (14) I never got no sleep in those days.

       那些日子我怎么也睡不着。(用 never 和 no 强调否定)

    (15) There was not a single nook, no hiding place, no nothing.

       没有一个角落，没有藏身之地，什么也没有。(用 no 和 nothing 强调否定)

  5) 接续否定。接续否定乃指在同一句中的一否定词之后接续用否定词(即否定词在句中重复出现)以加强否定。如：

    (16) I cannot go, no farther.

       我不能走了，不能再走了。(用 no 表接续否定)

    (17) One man cannot lift it, no, nor half a dozen.

       这东西一个人是举不起的，不，六个人也不行。(用 no 和 nor 表接续否定)

    (18) None of them can swim, not one.

       他们都不会游泳，没有一个会游泳。(用 not 表接续否定)

    (19) I shall give the details to no one, not even to you.

       个中细节我不会告诉任何人，就连你也不例外。(用 not 表接续否定，not 常和 even 连用)

    (20) I wouldn't let you touch me, not if I was starving.

       我就是要饿死也不会让你碰我。(用 not 表接续否定，not 常和 if 连用)

  6) 转换否定。在英语中，常可见到一些形式上肯定而意义上则表否定或是形式上否定而意义上则表肯定的句子。前者如：

    (21) I should worry.

我才不放在心上哩。

(22) You are telling me.

不用你说，我早知道了。(亦可译作"还用你说!")

(23) Catch me doing that again!

我决不会再犯了!

(24) He is the last man I want to me.

他是我最不愿见的人。

(25) It is a wise father that knows his own child.

无论怎样聪明的父亲也未必了解自己的孩子。

后者如：

(26) I couldn't agree more.

我极赞成。

(27) He was fluent in several languages, not the least of
which was Spanish.

他精通好几国语言，尤其是西班牙语。

(28) Which family doesn't have problems?

家家有一本难念的经。

(29) Isn't he stupid?

他多傻啊!

(30) You can't be too careful.

你越小心越好。

7) 省略否定。否定结构可以用省略结构形式来表示。如：

(31) — Will he die?

他会死吗?

— I hope not.

我希望不会。(=I hope he will not die)

(32) — Can you come?

你能来吗?

— I'm afraid not.

恐怕不能。(=I'm afraid I cannot come)

(33) They'd be bound to know if it was all right or not.

他们一定会知道它是否没有问题。(or not=or it was
not all right)

此外还有不少常见的表示否定的习惯说法。如：

(34) We can't not go.

我们不能不去。(否定词的连用)

(35) He uttered not a word.

他一言不发 (not=not a single)

(36) They are not nearly enough.

它们根本不够。(not nearly=not at all)

(37) Not that I know of.

就我所知，不是那一回事。(not that = not as far as)

(38) She ignored the common forms of behaviour. Not that she was rude.

她不理会一般行为准则。这倒不是说她粗鲁无礼。(not that＝ I do not say that)

(39) I'll be damned if it is true .

绝对没有这回事！(I'll be demned (或 hanged) if... 用于通俗口语中，表示强烈的否定)

(40) He sells books, toys and what not.

他出售书籍、玩具等等。(and what not 意谓 "等等")

(41) Last night not a few members were present.

昨晚有不少会员出席。(not a few=a fairly large number of)

(42) He drank not a little of the wine.

那酒他喝了不少。(drank not a little= drank a lot)

(43) The taxi is not five yards away.

那辆出租汽车离这儿不到 5 码。(not=less than)

(44) Rome was not built in one day.

罗马非一日建成。(not ＝more than)

(45) Not so bad.

很好。(＝Very good)

最后，必须指出，否定词除上述 not, never, no, none, nothing 等外，还有表示近似否定的 seldom, scarcely, hardly, little, few 等。如：

(46) I seldom see him.

我很少见到他。

(47) I can scarcely hear him.

我几乎听不见他说的话。

(48) I can hardly believe it.

我简直不能相信。

(49) We had little rain last year.

去年我们没有多少雨。

(50) He is a man of few words.
他是一个寡言少语的人。

第十六章　句子的类型

16·1　简单句的结构

简单句（simple sentence）有"主语＋谓语"、"主语＋谓语＋主语补语"、主语＋谓语＋宾语、"主语＋谓语＋宾语＋宾语"、"主语＋谓语＋宾语＋宾语补语"等五种基本结构。其它各种句子基本上皆由此五种句型缩略或扩展而成。

1）"主语＋谓语"句型可简称为主谓结构（SV），谓语是不及物动词。如：

（1）Day broke.

　　天亮了。

（2）Things change.

　　事物是变化的。

2）"主语＋谓语＋主语补语"句型可简称为主谓补结构（SVC）。如：

（3）He died young.

　　他年轻时就死了。

（4）John was cast as Hamlet.

　　约翰扮演哈姆莱特。

"主语＋连系动词＋表语"句型（SLP）实质上也是一种主、谓、主补结构。如：

（5）He and I are pretty good swimmers.

　　他和我都游泳游得不错。

（6）The doctors seemed very capable.

　　这些大夫好像都很能干。

3）"主语＋谓语＋宾语"句型可简称为主、谓、宾结构（SVO），其谓语一般皆是及物动词，其宾语多是直接宾语。如：

（7）Robbie didn't deny the facts.

　　罗比不否认这些事实。

（8）She heard whisperings.

　　她听到了一阵沙沙声。

4）"主语＋谓语＋宾语＋宾语"句型可简称为主谓宾宾结构（SVOO），其谓语须是可有双宾语的及物动词，即所谓的与格动词（dative verb），两个宾语多一是间接宾语，一是直接宾语。如：

（9）We gave the baby a bath.

我们给婴孩洗了个澡。

（10）Judith paid me a visit.

朱迪思来看望了我。

有时可有两个直接宾语，如：

（11）He asked her a question.

他问了她一个问题。

5）"主语＋谓语＋宾语＋宾语补语"句型可简称为主、谓、宾、宾补结构（SVOC），其谓语须是可有这种复合宾语的及物动词，宾语补语与宾语一起构成复合宾语。如：

（12）I found this book easy.

我发现此书不难。（形容词 easy 用作宾语补语）

（13）They held him hostage.

他们将他扣作人质。（名词 hostage 用作宾语补语）

（14）He watched the maid come in.

他看着女佣人进来了。

（15）I heard him coming up the stairs slowly，as if he were carrying something heavy.

我听见他慢慢上楼来，好像扛着什么重的东西。

16.2　并列句的结构

并列句（compound sentence）由两个或两个以上的简单句并列而成。常见的并列句结构是：简单句＋等立连词＋简单句。这种简单句常被叫做分句。等立连词之前可用逗号，也可不用逗号。如：

（1）They were happy **and** they deserved their happiness.

他们是幸福的，他们也该得到幸福。（等立连词是 and）

（2）The signal was given，**and** the steamer moved slowly from the dock.

信号发出了，轮船缓缓驶出码头。（等立连词是 and，前有逗号）

（3）Hurry **or** you won't make the train.

赶快，不然你就赶不上火车。（等立连词是 or）

（4）Honey is sweet，**but** the bee stings.

蜜是甜的，但蜜蜂却会蜇人。（等立连词是 but）

有时亦可不用等立连词，只用逗号、分号、冒号等把分句隔开。如：

（5）He is cruel, he is lustful, he is immensely cunning.

他残忍，他好色，他非常狡猾。（用逗号连接）

（6）Heavy clouds rose slowly from the horizon; thunder drummed in the distance.

浓云从地平线缓缓升起，远处雷声隆隆。（用分号连接）

（7）He knocked at the door again and again: there was no answer.

他一再敲门，但无人应门。（用冒号连接，表结果）

两个或两个以上的简单句的关系如不很紧密，等立连词可引导单独一个句子。如：

（8）You're alive! **And** she's dead.

你活着！而她却死了。（等立连词 and 引导单独句子）

（9）I'm sorry to trouble you. **But** can you direct me to the nearest post office?

对不起打扰一下。你可以告诉我最近的邮局在哪儿吗？（等立连词 but 引导单独句子）

并列句的分句亦可用连接副词连接，如：

（10）I had a drink, **then** I went home.

我喝了杯酒，然后回到了家。（连接副词是 then）

（11）It rained, therefore the game was called off.

由于有雨，因而那场球赛取消了。（连接副词是 therefor）

（12）He was angry, nevertheless he listened to me.

他生气了，但听我的话。（连接副词是 nevertheless）

（13）I want to go to the party — however, I have no transtransport.

我想去参加聚会，但我没有交通工具。（连接副词是 however）

（14）I have only an old car; still it is better than nothing.

我只有一辆旧车，但也比没有好。（连接副词是 still）

（15）I am busy today, so can you come tomorrow?

我今日很忙，那你能明天来吗？（连接副词是 so）

16·3　复合句的结构

复合句（complex sentence）由一个主句（principal clause）和

一个或一个以上的从句 (subordinate clause) 构成。主句是全句的主体，往往可以独立存在；而从句仅是全句的一个句子成分，故不能独立存在。如：

(1) We met where the road crossed.

我们是在十字路口遇见的。(we met 是主句，where the roads crossed 是从句)

(2) I forgot to post the letter which I wrote yesterday.

我忘了把昨天写好的信投邮了。(I forgot to post the letter 是主句，which I wrote yesterday 是从句)

从句虽不能单独成句，但它也有主语部分和谓语部分。从句须由一个关联词 (connective) 引导。

引导从句的关联词共有七类：

1) 从属连词：有 whether，when，although，because，if 等。如：

(3) He will get the letter tomorrow *if* you send it off now.

如果你现在就把信发出，他明天就会收到。

(4) I don't know *whether* she will be able to come.

我不知道他明天是否能来。

2) 疑问代词：who，whom，whose，which，what。如：

(5) *Who* he is doesn't concern me.

他是谁与我无关。

(6) I don't know *what* you mean.

我不知道你是什么意思。

3) 疑问副词：when，where，why，how。如：

(7) I asked *how* he was getting on.

我问他近况如何。

(8) I can't understand *why* he was so late.

我不明白他为什么来得这么晚。

4) 关系代词：who，whom，whose，which，that。如：

(9) Nobody *who* understands the subject would say such a thing.

懂得这一行的人是不会说这种话的。

(10) Water *that* is impure often causes serious illness.

水不洁常会引起重病。

5) 关系副词：when，where，why。如：

(11) July and August are the months *when* the weather is

hot.

七八月是天气很热的月份。

（12）She would like to live in a country **where** it never snows.

她喜欢住在不下雪的地区。

6）缩合连接代词：what，whatever，who，whoever，that，whichever。如：

（13）Show me **what** you have written.

把你所写的东西给我看看。

（14）**Whoever** does wrong is punished in the end.

恶有恶报。

7）缩合连接副词：whenever where，wherever，however。如：

（15）Whenever he goes out，he always takes his umbrella.

他每逢出门总是带伞。

（16）Sit **wherever** you like.

你爱坐哪儿都成。

从句分主语从句、表语从句、宾语从句、同位语从句、定语从句和状语从句六类。由于主语从句、表语从句和宾语从句在句子中的功用相当于名词，故这三种从句又统称为名词性从句。名词性从句所用的关联词大抵相同，而且其前一般不用逗号。

[注]还有一种比较复杂的并列句，叫做并列复合句。并列复合句的分句有一个或多个为复合句。如：

① The policeman looked at me suspiciously，and he asked me what I wanted.

那警察用怀疑的眼光看着我，并问我要干什么。

② While the men worked to strengthen the dam，the rain continued to fall；and the river，which was already well above its normal level，rose highter and highter.

当人们正在加固河堤的时候，雨还在不停地下，已经远远超过正常水位的河水涨得越来越高了。

16·4 主语从句

用作主语的从句叫做主语从句（subject clause）。引导主语从句的关联词有从属连词、疑问代词、疑问副词、缩合连接代词、缩合连接副词等。如：

（1）*That they were in truth sisters* was clear from the facial resemblance between them.

很明显，她们确是亲姊妹，她们的脸型很相似。(关联词是从属连词 that)

（2）*What she did* is not yet known.

她干了什么尚不清楚。(关联词是疑问代词 what)

（3）*How this happened* is not clear to anyone.

这事怎样发生的，谁也不清楚。(关联词是疑问副词 how)

（4）Whoever comes is welcome.

不论谁来都欢迎。(关联词是缩合连接代词 whoever)

（5）*Wherever you are* is my home — my only home.

你所在的任何地方就是我的家——我唯一的家。(关联词是缩合连接副词 wherever)

有时可用引词 it 作为形式主语，将真实主语主语从句置于句末。如：

（6）It is not known yet *whether they will come today.*

他们今天是否会来还不知道。

（7）It is strange *that he had made a mistake.*

真怪，他竟做错了。

全句如是被动结构，也常用引词 it 作形式主语。如：

（8）It is said *that he's got married.*

听说他结婚了。

全句如是一般疑问句，亦常用引词 it 作形式主语。如：

（9）Is it probable *that it will rain today* ?

今天会下雨吗？

全句如是感叹句，则必须用引词 it 作形式主语。如：

（10）How strange it is *that the children are so quiet* !

真奇怪，孩子们竟如此安静！

16·5 表语从句

用作表语的从句叫做表语从句 (predictive clause)。引导表语从句的关联词有疑问代词、疑问副词、缩合连接代词、从属连词等。如：

（1）The problem is *who we can get to replace her.*

问题是我们能找到谁去替换她呢。（关联词是疑问代词 who）

（2）The question is **how he did it.**

问题是他是如何做此事的。（关联词是疑问副词 how）

（3）That was **what she did this morning on reaching the attic.**

那就是她今晨上了阁楼干的。（关联词是缩合连接代词 what）

（4）He looked **just as he had looked ten years before.**

他看起来还与十年前一样。（关联词是从属连词 as）

从属连词 that 有时亦可引导表语从句，如：

（5）The trouble is **that I have lost his address.**

麻烦是我把他的地址丢了。

从属连词 whether 有时亦可引导表语从句，如：

（6）The question is **whether they will be able to help us.**

问题是他们是否能帮我们。

[注]　从属连词 if 一般不用来引导表语从句，但 as if 却可引导表语从句，如 All this was over twenty years ago，but it's **as if it was only yesterday**（这都是 20 多年前的事了，但宛如昨天一样）。

16.6　宾语从句

用作宾语的从句叫做宾语从句（object clause）。引导宾语从句的关联词有从属连词、疑问代词、疑问副词、缩合连接代词、缩合连接副词等。如：

（1）He told us **that he felt ill.**

他对我们说他感到不舒服。（关联词是从属连词 that）

（2）I know **he has returned.**

我知道他已经回来了。（在非正式文体中关联词 that 被省去）

（3）**That he ever said such a thing** I simply don't believe.

我简直不相信他曾说过这样的话。（that 从句位于句首时，that 不可省去）

（4）We decided，in view of his special circumstances，**that we would admit him for a probationary period.**

鉴于他的特殊情况，我们决定应允他一段试用期。（主句谓语动词 decided 与 that 从句之间有插入语，

that 不可省去）

（5）I doubt *whether he will succeed.*

我怀疑他是否会成功。（关联词是从属连词 whether）

（6）I don't know *if you can help me.*

我不知道你能否帮助我。（关联词是从属连词 if）

（7）*Who or what he was*，Martin never learned.

他是什么人?他是干什么的?马丁根本不知道。（关联词是疑问代词 who 和 what。从句位于句首是为了强调，亦可说 Martin never learned who or what he was）

（8）I wonder *what he's writing to me about.*

我不知道他要给我写信说什么事。（关联词是疑问代词 what）

（9）I'll tell you *why I asked you to come.*

我会告诉你我为什么要你来。（关联词是疑问副词 why）

（10）You may do *what you will.*

你可做任何你想做的事。（关联词是缩合连接代词 what）

（11）I should like to see *where you live*，Jon.

我想去看看你住的地方，乔恩。（关联词是缩合连接副词 where）

宾语从句亦可用作介词的宾语，如：

（12）He was deeply displeased by *what had ocurred that day.*

他对那天发生的事感到很不快。（what 引导的从句是介词 by 的宾语）

（13）I walked over to *where she sat.*

我走向她坐的地方。（where 引导的从句是介词 to 的宾语）

（14）I am curious as to *what he will say.*

我很想知道他要说什么。（what 引导的从句是复合介词 as to 的宾语）

（15）Your success will largely depend upon *what you do and how you do it.*

你是否成功将主要取决于你做什么和怎样做。（what

和 how 引导的从句是介词 upon 的宾语）

有时介词可以省去，如：

(16) I don't care (for) *who marries him.*

我不管谁跟他结婚。

(17) Be careful (as to) *how you do that.*

你要注意做这件事的方式。

有时全句可用引词 it 作为形式宾语，如：

(18) He made *it* quite clear *that he preferred to study English.*

他很明确地说他宁愿学习英语。（真实宾语 that 从句前有形式宾语 it）

(19) You may rely on *it that I shall help you.*

你可以指望我会帮助你。（真实宾语 that 从句前有形式宾语 it）

有时现在分词亦可后跟宾语从句，如：

(20) He has just gone away saying *that he will return in an hour.*

他刚走，说他一小时后回来。（that 引导的从句是现在分词 saying 的宾语）

16·7　直接引语与间接引语

直接引语与间接引语都是宾语。一字不改地引述别人的话，叫做直接引语 (direct speech)；用说话人自己的话转述别人的话，叫做间接引语 (indirect speech)。两种引语皆须由动词引述，这种动词叫做引述动词(reporting verb)，如 say, tell, ask, declare, remark, reply, think, write 等。直接引语一般皆置于引号之内，第一个词的首字母须大写；间接引语通常在句中以宾语从句的形式出现。如：

(1) He said, "I am learning English."

他说，"我正在学英语。"（直接引语）

(2) He said that he was learning English.

他说他正在学英语。（间接引语）

引述动词及其主语可置于直接引语之前、之后或之中。如：

(3) He says, "She will come in the evening."

他说，"她晚上来。"（之前）

(4) "I am very grateful," said Fisher gravely.

"我非常感谢，"费希尔严肃地说。(之后)

（5）"Henceforth," he explained, "I shall call on Tues-
days."

"今后，"他解释说，"我将每星期二来访。"(之中)

引述动词如是现在一般时或过去一般时，而主语为名词时，则
常可以倒装。如：

（6）"My wife always drinks coffee for breakfast," said
John.

"我妻子早餐时经常喝咖啡，"约翰说。

直接引语可以变为间接引语。不同种类的句子应用不同的变化
方法。

1）直接引语为陈述句，变为间接引语时常由从属连词 that 引导
（口语中可省略），引述动词常用 say，tell 等。同时，根据主句的要
求，间接引语须在人称、时态及其它方面作相应的变化。

a）人称的变化。如：

（7）The teacher said, "John, you must bring your book
to the class."

教师说，"约翰，你必须把你的书带到班上来。"(直接
引语)

（8）The teacher told John that he must bring his book to
the class.

教师告诉约翰他必须把他的书带到班上来。(间接引
语，别人说)

（9）The teacher said that you must bring your book to the
class.

教师说你必须把你的书带到班上来。(间接引语，别人
对约翰说)

（10）The teacher said that I must bring my book to the
class.

教师说我必须把我的书带到班上来。(间接引语，约翰
自己说)

b）指示代词的变化。如：

（11）He said, "I like this book."

他说，"我喜欢这本书。"(直接引语)

（12）He said that he liked this book.

他说他喜欢这本书。(间接引语，书在眼前)

(13) He said that he liked that book.

　　他说他喜欢那本书。(间接引语，书不在眼前)

c) 时间状语的变化。如：

(14) He said, "I saw her yesterday."

　　他说，"我昨天见过她。"

(15) He said that he saw her yesterday.

　　他说他昨天见过她。(间接引语的主句与直接引语的主句的动作在同一天发生，仍用 yesterday)

(16) He said that he had seen her the day before.

　　他说他前一天曾见过她。(间接引语的主句的动作发生在间接引语的主句的动作之后，yesterday 改为 the day before，同时改用完成时态)

经常改动的时间状语有：

　　　　now — then
　　　　ago — before
　　　　today — that day
　　　　tomorrow — the next day；the following day
　　　　yesterday — the day before；the previous day
　　　　the day before yesterday — two days before
　　　　the day after tomorrow — two days later

d) 地点状语的变化。如：

(17) He said, "I will do it here."

　　他说，"我就在这儿干。"

(18) He said he would do it there.

　　他说他就在那儿干。

e) 时态的变化。主句为现在或将来时态时，间接引语的时态不变。如：

(19) He says, "I'm tired."

　　他说，"我累了。"（主句为现在时，直接引语亦为现在时）

(20) He says he is tired.

　　他说他累了。(间接引语时态不变)

(21) He has said to me, "I'm tired."

　　他跟我说，"我累了。"（主句为现在完成时，直接引语为现在一般时）

(22) He has said to me he is tired.

他跟我说他累了。(间接引语的时态不变)

(23) He will say, "The boy was lazy."

他将会说,"那男孩过去懒惰。"(主句为将来一般时,直接引语为过去时)

(24) He will tell you that the boy was lazy.

他将会告诉你那男孩过去懒惰。(间接引语仍为过去一般时)

但主句为过去时态时,间接引语则一般应作相应的变化,这就是所谓的"时态的呼应"(sequence of tenses)。如:

(25) He said, "I'm sorry."

他说,"对不起。"(直接引语为现在一般时)

(26) He said he was sorry.

他说对不起。(间接引语变为过去一般时)

(27) He said, "you haven't changed much."

他说,"你可变化不大呀。"(直接引语为现在完成时)

(28) He said that I hadn't changed much.

他说我变化不大。(间接引语变为过去完成时)

(29) She said, "He's waiting."

她说,"他正等着呢。"(直接引语为现在进行时)

(30) She said he was waiting.

她说他正等着呢。(间接引语变为过去进行时)

(31) She said, "He has been waiting."

她说,"他一直在等着呢。"(直接引语为现在完成进行时)

(32) She said he had been waiting.

她说他一直在等着。(间接引语变为过去完成进行时)

[注] 在有些句子中,现在时态保持不变。如:

① "The earth moves around the sun," the teacher told us.

"地球绕太阳旋转,"老师告诉我们说。(直接引语为现在一般时)

② The teacher told us that the earth moves around the sun.

老师告诉我们说地球绕太阳旋转。(间接引语仍用现在一般时,因为说的是客观真理)

(33) He said, "The man came at six."

他说,"那人是六点来的。"(直接引语为过去一般时)

(34) He said that the man had come at six.

他说那人是六点来的。(间接引语变为过去完成时)

(35) He said, "The rain was falling yesterday."

他说，"昨天在下雨。"(直接引语为过去进行时)

(36) He said that the rain had been falling the day before.

他说前一天一直在下雨。(间接引语变为过去完成进行时)

[注]如果不会引起误会，直接引语中的过去一般时和过去进行时，在间接引语中亦可不变。直接引语中的过去完成时或过去完成进行时自然亦不变。

(37) She said, "He will come late."

她说，"他要迟到了。"(直接引语为将来一般时)

(38) She said he would come late.

她说他要迟到了。(间接引语变为过去将来时)

(39) He said, "I shall have finished reading the book by the end of this week."

他说，"我将于这个周末前读完这本书。"(直接引语为将来完成时)

(40) He said that he would have finished reading the book by the end of that week.

他说他将在那个周末前读完那本书。(间接引语变为过去将来完成时)

(41) He said, "I'll be seeing you off on the 10 o'clock train."

他说，"我将送你乘十点钟的火车。"(直接引语为将来进行时)

(42) He said that he would be seeing me off on the 10 o'clock train.

他说他将送我乘十点钟的火车。(间接引语变为过去将来进行时)

(43) She said, "He can swim very well."

她说，"他游泳游得很好。"(直接引语为含情态动词的现在一般时)

(44) She said that he could swim very well.

她说他游泳游得很好。(间接引语中情态动词变为过去一般时)

[注]如直接引语为过去一般时，间接引语仍用过去一般时。有些情态动词如must，ought to，need，had better 等只有一种形式，故在间接引语中其形式不变。

(45) "If he were here, he would vote for the motion," she said.

"假如他在这里，他是会投票赞成这项动议的，"她说。（直接引语为虚拟语气过去一般时和过去将来时）

(46) She said that if he had been there, he would have voted for the motion.

她说假如他在那里，他是会投票赞成那项动议的。（间接引语变为虚拟语气过去完成时和过去将来完成时）

2）直接引语为疑问句，变为间接引语时关联词用 whether，if 或其它疑问词；词序与一般从句相同，be have 等助动词皆置于主语之后；引述动词常用 say，ask，wonder，inquire 等。直接引语为陈述句时变为间接引语应作各种变化的要求亦同样适用。

a）直接引语为一般疑问句，变为间接引语时应由 whether 或 if 引导。如：

(47) He said to us，"Are you going away today?"

他对我们说，"你们今天走吗?"（直接引语为一般疑问句）

(48) He asked us whether we were going away that day.

他问我们是否那一天走。（间接引语用 whether 引导）

(49) "Is he your brother?" she said

"他是你的兄弟吗?"她问。（直接引语为一般疑问句）

(50) She asked if he was my brother.

她问我他是不是我的兄弟。（间接引语用 if 引导）

b）直接引语为特殊疑问句，变为间接引语时，其关联词应用疑问代词或疑问副词。如：

(51) "Who will help me finish the job?" she asked.

"谁愿帮我完成这项工作?"她问道。（直接引语为特殊疑问句）

(52) She asked who would help her finish the job.

她问谁愿帮她完成那工作?（间接引语用疑问代词 who 引导）

(53) "What have you done?" he asked.

"你干什么了?"他问道。(直接引语为特殊疑问句)

He asked what I'd done.

他问我干什么了?(间接引语用疑问代词 what 引导)

(54) "Where is it?" he asked.

"它在哪儿?"他问道。(直接引语为特殊疑问句)

He asked where it was.

他问它在哪儿。(间接引语用疑问副词 where 引导)

(55) "When will he come?" she asked.

"他什么时候来?"她问道。(直接引语为特殊疑问句)

(56) She asked when he would come.

她问他什么时候来。(间接引语用疑问副词 when 引导)

[注] 下面两句中间接引语的词序都是对的:

① Tell me who he is.

告诉我他是谁。(who 是从句中的表语)

② Tell me who is he.

告诉我他是谁。(who 是从句中的主语)

c) 直接引语为选择疑问句,变为间接引语时应用 whether...or...。如:

(57) "Do you like tea or coffee?" She asked me.

"你喜欢喝茶还是喝咖啡?"她问我。

(58) She asked me whether I like tea or coffee.

她问我喜欢喝茶还是喝咖啡。

3) 直接引语为祈使句,变为间接引语时多用"名词(代词)+不定式"结构,引进动词常用 ask, tell, say, order 等。如:

(59) I said to her, "Please give me a glass of water."

我对她说,"请给我一杯水。"(直接引语为祈使句)

(60) I asked her to give me a glass of water.

我请她给我一杯水。(间接引语中 ask 表请求)

(61) She said to him, "Come at five o'clock."

她对他说,"五点钟来吧。"(直接引语为祈使句)

(62) She told him to come at five o'clock.

她要他五点钟来。(间接引语中 tell 表命令)

4) 直接引语为感叹句,变为间接引语时,引述动词有 tell, ex-claim 等。如:

（63）"What a brave boy you are!" She told him.

　　"你是一个多么勇敢的男孩子啊!"她对他说。(直接引语是感叹句)

（64）She told him what a brave boy he was.

　　她对他说他是一个多么可爱的男孩子啊。(间接引语中引述动词用 tell)

有时间接引语可用 that 引导,如:

（65）He said, "Alas! How foolish I have been!"

　　他说,"哎,我多傻啊!"(直接引语为感叹句)

（66）He confessed with regret that he had been very foolish.

　　他悔恨地承认他太傻了。(间接引语中引述动词用 confess)

16.8　定语从句

用作定语的从句叫做定语从句 (attributive clause)。定语从句通常皆置于它所修饰的名词(或代词)之后,这种名词(或代词)叫做先行词 (antecedent)。引导定语从句的关联词为关系代词和关系副词。关系代词在定语从句中可用作主语、宾语、定语等;关系副词在定语从句中只用作状语。如:

（1）The student who answered the question was John.

　　回答问题的那个学生是约翰。(who answered the question 是关系代词 who 引导的定语从句,用以修饰 who 的先行词 student,who 在从句中用作主语)

（2）I know the reason why he was so angry.

　　我知道他这么生气的原由。(why he was so angry 是关系副词引导的定语从句,用以修饰 why 的先行词 reason,why 在从句中用作原因状语)

定语从句一般紧跟其先行词之后。如:

（3）The room *which served for studio* was bare and dusty.

　　这个用作工作室的房间空荡荡的,布满灰尘。(关系代词 which 引导的定语从句紧跟其先行词 room 之后)

有时亦可与先行词分离。如:

（4）A new master will come tomorrow *who will teach you German.*

　　明天要来一位新教师教你们德语了。(关系代词 who 引

导的定语从句与其先行词 master 分离）

1）用作关联词的关系代词有 who，whom，whose，that，which
等。who，whom，whose 指人，who 是主格，在从句中用作主语（在
非正式英语中亦可用作宾语）；whom 是宾格，在从句中用作宾语；
whose 是属格，在从句中用作定语（有时亦可指物）。如：

（5）The man *who was here* yesterday is a painter.
昨天在这里的那个人是位画家。（主格关系代词 who 在
从句中用作主语）

（6）The man *who I saw* is called Smith.
我见到的那个人名叫史密斯。（在非正式英语中 who 代
替了 whom，亦可省去不用）

（7）I know the man *whom you mean.*
我认识你指的那个人。（宾格关系代词 whom 在从句中
用作宾语）

（8）A child *whose parents are dead* is called an orphan.
失去父母的孩子叫做孤儿。（属格关系代词 whose 在从
句中用作定语，指人）

（9）I'd like a room *whose window looks out over the sea.*
我想要一个窗户面临大海的房间。（属格关系代词
whose 在从句中用作定语，指 room，可代之以 of
which，但后者较为正式）

that 在从句中既可用作主语，亦可用作宾语（在非正式文体中
可省去）；既可指人，亦可指物，但在当代英语中多指物。如：

（10）A letter *that is written in pencil* is difficult to read.
用铅笔写的信很难读。（关系代词 that 在从句中用作主
语，指物）

（11）The letter *that I received from him yesterday* is very
important.
昨天他来的信很重要。（关系代词 that 在从句中用作
宾语，指物）

（12）Is he the man *that sells eggs* ?
他是卖鸡蛋的那个人吗？（关系代词 that 在从句中用
作主语，指人）

which 在从句中既可用作主语，亦可用作宾语；一般皆指物（在
非正式文体中可省去）。如：

（13）This is the book *which has been retranslated* into

many languages.

这就是那本有多种译本的书。(关系代词 which 在从句中用作主语)

(14) Where is the book *which I bought this morning?*

今天上午我买的那本书在哪儿？(关系代词 which 在从句中用作宾语，可省去)

which 在从句中亦可用作定语和表语。如：

(15) We told him to consult the doctor, *which advice he took.*

我们叫他去看医生，他听取了我们的劝告。(关系代词 which 在从句中用作定语)

(16) The two policemen were completely trusted, *which in fact, they were.*

那两个警察完全受到信任，事实上真是如此。(关系代词 which 在从句中用作表语)

as, than, but 亦可用作关系代词。如：

(17) The two brothers were satisfied with this decision, *as was agreed beforehand.*

两兄弟对这个决定都满意，它事先已经他们同意了。(关系代词as 在从句中用作主语，其先行词是 this decision)

(18) He was a foreigner, *as I knew from his accent.*

他是个外国人，我是从他的口音知道的。(关系代词 as 在从句中用作宾语，其先行词是前面的整个句子)

(19) I never heard such stories *as he tells.*

我从未听过他讲的这类故事。(关系代词 as 与指示代词 such 连用，在从句中用作宾语，其先行词是 such stories)

(20) Her attitude to him was quite the same *as it had always been.*

她对他的态度同她惯常的态度完全一样。(关系代词 as 与指示代词 same 连用，在从句中用作表语，其先行词是 same)

(21) You spent more money *than was intended to be spent.*

你花的钱超过了预定的数额。(关系代词 than 在从句

中用作主语，其先行词是 money）

(22) There are very few *but admire his talents.*

很少有人不赞赏他的才干的。（关系代词 but 在从句中用作主语，其先行词是 few，but＝who don't）

关系代词在定语从句中用作介词宾语时，介词既可置于从句之首，亦可置于从句之末。但以置于从句之首较为正式。如：

(23) This is the book *for which you asked.*

这是你所要的书。（关系代词用作介词 for 的宾语，介词置于从句之首，即 which 之前）

(24) This is the book *which you asked for.*

这是你所要的书。（介词 for 置于从句之末，which 在此可省去）

关系代词 who 和 that 用作介词宾语时，介词须置于句末。

(25) The people *you were talking to* are Swedes.

你与之谈话的那些人是瑞典人。（关系代词主格 who 用作介词 to 的宾语，介词 to 须置于从句之末，who 在口语中可省去）

(26) Here is the car *that I told you about.*

这儿就是我和你谈过的那辆汽车。（关系代词 that 用作介词 about 的宾语，介词 about 须置于从句之末。）

有时从句中还有其它成分，介词则置于从句之中。如：

(27) This is the boy *who he worked with in the office.*

这就是与他一道办公的那个男孩。

先行词指人时，关系代词既可用 who，亦可用 that。但关系代词在从句中用作主语时，多用主格 who。如：

(28) Persons *who are quarrelsome* are despised.

好争吵者遭轻视。（除 persons 外，还有 people，those 等皆多用 who）

(29) All *who heard the story* were amazed.

听到这个故事的人都感到吃惊。（代词如 he，they，any，all，one 等之后多用 who）

(30) I will pardon him *who is honest.*

我愿意宽恕他，他是诚实的。（描述性定语从句用 who）

(31) I think it is you *who should prove to me.*

我认为是你应该向我提出证据。（在强调结构中多用

who，who 在此可省去）

(32) **Who is not for us** is against us.

谁不赞成我们就是反对我们。（缩合连接代词 who 不可代之以 that）

在下列一些情况中则多用 that。如：

(33) He was the man **that the bottle fell on.**

他就是瓶子落在其身上的那个人。（此处常用 that 作宾语指人，亦可用 whom）

(34) He is a man **that is never at a loss.**

他是一个从未一筹莫展的人。（that 常用于泛指人）

(35) He was watching the children and parcels **that filled the car.**

他望着塞满车的孩子和包裹。（兼指人与物时须用 that）

(36) Who **that you have ever seen** can beat him in chess?

你曾见过谁能在棋艺上打败他？（避免与先行词 who 重复时应用 that）

(37) That's the same man **that asked for help the day before yesterday.**

这个与前天求援的是同一个人。（先行词前有指示代词 same 时应用 that）

(38) He is not that man **that he was.**

他已不是过去的他了。（that 常用作表语）

(39) I knew her father for the simplest，hardest working man **that ever drew the breath of life.**

我早知她的父亲是一个世上最简朴最努力工作的人。（先行词前有形容词最高级、序数词或 only 等词时应用 that）

先行词指物时，关系代词 that 与 which 往往可以互换。但在下列情况中多用 that。如：

(40) All **that glitters** is not gold.

闪光的东西不都是金子。（不定代词包括复合词 something 等多后接 that）

(41) It was the largest map **that I ever saw.**

那是我所看见过的最大的地图。（前有形容词最高级等的先行词之后多用 that）

(42) It was liberation *that brought about a complete change in his life.*

是解放给他的生活带来了彻底的变化。(强调结构用 that)

(43) There is a house *that has bay windows.*

有一栋房子有凸出的窗户。(that 在此表固有的特点)

(44) The distance *that you are from home* is immaterial.

你离家的距离是不足道的。(在限制性定语从句中关系代词用作表语应用 that,在描述性定语从句中则应用 which)

(45) Which was the hotel *that was recommended to you* ?

哪一个是推荐给你的旅馆?(这里用 that 显然是为了避免重复 which)

在下列情况中则多用 which。如:

(46) Larry told her the story of the young airman *which I narrated at the beginning of this book.*

拉里把我在书本开头叙述过的那个关于一个青年飞行员的故事讲给她听。(离先行词较远时常用 which)

(47) A shop should keep a stock of those goods *which sell best.*

商店应存有最畅销的货物。("those+复形名词"之后多用 which)

(48) I have that *which you gave me.*

我有你给我的那个。(which 比较正式,在非正式英语中也可用 that)

(49) Beijing, *which was China's capital for more than 800 years* , is rich in cultural and historic relics.

北京曾是八百多年的中国首都,有很丰富的历史文物。(描述性定语从句一般皆用 which)

(50) This is the one *of which I'm speaking.*

这就是我所讲的那个。(介词之后须用 which)

2) 用作关联词的关系副词有 when,where,why 等。when 在从句中用作时间状语,其先行词须是表时间的名词。如:

(51) We will put off the picnic until next week, *when the weather may be better.*

我们打算把野餐推迟到下周,那时天气可能转好。(关

系副词 when 的先行词是 next week）

(52) He came last night **when I was out.**

他昨晚来时我出去了。（关系副词 when 的先行词是 last night）

since，before，after 亦可用作表时间的关系副词。如：

(53) Every hour **since I came** has been most enjoyable.

我来之后的每一个小时都是非常好玩的。（ since 用作关系副词）

(54) On the day **before we left home** there came a snow-storm.

在我们离家的前一天，下了一场暴风雪。（ before 用作关系副词）

(55) The year **after she had finished college** she spent abroad.

她大学毕业后的一年是在国外度过的。（ after 用作关系副词）

that 有时亦可用作表时间的关系副词。如：

(56) It happened on the day **that I was born.**

那件事是在我出生的那一天发生的。（ that＝when）

where 在从句中用作地点状语，其先行词须是表地点的名词。如：

(57) They went to the Royal Theatre， **where they saw Ibsen's "The Doll's house".**

他们去皇家剧院看了易卜生的《傀儡家庭》。

(58) The place **where Macbeth met the witches** was a desolate heath.

麦克白遇见女巫的地方是一片荒原。

where 的先行词亦可是有地点含义的抽象名词。如：

(59) He has reached the point **where a change is needed.**

他已到了需要改弦易辙的地步。（ where 的先行词 point 是抽象名词）

why 在从句中用作原因状语，其先行词只有 reason。如：

(60) That is no reason **why you should leave.**

那不是你必须离开的原因。（ why 的先行词是 reason）

(61) He refused to disclose the reason **why he did it.**

他拒绝透露他做那件事的原因。（ why 的先行词是

reason）

有时 why 可以省去。如：

(62) That's one of the reasons *I asked you to come.*

那是我要你来的原因之一。（reasons 后省去 why）

有时 why 可用 that 代替。如：

(63) The reason *that he died* was lack of medical care.

他死于缺乏医疗。（why 由 that 代替）

3）定语从句可分为限制性定语从句与描述性定语从句。限制性定语从句与先行词关系密切，对它有限制作用。因此不可缺少，否则会影响全句的意义。限制性定语从句前一般不用逗号。如：

(64) What is the name of the boy *who brought us the letter* ?

给我们带信来的那个男孩叫什么名字？

(65) There is much *which will be unpleasing to the English reader.*

有许多东西将会使英国读者不愉快。

(66) The teacher told us that Tom was the only person *that was reliable.*

老师告诉我们，汤姆是唯一可信赖的人。

(67) I shall never forget the day *when we first met in the park.*

我永远不会忘记我们在公园相见的那一天。

(68) Is there a shop around *where we can get fruit* ?

附近有可以买到水果的商店吗？

(69) Do you know the reason *why I came late* ?

你知道我迟到的原故吗？

描述性定语从句又称作非限制性定语从句（non-restrictive）。描述性定语从句只与先行词有一种松散的修饰关系，在口语中用停顿的方法表示，在书面语中用逗号分开。因此从句中的关系代词不能省略。that 一般不引导描述性定语从句。如：

(70) I like to chat with John， *who is a clever fellow.*

我喜欢与约翰交谈，他是个聪明人。

(71) Water， *which is a clear liquid,* has many uses.

水是一种清澈的液体，有许多用途。

(72) Once more I am in Boston， *where I have not been for ten years.*

我又一次来到了波士顿，我有十年没有到这里来了。

描述性定语从句形式上是从句，其功能实质上相当于一个分句。如：

(73) Then he met Mary, *who invited him to a party.*

后来他遇到玛丽，玛丽邀请他去参加晚会。(who 实际上 ＝and she)

(74) When he was seventeen he went to a technical school in Zurich, Switzerland, *where he studied mathematics and physics.*

他 17 岁时，到瑞士苏黎世一专科学校上学，他在那里学习数学和物理学。(where＝and there)

有时描述性定语从句的含义相当于一个状语从句。如：

(75) We don't like the room, *which is cold.*

我们不喜欢那个房间，它很冷。(which is cold＝since it is cold)

(76) He said he was busy, *which was untrue.*

他说他很忙，其实不然。(which was untrue＝though it was untrue)

(77) I want him, *who knows some English.*

我要他，他懂得些英语。(who knows some English＝for he knows some English)

16.9 同位语从句

用作同位语的从句叫做同位语从句(appositive clause)。同位语从句其形式与定语从句相似。二者之前都有先行词，但与先行词的关系不同：同位语从句与先行词同位或等同，定语从句则与先行词是修饰关系。同位语从句的先行词多为 fact，news，idea，thought，question，reply，report，remark 等，关联词多用连词 that。如：

(1) They were all very much worried over the fact *that you were sick.*

对你生病这件事，他们都很焦虑。(先行词是 fact)

(2) Where did you get the idea *that I could not come* ?

你在哪儿听说我不能来？(先行词是 idea)

(3) Early in the day came the news that Germany had de-

clared war on Russia .

德国已对俄国宣战的消息一大早就传来了。

（4）"There is a real danger *that Oxford will not retain its world position* ," said Dr Brian Smith.

现在牛津大学有保不住它的世界地位的实际危险，" 布莱恩·史密斯博士说。（先行词是 danger）

关联词 that 在非正式文体中可省去。如：

（5）He grabbed his suitcase and gave the impression *he was boarding the Tokyo plane.*

他拿起了手提箱，给人的印象是他要登上飞往东京的飞机了。（同位语从句 he was boarding... 省去了关联词 that）

同位语从句偶尔由连词 whether 引导。如：

（6）He was again tortured by the doubt *whether or not he might venture to meet Antonia at the station.*

他再次为他是否可冒昧去车站接安东尼娅这种疑虑所折磨。

疑问代词 who，which，what 和疑问副词 where，when，why，how 亦可引导同位语从句。如：

（7）The question *who should do the work* requires consideration.

谁该干这项工作，这个问题需要考虑。（疑问代词 who 引导同位语从句）

（8）We haven't yet settled the question *where we are going to spend our summer vacation.*

到哪儿去度暑假，这个问题我们还没有决定。（疑问副词 where 引导同位语从句）

（9）It is a question *how he did it.*

那是一个他如何做了此事的问题。（疑问副词 how 引导同位语从句）

同位语从句一般紧跟其先行词之后，但有时亦可与先行词分开，置于句末。如：

（10）The suggestion came from the chairman *that the new rule be adopted.*

采纳新规则的建议是主席提出来的。

16.10　状语从句

用作状语的从句叫做状语从句（adverbial clause）。引导状语从句的关联词是某些从属连词。如：

（1）The sun was out again *when I rode up to the farm.*
当我骑马到达农场时，太阳又落山了。（关联词是从属连词 when）

（2）He distrusted me *because I was new.*
他不信任我，因为我是新来的。（关联词是从属连词 because）

（3）I met him *as I was coming home.*
在回家的时候，我遇见了他。（关联词是从属连词 as）

（4）He orders me about *as if I were his wife.*
他指使我干这干那，好像我是他妻子似的。（关联词是从属连词 as if）

状语从句同状语一样，在句中的位置比较灵活，可置于句首、句末或句中。如：

（5）*When it rains*，I usually go to the office by bus.
逢雨天，我通常乘公共汽车上班。（从句置于句首）

（6）Stay *where you are*！
就地停着！（从句置于句末）

（7）I come here every month *since I was a child* to see my grandfather.
我从小就每月来看我的祖父。（从句置于句中）

状语从句位于句首时，常用逗号分开。如从句较短同时与主句的关系又较密切时，亦可不用逗号。如：

（8）*As the car was so small* he sold it.
由于车子太小，所以他把车卖了。（从句与主句关系密切）

状语从句位于句末时，其前一般不用逗号。如从句与其前的主句关系不甚密切，尤其是作为添补之词时，其前则用逗号。如：

（9）She's far too considerate，*if I may say so.*
恕我直言，她太体谅人了。（从句与主句的关系不甚密切）

（10）Ought I to take it，*when I have only just come in*？
我该喝酒吗？我刚刚进来呀。（从句为添补之词）

状语从句根据其用途可分为时间状语从句、地点状语从句、原因状语从句、结果状语从句、程度状语从句、目的状语从句、条件状语从句、让步状语从句、方式状语从句九种。

1) 时间状语从句（adverbial clause of time）表时间，其关联词有 as，after，before，once，since，till，until，when，whenever，while，as long as，as soon as，now（that）等。如：

(11) *As the twilight was beginning to fade,* we heard the sound of a carriage.

当曙光开始消退时，我们听到了一架马车的声响。

(12) *Soon after Margaret returned,* the child vomited.

玛格丽特回来不久，这孩子就呕吐了。

(13) Sometimes it gets out *before I can stop it.*

有时我止不住，它就蹦了出来。

(14) *Once you've finished*, go to bed.

你干完了再去睡觉。

(15) *Since I was a child* I have lived in England.

我从小就住在英格兰。

(16) Wait *until you're called.*

等着叫你吧。

(17) *When she alighted from the train* there was a nearly full moon.

当她下火车时，月儿快圆了。

(18) *While I was saying goodbye to the rest of the guests* Isabel took Sophie aside.

我正在送其他客人时，伊莎贝尔把索菲拉到一边。

(19) *Now that you have come* you may as well stay.

既然你已经来了，就待下来吧。

(20) You can borrow it *as long as you're not careless with it.*

你可借去用，只要你不乱用它就行。

(21) *As soon as I went in,* Katherine cried out with plea-sure.

我一走进去，凯瑟琳就高兴地叫起来。

as，when，while 虽都表时间，但是有区别的。as 多用于口语，强调"同一时间"或"一先一后"。如：

(22) *As I was going out*, it began to rain.

当我出门时，开始下雨了。（as 强调两个动作紧接着

发生，不强调开始下雨的特定时间，故须用 as 而不用 when）

as 有时还有"随着"的含义。如：

(23) *As spring warms the good earth,* all flowers begin to bloom.

随着春回大地，百花开始绽放。（句中的 as 也不可代之以 when）

when 则强调"特定时间"。如：

(24) *When he was eating his breakfast,* he heard the door bell ring.

当他正用早餐时，听到门铃响了。（as 亦可表"特定时间"，在这个意义上二者可互换，故本句中的 when 可代之以 as）

while 也表同一时间，其所表的时间不是一点，而是一段。如将上句的 when 改为 while，while 从句即强调"他吃早餐'的过程。

一些表时间的副词和短语亦可引导状语从句。如：

(25) *Directly he was out of sight of her* he wanted to see her.

他一看不到她就想见她。（副词 directly 引导时间状语从句，directly＝as soon as）

(26) I didn't wait a moment, but came *immediately you called.*

我一刻也没等待，你的电话一到我就来了。（副词 immediately 引导时间状语从句，immediately ＝ as soon as）

(27) We'll leave *the minute you're ready.*

你准备好了我们就走。（短语 the minute 引导时间状语从句）

(28) *The day he returned home*, his father was already dead.

他回家的那一天，他的父亲已经死了。（短语 the day 引导时间状语从句）

(29) *Next time you come,* please bring your composition.

你下次来，请把你的作文带来。（短语 next time 引导时间状语从句）

(30) *Every time I listen to your advice,* I get into trouble.

　　　　　每次我按你的意见办事，总是出麻烦。（短语 every
　　　　　time 引导时间状语从句）
　　时间状语从句中有些成分有时可省略。如：

　　(31) *While flying over the Channel,* the pilot saw what he
　　　　　thought to be a meteorite.
　　　　　当这位飞行员飞过英吉利海峡时，他以为他看到的是
　　　　　一颗殒星。（while 之后省去 he was）

　　(32) Metals expand *when heated* and contract *when
　　　　　cooled.*
　　　　　金属热涨冷缩。（两个 when 之后都省去 they are）

　　(33) Complete your work *as soon as possible.*
　　　　　要把你的工作尽快完成。（as soon as 后省去 it is）

　　2）地点状语从句（adverbial clause of place）表地点，其关联
词有 where，wherever，anywhere，everywhere 等。如：

　　(34) Corn flourishes best *where the ground is rich.*
　　　　　谷物在土地肥沃的地方生长得最好。

　　(35) You are able to go *wherever you like.*
　　　　　你喜欢去哪儿就可以去哪儿。

　　(36) He would live with his grandmother *anywhere she
　　　　　lived.*
　　　　　不管他祖母住在哪儿，他都愿和她住在一块儿。

　　(37) *Everywhere they appeared* there were ovations.
　　　　　不管他们出现在哪儿，都受到热烈欢迎。

　　地点状语从句中有些成分常可省略。如：

　　(38) Put in articles *where necessary* in the following pass-
　　　　　ages.
　　　　　请在下列段落中的需要处填入冠词。（地点状语从句中
　　　　　省去了 they are）

　　(39) Avoid structures of this kind *wherever possible.*
　　　　　这种结构随处都要避免。（地点状语从句中省去了
　　　　　it is ）

　　3）原因状语从句（adverbial clause of cause）表原因或理由，
其关联词有 because，as，since 等。如：

　　(40) Lanny was worried *because he hadn't had any letter
　　　　　from Kurt.*
　　　　　兰尼很着急，因为他一直未收到库尔特的信。

(41) We were up early the next morning, **as we wanted to be in Oxford by the afternoon.**

第二天早晨我们起得很早，因为我们要不迟于下午到达牛津。

(42) **Since we've no money,** we can't buy it.

由于我们没有钱，我们不能买它。

because, as, since 均表"因为"、"由于"。because 语气最强，用以回答 why，可表已知或未知的事实。它可与强调词 only, just 以及否定词 not 连用。如：

(43) You shouldn't get angry **just because some people speak ill of you.**

你不该仅仅因为有些人说了你的坏话就发怒。

because 引导的从句通常置于主句之后，只有在强调时才置于主句之前。如：

(44) **Because they make more money than I do**, they think they're so superior.

因为他们挣钱比我多，所以他们认为自己高人一等。

because 引导的从句还可用于强调结构。如：

(45) It was **because I wanted to see my uncle** that I went to town yesterday.

我昨天是由于要去看我的叔叔而进城的。

as 语气较弱，较口语化，所表的原因比较明显，或是已知的事实，故不需强调。as 引导的从句之前不可用强调词和否定词 not，亦不可用于强调结构。as 引导的从句多置于主句之前。如：

(46) **As all the seats were full** he stood up.

由于所有的座位都满了，他只好站着。

since 的语气亦较弱，常表对方已知的事实。它和 as 一样，其前亦不可用强调词和否定词 not。since 往往相当于汉语中的"既然"。如：

(47) **Since you are going**, I will go too.

既然你要去，我也去吧。

[注] for 与上述三个从属连词不同，它是一个等立连词，因此它连结的是两个并列的分句，如 The days were short, for it was now December（这些日子白昼很短，因为现在已经是十二月了）。for 比较文气，常用于笔语。

有些表原因的短语亦可引导原因状语从句。如：

(48) I eat potatoes *for the simple reason that I like them.*
我吃土豆仅仅是因为我喜欢土豆。(短语 for the reason that 引导原因状语从句)

(49) Shut the window *for fear (that) it may rain.*
关上窗户，恐怕要下雨。(短语 for fear 引导原因状语从句)

(50) It is still in excellent condition *considering that it was built 600 years ago.*
它还保护完好，要知道它是600年前建的。(短语 considering that 引导原因状语从句)

(51) *Seeing that it is ten o'clock，* we will not wait for Mary any long.
既然已经十点钟了，我们不再多等玛丽了。(短语 seeing that 引导原因状语从句)

(52) *In case I forget，* please remind me about it.
万一我忘掉了，请提醒我一下。(短语 in case 引导原因状语从句)

(53) I do remember，*now (that) you mention it.*
你这一提，我倒确是想起来了。(短语 now that 引导原因状语从句)

(54) I came to see you *on the ground that Mr Anderson said that you were interested in our project.*
我来看你是因为安德森先生说你对我们的计划感兴趣。(短语 on the ground that 引导原因状语从句)

(55) *Inasmuch (Insomuch) as the waves are high，* I shall not go out in the boat.
由于浪大，我就不乘小船外出了。(短语 inasmuch as 引导原因状语从句)

(56) This is not a good plant for your garden *in that its seeds are poisonous.*
这一种植物对你的花园不好，因为它的籽有毒。(短语 in that 引导原因状语从句)

4) 结果状语从句 (adverbial clause of result) 表结果，其关联词有 that，so (that)，such that，with the result that 等。结果状语从句皆置于主句之后。如：

(57) Have you another sweetheart hidden somewhere *that you leave me in the cold* ?

你是不是暗中又有了情人因而冷落我呢?

(58) She sat behind me *so that I could not see the expression on her face.*

她坐在我身后,所以我看不见她脸上的表情。

(59) His anger was *such that he lost control of himself.*

他勃然大怒,以致不能自制。

(60) I was in the bath, *with the result that I didn't hear the telephone.*

我在洗澡,所以没听见电话铃声。

5) 程度状语从句 (adverbial clause of degree) 表动作或状态所达到的程度, 其关联词有 so (that), such that, as (so) far as, as (so) long as, to the degree (extent) that, in so far as 等。如:

(61) Her heart beat *so that he could hardly breathe.*

她的心跳得几乎喘不过气来。

(62) His courage is *such that he does not know the meaning of fear.*

他胆子大,以致不知恐惧为何物。

(63) *So far as the weather is concerned* , I do not think it matters.

只就天气而论,我认为没有什么要紧。

(64) *So long as you need me* , I'll stay.

你需要我待多久,我就待多久。(或译作:只要你需要我,我就会待下去)

(65) At that time politicians were not known *to the degree they are today.*

那时政治家并不像现在这样出名。

(66) A computer is intelligent only *to the extent that* it can store information.

计算机的智能只限于它能储存信息。

(67) I'll help you *in so far as I can.*

我会尽力帮助你的。

6) 目的状语从句 (adverbial clause of purpose) 表目的, 其关联词有 so, so that, in order that 等。目的状语从句常用情态动词 may (might), 有时亦用 shall (should) 和 will (would);现在这种

从句亦可用 can (could)。目的状语从句多置于主句之后。如：

(68) I'll ring him up at once *so he shouldn't wait for me.*

我马上给他挂电话，让他别等我了。

(69) He drew a plan of the village *so that she could find his house easily.*

他画一张这个村子的草图，以便她会容易找到他的房子。

(70) I lent him £5 *in order that he might go for a holiday.*

我借给他 5 英镑，让他去度假。

so that 和 in order that 引导的目的状语从句被强调时，可置于句首。如：

(71) *So that the coming generation can learn the martial arts*, he has recently devoted much time to writing books on the subject.

为了下一代能够学会这些武术，他近来花了许多时间著书立说。

(72) *In order that the grass and flowers could bloom again*, it was necessary that the rocks should be removed.

为了这些花草能再开花，这些石头必须搬走。

lest 和 in case 也可以引导目的状语从句，但有否定意义，意谓"以免"或"以防"。lest 引导的从句常用助动词 should, would, might 等虚拟式，现只用于书面语，在日常生活中常代之以 for fear (that)。in case 引导的从句则常不用虚拟式。如：

(73) Take your umbrella with you, *lest it should rain.*

带上你的伞，以防下雨。(should rain 是虚拟式)

(74) Take your umbrella *in case it rains.*

带上你的伞，以防下雨。(in case 从句常不用虚拟时态)

(75) He took an umbrella with him *for fear it might rain.*

他带了一把伞，以防下雨。(for fear 之后省去 that)

7) 条件状语从句 (adverbial clause of condition) 表条件，条件有真实条件和非真实条件两种。前者表现实的或可能变为现实的条件，后者表非现实的或不可能或不大可能变为现实的条件。关于非真实条件，已在本书"虚拟语气"一章讲过。这里只讨论真实条件。

真实条件状语从句用直陈语气，其关联词有 if, unless,

suppose，supposing (that)，assuming (that)，providing (that)，provided (that)，in the event (that)，just so (that)，given (that)，in case (that)，on condition (that)，as (so) long as 等。这种状语从句可置于主句之前或之后。如：

(76) *If the weather is fine tomorrow* , we shall go to the country.

　　如果明天天晴，我们就到乡下去。

(77) He won't finish his work in time *unless he works hard.*

　　除非他努力干，否则他就不会按时把他的活干完。

(78) *Suppose they did not believe him* what would they do to him?

　　如果他们不信任他，他们会对他怎么样？

(79) *Supposing he can't come* , who will do the work?

　　如果他不能来，这事谁来干？

(80) *Assuming that you are right* , we'll make a great deal of money from the project.

　　假定你是正确的，那我们将会从这项工程中赚得许多钱。

(81) *Providing (that) there is no opposition* , we shall hold the meeting here.

　　如果没有人反对，我们就在这里开会。

(82) She will go *provided her friends can go also.*

　　如果她的朋友们也能去，她就去。

(83) *In the event that our team wins* , there will be a celebration.

　　如果我们队胜了，那就要庆祝一番。

(84) He doesn't mind inconveniencing others *just so he's comfortable.*

　　他只要自己舒服，别人不方便他就不管了。

(85) *Given that they're inexperienced* , they've done a good job.

　　考虑到他们缺乏经验，他们的工作已做得很好。

(86) *In case it rains* , do not expect me.

　　如若下雨，就不要等我了。

(87) You may borrow the book， *on condition that you do not lend it to anyone else.*

你可以把这本书借走，只要你不把它再借给别人。

（88）You may use the room *as long as you clean it afterward.*

你可以随意用这个房间，只要你用完后弄干净就行。

英语中有一种条件状语从句与主句并无直接关系，这种从句叫做间接条件从句。如：

（89）She's far too considerate, *if I may say so.*

如我可直言，她太体谅人了。(=I am telling you, if I may, that she's too considerate)

英语中还有一种修辞性条件状语从句。如：

（90）*If you believe that* , you'll believe anything.

你如相信此话，你将无话不信。(=You certainly can't believe that)

if 从句可省去其与主句相同的部分。如：

（91）I'm happy *if you are.*

你高兴我就高兴。(if 从句省去 happy)

if 从句常可省去主语和连系动词或助动词 be。如：

（92）Send the goods now *if ready.*

货物如已备好，请即送来。(if 从句省去 they are)

（93）*If necessary* , ring me at home.

必要时可打电话到我家找我。(if 从句省去 it is)

if 常和某些不定代词构成省略结构。如：

（94）*If anyone* , he knows.

如有人知，那就是他了。

（95）There are few people nowadays, *if any* , who remember him.

当今记得他的人，如有的话，也不多了。

（96）He seems to have little, *if anything* , to do with this.

若要说他和这事有关的话，那也似乎是很少的。

8）让步状语从句（adverbial clause of concession）表"虽然"、"尽管"、"即使"等概念，其关联词有 though, although, if, even though (if), when, while, whereas, granting that, granted that, admitting (that), for all (that), in spite of the fact that 等。让步状语从句可置于主句之前或之后。如：

（97）*Though it was only nine o'clock,* there were few people in the streets.

虽然时间才九点钟，可街上已没什么人了。

(98) ***Although you are a little older than I*** ，you belong essentially to the same generation.

虽然你比我长几岁，可你基本上还属于同一辈。

(99) ***If he is little*** ，he is strong.

他人虽小，但很壮。

(100) Jaures is an honest man；I say it，***even though I have opposed him.***

饶勒斯是个诚实的人；我这样说，尽管我曾经反对过他。

(101) He refuses help ***when he has many friends.***

他虽有许多朋友，但却拒绝其援助。

(102) ***While I understand your point of view*** ，I do not share it.

我虽了解你的观点，但不敢苟同。

(103) They want a house，***whereas we would rather live in a flat.***

他们想要一幢房子，可我们却宁愿住公寓。

(104) ***Granted that he has enough money to buy the house*** ，it doesn't mean he's going to do so.

尽管他有足够的钱买房子，但这并不意味着他就打算买。

(105) ***Admitting that he is naturally clever*** ，we do not think he will make much improvement，as he pays no attention to his lessons.

他即使天资聪颖，我们也不认为他会有多大长进，因为他对功课不用心。

(106) They are good people，***for all that their ways are not the same as ours.***

他们是好人，尽管他们的生活习惯和我们不同。

(107) He went out ***in spite of the fact that he had a bad cold.***

尽管他患感冒很厉害，但还是外出了。

疑问词＋ever 构成的复合词亦可引导让步状语从句，具有"不论"或"不管"的含义。如：

(108) You can't come in，***whoever you are.***

不管你是谁，都不能进来。

(109) Don't change your plans *whatever happens.*

不管发生什么事，别改变你的计划。

(110) *However busy he is* , he will find time to help us.

不管他怎么忙，他也会抽时间帮我们。

(111) *Whenever I'm unhappy* , he cheers me up.

每当我不高兴时，他总给我鼓劲儿。

(112) *Whichever book you borrow* , you must return it in a week.

不管你借哪本书，都必须在一周内归还。

(113) The dog follows me *wherever I go.*

我不论走到哪里，这狗都跟着我。

上述结构在口语中可用 "no matter＋疑问词" 结构替代。如：

(114) Don't believe him , *no matter what he says.*

不管他说什么，也别相信他。(＝whatever he says)

(115) He had to get the car fixed *no matter how much it cost.*

不管花多少钱，他也得把车子修好。(＝however much it cost)

从属连词 whether... or... 亦可意谓 no matter whether... or...，引导让步状语从句。如：

(116) I am going *whether it is raining or not.*

不论下不下雨，我都要去。(常用 whether... or not)

(117) *whether or not it rains* , I'm giving a party tomorrow.

不管是否下雨，我明天都要举行晚会。(也可用 whether or not... 结构)

(118) I'll go , *whether you come with me or stay at home.*

你不论跟我来还是留在家里，我都要走。(也可不用 not，只用 whether ... or)

whether 和 if (是否) 之前亦可用 no matter，表示 "不论"。如：

(119) "I hope I can find a good woman , *no matter whether (if) she is handicapped or not* ," he said.

"我希望能找到一个好的对象，不管她是否有残疾，" 他说。

在正式文体中，从属连词 as 和 though 亦可用于一种不以其为首的让步状语从句。这种从句须以形容词、名词或动词 (原形) 等开头，整个从句须置于主句之前。如：

(120) **Old as I am**, I can still fight.
　　　我虽老，但仍能战斗。(以形容词 old 开头)

(121) **Try as you may**, you will never succeed.
　　　你尽管试吧，但决不会成功。(以动词 try 开头)

(122) **Fool as he looks,** he always seems to make the wis-
　　　est proposals.
　　　他看样子傻，可似乎总是能提出最聪明的建议。(以名
　　　词 fool 开头，注意 fool 前没有冠词)

(123) **Exhausted though she was**, there was no hope of
　　　her being able to sleep.
　　　她虽然很累，但却没有能入睡的希望。(以已变成形容
　　　词的过去分词开头)

有时亦可用 as (so)... as... 结构表示让步。如：

(124) **As (so) bad as he is**, he has his good points.
　　　他虽不好，但也有其优点。

　　9) 方式状语从句 (adverbial clause of manner) 表动作的方式，
其关联词有 as, as if, as though, the way, how 等，多置于主句之
后。如：

(125) You ought to write **as he does.**
　　　你应该像他那样写。

(126) You answer **as if** you did not know this rule.
　　　你回答问题好像不知道这条规则似的。

(127) She closed her eyes **as though** she were tired.
　　　她闭上眼睛，好像她累了。

(128) Do it **the way you were taught.**
　　　要照教你的那样做。(the way ＝ the way that ＝the
　　　Way in which)

(129) Do it **how you can.**
　　　你可按自己之所能去做。(how ＝in whatever manner)

as 之前常可用 just 或 exactly 加强语势。如：

(130) I did **just as you told me.**
　　　我正是照你说的办的。

方式状语从句中有的成分亦可省略。如：

(131) He did **as told.**
　　　他遵嘱而行。(＝as he had been told)

(132) He paused *as if expecting her to speak.*

他停顿了一下，好像是等待她说话似的。(as if 后省去 he was)

(133) When he had finished he waited *as though for a reply.*

他说完之后，他好像在等待答复。(as though 后省去 he was waiting)

在非正式英语中，like 亦可用作关联词引导方式状语从句。如：

(134) Birds don't have feelings *like we do.*

鸟儿不像我们，它们没有感情。

比较状语从句（adverbial clause of comparison）也是一种方式状语从句，其关联词有 as（或 so）... as，than，according as，in proportion as 等。如：

(135) He woke up *as* suddenly *as he had fallen asleep.*

他醒来得和入睡一样突然。(第一个 as 是副词)

(136) I have never seen *so* much rain *as fell that February.*

我从未见过像那个二月那么多雨。(否定结构常用 so... as，也可用 as... as)

(137) I can walk faster *than you can run.*

我可以走得比你跑得还要快。

(138) You will be praised or blamed *according as your work is good or bad.*

你受表扬或批评将决定于你干得好或坏。

(139) Some people are happy *in proportion as they are noticed.*

有些人越受到注意就越高兴。

as... so 结构可表类比。如：

(140) *As* unselfishness is the real test of strong affection，*so* unselfishness ought to be the real test of the very highest kind of art.

正如无私是钟爱的真正考验，无私也是最高艺术的真正考验。(as 引导的是比较状语从句)

关联词 while 与 whereas 可表对比。如：

(141) I like tea *while she likes coffee.*

我喜欢茶，而她喜欢咖啡。

(142) *Whereas he's rather lazy,* she's quite energetic.

她精力非常充沛，而他却相当懒惰。

　　除外状语从句也有对比或对照的含义，其关联词有 except（that），excepting（that），but（that）等。如：

　　（143）***Except that he speaks too fast*** he is an excellent teacher.

　　　　　他是一位优秀教师，可就是讲话太快。

　　（144）He is a good man ***excepting that he is too fond of drinking.***

　　　　　他是个好人，可就是太爱喝酒。

　　（145）Nothing would satisfy that child ***but that I place her on my lap.***

　　　　　那孩子什么都不要，只要我把她抱在怀里。

　　（146）It never rains ***but it pours.***

　　　　　祸不单行。(此句中不可用 but that)

　　［注］关于从属连词 as 与 than 引导的比较状语从句的省略结构见本书"形容词和副词"一章的"形容词和副词的比较等级"一节。

16.11　句型的转换

　　句型转换就是将一种型式的句子改变为另一种型式的句子。英语的三种句型即简单句、并列句与复合句，均可以相互转换。如：

　　（1）I help him and he helps me.

　　　　我帮助他，他帮助我。

　　　　→ He and I help each other. (并列句转换为简单句)

　　（2）The old man wants a small but comfortable room.

　　　　老人要一间虽小但舒服的房间。

　　　　→ The old man wants a room that is small but comfortable. (简单句转换为复合句)

　　（3）I lent my bicycle to John, who lent it to George.

　　　　我把我的自行车借给了约翰，他又把它借给了乔治。

　　　　→ I lent my bicycle to John and he lent it to George. (复合句转换为并列句)

　　学会句型的转换有助于对英语句型的精确掌握，从而可运用不同的句子型式来表达基本相同的意思。可转化的句型有下列三种：

　　（4）He succeeded through hard work.

　　　　他靠勤奋工作取得了成功。(简单句)

（5）He worked hard and so he succeeded.

　　他勤奋工作，所以他取得了成功。（并列句）

（6）He succeeded because he worked hard.

　　他成功是因为他勤奋工作。（复合句）

[注] 简单句有时亦可用引词 it 和 there 进行内部转换，如：

① You need not put your foot in it. 你不必自找麻烦。

　→ It is not necessary for you to put your foot in it.

② What have you got in your pocket? 你口袋里是什么？

　→ What's there in your pocket?

③ It will rain next week. 下星期要下雨。

　→ There will be rain next week.

1）简单句与并列句的转换

简单句与并列句可相互转换。

简单句转换为并列句，多由短语变为分句。如：

（7）He came too late to see the first part of the show.

　　他来得太晚了，没赶上节目的第一部分。

　→ He came late, so he missed the first part of the show.

（8）Sleeping but little and thinking much, I find nights long.

　　我入不了睡，思绪万千，故觉得夜很长。

　→ I find nights long, for I sleep but little and think much.

并列句转换为简单句，多将分句变为短语。如：

（9）Tom wants to buy a bicycle, so he's saving up.

　　汤姆要买一辆自行车，为此他正在攒钱。

　→ Tom is saving up for a bicycle.

（10）She was young and beautiful, and yet I did not love her.

　　她年轻貌美，但我却不爱她。

　→ I did not love her, with all her youth and beauty.

2）简单句与复合句的转换

简单句与复合句可相互转换。

简单句转换为复合句，多将短语变为从句。如：

（11）The meeting over, we all went home.

散会后，我们就都回家了。

→ When the meeting was over, we all went home.

(12) To my knowledge, they never lost a package from the United States.

据我所知，他们从未丢失过一件从美国寄来的包裹。

→ As far as I knew , they never lost a package from the United States.

复合句转换为简单句，多将从句变为短语。如：

(13) He went all the same although it was raining.

尽管下雨他还是走了。

→ He went all the same in spite of the rain.

(14) If you make your own clothes, it will save you money.

自己做衣服，你就会省钱。

→ You will save money by making your own clothes.

3) 并列句与复合句的转换

并列句与复合句可相互转换。

并列句转换为复合句，多将一分句变为从句。如：

(15) Try again and you will succeed.

再努力一次，你就会成功。

→ If you try again, you will succeed.

(16) I've been away only for three years, yet I can hardly recognize my hometown.

我仅在外三年，可我几乎辨认不出我的故乡了。

→ Although I've been away only for three years, I can hardly recognize my hometown.

复合句转换为并列句，多将从句变为一分句。如：

(17) As Jane was the eldest, she looked after the others.

珍妮是大姐，所以她照顾其他弟妹。

→ Jane was the eldest, and so she looked after the others.

(18) If milk is not kept in a cool place, it will go sour.

牛奶如不存放在阴凉处，很快就会坏的。

→ Milk must be kept in a cool place, or else it will go sour.

4) 句子的结合与分离

有时一个以上的句子可合并为一个句子，这也是一种转换。如：

（19）The bird was a cock. The fox was looking at it hungrily.

那是一只公鸡。狐狸正以贪婪的目光看着它。

→ The bird which the fox was looking at hungrily was a cock.

（20）It was a snowy day. A small girl was making her way down the street. She was holding a box of matches in her hand.

一个下雪天，一个小女孩在街上走着。她手上拿着一盒火柴。

→ It was a snowy day and a small girl was making her way down the street, holding a box of matches in her hand.

有时一个句子可分离为一个以上的句子，这又是一种转换。如：

（21）My ruler has a scale marked in centimetres.

我有一把标有厘米的尺子。

→ I've got a ruler. It has a scale. The scale is marked in centimetres.

（22）Instead of hating him, I like him all the more for it.

我不但不恨他，相反为此更爱他。

→ I don't hate him. On the contrary, I like him all the more for it.

第十七章　句子分析

17·1　概说

句子分析对英语学习非常有用。它可以检查你的学习效果，巩固你的学习成果，弥补你学习的不足，大大减少或避免学习的盲目性。它对理解复杂的长句尤其有效。

句子分析的方法有好几种，但最好采用对句子基本结构及其中的词、短语、从句——分析说明的方法。但虚词如冠词、介词、连词、感叹词不做分析，连系动词亦然，短语和从句一般也可不做内部分析。如：

（1）One must do one's duty.

　　　人应尽其责。

　　　① 全句基本结构是主语＋谓语＋宾语。

　　　② one 是代词，用作主语。

　　　③ must do 是动词短语，用作谓语。

　　　④ one's duty 是名词短语，用作宾语。

17·2　简单句的分析

（1）China is a socialist country.

　　　中国是一个社会主义国家。

　　　① 全句基本结构是主语＋连系动词＋表语。

　　　② China 是一名词，用作主语。

　　　③ is 是一连系动词。

　　　④ a socialist country 是一名词短语，用作表语。

（2）The sun rises in the east.

　　　太阳从东方升起。

　　　① 全句基本结构是主语＋谓语。

　　　② the sun 是一名词短语，用作主语。

　　　③ rises 是一动词，用作谓语。

　　　④ in the east 是一介词短语，用作状语。

（3）We gave him a hearty welcome.

　　　我们给与他热诚的欢迎。

　　　① 全句基本结构是主语＋谓语＋间接宾语＋直接宾语。

    ② we 是一代词，用作主语。

    ③ gave 是一动词，用作谓语。

    ④ him 是一代词，用作间接宾语。

    ⑤ a hearty welcome 是一名词短语，用作直接宾语。

（4）Lei Feng died young.

    雷锋早逝。

    ① 全句基本结构是主语＋谓语＋主语补语。

    ② Lei Feng 是一名词，用作主语。

    ③ died 是一动词，用作谓语。

    ④ young 是一形容词，用作主语补语。

（5）I saw him going upstairs.

    我看他上楼的。

    ① 全句基本结构是主语＋谓语＋宾语＋宾语补语。

    ② I 是一代词，用作主语。

    ③ saw 是一动词，用作谓语。

    ④ going upstairs 是一现在分词短语，用作宾语补语。

（6）It is not a pen.

    它不是钢笔。

    ① 全句是一主、系、表否定结构。

    ② it 是一代词，用作主语。

    ③ is 是一连系词。

    ④ not 是一否定词，否定全句或连系动词 is。

    ⑤ a pen 是一名词短语，用作表语。

（7）Only in that way, can we learn English.

    只有这样做才能学会英语。

    ① 全句是一主、谓、宾倒装句结构。

    ② only 是一副词，用作状语（修饰 in that way）。

    ③ in that way 是一介词短语，用作状语。

    ④ we 是一代词，用作主语。

    ⑤ can learn 是一动词短语，用作谓语。

    ⑥ English 是一名词，用作宾语。

（8）Come here, please.

    请到这儿来。

    ① 全句是一祈使句结构。

    ② 用作主语的代词 you 被省略。

    ③ come 是一动词，用作谓语。

④ here 是一副词，用作状语。

⑤ please 是感叹词。

（9）How old are you?

你几岁啦?

① 全句是一特殊疑问句结构。

② how 是一副词，用作状语。

③ old 是一形容词，用作表语。

④ are 是一连系动词。

⑤ you 是一代词，用作主语。

（10）How well she sings!

她唱得多么好啊!

① 全句是一感叹句结构。

② how 是一感叹词。

③ well 是一副词，用作状语。

④ she 是一代词，用作主语。

⑤ sings 是一动词，用作谓语。

17.3 并列句的分析

（1）Just at that moment, the school bell began to ring and the children all came out to play.

正值此时，学校的钟响了，接着孩子们都跑出来玩耍。

① 全句是一并列句。第一分句的基本结构是主语＋谓语＋宾语；第二分句的基本结构是主语＋谓语。

② just at that moment 是一介词短语，用作状语。

③ the school bell 是一名词短语，用作主语。

④ began 是一动词，用作谓语。

⑤ to ring 是一不定式，用作宾语。

⑥ and 是一连词。

⑦ the children 是一名词短语，用作主语。

⑧ all 是一代词，用作同位语。

⑨ came 是一动词，用作谓语。

⑩ out 是一副词，用作状语。

⑪ to play 是一不定式，用作状语（表示目的）。

（2）They understood him and he them.

他们理解他，他也理解他们。

① 全句是一并列句。第一分句的基本结构是主语＋谓

语＋宾语；第二分句是一省略结构，其基本结构是
主语＋谓语（省略）＋宾语。

② they 是一代词，用作主语。

③ understood 是一动词，用作谓语。

④ him 是一代词，用作宾语。

⑤ and 是一连词。

⑥ he 是一代词，用作主语。

⑦ understood（省略）是一动词，用作谓语。

⑧ them 是一代词，用作宾语。

（3）You can call him "little devil", or you can call him
"comrade" — but you cannot just call "wei".

你可以叫他"小鬼"，你也可以叫他"同志"，但你不可
只叫"喂"。

① 全句是一并列句。第一分句的基本结构是主语＋谓
语＋宾语＋宾语补语；第二分句的基本结构也是主
语＋谓语＋宾语＋宾语补语；第三分句是一否定结
构，其基本结构是主语＋谓语＋宾语。

② you 是一代词，用作主语。

③ can call 是一动词短语，用作谓语

④ him 是一代词，用作宾语。

⑤ little devil 是一名词短语，用作宾语补语。

⑥ or 是一连词。

⑦ you 是一代词，用作主语。

⑧ can call 是一动词短语，用作谓语。

⑨ him 是一代词，用作宾语。

⑩ comrade 是一名词，用作宾语补语。

⑪ but 是一连词。

⑫ you 是一代词，用作主语。

⑬ cannot call 是一否定动词短语，用作谓语。

⑭ just 是一副词，用作状语。

⑮ wei 是一名词，用作宾语。

（4）Sam sang softly to himself, for he felt especially
strong and happy that day.

萨姆轻轻地自吟自唱，因为他这一天觉得特别有力和
高兴。

① 全句是一并列句。第一分句的基本结构是主语＋谓

语；第二分句的基本结构是主语＋连系动词＋表语。

② Sam 是一名词，用作主语。

③ sang 是一动词，用作谓语。

④ softly 是一副词，用作状语。

⑤ to himself 是一介词短语，用作状语。

⑥ for 是一连词。

⑦ he 是一代词，用作主语。

⑧ felt 是连系动词。

⑨ especially 是一副词，用作状语。

⑩ strong and happy 是一形容词短语，用作表语。

17.4　复合句的分析

（1） He does as I tell him.

他照我的吩咐办。

① 全句基本结构是主语＋谓语。

② he 是一代词，用作主语。

③ does 是一动词，用代谓语。

④ as I tell him 是一从句，用作比较状语。

（2） Because no one tended the trees, a large number died.

由于无人照管树木，所以大量的树都死了。

① 全句基本结构是主语＋谓语。

② because no one tended the trees 是一从句，用作状语（表原因）。

③ a large number 是一名词短语，用作主语。

④ died 是一动词，用作谓语。

（3） They often play chess after they have had supper.

他们晚饭后常下棋。

① 全句基本结构是主语＋谓语＋宾语。

② they 是一代词，用作主语。

③ often 是一副词，用作状语。

④ play 是一动词，用作谓语。

⑤ chess 是一名词，用作宾语。

⑥ after they have had supper 是一从句，用作时间状语。

（4）Though it was very cold, he went out without an overcoat.

天气虽然很冷，但他没穿大衣就出去了。

① 全句基本结构是主语＋谓语。

② though it was very cold 是一从句，用作状语（表示让步）。

③ he 是一代词，用作主语。

④ went out 是一短语动词，用作谓语。

⑤ without an overcoat 是一介词短语，用作状语。

（5）If I were you, I would help him.

我如是你，就会帮助他。

① 全句的基本结构是主语＋谓语＋宾语。

② If I were you 是一条件状语从句。

③ I 是一代词，用作主语。

④ would help 是一动词短语，用作谓语。

⑤ him 是一代词，用作宾语。

（6）He is the boy who broke the window.

他就是打破窗户的那个男孩。

① 全句基本结构是主语＋连系动词＋表语。

② he 是一代词，用作主语。

③ is 是一连系动词。

④ the boy 是一名词短语，用作表语。

⑤ who broke the window 是一限制性定语从句。

（7）The rain rattled on the roof all night, which kept me awake.

整夜雨打屋顶嗒嗒作响，弄得我无法入睡。

① 全句基本结构是主语＋谓语。

② the rain 是一名词短语，用作主语。

③ rattled 是一动词，用作谓语。

④ on the roof 是介词短语，用作状语。

⑤ all night 是一名词短语，用作状语。

⑥ which kept me awake 是一非限制性定语从句。

（8）You may do what you will.

你可以随你的便。

① 全句基本结构是主语＋谓语＋宾语。

② you 是一代词，用作主语。

③ may do 是一动词短语，用作谓语。

④ what you will 是一省略从句，用作宾语。

（9）I believe that he is honest.

我相信他是诚实的。

① 全句基本结构是主语＋谓语＋宾语。

② I 是一代词，用作主语。

③ believe 是一动词，用作谓语。

④ that he is honest 是一从句，用作宾语。

（10）He is not what he was ten years ago.

他已不是十年前的他了。

① 全句基本结构是主语＋连系动词（否定）＋表语。

② he 是一代词，用作主语。

③ is not 是一否定连系动词。

④ what he was ten years ago 是一从句，用作表语。

（11）That he is alive is certain.

他确实活着。

① 全句基本结构是主语＋连系动词＋表语。

② that he is alive 是一从句，用作主语。

③ is 是一连系动词。

④ certain 是一形容词，用作表语。

（12）It is true that he has returned home.

他真的已经回家了。

① 全句基本结构是形式主语＋连系动词＋表语＋真实主语。

② it 是一引词，用作形式主语。

③ is 是一连系动词。

④ true 是一形容词，用作表语。

⑤ that he has returned home 是一从句，用作真实主语。

17·5　并列复合句的分析

（1）She said she would work as a cook，and I told her that I would learn to be a carpenter.

她说她要当厨师，而我告诉她我要学木工。

① 这是一个并列复合句。第一分句的基本结构是主语＋谓语＋宾语；第二分句的基本结构是主语＋谓语

　　　　＋间接宾语＋直接宾语。

　　　② she 是一代词，用作主语。

　　　③ said 是一动词，用作谓语。

　　　④ (that) she would work as a cook 是一从句，用作宾语。

　　　⑤ and 是一连词。

　　　⑥ I 是一代词，用作主语。

　　　⑦ told 是一动词，用作谓语。

　　　⑧ her 是一代词，用作间接宾语。

　　　⑨ that I would learn to be a carpenter 是一从句，用作直接宾语。

（2） We are pleased that much is changing in China for the better and we are happy to be part of this renewal process by what we teach our students.

我们对中国的很大的改进感到高兴，并且很高兴通过我们的教学对这一振兴进程有所贡献。

　　　① 这是一个并列复合句。第一分句的基本结构是主语＋连系动词＋表语；第二分句的基本结构也是主语＋连系动词＋表语。

　　　② we 是一代词，用作主语。

　　　③ are 是一连系动词。

　　　④ pleased 是一形容词，用作表语。

　　　⑤ that much is changing in China for the better 是一从句（其前省去了介词 at），用作宾语。

　　　⑥ and 是一连词。

　　　⑦ we 是一代词，用作主语。

　　　⑧ are 是一连系动词。

　　　⑨ happy 是一形容词，用作表语。

　　　⑩ to be part of this renewal process 是一不定式短语，用作宾语（或原因状语）。

　　　⑪ by what we teach our students 是一介词短语（内含一宾语从句），用作状语（表手段）。

（3） Van Effen was a very very intelligent person whose knife-like intelligence could cope with an extremely wide variety of the world's problems, and although they had known each other for only two years, he had indisputably become Perter Branson's indispensable lieutenant.

范·埃芬是一个非常非常聪明的人，他的锐敏的智慧能够对付世上大量的各种各样的难题；他虽然与彼得·布兰森只相识两年，但无可争议地已成为彼得·布兰森的一员不可缺少的干将。

① 这是一个较长的并列复合句。第一分句的基本结构是主语＋连系动词＋表语；第二分句的基本结构也是主语＋连系动词＋表语。

② Van Effen 是一名词，用作主语。

③ was 是一连系动词。

④ a very very intelligent person 是一名词短语，用作表语。

⑤ whose knife-like intelligence could cope with an extremely wide variety of the world's problems 是一定语从句。

⑥ and 是一连词。

⑦ although they had known each other for only two years 是一让步状语从句。

⑧ he 是一代词，用作主语。

⑨ had become 是一连系动词。

⑩ indisputably 是一副词，用作状语。

⑪ Peter Branson's indispensable lieutenant 是一名词短语，用作表语。

第十八章 数的一致

18.1 概说

一致（concord）是一个语法范畴，指词语之间在人称、数、格、性等方面的一致。人称、格和性的一致比较简单，本书已在有关部分介绍过，本章着重讨论数的一致。

数的一致涉及三个基本原则，即：

1）语法一致（grammatic concord），即形式上的一致。如：

（1）*The boy shows* his mother much attention.
    这男孩对母亲很照顾。（单形名词主语要求单数谓语动词）

（2）*The boys are playing* outside.
    这些男孩正在外面玩耍。（复形名词主语要求复数谓语动词）

2）意义一致（notional concord），即意义或意念上的一致。如：

（3）*The crew are paid* to do all the work on the ship.
    船员受雇干船上的全部工作。（单形名词主语要求复数谓语动词，the crew 表一个集体的成员）

（4）*Five minutes is* enough.
    五分钟就够了。（复形名词主语要求单数谓语动词，five minutes 表一个数目）

3）邻近原则（principle of proximity），即指谓语动词的形式与邻近的名词一致。如：

（5）A man of *abilities are* needed.
    需要一个有能力的人。（动词 are 不与主语 a man 一致，而与其邻近的复形名词 abilities 形式上一致）

18.2 单形名词与动词的一致

单形名词在句中作主语时用单数动词。

1）单形集体名词被视为一个整体时，用单数动词。如：

（1）*Our family has* a reunion every year.
    我家每年都团聚一次。

（2）*The enemy is* retreating.
    敌人开始撤退了。

被视为若干个体时，则要求复数动词。如：

（3）**His family are** waiting for him.

他一家人都正在等你。

（4）**The enemy were encamped** on the hill-side.

敌人在山坡上扎营。

有些单形集体名词，即所谓的"群体名词"，如 police，militia，cattle 等，则要求复数动词。如：

（5）**The police have caught** the murderer.

警方已捕获杀人犯。

（6）In that village **the Wiltshire militia were quartered.**

威尔特郡民兵驻扎在那个村子里。

[注]单形集体名词之后用什么动词形式，往往因人而异。英国和美国的习惯也不完全一样。英国较多用复数动词，如 The government are determined to resist aggression（政府决心抵抗侵略），美国英语则多用单数动词。

2）"more than one＋单形名词"结构虽有复念，习惯上多要求单数动词。如：

（7）**More than one question was asked.**

提出的问题不止一个。

（8）**More than one person is involved** in this.

与此事有牵连的人不止一个。

但 "more＋复形名词 ＋than one" 结构一般却多要求复数动词。如：

（9）**More members than one have protested** against the proposal.

反对这项提议的会员不止一个。

"a ＋单形名词＋ or two" 结构多要求单数名词。如：

（10）**A day or two is** enough.

一两天就够了。

（11）**A servant or two or three was** to accompany them.

将有一个或两个或三个仆人去陪他们。

"one or two＋复形名词" 结构则要求复数动词。如：

（12）**One or two reasons were suggested.**

提出了一两条理由。

"many a ＋单形名词" 结构要求单数动词，这种结构多用于正式文体。如：

> (13) *Many a fine man has died* in that battle.
>
> 许多优秀士兵死于那次战役。

> (14) There's *many a slip* twixt the cup and the lip.
>
> 事情往往会功亏一篑。（格言）

3）在"两个形容词＋一个单形名词"结构中，单数名词如有复念（即代表两个事物），则应用复数动词。如：

> (15) *The red and the white rose are* both beautiful.
>
> 红玫瑰与白玫瑰都很美。

> (16) *English and French grammar are* not very difficult to learn.
>
> 英语语法和法语语法不很难学。

18.3 复形名词与动词的一致

复形名词（大多以 s 结尾）在句中作主语要求复数动词。

1）含双数概念的复形名词要求复数动词。如：

> （1）*Are your kitchen scales* accurate?
>
> 你的家用天平准吗？

> （2）How much *are those binoculars* ?
>
> 那架双筒望远镜值多少钱？

2）含复数概念的复形名词要求复数动词。如：

> （3）*The customs were paid.*
>
> 关税已付。

> （4）*My funds are* a bit low at present.
>
> 我的资金现在不多。

3）含单数概念的复形名词要求单数动词。如：

> （5）*His works is* rather small.
>
> 他的工厂相当小。

> （6）*A gallows is* a wooden frame on which criminals are hanged.
>
> 绞刑架是一个上面可绞死罪犯的木架。

4）表时间、距离、钱额的复数名词要求单数动词。如：

> （7）*Ten years is* a moment in history.
>
> 十年在历史上是一瞬间。（ ten years 指一段时间）

> （8）*A hundred miles is* a long distance.
>
> 一百英里是一段很长的距离。（ a hundred miles 指一

段距离）

（9）Ten thousand dollars is large sum.

　　一万美元是一大笔钱。

5）外来的复形名词常要求单数动词。如：

（10）*This data is*　very interesting.

　　这项数据很有意思。

（11）*The agenda for Monday's meeting has not*　yet *reached* me.

　　星期一会议的议程，我还没有收到。

（12）*Graffiti is spreading*　like wildfire.

　　在墙壁上乱涂的现象现在有燎原之势。

6）以 -ics 结尾表学科的复形名词一般要求单数动词。如：

（13）*Politics is*　often a topic for discussion among us.

　　政治常常是我们讨论的课题。

（14）*Statistics is*　a principal course at the business school.

　　统计学是这所职业学校的一门主要学科。

但这类名词运用于实际时，则往往要求复数动词。

（15）What *are*　your *politics* ?

　　你的政治观点如何？

（16）*Statistics prove*　nothing in this instance.

　　统计数字在这一事例上不说明问题。

7）以 's 结尾的某些表疾病的复形名词，要求单数动词。如：

（17）*German measles is*　a dangerous disease for pregnant women.

　　风疹对于孕妇是一种危险的疾病。

（18）*Shingles is*　a disease by an infection of certain nerves and producing painful red spots often in a band around waist.

　　带状疱疹是一种由某些神经所感染的疾病，经常在腰部周围生长很痛的带状红斑。

有些这类名词可用单数动词或复数动词。如：

（19）*Mumps is (are)*　fairly rare in adults.

　　腮腺炎在成年人中是相当罕见的。

8）有些复形名词既可用复数动词，亦可用单数动词。如：

（20）Where *are (is)*　your *manners* ?

你怎么不讲礼貌？

(21) His *whereabouts are (is)* unknown.

他不知在何处？

复形书名一般要求单数动词。如：

(22) *The Newcomes is* one of Thackeray's finest books.

《新来的人们》是萨克雷的最好著作之一。

但有时亦两可。如：

(23) Dickens' *American Notes were (was)* published in 1842.

狄更斯著的《美国笔记》出版于 1842 年。

(24) *The Cantebury Tales exist(s)* in many manuscripts.

《坎特伯雷的故事》有许多手稿。

18.4 并列主语与动词的一致

并列主语与动词的一致有几种情况。

1）当"名词＋and＋名词"结构表示一种事物或一种概念时，应用单数动词。如：

(1) *Fish and chips is* a popular supper.

炸鱼土豆片是一种很受欢迎的晚餐。

(2) *The poet and writer has* come.

那位诗人兼作家来了。

(3) *Peter, and perhaps John, plays* football.

彼得，也许还有约翰，常踢足球。

有时并列主语用单数或复数动词均可。如：

(4) *Time and tide wait(s)* for no man.

岁月不待人。

2）当 "each (every)＋单形名词＋and＋each (every)＋单形名词"结构应分做两个单独结构看待时，应用单数动词。如：

(5) *Each book and each paper is* found in its place.

每一本书，每一份文件，都可在一定的地方找到。

(6) *Every hour and every minute is* important.

每一小时，每一分钟，都很宝贵。

3）在"名词（代词）＋or＋名词（代词）"结构后的动词一般应与 or 后的名词（代词）一致。如：

(7) *He or I am* in the wrong.

他或是我错了。

(8) **He or his brothers** were to blame.

应该怪他或他的兄弟们。

4)"either＋名词＋or＋名词"结构要求动词一般应与 or 后的名词一致。如：

(9) **Either the shirts or the sweater is** a good buy.

这些衬衣，要不就是这件毛衣，买上是会合算的。

(10) **Either Tim or his brothers have to** shovel the snow.

不是蒂姆，就是他的兄弟们必须把雪铲去。

5)"not only＋名词＋but (also)＋名词"结构要求动词一般应与 but (also) 后的名词一致。如：

(11) **Not only the students but also their teacher is** enjoying the film.

不仅学生们在欣赏这部影片，他们的老师也在欣赏这部影片。

6)"neither＋名词＋nor＋名词"结构要求动词一般应与 nor 后的名词一致。如：

(12) **Neither you nor your brother is** in fault.

你和你的兄弟都不应怪罪。

(13) **Neither he nor they are** mistaken.

他和他们都没有错。

18.5 "单形名词＋with 或 as well as 等十名词"结构与动词的一致

"单形名词＋with＋名词"结构要求动词一般应与第一个名词一致，即用单数名词。如：

(1) **A teacher，with his students，is seeing** an English film.

一位教师带着他的学生正在看一部英语影片。

(2) **A woman with two children has come.**

一位妇女带着两个孩子来了。

"名词＋as well as＋名词"结构要求动词一般应与第一个名词一致。如：

(3) **The students as well as the teacher were** present at the meeting.

学生和他们的老师出席了会议。

(4) **I as well as they am** ready to help you.

不仅他们愿意帮助你，我也愿意帮助你。

"名词＋added to＋名词"结构要求动词一般应与第一个名词一致。如：

（5）The painting of M is constructed by leaning one half an M against a mirror. *Reality added to its reflection makes* the whole.

给 M 画像的设计是让他的一半身体靠在镜上。所以整个画像有一半是真实的，一半是镜子反射的。

18·6　"表部分的名词＋of＋名词"结构与动词的一致

"表部分的名词＋of＋名词"与动词的一致有几种情况。

1）"one＋of＋复形名词"结构后的定语从句要求谓语动词应与复形名词一致。如：

（1）This is *one of the best books* that *have appeared.*

这是所出版的最好书籍之一。（have 与 books 一致）

但实际应用中多与 one 一致。如：

（2）She's *one of those women* who *doesn't know* a thing about furniture.

她是丝毫不懂家具的那些妇女之一。

（3）Singing is *one of the activities* which *generates* the greatest enthusiasm.

唱歌是会激起最大热情的活动之一。

2）"a pair＋of＋复形名词"结构多要求用单数动词，以与整个的 pair 一致。如：

（4）*A pair of gloves is* a nice present.

一双手套是一件很好的礼物。

如强调其个别成员时，亦可用复数动词。如：

（5）*A pair of thieves were conspiring* to rob us.

有两个贼预谋盗窃我们的东西。

3）"（a）part＋of＋名词"结构中，如名词为单形，一般要求用单数动词。如：

（6）*(A) part of the story is* not true.

这一则报道有一部分是不真实的。

如名词为复形，一般要求用复数动词。如：

（7）*A part of the apples are* bad.

一部分苹果是坏的。

4)"a group＋of＋复形名词"结构可要求用单数动词，亦可用复数动词。前者强调整体，后者强调各个组成部分。如：

（8）***This group of chemicals behaves*** in the same way.

这一组化合物起同样的作用。（强调 group 这一整体）

（9）***This group of chemicals behave*** in the same way.

这一组化合物都起同样的作用。（强调 group 中的各成分）

类似 group 的集体名词还有 crowd（人群）、flock（羊群）、file（一列）等。

5)"a number＋of＋复形名词"结构应用复数动词。如：

（10）***A number of people were*** injured.

不少人受了伤。（亦可用 numbers of，意义不变）

（11）***A large number of people have come*** to see the exhibition.

许多人来看展览会。（亦可用 large numbers of 而意义不变）

但也有人用单数名词。如：

（12）***A number of books was missing*** from the library.

图书馆有很多书不见了。

"the number＋of＋复形名词"结构要求用单数动词。如：

（13）***The number of chairs in the room is*** ten.

屋内椅子共有十把。

（14）***The number of stamp-collectors is growing*** apace.

集邮者在迅速增加。

"an average (total)＋of＋复形名词"结构要求用复数动词。如：

（15）***An average of 3 000 letters a month are received*** by the newspaper's office.

报馆每月平均收到 3 000 封信。

（16）***A total of 3 000 letters were received*** last month.

上月共收到 3 000 封信。

"the average (total)＋of＋复形名词"结构，要求用单数动词。如：

（17）***The average of letters received*** each month ***is*** 3 000.

每月平均收到信件 3 000。

（18）***The total of letters received*** last month ***was*** 3 000.

上月收到信件共 3 000。

6)"a lot (mass, heap 等)+of+复形名词"结构一般要求用复数动词。如:

(19) *A lot of people were* out for Sunday.

许多人出来度星期日。(亦可用 lots of 代替 a lot of)

(20) *A mass of people were working* there.

许多人正在那里劳动。(亦可用 masses of 代替 a mass of)

(21) *A heap of apples were seen* in there.

那里看到有大量的苹果。(亦可用 heaps of 代替 a heap of)

"a lot (mass, heap 等)+of+单形名词结构要求用单数动词。如:

(22) *A lot of money was spent* for travel.

旅行花了许多钱。

7)"this kind (sort) of+名词"结构一般要求用单数动词。如:

(23) *This kind of apple is* sour.

这种苹果是酸的。

如用复形名词,则亦可用复数动词,以强调名词的复数概念。如:

(24) *The kind of apples* you mean *are* large and sour.

你说的那种苹果又大又酸。

"these (those) kind+of+名词"结构要求用复数动词。如:

(25) *These kind of apple(s) are* sour.

"what kind +of+单形名词"结构要求用单数动词。如:

(26) *What kind of apple is* sour?

什么种类的苹果是酸的?

"what kinds+of+单形名词"结构要求用复数动词。如:

(27) *What kinds of apple are* sour?

哪些种类的苹果是酸的?(这里的主语强调 kinds,故须用复形动词)

"these kinds+of+单(复)形名词"结构强调"一种以上",要求用复数动词。如:

(28) *These kinds of apple(s) are* sour.

这些种类的苹果都是酸的。

8)"the rest (remainder)+of+名词"结构要求何种动词形式

应由名词的数形而定。名词如是单形，一般要求用单数动词。如：

(29) **The rest of the story needs** no telling.

故事的其余部分就不必讲下去了。

名词如是复形，一般要求用复数动词。如：

(30) He stayed at home and **the rest of the boys were** out at play.

他留在家里，其余的男孩都在外面玩耍。

9)"per cent＋of＋名词"结构中如名词为单形，一般要求用单数动词。如：

(31) **Thirty per cent of the liquor is** alcohol.

这酒含百分之三十的酒精。

如名词为复形，一般要求用复数动词。如：

(32) **Ten per cent of the apples are** bad.

这些苹果中有百分之十是坏的。

如强调 per cent 所表的抽象概念，即使后面是复形名词，亦要求用单数动词。如：

(33) **Over 50 per cent of the loans is** extended for 20 years.

有百分之五十多的贷款都为期 20 年。

10)"分数＋of＋名词"结构中如名词为单形，一般要求用单数动词。如：

(34) **Three-fourths of the surface of the earth is** sea .

地球表面的四分之三是海水。(名词 surface 是单形)

如名词为复形，一般要求用复数动词。如：

(35) **Three-fourths of the people were** illiterate.

四分之三的人是文盲。(名词 people 是复形)

如强调分数所表的抽象概念，则要求用单数动词。如：

(36) **Only about one-third of the class is going** to make it next year.

班里明年会升级的人大约只有三分之一。(用单形动词 is 是为了强调 one-third 所表的抽象概念。如用复形动词 were 则指班里的三分之一成员)

有时动词的形式与分数本身的数形一致。如：

(37) **Three-fourths of anybody's fame are** mere suggestion.

任何人的声誉有四分之三不过是虚名。(复形动词

are 与分数复形 three-fourths 一致）

11）"most＋of＋名词"结构要求用什么动词一般皆由名词的数形而定。单形名词要求用单数动词，复形名词要求用复数动词。如：

(38) *Most of his time is spent* travelling.

他大部分时间都在旅行。（单形名词 time 用单数动词 is）

(39) *Most of his students come* from south China.

他的学生大都是南方人。（复形名词 students 用复数动词 come）

most of 之后如为集体名词，要求动词应由该名词指整体或指成员而定。如：

(40) *Most of the population was* young.

那里的居民大都年轻。（population 指整体，故用单数动词 was）

(41) *Most of the audience were* college students.

观众大都是大学生。（audience 指成员，故用复数动词 were）

"plenty＋of＋名词"结构的用法与"most＋of＋名词"结构相同。如：

(42) *Plenty of space is* needed.

需要大量的空间。（单形名词要求用单数动词）

(43) *Plenty of chairs are* needed. 需要许多椅子。

（复形名词要求用复数动词）

12）"worth＋of＋名词"结构不论名词是单形或复形，一般皆要求用单数动词，与 worth 一致。如：

(44) *The worth of this painting is estimated* at a half million dollars.

这幅画估计值50万美元。（worth 后接单形名词 painting）

(45) *The worth of men* like Galileo *is* not always understood while they are alive.

像伽利略这样的人在世时并不总是被人理解的。（worth 后接复形名词 men）

但当 worth 表示金额时，其后的动词往往与其前表金额的名词的数形一致。如表金额的名词是复形，其后常用复数动词。如：

(46) *Thousands of pounds' worth of damage have been done*

to the apple crop.

苹果收成损失以千镑计。(代表金额的名词 pounds 是复形，故用复形动词 have)

18·7　短语、从句或句子作主语与动词的一致

短语、从句和句子用作主语时，一般要求用单数动词。如：

（1）*No news is* good news.

没有消息便是好消息。(no news 是名词短语，用作主语)

（2）*In the evening is* best for me.

对我最适合是在晚上。(in the evening 是介词短语)

（3）*Slow and steady* wins the race.

慢而稳者操胜券。(slow and steady 是形容词短语)

（4）*Children interfering in their parents' right to remarry has become* a social problem.

子女干预父母再婚已成为一个社会问题。(主语是一动名词复合结构)

（5）*Because they are dead languages is* no reason why they should be ignored in academic circles.

不应因它们是死的语言而就在学术界忽视它们。(主语是 because 引导的从句)

（6）*"How do you do* ? *" is* not a question but a greeting.

"你好?"不是一个问题，而是一问候语。(主语是句子 How do you do?)

18·8　倒装结构中主语与动词的一致

在倒装结构中，主语即使是复形名词，往往也用单数动词，尤其在非正式英语中。如：

（1）On the mother's side *comes teachers* also one actor.

母系亲属中出了许多教师，也出了一位演员。

（2）Just then in the distance *was heard the horns* of two motor-cycles speeding swiftly in the direction of this very spot.

正值此时，从远处传来了两辆摩托车的警报声，它们正向这个地方快速驶来。

有时在单数动词后有一连串并列的名词。如：

（3）Her face wore a puzzled，troubled，nervous look，in which ***was mingled fear, sorrow, depression, distrust, a trace of resentment and a trace of despair.***

她的神色显得不解、苦恼、不安，其中还交织着恐惧、忧伤、沮丧　不信任、一丝愤懑和一丝绝望。

在 "there＋is（was）" 的结构中，也常可接复形名词，因为人们常常是先说出 there is（was）后才想及后面的名词的，但多用在口语中。如：

（4）There***'s hundreds of people*** on the waiting list.

登记等候的有数百人。

（5）As for risks，there***'s risks*** in pretty near everything you do in this world.

至于风险，在这个世界上，不论你做什么事，几乎都有风险。

18.9　名词化的形容词和过去分词作主语与动词的一致

名词化的形容词和过去分词作主语与动词的一致应决定于主语的数念。主语如表单念，就要求单数动词。如：

（1）***The true is*** to be distinguished from the false.

真实应与假相区别。（主语 the true 表单念）

（2）***The accused was*** acquitted.

被告获释。（主语 the accused 表单念）

如表复念，则要求用复数动词。如：

（3）***The innocent are*** often deceived by the unscrupulous.

天真的人常为奸诈之徒所欺骗。（主语 innocent 表复念）

（4）***The dispossessed are*** demanding their rights.

被剥夺者在要求归还他们的权利。（主语 dispossessed 表复念）

有些名词化的形容词和过去分词有复形，皆要求复数动词。如：

（5）***The Christians are*** believers in Christ.

基督徒就是基督的信徒。

（6）***The newlyweds are*** now spending their honeymoon abroad.

新婚夫妇现正在国外度蜜月。

18·10　邻近原则的用法

有时谓语动词的形式与主语名词并不一致，却与邻近的名词一致，这叫做邻近原则。邻近原则多用于不甚严谨的文体中。如：

（1）I read somewhere the other day that in America one in three **marriages** now **come** to grief.

前日我在某一文中读到：现在在美国，三对夫妇中就有一对是不幸的。（come 与邻近的 marriages 一致）

（2）The first two points about the **verse-form** of the passage that we notice **is** regular rhythm and rhyme.

我们注意到这一段的诗体的头两点是韵律和押韵。（is 与邻近的 verse-form 一致）

有时与谓语动词邻近的是两个并列的单形名词，这时则用复形动词与之一致。如：

（3）When a man goes back to look at the house of his childhood, it has always shrunk：there is no instance of such a house being as big as the picture in **memory and imagination call for.**

当一个人回去看他童年时期所住的房子时，总是觉得房子变小了：绝不会有房子一如回忆和想像中那样大的情况。（call for 与邻近的并列的两个名词 memory 和 imagination 一致）

有时却用复形动词以与邻近的表复念的数词一致。如：

（4）Only one singer in a **hundred understand** the lyrics.

一百个歌手中只有一个理解抒情诗。（复数动词与邻近的数词 hundred 一致）

18·11　名词与名词在"主系表"结构中的一致

在"主系表"结构中，单形名词主语与单形名词表语、复形名词主语与复形名词表语在语法上是完全一致的。但是，单形名词主语与复形名词表语、复形名词主语与单形名词表语虽在形式上不一致，但在逻辑上可一致。

1）单形名词主语与复形名词表语一致。如：

（1）**Paul** is **friends** with Bill.

保尔和比尔友好。（二者逻辑上一致，因为 friends 意谓"友好"）

（2）The **room** seemed to be all **nooks** and **corners**.

这个房间好像尽是角落似的。(二者逻辑上一致)

2）复形名词主语与单形名词表语一致。如：

（3）*Hills* are the *opposite* of valleys.

山是谷的反面。(opposite 表抽象概念，故用单形，与主要名词 hills 在逻辑上一致)

（4）These *stairs* are a *part* of the bridge.

这些台阶都是桥的一部分。(二者在逻辑上一致)

18·12 名词与名词在修饰与被修饰关系中的一致

当一个名词修饰用作定语修饰另一名词时，比如在复合名词中，前一个名词一般应用单数形式。如：

a *bus* stop　公共汽车站

apple trees　苹果树

the *grievance* committee　申诉委员会

但用复数形式的情况也不少，须个别记忆。如：

a *glasses* frame　眼镜框

sports equipment　运动器材

an *appointments* committee　任命委员会

用作定语的名词如指人，一般亦用单数形式。如：

a *boy* student　男生

girl friends　女友

但 woman 和 man 用作修饰复形名词的定语时，则一般须用复数形式。如：

men doctors　男医生

women teachers　女教师

18·13 代词与动词的一致

代词要求动词一致的情况与名词要求动词一致的情况大体相同，但有些代词有一些特殊。

1）all 用作主语时，可随其数念用单数或复数动词。如：

（1）*All is* correct.

都对了。

（2）*All were* big and strong.

都很粗大壮实。(all 在此指人，表复念，故用复数动词 were）

2）any 用作主语时，亦可随其数念用单数或复数动词。如：

（3） I don't think **any is** left.

我想没有剩下的了。

（4）I don't think **any of them have seen** her.

我想他们之中没有人看见她。（any 在此表复念，故用复数动词 have）

3）each of 后接复形名词时一般用单数动词，但有时也可用复数动词。如：

（5）**Each of the jobs were planned** by Billy.

每一项工作都是由比利安排的。（这句话实际上与 The jobs were each planned by Billy 的意思是一样的）

4）either 用作主语时，一般应用单数动词。但在非正式英语中 "either＋of＋复形名词（代词）" 结构之后则可用复数动词。如：

（6）I don't think **either of them have arrived.**

我想他们两个都还没有到。

（7）**Either of them are** enough to drive any man to distraction.

他们两人中任何一个都足以使任何人发疯。

5）every 和 everyone 一般用单数动词，但有时也可要求用复数动词。如：

（8）**Every 100 households have** 93 television sets and 64 cassette recorders in this city.

在这个城市里，每一百户就有 93 台电视机和 64 部盒式录音机。

（9）**Everyone in the house were** in their beds.

这一家里的人都在睡觉。（everyone 在此不仅用复形动词 were，而且用复形物主代词 their ）

6）many 之后一般须要求用复数动词，但在 many's (was) the time(thing,etc.)(that)... 这一固定结构中则要求用单数动词。如：

（10）**Many's the time** I've thought of leaving.

有好多次我都想离去。

（11）**Many was the time** I ate at that restaurant.

我在那个饭馆里吃过许多次。

7）most 用作主语时，可根据其所含数念要求用单数或复数动词。如：

（12）**Most of the arable land is** under cultivation.

那可耕地大都已在耕耘。

    (13) A few people were killed in the fire，but ***most were saved.***

           在那场火灾中，有几个人被烧死，但大部分人都得救了。(most 在此表复念，故用复数名词)

    8) neither 可要求用单数动词或复数动词。如：

    (14) ***Neither was*** satisfactory.

           两个都不令人满意。(要求用单数动词)

    (15) ***Neither of the books is*** satisfactory.

           两本书都不令人满意。(要求用单数动词)

    (16) ***Neither of the sisters were*** alive.

           两姐妹都不在人世了。(要求用复数动词)

    (17) ***Neither of them are*** wecome.

           他们两人都不受欢迎。(要求用复数动词)

    9)none 按理应要求用单数动词，但事实上既可用单数动词，亦可用复数动词。如：

    (18) ***None of this money is*** mine.

           这钱都不是我的。(后接不可数名词)

    (19) ***None of us knows*** for certain.

           我们当中没有一人确切地知道。(后接可数名词)

    但要求用复形动词的情况亦很多，并有日益增多之势。如：

    (20) ***None are*** so deaf as those that will not hear.

           聋子莫过于不愿听人言的人。

    (21) ***None of the others have lived*** my experiences.

           别的人都没有过我的经历。

    10) some 和 any 一样，应根据其数念要求用相应的动词。如：

    (22) ***Some of this seems*** to be rather good.

           这个东西的某些部分似乎是相当好的。

    (23) ***Some are good，some are*** bad.

           有些是好的，有些是坏的。(some 表复念，故用复数动词)

    11)疑问代词 what 用作主语时，要求用什么动词应由其所含的数念而定。如：

    (24) ***What's*** on the table?

           桌子上是什么东西？(what 表单念，故用单数动词)

    (25) ***What are*** on the table?

           桌子上是些什么东西？(what 表复念，故用复数动词)

当说话人不确知 what 的数念或不强调数念时，其后应用单数动词。如：

(26) *What's* in the sky?

天上是什么？

what 用作缩合连接代词时，其所引导的主语从句，一般亦多用单数动词。如：

(27) *What's done is* done.

做了的已做了。

(28) *What he says is not* important.

他说的话并不重要。

但在主、系、表结构中，用 what 作主语的主语从句亦可要求用复数动词。如：

(29) *What I want are* details.

我要的是细节。(亦由于表语是复数名词)

(30) *What is needed are* rational and firm actions.

所需要的是合理的坚决的行动。(亦与表语是复数名词有关)

当 what 从句中的谓语动词为复数时，全句的谓语动词亦应用复数。如：

(31) *What make the river more beautiful are* the lotus plants growing in the water.

为河流增色的是水里的荷花。

(32) His muscles were wasting away, and *what were left were* flabby.

他的肌肉已在消瘦，所剩下的也很松弛了。

有时 what 引导的主语从句用单数动词或复数动词皆可。如：

(33) What we need is (或 are) books.

我们所需要的是书。

18·14 代词与名词的一致

代词对名词的指代在数的形式上应当是一致的，但同名词与名词一致的情况一样，有时也有不一致的情况。如：

(1) The *government* had discussed the matter for a long time but *they* had shown no sign of reaching agreement.

政府对此事已讨论很久，但仍无取得一致意见的迹象。

(government 有复念，故与 they 在数念上一致)

（2） I slapped **them** on the **back.**

我拍了拍他们的背。(the back 表典型事物)

1）all 可要求单形名词或复形名词。如：

（3） I was in the office **all morning.**

我整个上午都在办公室内。(all 后接单形名词 morning)

（4） In the night **all cats** are grey.

夜里猫都呈灰色。(all 后接复形名词 cats)

但 "all＋复形名词" 有时意谓 "each＋单形名词"。如：

（5） **All cats** have nine lives.

猫有九命。(all cats 在此 ＝ each cat)

2）another 可要求用单形名词，但有时亦可要求用数词加复形名词。如：

（6） That's **another story.**

那是另一码事。(another 要求用单形名词 story)

（7） Where shall we be in **another ten years** ?

再过十年我们将在哪里？(another 要求用数词加复形名词 ten years)

3）any 表单念时要求用单形名词；表复念时要求用复形名词。如：

（8） The vine can grow on **any tree.**

这藤蔓可在任何树上生长。(any tree 表单念，强调任何一株树)

（9） Have you **any** English **books** ?

你有英语书吗？(any English books 表复念，说话人认为对方如果有英语书则不会只有一本)

但说话人如不确知或不强调 any 后接可数名词的单念或复念，一般皆应用复形名词。如：

（10） They haven't **any children.**

他们没有孩子。

（11） Have you **any animals** ?

你养动物吗？

4）both 要求用复形名词。如：

（12） I hope **both** your **brothers** are safe.

我希望你的两个兄弟都平安无事。

和 all 一样，both 有时也有 each 的含义。如：

(13) **Both** his **cousins** are called John.

他的两个堂兄弟都叫约翰。(both＝each of)

5）every 要求用单形名词或复形名词。如：

(14) We have **every reason** to believe that she will get better.

我们有一切理由相信她会见好的。(要求用单形名词)

(15) There are buses to the station **every ten minutes.**

这个车站每十分钟有一趟公共汽车。(every 要求用数词和复形名词)

6）many 一般皆要求复形名词。如：

(16) **Many languages** are spoken in Africa.

非洲有许多语言被人使用。

但 many 亦可要求不定冠词 a 加单形名词。如：

(17) **Many a ship** has been wrecked on those rocks.

许多船只毁于那些礁石之上。

7）no＝not any，表单念时要求用单形名词，表复念时要求复形名词。如：

(18) There's **no hotel** over there.

那里没有任何旅馆。(表单念)

(19) There are **no hotels** over there.

那里没有旅馆。(表复念)

如不确知或不强调数念，可数名词多用复形。如：

(20) **No human beings** could do that sort of thing.

没有人能做那样的事。

8）some 和 any 一样，表单念时要求用单形名词，表复念时要求复形名词。如：

(21) I must have read that in **some book.**

我一定在某一本书上读过这个的。(表单念)

(22) I saw **some people** I knew.

我看到几个我认识的人。(表复念)

9）指示代词 this 和 that 一般自然后接单形名词。如：

(23) **This book** is better than that one.

这本书比那本书好。

(24) What's **that noise**?

那喧闹声是怎么回事？

但 this 和 that 亦可后接一些复形名词。如：

> this woods　这个树林
>
> this two weeks　这两个星期

this 与 that 用作主语时，其表语亦可是复形名词。如：

(25) **This** is bad **manners.**

　　　 这是不礼貌的行为。

(26) — I promise.

　　　 我保证。

　　 — **That** 's two **promises.**

　　　 这已是两次保证了。

10) 指示代词 these 和 those 一般皆要求后接复形名词。如：

> these books　这些书
>
> those days　那些日子

但亦可要求后接某些单形名词，如集体名词等。如：

> these gentry　这些绅士们（gentry 是集体名词）
>
> those type of parties　那种晚会

11) 疑问代词 what 用作定语时，可要求单形或复形名词。如：

(27) **What difference** does it make?

　　　 这有什么不同？（要求用单形名词）

(28) I don't know by **what train** he will go.

　　　 我不知道他将坐什么火车去。（要求用单形名词）

(29) **What books** have you read?

　　　 你读过什么书？（要求用复形名词）

(30) **What people** did you meet?

　　　 你遇见了什么人？（要求用复形名词）

下面四个句子都可以说；前两句询问"哪一类的书"，后两句询问"哪些类的书"。

(31) **What kind of book** do you like reading?

(32) **What kind of books** do you like reading?

(33) **What kinds of book** do you like reading?

(34) **What kinds of books** do you like reading?

12) 单形集体名词表其各个成员时，其定语从句的关系代词用 who；单形集体名词表一不可分割的整体时，其定语从句的关系代词用 which。如：

> a **family who** quarrel among themselves　一个常吵架的家庭（family 指家庭的各个成员，故其后用 who）

a family which dates back to the Norman Conquest
一个可追溯至诺曼征服英国时代的家庭 (family 指一整体，故其后用 which)

18.15 数词与动词的一致

数词要求动词的一致可分两种。

1) 语法的一致。如：

（1）*Two and two are* four.

2 加 2 等于 4。（主语是 two and two）

（2）*Four from seven leaves* (is) three.

7 减 4 剩 3。（主语是 four）

（3）*Three times one is* three.

3 乘 1 等于 3。（主语是 3，times 被看作介词，故用单数动词 is。如将 three times 看作主语，即可用复数动词 are）

（4）*261 devided by 9 equals 29.*

261 除以 9 等于 29。（主语是 261）

2) 意念的一致。如：

（5）*Two and two is* four.

2 加 2 等于 4。（将主语 two and two 看作一个数目，故用单形动词 is）

（6）What's *eight and six* ?

8 加 6 是多少？（主语 eight and six 被看作一个数目）

（7）*One half of the world's population are* Asians.

世界人口有一半是亚洲人。（集体名词 population 在此指其成员）

18.16 数词与名词的一致

数词有时与名词在形式上不一致，但在逻辑上是一致的。如：

（1）*Parks* were *one* of the few places where they could find privacy.

公园是他们能够单独在一起的少数地方之一。

（2）*Mrs. Rachel* is worth *ten* of her daughter.

雷切尔比得上她的 10 个女儿。

（3）My *father* would not sit *thirteen* to dinner.

我的父亲在宴会上不肯就第 13 个座位。

数词用作定语时，与名词的一致比较简单。如：

> two pictures　两幅画
>
> ten miles　10 英里

有些单位词，如 pair，couple 等，与一以上的基数词连用时，用单形或复形皆可。如：

> two pair(s) of chopsticks　两双筷子
>
> five couple(s) of rabbits　5 对兔子

在 one and a half (quarter, etc.) 后一般应用复形名词，但亦可用单形名词。如：

> one and a half hour(s)　一个半小时（为避免用单
> 　形名词或复形名词的疑虑，最好说 one hour and a
> 　half）
>
> 1 3/4 mile(s)　一又四分之三英里

现就一些常见情况具体分类讨论如下：

1)"一以上的基数词＋连字符＋表时间的名词"结构用作定语时，其名词一般应用单形。如：

> a **five-second** pause　一次 5 秒种的停顿
>
> a **ten-minute** break　一次 10 分钟的中间休息
>
> a **two-hour** exam　一次 2 小时的考试

如不用连字符，其名词则常用复形。如：

> a **three minutes** drive　一段 3 分钟的汽车路程
>
> a **three weeks** training　3 周训练
>
> **ten years** service　10 年工龄

也可用名词所有格。如：

> **two hours'** delay　2 小时的延误
>
> a **nine days'** wonder　9 天的奇迹

当"一以上的基数词＋连字符＋表时间的名词＋连字符＋old"结构用作定语时，其名词一般用单形。如：

> a **five-year-old** boy　一个 5 岁的男孩
>
> my **eighteen-month-old** son 我的 18 个月大的儿子

但 old 如代之以其它形容词，则一般须用复形。如：

> a **four-months-long** winter　一个长达 4 个月的冬天

2)"一以上的基数词＋连字符＋表长度、距离等的名词"结构用作定语时，其名词一般用单形。如：

> a **twelve-inch** ruler　一把 12 英寸的尺子
>
> a **four-foot** ladder　一个 4 英尺长的梯子

a **sixty-acre** farm 一个占地 60 英亩的农场

但却常说：

a **three-feet-long** stick 一根 3 英尺长的棍棒

a **two-thousand-feet** high mountain 一座两千英
尺高的山

在非正式英语中，面积常用单形 foot。如：

（4）My bedroom's about **eight foot by twelve.**

我的卧室大约有 12 英尺长 8 英尺宽。

3）在表示房子的高度时，常用单形名词 storey（或 story）表楼
房的层次。如：

a **ten-story** building 一座10层高的楼 （亦可说a
tenstoried building）

但一般应说：

four stories high

说人的高度时，一般应用复形 feet。如：

（5）She's **five feet** eight (inches tall).

她身高五英尺八英寸。

但在非正式文体中，人们亦常用单形 foot。如：

（6）She's only **five foot** four.

她身高只有五英尺四英寸。

表深度的说法与表高度的说法一样。

4）表重量的 ton 与数词连用时可用单形或复形。如：

a **three-ton** weight 重 3 吨之物 （用单形）

a 150 000 **tons** ship 一艘 15 万吨的船 （用复形）

名词 stone 多用单形。如：

（7）A full-grown man in Western Europe averages a -bout
eleven stone.

西欧的成年人平均体重约为 11 吗。（亦可用 stones）

5）表价值的定语修饰 note 和 bill 等名词时，定语中名词用单
形。如：

a **ten-pound** note 一张 10 英镑的钞票

a **five-dollar** bill 一张 5 美元的钞票

单形 penny 和复形 pence 皆可用。如：

four three-penny （或 three-pence）stamps 4 张 3 便
士的邮票

pound 多用复形。如：

three pounds seventy-five 3 英镑 75 便士

the **ten thousand pounds** prize 1 万英镑的奖金

第十九章 省略、倒装

一、省 略

19.1 概说

省略（ellipsis）在语言中，尤其在对话中，是一种普遍的现象，因为它有助于语言的简洁。关于词类的省略，本书已在前面有关章节涉及，本章只讲述有关句法上的省略。

英语的句子可以省去各种句子成分。如：

（1）Like a drink?

来喝一杯？（省去主语 you 或助动词＋主语 would you）

（2）Her husband was banished, and she with him.

她的丈夫被流放了，她和她的丈夫一起也被流放了。(she 之后省去谓语 was banished)

（3）— I'm hungry.

我饿了。

— Are you?

是吗？（省去表语 hungry））

（4）— Show me your essay.

给我看看你的文章。

— I'll show you later.

我以后给你看吧。(you 后省去直接宾语 my essay)

（5）He spent part of the money, and the rest he saved.

那钱他花了一些，其余的他都存了起来。(the rest 之后省去定语 of the money)

（6）I studied at Cambridge at the same time as he did.

我和他同时在剑桥大学学习。(did 之后省去状语 at Cambridge)

有时可省去一个以上的句子成分。如：

（7）I wanted silence, just silence.

我需要寂静，只是寂静。(just 前省去主语 I 和谓语 wanted)

有时甚至可省去从句或整个句子。如：

（8）He's taller than I thought.

他比我想像的要高。(thought 后省去从句 he was)

（9）— Have they arrived?

他们到了吗？

— Yes.

到了。(yes 后省去整句 they have arrived)

英语中与所省略部分相应的部分如在同一句子里，所省略的部分可能出现在与其相应部分之前，亦可能出现与其相应部分之后。如：

（10）If you want me to, I'll buy the tickets.

如你要我买票的话，我就去买。(to 后的被省略部分 buy the tickets 出现在与其相应部分之前)

（11）I'll buy the tickets if you want me to.

(to 后的被省略部分 buy the tickets 出现在与其相应部分之后)

（12）I can't tell real from imitation jewellery.

我辨别不出珠宝的真伪。(real 后的被省略部分 jewellery 出现在与其相应部分之前)

省略句中的被省略部分和与其相应的部分有时并不相同。如：

（13）This is one of the oldest buildings in town, if not the oldest.

这是城里最古老的房屋之一，如果不是最古老的话。(句末 the oldest 之后省去的单形名词 building 和与其相应的复形名词 buildings 不相同)

英语中省略句所省去的部分有时可能有一种以上的解释。如：

（14）Get it?

根据不同的上下文，它可能相当于 Do you get it? (=Do you understand?)也可能相当于 Did you get it? (it 可能指 the letter 或别的什么东西)

有时同一句中可能有几种不同的省略，如说：

（15）— He would have been going to leave at the end of term.

他到学期末本会离开的。

这句话可能有下列四种不同省略的回答：

— Yes, he would have been going to.

— Yes, he would have been.

— Yes, he would have.

— Yes, he would.

英语里被省略的部分一般可以在句子中补上，但有时省略结构已经定型，如把被省略部分补上，反而不合乎习惯。如：

(16) He is taller than I am.

他比我高。(am 之后省去的表语 tall 习惯上不可补上)

(17) She is very easy to get along with.

她很好相处。(to get along with 后省去的 her 不可补上，否则不但不合乎习惯，也不合乎语法)

有不少套语也都很难补上所省去的部分。如：

Thanks. 谢谢。

Not at all. 不谢。

Goodbye. 再见。

So what? 那又怎么样？

What next? 还有比这更荒唐的吗？

No matter. 不要紧。

Nothing doing! 不行！

All right. 好，行。

What price a ride on your bicycle? 用一下你的自行车行吗？

[注] 有些套语的省略部分则可补上，如 Come to think of it (仔细一想) = now that I come to think of it。再如 What if it rains?（如果下雨怎么样？）= What will happen if it rains?

省略必须合乎英语的规律，如回答 Have you seen John today? 时，只可说 Yes, I have，不可像汉语那样说 Yes, I have seen。

省略和代替不同，如 Do you smoke? 的答语 Yes, I do，其中的 do 是代替 smoke，不是省略。

19.2 句子结构的省略

有些句子结构可省略。

1) 有些省略结构可省去主语和谓语。如：

（1）Anything not to have to do it.

只要不去做此事，怎么都行。(anything 之前省去了 I'll do)

（2）A word about your composition.

我现在谈一下你的作文。(a word 之前省去了 I'll say)

2）有些省略结构可省去主语和连系动词。如：

（3）— How are you?

你好吗？

— Fine, thank you.

很好，谢谢。(fine 之前省去了 I am)

（4）Though tired, he was not disheartened.

他虽然累了，但没有泄气。(tired 之前省去了 he was)

（5）Too bad we don't have time.

真糟糕，我们没有时间。(too bad 之前省去了 it is)

there be 结构中亦可省去 there be。如：

（6）Anybody in?

里面有人吗？(anybody 之前省去了 is there)

（7）It was a great time. Offers of jobs poured in. Lots of them.

那是一个伟大的时期。聘请工作的信雪片似的飞来。多得很。(lots of them 之前省去了 there are)

3）有些省略结构可省去主语和助动词。如：

（8）When rescued, he was almost dead.

当他得救时，已经差一点死了。(when 之后省去了主语 he 和助动词 was)

（9）Tom was attacked by cramp while swimming across the river.

汤姆游泳过河时抽了筋。(while 之后省去了主语和助动词 he was)

（10）See you later.

再见。(see 之前省去了 I'll)

（11）Got a light?

有火吗？(句首省去了 have you)

4）有些省略结构只保留主语和助动词，其余皆被省略。如：

（12）— Have you finished your work?

你的工作干完了吗？

— Yes, I have.

是，干完了。(只保留主语和助动词 I have)

（13）— Can he swim?

他会游泳吗？

— Yes, he can.

是，他会。（只保留主语和助动词 he can）

有时还保留疑问副词。如：

(14) How could you?

你怎么能这样说话？（不但保留主语和助动词 could you，而且保留疑问副词 how。you 后省去 say so）

5）有些省略结构只保留一个句子成分。如：

(15) — Who did it?

谁做了此事？

— Oscar.

奥斯卡。（只保留主语）

(16) — What did you get?

你买什么了？

— A dictionary.

一本字典。（只保留宾语）

(17) — What did you think of the film?

你觉得那个电影如何？

— Very interesting.

很有意思。（只保留表语）

(18) — How do you like me?

你喜欢我吗？

— Very much.

非常喜欢。（只保留状语）

(19) Wait!

等一等！（只保留谓语）

(20) — What kind of pencil do you want?

你要什么样的铅笔？

— Red.

红的。（只保留定语）

5）有些省略结构可省去从句。如：

(21) You would do the same.

你也会这样做的。（省去了从句 if you were in my position）

(22) You have done better this time.

这一次你做得好些了。（省去从句 than you did before）

(23) — Where is my cat?

　　我的猫在哪儿?

— How should I know?

　　我怎么知道? (省去了从句 Where your cat is)

(24) Oh, that reminds me.

　　噢,这使我想起了一件事。(me 之后省去了 that 从句,其内容由具体情况而定)

6) 有些省略结构可省去整个句子。如:

(25) — Are you all right?

　　你没有受伤吗?

— Yes.

　　没有。(yes 之后省去了整句 I'm all right)

(26) — Are you coming?

　　你来吗?

— No.

　　不。(No 之后省去了整句 I'm not coming)

19.3　句子成分的省略

各种句子成分均可省略。

1) 主语的省略。祈使句可省去主语。如:

(1) Sit down, please.

　　请坐。

(2) Hand me the hammer, will you?

　　把锤子递给我好吗?

此外还有其它省去主语的情况。如:

(3) Don't know.

　　我不知道。(省去了主语 I)

(4) Had a good time, didn't you?

　　玩得很好,不是吗? (省去了主语 you)

(5) Doesn't look too well.

　　他脸色不大好。(省去了主语 he 或 she)

(6) Looks like rain.

　　像是要下雨了。(省去了主语 it)

There be 结构中的 there 亦可作为主语而省去。如:

(7) Must be somebody waiting for you.

　　一定是有人在等你。

在非正式文体中,定语从句在某些句子结构中也可以省去主语。如:

(8) There's somebody wants to see you.

有人想要见你。(定语从句中省去了主语 who)

2) 谓语的省略。有些省略结构可省去谓语。如:

(9) Only one of us was injured, and he just slightly.

我们当中只有一人受了伤,而且只是轻伤。(he 后省去了谓语 was injured)

(10) We went through the tests on a Monday. Jenny had hers during the day, and I mine after work.

有一个星期一,我们进行了检查。詹尼在白天,我是在下班之后。(I 之后省去了谓语 had)

有时可省去谓语中的主要动词。如:

(11) We'll do the best we can.

我们将尽力而为。(can 之后省去了主要动词 do)

3) 助动词的省略。有些省略结构可省去助动词,尤其是在口语中。如:

(12) You better try again.

你最好再试一下。(you 之后省去了助动词 had)

(13) You doing this on purpose?

你是故意在做此事? (you 之后省去了助动词 are)

(14) They been coming here a long time.

他们很久都想到这里来。(they 之后省去了助动词 have)

4) 表语的省略。有些省略结构可省去表语。如:

(15) — Are you Mr. Smith?

你是史密斯先生吗?

— Yes, I am.

是的,我就是。(am 之后省去了表语 Mr. Smith)

(16) — Are these your friends?

这些人是你的朋友吗?

— Yes, they are.

是的,他们是我的朋友。(are 之后省去了表语 my friends)

(17) — He's a real man.

他是一个真正的人。

— Who is?

谁？(is 之后省去了表语 a real man)

5）连系动词的省略。有些省略结构可省去连系动词。如：

(18) Everybody gone?

人都走了吗？(句首省去了连系动词 is)

(19) Where you from?

你是哪里人？(where 之后省去了连系动词 are)

(20) There was hardly a second of the day when the gun weren't rolling or those shells rustling through the air.

整天没有一刻炮不在轰，炮弹不在空中嗖嗖掠过。(shells 之后省去了 weren't)

在报纸标题中亦常省去连系动词。如：

(21) Johnson ready for Tokyo meet.

约翰逊准备参加东京运动会。(Johnson 之后省去了连系动词 is)

在富有诗意的文体中，有时也有省去连系动词的省略结构。如：

(22) She in tears. He gloomy and down-looking.

她泪流满面。他阴沉而眼朝下。(she 和 he 之后皆省去了连系动词 was)

whatever 与 however 引导的让步状语从句可省去连系动词。如：

(23) She pledged to complete her father's unfinished task, whatever the cost.

她立誓不管付出多大代价也要去完成其父的未竟事业。(whatever 从句之末省去了 was)

(24) I refuse, however favourable the conditions.

不管条件如何有利，我都不干。(however 从句之末省去了 are)

6）宾语的省略。有些省略结构可省去宾语。如：

(25) Keep away from children.

谨防儿童使用。(away 之后省去了宾语 this bottle 等)

(26) Let's do the dishes. I'll wash and you dry.

让我们洗碗吧。我来洗，你来揩干。(wash 与 dry 之后皆省去了宾语 dishes)

（27）James and Susan often go to plays but James enjoys the theatre more than Susan does.

詹姆斯和苏珊都常观剧，但詹姆斯较苏珊更爱观剧。（Susan 之后省去了 the theatre）

7）定语的省略。有些省略结构可省去定语。如：

（28）If you need any of that firewood, I can give you plenty.

你如需要这柴火，我可以给你很多。（plenty 之后省去了定语 of that firewood）

（29）They claim that Danish butter is the finest.

他们声称丹麦牛油最好。（finest 后省去了定语 in the world）

（30）That letter was the last.

那信是最后的一封。（last 之后省去了定语从句 I ever received from her）

8）状语的省略。有些省略结构可省去状语。如：

（31）Return soon as possibe.

速归。（电报用语，soon 之前省去了用作状语的副词 as）

（32）He was not hurt. Strange!

他没有受伤。真奇怪！（strange 前可看作省去了状语 how）

（33）It's always dusty about here, if there's the least wind.

只要有一点点风，这里就到处是灰。（the least 之前可看作省去了用作状语的副词 even）

二、倒　装

19.4　概说

倒装（inversion）是一种语法手段，用以表示一定句子结构的需要和强调某一句子成分的需要。英语的最基本的结构是主、谓结构，倒装就是将这种比较固定的词序加以颠倒。

倒装有两种。将主语和谓语完全颠倒过来，叫做完全倒装（complete inversion）。如：

（1）How goes the time?

几点钟了？

（2）Then began a bitter war between the two countries.

于是两国之间开始了恶战。

只将助动词（包括情态动词）移至主语之前，叫做部分倒装 (partial inversion)。如：

（3）At no time was the entrance left unguarded.

入口无时无人把守

（4）Seldom have we felt as comfortable as here.

我们难得像在这里这么舒服。

19.5　句子结构需要的倒装

为了句子结构的需要而进行倒装的情况有下列几种。

1）疑问句。如：

（1）Are you from here?

你是本地人吗？（一般疑问句）

（2）Who was that?

那人是谁？（特殊疑问句）

2）祝愿句。如：

（3）Long live peace!

和平万岁！

（4）May you succeed!

祝你成功！

（5）So be it.

就这样吧。

3）某些感叹句。如：

（6）There goes the bell.

打铃了。

（7）Here comes the bus!

公共汽车来了！

（8）Judith, Judith, how lovely are you!

朱迪思啊，朱迪思，你多么可爱！

［注］由副词 there 和 here 引导的倒装感叹句不可用人称代词，如不可说 Here comes he 而须说 Here he comes。

4）There + be 结构。如：

（8）There is a man at the door wants to see you.

门口有一个人要见你。

(9) There lived an old peasant in that house.

有一位老农住在那栋房子里。

(10) There seems to be some misunderstanding about the matter.

在这个问题上似乎有些误会。

5) 其直接引语位于句首的陈述句。如：

(11) "It's too late," said Milian.

"天太晚了，"米利安说。

(12) "This is the house where Shakespeare was born," said George.

"这就是莎士比亚诞生的那座房子，"乔治说。

6) 地点状语位于句首、主语为名词而谓语为不及物动词的陈述句。如：

(13) From the window came sound of music.

从窗户里传来了音乐声。

7) 某些条件从句。如：

(14) Had I the time, I would go.

如有时间我就去。

(15) We'll join them for dinner should they ask.

他们如邀请的话，我们就会和他们一起进餐。

(16) Were you in my position, you would do the same.

你如处在我的地位，也会这样做的。

(17) She'll be sixteen come May.

到 5 月她就 16 岁了。

(18) All right, if stay you must, go and sit down properly over there.

好吧，如你必须留下，那你就在那里坐好。

8) 某些让步从句。如：

(19) Look as I would up and down, I could see no human being.

我尽管望上望下，还是看不到一个人。

(20) Toil as he would, he might fail, and go down and be destroyed!

他尽管苦干，还是可能失败、沉沦而被毁灭！

(21) Change your mind as you will, you will gain no

additional support.

你即使改变主意，也不会再得到援助。

9) 代词 so, neither, nor 等副词置于句首时，全句常需倒装。如：

(22) If you can do it, so can I.

你如能做，我也能做。

(23) If you don't go, neither shall I.

你不去，我也不去。

(24) I don't know, nor do I care.

我不知道，我也不想知道。

10) Never, seldom, little, nor, hardly, scarcely, no sooner, not only 等表否定的副词或连词位于句首时，全句需要倒装。如：

(25) Never in my life **have I seen** such a thing.

我一生中从未见过这样的事。

(26) Seldom **have we felt** as comfortable as here.

我们很少像在这里住得舒适。

(27) No sooner **had he arrived** than he fell ill.

他还没来就病了。

(28) Scarcely **had he arrived** when they asked him to leave again.

他刚一到来，他们就又请他离去。

(29) Not only did he hear it, but he saw it as well.

他不但听见，而且也看见了。

11) only 位于句首并后跟状语时，全句需要倒装。如：

(30) Only then **did he understand** it.

只有那时，他才明白。

由 only 引导的从句位于句首时，主语亦应倒装。如：

(31) Only when she came home **did he learn** the news.

只有当她回家时他才知道这消息。

12) 主语部分较长需要后置时，全句需要倒装。如：

(32) They erect a bronze tablet on which is carved "The Yellow River Source."

他们立了一面铜牌，上面写着"黄河之源"。(on which... 是倒装结构)

(33) To this class belongs the most astonishing work that the author accomplished.

属于这一类的有作者所完成的一部惊人的著作。

（34）Sitting at her desk in deep concentration was my sister Flora . She looked as though she had spend a sleepless night.

我妹妹弗洛拉伏案沉思，好像一夜未睡似的。（后一句意上相等于从句）

13）为了上下文的衔接，全句需要倒装。如：

（35）"Now，I have no opinion of that policy. "

"我可对这项政策没有好感。"

（36）"I sure have，" came a sarcastic gravelly growl from the admiral.

"我当然有啰，"这是发自海军将军的讥讽而粗哑的咆哮声。（用 came... admiral 倒装结构是为了和上文相衔接）

（37）The girl who loves him so deeply finds herself unable to forgive his mistake. Around this point develops the sketch，which is humourous and full of a strong local flavour.

那个钟爱他的姑娘觉得她不能饶恕他的错误。围绕这一点就写成了这一短剧，它不但幽默，而且充满了浓郁的地方风味。（第二句倒装。显然由于句首 around this point 与上文衔接的缘故）

19.6 强调需要的倒装

这是为了强调某一句子成分而进行的倒装。这种倒装大致有下列几种。

1）谓语置于句首。

a）谓语动词置于句首。如：

（1）I'm going back to Washington to fight for it，believe you me.

我要回到华盛顿为此而斗争，你相信我吧。（强调 believe）

（2）At last he finds himself in a garden，full of beautiful flowers of strange forms，and watered by streams of crystal in which are swimming marvellous fish with scales of rubies and gold.

他终于发现自己来到一个花园，这里到处是奇异的花卉，还有那清澈的溪水，里面游着珍贵的具有红玉般和金黄色的鱼鳞的鱼。（这里将谓语 are swimming 前置也是由于主语较长之故）

有时倒装结构为主要动词＋主语＋助动词。如：

（3）Go I can't.

我不能去。（强调主要动词 go）

（4）Yield he would not.

屈服他是不干的。（强调主要动词 yield）

有时倒装结构为主要动词＋宾语＋主语＋助动词，其主要动词往往是重复前文中的动词。如：

（5）They have promised to finish the work and finish it they will.

他们保证完成这项工作，而且他们一定会完成的。（强调主要动词 finish）

（6）Save him she could not；but she avenged him in the most terrible fashion afterwards.

她不能救他，但后来她以最可怕的方式为他报了仇。（此句中的倒装结构强调主要动词 save，其上文虽无 save 一词，但有与其类似的动词）

有时倒装结构为助动词＋主语＋（主要动词），如：

（7）John was taken completely by surprise by the news, as was Susan.

这消息完全出乎约翰的意料，也完全出乎苏珊的意料。（as 后的助动词 was 置于主语之前，是为强调主语；省去了主要动词）

（8）They looked upon him as a trusted friend, as did many others he had deceived.

他们和他所欺骗的许多人一样，也把他看作可以信赖的朋友。（替代词 did 置于主语之前以强调主语，省去了主要动词）

b）过去分词置于句首。如：

（9）Also discussed was a revenue-raising proposal to hike the sales tax...

也讨论了增加销售税的提高税收建议……（这里倒装是由于主语较长）

（10）Also said to be under consideration is a performance

in Beijing.

据说也考虑在北京上演。(这里过去分词与 also 连用，全句强调主语 performance，倒装亦与上下文衔接有关)

c) 现在分词＋be＋主语。如：

(11) Covering much of the earth's surface is a blanket of water.

地球表面上许多地方都布满了水。

(12) Facing the lake was a little inn with its pillared veranda.

湖的对面是一个有柱廊的小旅店。

这种倒装结构多半已变成词序固定的句型。在新闻文体中，现在进行时的现在分词亦可进行倒装。如：

(13) Throwing the hammer is champion William Anderson, who is a hard-working shepherd in the Highlands of Scotland.

正在掷链球的是冠军威廉·安德森，他是苏格兰高地上的一位勤劳的牧民。(这里自然是强调现在分词 throwing，但倒装亦与主语较长有关)

d) 引述动词＋主语＋直接引语。这种结构常用于新闻体。如：

(14) Declared rosecutor Roy Amlot: "It was one of the most callous acts of all time."

检察官罗伊·阿默朗特宣称："这是最最淡漠无情的行为之一。"

(15) Said he: "We confront great evils and we need great solutions."

他说道："我们面对着重大的邪恶，我们需要重大的决策。"

2) 表语置于句首。

a) 形容词＋连系动词＋主语。如：

(16)Present at the meeting were Professor Smith, Professor Brown, Sir Hugh and many other celebrities.

到会的有史密斯教授、勃朗教授、休爵士以及许多其他知名人士。(这种倒装结构已经定型)

(17) Far be it from me to condemn him in any way.

我决不会以任何方式谴责他。(这种倒装结构亦已成

定型)

b) 过去分词＋连系动词＋主语。如

(18) Gone are the days when they could do what they liked to the Chinese people.

他们能够对中国人民为所欲为的日子一去不复返了。

(强调过去分词 gone，同时也是由于主语较长)

c) 介词短语＋ be＋主语。如：

(19) Among the goods are Christmas trees，flowers，candles，turkeys and toys.

货品中有圣诞树、花卉、蜡烛、火鸡和玩具。(这种倒装结构已成定型)

(20) Amid the gaseous pollutants they inhale are carbon monoxide，sulphur dioxide，nitrogen oxides，hydrochloric acid，ammonia and hydrocarbons.

在他们所呼吸的污染气体中有一氧化碳、二氧化硫、氮氧化物、盐酸、氨和碳氢化合物。(此种倒装亦已定型)

d) 不定式＋ be＋主语。如：

(21) First to unfold were the two 14-foot-wide drogue chutes，which criented the craft and continued slowing it.

首先要打开的是那两个 14 英尺宽的拖靶斜槽，这两个东西使飞机定向，并继续使之减速。

3) 宾语置于句首。如：

(22) "Yes，" said the youth shortly.

"是的，"那个小伙子简短地说道。

(23) Someone once said Australia is a country born to alcoholism. A man would pay ＄5 to get drunk and ＄8 to get home，*goes the jest.*

有人说过，澳大利亚是一生性嗜酒的国家。有一个笑话说，那里的人会花 5 元钱喝醉后，再花 8 元钱回家。

4) 状语置于句首。

a) 某些副词＋倒装结构。如：

(24) Just then *along* came Tom.

就在这时，汤姆来了。

(25) Just then *in* walked Isabella with a radiant face.

正值此时刻，伊莎贝拉容光焕发地走了进来。

[注] 短语动词的小品词一般不可前置，如不可说 Up cracked the soldier。
又，上述例句中如用人称代词则不可倒装，如必须说 In she walked。

(26) **Then** did I throw myself into a chair, exhausted.
这时我累得一下就坐在椅子上了。

(27) **Only** in this way can we learn English.
只有这样才能学会英语。

[注] 副词 only 后接非状语时则不可倒装。

(28) **So** bright was the moon that the flowers bright as by day.
皓月当空，花朵就像白天那样鲜艳。

(29) **Crack** goes the whip.
啪的一声鞭子响了。

b) 介词短语＋倒装结构。如：

(30) **By his side** sat his faithful dog.
在他的旁边蹲着他的忠实的狗。（介词短语表地点）

(31) **Many a time as a boy** have I climbed that hill.
我在童年时期曾多次爬过那座山。（介词短语表时间）

(32) **Up the valleys, down the valleys** go they, saying,
"Here is a place to build a breast-work; here can you
pitch a fort..."
他们沿着山谷走上走下，说着，"这里是筑胸墙的地
方，这里可以修一堡垒……"（介词短语表方向）

(33) **With it** was mingled far-away cheering.
远处的欢呼声与此融在一起。（介词短语表伴随）

c) 表示否定的词语＋倒装结构。如：

(34) **Not** once did he talk to me.
他一次也没有和我谈过。

(35) **Never** did he speak about his own merits.
他从不讲他自己的功绩。

(36) **Seldom** has a devoted teacher been so splendidly
rewarded.
一位忠诚的教师很少受到如此好的报答。

(37) *Hardly* had he arrived when she started complaining.

他一到家，她就抱怨起来。

(38) *Little* did I think that we were talking together for the last time.

我没有想到我们这次谈话竟成诀别。

(39) *No sooner* had he arrived than he went away again.

他刚到家就又走了。

(40) *Not only* did they present a musical performance，but they also gave a brief introduction to the history of Western brass instruments.

他们不但做了音乐表演，而且简短地介绍了西方铜管乐器的历史。

[注] 但不是所有以 not 开头的句子都必须倒装，如下面的句子即可不倒装：

① Not a soul was to be seen.

一个人也看不见。

② Not that I know of.

就我所知不是这样。

第二十章　标点符号

20·1　概说

标点符号是书面语中一系列表停顿、节奏和语调的符号，用以表示句子或句子成分的隔离或特指。如：

（1）You spend all your money on beer and then complain about being poor，but you can't expect to have your cake and eat it too，you know.

你把钱都买啤酒喝了，于是就叫穷，但你要知道，钱和啤酒是二者不可得兼的。（句中两个逗号起隔离的作用，can't 中的"'"特指省字）

（2）The dark days are drawing to an end. Soon it will be spring once more.

黑暗的日子正在结束。春天又将来临。（句号在两句之间起隔离作用）

（3）What delightful weather we are having!

我们这里现在的气候真好啊！（感叹号特指惊讶或赞赏）

英语中常用的标点符号有：

句　号	（period）	.
逗　号	（comma）	,
冒　号	（colon）	:
分　号	（semi-colon）	;
问　号	（question mark）	?
感叹号	（exclamation mark）	!
破折号	（dash）	—
引　号	（quotation marks）	" "或 ' '
连字符	（hyphen）	-
省字符		'

英语的标点符号与汉语的标点符号有很多相同之处；但亦有一些区别。如下：

1）英语句号须用实点"."，汉语则常用一小圆圈"。"。

2）英语里有省字符"'"，汉语则没有。

　　3）汉语有书名号《　》，如《新英汉词典》，英语则没有。英语表书名常用每一个词的第一个字母大写的方式，如 A New English-Chinese Dictionary，在文中常用斜体字表示。

　　4）汉语还有顿号，英语也没有。

　　［注］英语标点符号除上述十种外，还有删节号（一般为...）、括号（()、[]、〈〉、{ } 等）、斜线（/或\）、星号（＊）、代字号（～）、脱字号（∧）、小记号（∨）、斜十字（×）、斜体字以及字下划线等。

　　在英语句子末尾，可用句号、问号或感叹号。在陈述句的末尾一般用句号。如：

　　（4）The party was in celebration of Mother's silver wedding.

　　　　这次聚会是为纪念母亲的银婚而举行的。

　　疑问句的末尾一般用问号。如：

　　（5）Do you expect him back tonight？

　　　　你指望他今晚会回来吗？

　　感叹句的末尾常用感叹号。如：

　　（6）How blue the sky is！

　　　　天真蓝啊！

　　祈使句的末尾可用句号，也可以用感叹号。如：

　　（7）Don't cry.

　　　　不要哭。（用句号）

　　（8）Look out！

　　　　小心！（用感叹号）

　　在句子当中可用逗号、分号、冒号、破折号、引号等。如：

　　（9）She wants bread，meat，milk，sugar and tomatoes.

　　　　她要买面包、肉、牛奶、糖和番茄。（句中用逗号）

　　（10）He will return from Houston；his sister will stay another month.

　　　　他将从休斯敦回来；他姐姐还要再待一个月。（句中用分号）

　　（11）The agreement provides for the delivery of the following raw materials：cotton，wool，jute，and others.

　　　　协议规定提供下列原料：棉花、羊毛、黄麻等等。（句中用冒号）

（12）My mother told me — this was twenty years ago —
that I should marry someone rich.

我的母亲曾告诉我——这已是 20 年前的事了——我
应该嫁一个有钱的人。（句中用破折号）

（13）The sentry shouted，"Halt!"

哨兵喊道，"站住!"（句中用引号）

20·2 句号的用法

句号用在一句子的末尾，表示一句话说完后的停顿。句号不但
用于陈述句，亦可用于祈使句、感叹句以至疑问句。如：

（1）He has only been there two or three times.

他只去过那儿两三次。（陈述句）

（2）Put the dictionary on the shelf.

把字典放在书架上。（祈使句）

（3）How things get around! Everyone must know you are
in town.

消息传得多快!人们一定都知道你到城里来了。（第一
句是感叹句，其末尾是句号）

句号也可用于不需要对方回答的疑问句。如：

（4）Will you weigh it，please.

请你称一称它。（表请求）

一些缩略词须用省略句号。如：

kg.	千克
c.c.（或 cc.）	立方厘米
a.m.	上午
n.	名词
pron.	代名词
conj.	连词
i.e.	即
etc.	等等
No.	第……
Mr.	先生（亦可不用句号）
Mrs.	太太（亦可不用句号）

［注］在当代英语里，有些指集体的缩略词常不用省略句号，如：

UN　　联合国

USA　　美国

UK　　联合王国

CPC　　中国共产党

20.3　逗号的用法

逗号表示很短的停顿，其用法可分为：

1）用于并列词语之间，连词之前用不用逗号均可。如：

（1）There are many theatres, museums, and libraries in Paris.

巴黎有许多剧院、博物馆和图书馆。（逗号用于并列名词之间）

（2）He was a weak, small, spare old man.

他是一位瘦小体弱的老人。（逗号用于并列形容词之间）

（3）Bill saluted, turned, and went out.

比尔敬礼，转身，走了出去。（逗号用于并列动词之间）

（4）He should, or rather must, attend better to his studies.

他应该，更正确地说，必须更加注意自己的学业。（逗号用于两个并列的情态动词之间，or rather 之前须用逗号）

（5）Young Jolyon, his wife, his two children, and his dog Balthasar, were out there under a pear-tree.

小乔利安，他的妻子，他的两个孩子，以及他的狗巴尔萨莎尔，都在外面的梨树下。（逗号用于并列的短语之间）

2）用于描述性定语之前。如：

（6）The ground was covered with crocuses, yellow, violet, white.

地上覆盖着藏红花，有黄色的，紫色的，白色的。（描述性定语是形容词）

（7）The meeting, attended by over five thousand people, welcomed the Chinese delegation.

他们集会欢迎了中国代表团，到会的有 5 千多人。（描述性定语是一过去分词短语，前后都有逗号）

（8）The servant led me through a passage into a room, in there was a fire.

仆人领我经过一个通道进入一个房间，房间里生着火。（描述性定语是一从句）

3）用于同位语之前。如：

（9）She was dressed in grey, the colour of a pigeon's feathers.

她一身灰色，即鸽毛色。

（10）We, his students, listened eagerly, busily taking down his words.

我们作为他的学生都认真听讲，不停地把他的话记下来。

[注] 在图书索引中，姓与名之间常须用逗号。如：

Shaw, George Bernard 1856—1950　萧伯纳（1856—1950）
Twain, Mark 1835—1910　马克·吐温（1835—1910）

4）用于某些主语补语之前或之后。如：

（11）He turned a little, so that he could see her better; then he began to watch her, fascinated.

他微微转身，以便能对她看得更清楚一些；接着他就开始盯着她看，他被迷住了。（主语补语 fascinated 前有逗号）

（12）Jubilant, he broke out the bottle of champagne.

他非常高兴，就打开了那瓶香槟酒。（主语补语 jubilant 后有逗号）

5）用于某些用作状语的词语之前或之后。如：

（13）"What is it?" whispered Edith, fearfully.

"出什么事啦？"伊迪丝低声说道，她感到害怕。（状语 fearfully 之前有逗号）

（14）The next day, late in the evening, Charles was killed by a group of white men.

第二天深夜，查尔斯被一伙白人杀害了。（the next day 与 late in the evening 是用作状语的两个短语，第一个短语之后有逗号，第二个短语之后也有逗号）

（15）She's far too considerate, if I may say so.

她太体贴人了，如果我可以这样说的话。（if 引导的状

语从句位于句末，其前有逗号）

(16) He swore, come what would, he would never strike again.

他发誓，无论如何，再也不打人了。（让步状语从句 come what would 的前后皆有逗号）

6）用于置于句首的直接引语之后。如：

(17) "Yes, yes, I'll bear it in mind," said Mr Wakam hastily.

"是，是，我会把它牢记在心的，"韦克姆先生急忙说。

(18) "Well, really," cried Hanse, "It is very kind of you to ask."

"啊，真是，"汉斯高声说道，"谢谢你问我好。"（这里直接引语被分为两部分，第一部分之后须用逗号）

7）用于两个分句之间。如：

(19) We're here anyway, and that's luck.

不管怎样我们终于到这里了，真是幸运。（连词 and 之前有逗号）

(20) The hero is dead, but his name still lives.

英雄虽死犹生。（连词 but 前有逗号）

有时两个分句之间，亦可不用连词。如：

(22) Some persons like to eat radishes, others prefer cabbages.

有人喜欢吃小萝卜，有人则喜欢吃洋白菜。

[注] 两个分句较短或关系较密切时则可不用逗号。如：

① Law is one thing and right is another.

法律是一回事，公理是另一回事。

② Please come for I am ill and must see you.

请来吧，因为我病了，必须见你。

8）用于独立成分之前或之后。如：

(23) *Comrades*, I love you.

同志们，我爱你们。（演说开头所用的 comrades, friends, ladies and gentlemen 等之后亦常用逗号，与汉语常用冒号不同）

(24) *Hey,* where's the tickets?

嗨，票在哪儿？

(25) **What was worse,** we had no watch or clock.

更糟的是，我们没有表也没有钟。

(26) Hello, **Bill.**

你好，比尔。

(27) Crocodiles, **in fact,** do not particularly like human flesh.

鳄鱼事实上并不特别喜欢人肉。

［注一］ 在较长的主语之后有人也用逗号，如 Workers of the Baiyin City Knitting Mill in Northwest China's Gansu Province, are manufacturing children's knitwear（中国西北甘肃省的白银市编织工厂的工人们正在编织儿童服装）。

［注二］ 书信末尾的 Yours sincerely（多用于英国）或 Sincerely yours（多用于美国）之后须用逗号。逗号还常用于日期和地址。如：

October 1, 1949   1949年10月1日

25 Suzhou Street, Beijing, China   中国北京苏州街25号

20·4　冒号的用法

冒号表示的停顿较逗号长，所表示的关系较分号密切。它常用于列举事物。如：

(1) She came to hate the endless chores that swallowed her time: washing dishes, making beds, scrubbing floors.

她逐渐讨厌这些没完没了的把她的时间都消磨了的家务：洗碗、铺床、擦地板。

(2) Four of the first five presidents of the United States were Virginians: Washington, Jefferson, Madison, Monroe.

美国最早的五位总统中有四位是弗吉尼亚州的人：华盛顿、杰斐逊、麦迪逊、门罗。

冒号亦常用来解释前文。如：

(3) That man is dishonest: he lies and cheats.

那个人不老实，他说谎骗人。

(4) The upper floor contained the bedrooms: each one was beautifully furnished, with a hand-basin for washing, and both hot and cold running water.

楼上有卧室：每一间卧室都有很漂亮的家具，还有洗手

盆和冷热自来水。

冒号在正式文体中可用在引述动词之后。如：

（5）Parchen said in recognizable English："Good evening，sir."

帕钦用所懂得的英语说："晚上好，先生。"

（6）Then addressing me，she said，with enforced calmness："My son is ill."

她然后对着我，强作镇静地说："我儿子病了。"

冒号可以表示各种逻辑上的关系。如：

（7）I went to bed early：the long journey had tired me.

我睡得很早，走了那么长的路累了。（表因果关系）

（8）Columbus discovered a string of islands：he did not discover the American Continent.

哥伦布发现了一列岛屿，他并未发现美洲大陆。（表反意）

（9）Those who lead must be considerate：those who follow must be responsive.

领导应体贴部下，部下应响应领导。（表对照）

[注] 用阿拉伯数码表几点几分等时可用冒号（亦可用句号）。如

7:30　　7 点 30 分（多用于美国）

7.30　　7 点 30 分（多用于英国）

20.5　分号的用法

分号表示的停顿亦较逗号长，但一般似不及冒号长。分号常用在两个关系较为密切的分句之间。如：

（1）Don't touch it ; it's hot .

不要动它；它很烫。

（2）This is lovely；how can I ever thank you enough?

这东西真漂亮，我不知道怎样感谢你为好。

（3）The moon went down；the stars grew pale.

月儿落了，星星也变得暗淡了。

分号常可用在被列举的事物的名称之后。如：

（4）The breakfast menu consisted of fruit juice or cereal；a boiled，fried，or poached egg；toast and marmalade；and a pot of tea or coffee.

早饭菜单上有水果汁或麦片；一个煮的或煎的或荷包的

鸡蛋；面包和桔子酱；以及一壶茶或咖啡。

分号常用以代替冒号。如：

（5）In one respect, government policy has been firmly decided; that is, there will be no conscription.

在一点上，政府的政策是坚定不移的，就是不会征兵。（第二分句解释第一分句）

（6）One moment he was friendly, even warm; the next he was coldly indifferent.

他时而友好甚至热情，时而冷漠无情。（表示反意）

20·6　问号的用法

问号一般用于提问，置于疑问句之后。如：

（1）Who broke the glass?

谁把玻璃杯打碎了？

（2）Have you read much?

你读书多吗？

（3）You don't think we have lost our way, do you?

你不认为我们迷路了，对吗？

（4）Is she in town or has she gone to the country?

她在城里还是去乡下了？

陈述句亦可用问号。如：

（5）You're looking for a car, sir?

你要车吗，先生？

（6）You are going?

你要走吗？（表惊讶）

20·7　感叹号的用法

感叹号是表示喜怒哀乐等强烈感情的符号，常置于感叹句的末尾。如：

（1）How glad I am to see you!

我见到你真高兴啊！

（2）What a fine building!

多么漂亮的一幢房子！

感叹号可用于呼吁。如：

（3）Fire!

失火了！

（4）Thief! Thief!

　　　　有贼!有贼!

感叹号可用于祈使句。如:

（5）Polly! Don't leave me!

　　　　波利!可不要离开我呀!

（6）Stop probing!

　　　　不要盘根问底了!

感叹号可用于陈述句。如:

（7）Polly's heart sank. She knew whose telegram that
　　　was!

　　　　波利的心往下一沉。她知道那是谁的电报!

（8）Oh, I'm sorry!

　　　　噢,对不起!

感叹号亦可用于疑问句形式。如:

（9）My, have you grown!

　　　　啊呀,你长得多高呀!

（10）But he is a gentleman, isn't he!

　　　　然而他却是一位君子,不是吗!

感叹号亦可用于倒装句。如:

（11）Bang went the gun!

　　　　炮轰地一声响了!

[注] 感叹号亦可用于一单词之后,如 However disagreable (sic!) this
solution may be, it is our only hope (这项解决办法不管是如何不合
意,现已是我们唯一的希望了)。(sic! 的意思是"原文如此",在此
指拼写错误的 disagreable)

20·8　破折号的用法

破折号用以表示思想上突然的中断或转移。如:

（1）I assure you that ! — but you wouldn't understand.

　　　　我向你保证我——可你不会理解的。(表思想的突然
　　　中断)

（2）I believed she was wise — well, she was I suppose
　　　— in a way.

　　　　我相信她有几分明智——噢,我料想她如此。(表思想
　　　的转移)

有时破折号与括号相似,但不像括号那样正式。如:

（3）Mary comes every week — on Tuesdays — to help with the laundry.

玛丽每个星期——每星期二——都来帮助洗衣服。

破折号常用以表示句子未完。如：

（4）"But — " she stopped short.

"可是——"她突然停住了。

破折号有时表示附加或补充。如：

（5）She was seventeen then — a beautiful young creature.

她那时 17 岁——一个年轻貌美的姑娘。

有时像是解释前文。如：

（6）I was neither happy nor unhappy — only amazed.

我不是高兴也不是不高兴——只是感到惊奇。

破折号有时相当于冒号，但不像冒号那样正式。如：

（7）He has only one interest —music.

他只有一样兴趣——音乐。

[注] 较短的破折号可代表"从……到……"。如：

9 a.m. — 5 p.m.　上午 9 点到下午 5 点

February 15 — March 15　2 月 15 日—3 月 15 日

1921—1949　1921 年至 1949 年

pp 221—235（或221—35）第 221 页至第 235 页

20.9　引号的用法

引号常用以表示文中的直接引语。如：

（1）"I've been thinking about this afternoon, you know," said Halliday rather suddenly.

"我在想今天下午的事，你知道，"哈利迪很突然地说。

（2）"These," said Eden, taking some sheets of paper clipped together, "are some things I wrote in Italy."

"这些，"伊登拿着夹在一起的几张纸说，"是我用意大利语写的一些东西。"

引号也可用于单词或短语。如：

（3）How do you spell the word "across"?

across 一词如何拼写？

不寻常的词语也常用引号，以引人注意。如：

（4）The noun to which a relative pronoun refers is called

the "antecedent" of the pronoun.

　　关系代词所指代的名词唤作关系代词的"先行词"。

　　书名及诗文名也往往用引号。如：

　　（5）Have you read, "The Jungle"?

　　　　你读过《屠场》吗?

　　除双引号外，还有一种单引号。这两种引号，没有什么区别，用哪一种都可以。但双引号更为通行。单引号似多用在英国。但引号中如再用引号，则不可二者雷同，换言之，外引号如是双引号，内引号则须用单引号，反之亦然。如：

　　（6）"I heard 'keep out' being shouted，" he said.

　　　　"我听到有人在喊'不要进来'，"他说道。

　　（7）'I heard "keep out" being shouted,' he said.

［注一］在对话中（如剧本中的对话）可不用引号。

［注二］如有一个以上段落的引语，引号只用于各个段落的开头和最末一个段落的末尾。除最末段落外，其余各段落的末尾皆不用引号。

［注三］在直接引语中，其标点皆置于引号之内。但在其它情况下，标点可置于引号之内或引号之外。英国多将标点置于引号之外，美国则多将标点置于引号之内。如：

　　① She enjoyed the film 'Madame Curie'.

　　　她很欣赏影片《居里夫人》。（英国习惯）

　　② She enjoyed the film "Madame Curie."（美国习惯）

20·10　连字符的用法

　　连字符常用在一些复合词中。如：

　　　　tea-break　　上午或下午吃茶点的休息时间

　　　　green-house　温室（如无连字符则意谓"绿色的房子）

　　　　get-together 聚会（如无连字符则变为动词短语）

　　　　father-in-law 岳父

　　　　twenty-five　25

　　　　H-bomb　　　氢弹

　　连字符也常用在一些单词的前缀之后。如：

　　　　by-product　副产品

　　　　ex-soldier　退伍军人

　　　　mid-autumn　中秋的

　　　　post-war　　战后的

　　连字符也可用以表示元音的延长或结巴时音的重复。如：

（1）"He-e-elp！" she cried.

"救——命——哟！" 她高声喊道。（元音的延长）

（2）"P-p-please t-t-try，" his teeth chattered through fear and cold.

"请——请——请试——试——一试，" 他由于害怕和寒冷震颤着牙齿说道。（结巴）

连字符还可用于移行。即当一个较长的词在一行之末需要断开时，先须在该行之末加一连字符，然后在下一行的开头将该词书写或排印完毕。

20·11　省字符的用法

省字符常用来表示有生命的名词的属格。如：

children's language　儿童的语言

Thomas's umbrella　汤马斯的雨伞

无生命的事物一般不可用省字符表示所有，但有例外。如：

an hour's wait　一小时的等待

a stone's throw　一石之遥

省字符也可用于某些不定代词表所有格。如：

anybody's guess　谁也拿不准的事

somebody's mistake　某一个人的错误

省字符当然常表单词的缩略。如：

don't　不

can't　不能

haven't　没有

I'm　我是

you're　你是

let's　让我们

o'clock　点钟

还有诗歌中的 e'er（＝ever），o'er（＝over）等。字母与数字的复数形式亦常用省字符。如：

（1）There are two u's in that word.

那个词中有两个字母 u。

（2）There are three 3's in this number.

这个数字中有三个 3。

单词亦可借助省字符表复数形式。如：

（3）Too many and's suggest immaturity of style.

and 一词用得太多说明文体还不成熟。

表年代的数字亦可用略字符，如 1989 可缩略为 '89。

20·12 其它标点符号的用法

（1） The day before one of my midterm history exams，I still hadn't found time to read the first book on the reading list. (That，of course，is a very common disease at Harvard.)

在期中历史考试的前一天，我还未曾找出时间阅读书单上的第一本书哩。(这当然是哈佛的一种通病。)(用圆括号表示附加或补充)

（2） I prefer the gray suit because (1) it is made of material that will not wrinkle easily and (2) it is conservative in color and pattern.

我选择灰色服装，因为 (1) 其料不易有皱褶，(2) 其颜色和式样也朴素。(圆括号用以表数码)

（3） The President (who is arriving today) has been ill.

总统(今日到达)刚生过病。(圆括号用以表一非限制定语从句)

（4） Don't eat too many dairy foods (milk，butter and cheese).

不要吃太多的奶制品(牛奶、牛油和奶酪)。(圆括号用以列举事物，用冒号则比较正式)

（5） My esteemed colleague ［Senator Cook］ has misinterpreted my remarks.

我的尊敬的同僚［参议员库克］误解了我的话。(方括号用以表示解释或说明)

（6） There is a man at the door ［，he］ wants to see you.

有一个人在门口想要见你。(方括号表示省略)

（7） There are quite a lot of letters here... even a telegram.

这里有很多信件……还有一份电报。(删节号表示省略或删节)

（8） The author of *Syntax* is George Curme.

《句法》的作者是乔治·寇姆。(书名用斜体)

（9） His slightest *jeu d'esprit* was impressive.

他即使说一点点妙语也会给人以深刻的印象。（外来语用斜体，jeu d'esprit 来自法语）

(10) You are **the** very person I want to see.

你正是我想见的那个人。（斜体表强调）

(11) the academic year 1987/8　1987—1988 学年（斜线表"至"）

c/o（读作 care of ）　　（信封上的）转

workers and/or staff　工人和/或职员（全体）（斜线表"或"）

1/10/1949　1949 年 10 月 1 日（斜线表日期）

/ə/（双斜线表其中的音标）

其它如括号〈 〉和 { }、星号 ＊、代字号～等皆可在书中找到，这里就不再举例了。脱字号＾、小记号 v 以及字下划线等符号多用于手稿中，这里也恕不举例了。

主要参考书目

A. J. Thomson and A. V. Martinett *A Practical English Crammar* (1980)

A. S. Hornby: *A Guide to Pattern and Usage in English*

C. E. Eckersley and J. M. Eckersley: *A Comprehensive English Grammar* (1960)

C. T. Onions: *An Advanced English Syntax* (1924)

E. Kruisinga : *A Handbook of Present-Day English* (1931)

F. R. Palmer: *A Linguistic Study of the English Verb* (1965)

F. R. Palmer: *Grammar* (1971)

F. T. Wood: *Current English Usage* (1981)

Geoffrey N. Leech: *Meaning and the English Verb* (1971)

George O. Curme: *Syntax* (1931)

G. L. Kittredge and F. E. Farley: *An Advanced English Grammar* (1913)

H. E. Palmer and F. G. Blandford: *A Grammar of Spoken English* (1939)

H. Poutsma : *A Grammar of Late Modern English* (1926—1929)

H. Sweet: *A New English Grammar* (1891—1898)

J. Millington-Ward: *The Use of Tenses in English* (1954)

Knud Schibsbye: *A Modern English Grammar* (1979)

M. Frank: *Modern English* (1972)

M. Swan: *Practical English Usage* (1980)

O. Jespersen: *A Modern English Grammar* (1909—1949)

P. Christophersen: *The Articles* (1939)

P. S. Tregidgo: *Practical English Usage* (1962)

R. A. Close: *English as a Foreign Language* (1962)

R. Quirk et al: *A Comprehensive Grammar of the English Language* (1985)

R. W. Zandvoort: *A Handbook of English Grammar* (1957)

W. S. Allen: *Living English Structure* (1955)

M. A. Ganshina and N. M. Vasilevskaya : *English Grammar* (1964)

E. M. Gordon and I. P. Krylova : *A Grammar of Present-day English* (1980)